Valentine

Valentine

cofiant i Lewis Valentine

Arwel Vittle

Hawlfraint y Lluniau

Lluniau myfyrwyr Coleg Prifysgol Bangor 1921, Lewis Valentine yn Llandudno 1923, Pwyllgor Gwaith y Blaid Genedlaethol yn Llangollen 1928, Lewis Valentine yn areithio yn Eisteddfod Llandudno 1963, a Lewis Valentine gyda Ffred Ffransis, Gwilym R. Jones ac eraill yn Llanelwy 1971 trwy ganiatâd Llyfrgell Genedlaethol Cymru.

Lluniau Eglwys Gadeiriol Albert yn y Rhyfel Mawr a chludwyr stretsier ym mrwydr Passchendaele trwy ganiatâd yr Imperial War Museum.

Argraffiad cyntaf: 2006

Dymuna'r cyhoeddwyr gydnabod cymorth ariannol Cyngor Llyfrau Cymru

Cynllun y clawr: Y Lolfa

Rhif Llyfr Rhyngwladol: 0 86243 929 9
ISBN-13 9780862439293

Cyhoeddwyd yng Nghymru
ac argraffwyd ar bapur di-asid
gan Y Lolfa Cyf., Talybont, Ceredigion SY24 5AP
gwefan www.ylolfa.com
e-bost ylolfa@ylolfa.com
ffôn 01970 832 304
ffacs 832 782

Cynnwys

Diolchiadau

Yr wyf yn ddyledus i nifer fawr o bobl a gyfrannodd yn hael o'u hamser a'u hatgofion i'm cynorthwyo yn y gwaith o lunio'r llyfr hwn. Carwn ddiolch yn bennaf i Mrs Gweirrul Hughes am ganiatáu i mi ddyfynnu o ohebiaeth ac erthyglau ei thad ac i weddill aelodau'r teulu, yn enwedig fy mam a 'nhad, am eu cymorth parod.

Hoffwn ddiolch yn arbennig i'r diweddar Barch. Idwal Wynne Jones am ei haelioni a'i gefnogaeth yn benthyg rhwymiad cyflawn i mi o'r *Deyrnas*, cylchgrawn y Tabernacl, Llandudno. Rwyf hefyd yn ddyledus iawn i'r canlynol am eu cymorth: John Tudor Davies, Myrddin Davies, Caren Eaglen, y Parch. Emlyn John, y Parch. Derwyn Morris Jones, Einwen Jones, Emyr Prys Jones, Mair Saunders Jones, W S Jones, John Hughes, T. Robin Chapman, yr Athro Dafydd Densil Morgan, y Prifardd James Nicholas, Robat Trefor, y Parch. Cynwil Williams, Gwilym Williams a'r Parch. John Young. Rhoddodd y Parch. Maurice Loader hefyd esboniad trylwyr i mi o gefndir ieithyddol, Beiblaidd a diwinyddol y gerdd 'El Mistater'.

Bu'r Parch. John Rice Rowlands mor garedig â bwrw golwg fanwl dros y gwaith ac rwyf yn ei ddyled yn fawr am dynnu fy sylw at wallau mawr a mân. Diolch i Alun Jones, golygydd Gwasg y Lolfa, am ddarllen y gwaith ac awgrymu gwelliannau, i'r Dr John Davies am wirio cywirdeb ffeithiau hanesyddol y gyfrol ac i Dewi Morris Jones am gywiro'r proflenni mor drylwyr. Diolch yn benodol i Robat a Lefi Gruffudd am eu ffydd a'u cefnogaeth, ac mae'n deg dweud na fyddai'r llyfr hwn wedi gweld golau ddydd o gwbl oni bai am eu hanogaeth hwy. Diolch yn arbennig i Nia, ac i Fflur, Arddun ac Aeddan am eu cwmni difyr ar hyd yr adeg. Dylwn bwysleisio yma, er mai cywaith o fath yw pob llyfr – ac nid yw'r gyfrol hon yn eithriad i hynny – yn y pen draw fy nghyfrifoldeb i yw unrhyw gamgymeriadau neu wallau testunol, ac yn yr un modd fy eiddo i yw unrhyw farn bersonol a fynegir.

Wrth i mi dynnu at y terfyn gyda'r llyfr hwn ym mis Ionawr eleni bu farw Dafydd Arthur Jones, Penrhosgarnedd. Roedd marwolaeth gynamserol Dafydd yn ergyd lem i'w deulu a'i gyfeillion. Bu ei gyfeillgarwch a'i ffraethineb yn galondid i mi ers chwe blynedd ar hugain, ac roedd ei ddiddordeb a'i anogaeth yn y llyfr hwn yn ysgogiad cyson i ddyfalbarhau a chwblhau'r gwaith. Hoffwn gyflwyno'r gyfrol hon er cof amdano.

Medi 2006

Pennod 1

Rhagymadrodd

Cof plentyn yw fy atgofion pennaf ohono. Deuai ar ymweliad aml â'n cartref yn y chwedegau ar deithiau pregethu neu i bwyllgorau enwad y Bedyddwyr yn y de. Roedd yn frawd i'm nain ac fe wnâi bwynt o daro heibio, gan aros noson yn amlach na heb.

Ni fyddai byth yn rhy fawreddog neu lawn ohono'i hun i sgwrsio â phlant – hyd yn oed pan fyddai ar ganol trafod rhyw bynciau enwadol dwys gyda Nhad – ac roedd ganddo'r presenoldeb ynghyd â llais cyfareddol i fynnu ein sylw yn y lle cyntaf. Cawr o ran corffolaeth ydoedd, ac roedd ei gymeriad hoffus yn ychwanegu at ei statws yn ein golwg. Bob tro y deuai ar ymweliad byddai rhyw 'wddw tost' annelwig ac anesboniadwy yn fy nharo, a byddai'n rhaid i mi aros gartref o'r ysgol am y diwrnod. Wrth gwrs doedd a wnelo hynny ddim â'r cyfle i glywed rhagor o'i straeon am ei gyfaill mynwesol Brenin y Tylwyth Teg (oedd yn digwydd byw mewn ogof yng Nghraig y Forwyn, uwchben pentref Llanddulas), neu i'w holi'n dwll am fywyd yn ffosydd y Rhyfel Mawr.

Ers cyn cof, yr argraff a gefais ar yr aelwyd oedd bod 'Lew' wedi gwneud rhywbeth arbennig dros achos Cymru. Wrth i mi dyfu'n hŷn a chael gwybod mwy o'i hanes daeth yn amlwg nad o fewn y teulu'n unig yr oedd parch mawr iddo; yr oedd toreth o bobl yn ei edmygu am ei egwyddorion a'i safiad. Bu gennyf chwilfrydedd erioed i wybod mwy am y dyn y tu ôl i'r gor-ewythr hawddgar a'r eicon Cenedlaethol ac Anghydffurfiol. Ymgais yw'r gyfrol hon, felly, ugain mlynedd wedi ei farw a deng mlynedd a thrigain wedi'r Tân yn Llŷn, i olrhain stori bywyd Lewis Valentine a chanfod y dylanwadau ffurfiannol arno a'i harweiniodd i Benyberth a throeon yr yrfa yn ei fywyd wedi hynny.

Oherwydd y cyswllt teuluol, a hefyd gan nad yw'r frwydr y bu Valentine yn gymaint rhan ohoni i ddiogelu dyfodol Cymru a'r Gymraeg ar ben, tasg amhosibl fyddai i mi lunio bywgraffiad cwbl ddiduedd. Wedi dweud hynny, nid fy mwriad oedd llunio hagiograffiad; byddai hynny'n syrffedus i'r awdur a'r darllenydd fel ei gilydd. Mae'n debyg mai gwreiddiau Eidaleg sydd i'r term *partisan*; dywedir ei fod yn tarddu o'r gair *partisana*, sy'n golygu 'cefnogwr' neu 'rhywun sy'n bleidiol i rywbeth neu rywun'. O fewn y diffiniad hwnnw, felly, gwaith *partisan* yw'r gyfrol hon, sef llyfr 'o blaid y gwrthrych', sy'n cydymdeimlo â safbwyntiau a daliadau sylfaenol Valentine ond heb o reidrwydd gytuno â hwynt bob tro.

Dynion meidrol o gig a gwaed oedd tri Penyberth, gyda rhinweddau a gwendidau meidrol. Fel y dywedodd Saunders Lewis mewn erthygl yn talu teyrnged i Valentine yn *Seren Cymru* yn 1971: "Ai sôn a ddylwn i am yr ysgol fomio yn Llŷn ac am Wormwood Scrubs? Ond ei barch i Gymru, ac i'w gyd-Gymry a ddug Mr Valentine i'r argyfwng hwnnw, ac yr oedd hynny'n gyson â'i holl ymddygiad at ei bobl yn ei eglwys a'i enwad a'i wlad. Ar y pryd bu sôn hyd at ein syrffedu am y tri gwron. Nid gwroniaid mohonynt un dim ond dynion wedi eu dal gan ddyletswydd a heb fedru ei gwadu."

Wrth fynd ati i ysgrifennu llyfr fel hwn mae gofyn pori a chribinio gofalus yn yr archifau a'r ffynonellau, ac yna gwneud eich gorau i lunio portread cywir allan o'r dystiolaeth. Er hynny, ni chaiff yr ymchwilydd dyfal fyth mo'r darlun cyflawn; hyd yn oed ar ôl cynnwys yr holl wybodaeth sydd ar gael mae'n dal yn ofynnol i'r awdur greu rhywbeth o'i ddychymyg. Mae'n ofynnol dychmygu byd y gwrthrych, sut roedd pethau'n ymddangos iddo ar y pryd, sut roedd yn meddwl a theimlo a beth ydoedd effaith pobl a digwyddiadau arno. Felly, un fersiwn o stori bywyd Lewis Valentine a geir yma, gan ddilyn ei lwybr o Landdulas i ffosydd Fflandrys, o Goleg Bangor i Benyberth, o Landudno i'r Rhos ac yn ôl i ardal ei febyd. Un fersiwn o'i stori ydyw a fydd, gobeithio, yn taflu goleuni ar y dylanwadau crefyddol, gwleidyddol a phersonol a ffurfiodd ei gymeriad, yr argyhoeddiadau a'r egwyddorion, a throeon yr yrfa a'i harweiniodd i weithredu fel y gwnaeth.

Er inni gyfnewid pwt o lythyr yn awr ac yn y man, un tro yn unig y gwelais ef wedi i mi dyfu'n oedolyn, a hynny pan oeddwn ar fy mlwyddyn gyntaf fel myfyriwr yn y coleg ym Mangor. Euthum draw i Hen Golwyn ar y bws un diwrnod yng ngwanwyn 1980. Er ei fod yn 87 mlwydd oed yr oedd yn hawdd ei weld ynghanol siopwyr y dref wrth i'r bws ddynesu. Roedd arwyddion ei fod wedi torri ers y tro diwethaf i mi ei weld, ond roedd yn dal i sefyll yn dalsyth ac yn ffigwr trawiadol ymysg gweddill y bobl oedd yn sefyllian wrth yr arhosfan bws.

Trefnwyd i ni fynd am ginio mewn caffi cyfagos, ond cyn hynny rhaid oedd mynd yn unswydd i'r llyfrgell er mwyn cael cipolwg ar y rhifyn diweddaraf o *Barn*, a hynny yn bennaf am fod llun o'r cenedlaetholwr Gwyddelig Padraig Pearse ac erthyglau y tu mewn yn trafod hanes gwrthryfel y Pasg yn 1916. Gwnaeth bwynt o dynnu fy sylw at lun yr arwr ar y clawr. "Dyna i ti ddyn mawr," meddai.

Wrth sgwrsio yn y caffi, sylwais fod ei law'n crynu'n ddrwg; gwyddwn mai effaith yr anafiadau shrapnel a ddioddefodd yn y Rhyfel Mawr oedd achos y cryndod, ond yr oedd fel pe bai wedi gwaethygu ers y tro diwethaf i mi ei weld rhyw bump neu chwe blynedd ynghynt. Dros ginio dechreuodd fy holi am fywyd cymdeithasol ac academaidd y coleg. Yna gofynnodd: "Lle mae dy dafod di?" Nid cyfeirio at fy nhawedogrwydd ydoedd, serch hynny, ond at ddiffyg bathodyn Tafod y Ddraig ar fy nghrys. Gwisgai ei Dafod y Ddraig ef ar ei dei.

Ar ôl cinio, cerdded yr allt i Ffordd Meiriadog a dringo'r grisiau wedyn i'r llofft lle roedd ei stydi. Treuliwyd y prynhawn yn trafod bywyd coleg wedi'r Rhyfel Byd Cyntaf, dyddiau cynnar y Blaid, dylanwad Saunders arno a chynnwys ei silff lyfrau fechan. Yno, uwch ein pennau, yn cael y lle amlycaf yr oedd dramâu Saunders Lewis, *Seiliau Beirniadaeth* John Gwilym Jones (un o'i gyfoedion yn y dauddegau yn Llandudno), ac *Ac Onide*, cyfrol J R Jones. Yna, ar ôl orig ddifyr, i lawr â ni o'r oruwchystafell, gan fod Margaret ei wraig wedi paratoi te bychan i ni.

Wrth iddi nosi mynnodd fy hebrwng i lawr at y lle bysiau, a gwasgu papur pumpunt i'm llaw gan orchymyn i mi ei wario fel y mynnwn, cyn ychwanegu'n gellweirus ei fod yn gwybod yn iawn am syched annirwestol myfyrwyr Bangor!

Darlun rhamantus neu beidio, fy nghof olaf ohono wrth i'r bws gychwyn yn ôl am Fangor oedd edrych allan o'r ffenestr a gweld y ffigwr tal yn codi llaw arnaf cyn dechrau tramwyo i fyny'r allt yn y gwyll tuag adref.

Pennod 2

Gardd Baradwys

Ar wahân i brydferthwch digymar yr ardal yr oedd yno gymdeithas dirion a gwâr, oedd hyd ddechrau'r ganrif hon wedi para'r un fath heb fawr o newid ers cenedlaethau. Ar ben hynny cefais fy ngeni i deulu na fu ei ddedwyddach, a chefais dad a mam na fu eu hawddgarach. Ie wir, mewn gardd Baradwys y bu fy ngwreiddiau innau.

Lewis Valentine, mewn cyfweliad yn 1968[1]

Rhyw bentref brysio-heibio-iddo yw Llanddulas heddiw. Mae'n gorwedd ychydig i'r gorllewin o Abergele ar lannau'r gogledd ar ochr ffordd gyflym yr A55. Nid oes lawer i ddenu sylw'r teithiwr, boed yn Gymry yn gwibio ar drip siopa i Gaer neu'n Saeson yn mudo i Ynys Môn a Gwynedd. O graffu'n agosach fe wêl y teithiwr "ffoli" Castell Gwrych, ffolineb arall y *chalets* gwyliau sy'n britho ochr y mynydd, ac addewid y Dulas Arms ar fin y ffordd bod "Drink + Food = Hwyl". Ond os trowch i mewn a mynd heibio'r caffi *Little Chef* a'r stadau tai ffug-Duduraidd a dilyn y lôn i gyfeiriad Rhyd-y-foel cewch syniad o'r hen bentref.

Mae golygfa odidog i'w gweld o ddringo rhai o'r creigiau gerllaw Dyffryn Dulas, o Ben y Corddyn uwchlaw Rhyd-y-foel, neu o Graig y Forwyn ar ochr orllewinol y dyffryn. Er bod datblygiadau diwydiant, twristiaeth a'r A55 wedi creithio'r ardal ger yr arfordir, o'r topiau gellir gweld harddwch naturiol yr ardal o hyd wrth edrych ar y bryniau, y dyffryn a'r pentir yn ysgubo i lawr i'r môr.

Pentref oedd bron yn uniaith Gymraeg, nid maestref Seisnig i Fae

Colwyn a Llandudno, oedd Llanddulas ar ddiwedd y bedwaredd ganrif ar bymtheg, gyda diwylliant byrlymus yn y capeli a'r chwarel. Ac yn y gymdeithas hon ar y cyntaf o Fehefin 1893 y ganwyd Lewis Edward, ail fab Samuel a Mary Valentine.

I blentyn, yr oedd yr ardal yn lle chwarae delfrydol, yn llawn llecynnau hudol: Pont Glanrafon, y Dolydd, Melin y Cwymp, Craig y Forwyn, brig uchel Penycefn, Pen y Corddyn Mawr a'r ffordd o Dan y Gopa am Fryn Dulas. Yr oedd yr ardal yn gyforiog o straeon a chwedlau gwerin. Mae'n debyg mai'r chwedl y tu ôl i Graig y Forwyn oedd stori am eneth fferm yn colli ei ffordd ryw noson wrth farchogaeth ceffyl tuag adref. Aeth ar goll yn y niwl a phlymiodd i'w marwolaeth oddi ar ochr y graig.

Chwaraeai'r Valentine ifanc gyda'i frodyr a'i chwiorydd y tu allan i gartref y teulu, tŷ Hillside yn rhes Clip Terfyn, wrth odre Cefn yr Ogof, gan fownsio pêl ar y stryd yn erbyn y garreg filltir neu'n gadael i'w dychymyg hedfan a chreu eu chwedloniaeth eu hunain o gwmpas yr ogofâu naturiol sydd yn britho Pen y Corddyn, Cefn yr Ogof a Chraig y Forwyn. Un o hoff olygfeydd y Lewis ifanc oedd yr un "... heibio Melin y Cwymp ac am yn hir wrth gamfa'r llindir lle bûm gynt yn stelcian oriau lawer, ac oddi yno ceir yr olygfa hyfrytaf yn y byd; gallwn oedi yno am oriau a Chlip y Terfyn yn ddarn o'r olygfa fel rhandir y Tylwyth Teg".[2] Yng Nghefn yr Ogof yr oedd Brenin y Tylwyth Teg yn trigo yn ôl y sôn, ond os oedd Cefn yr Ogof a Chraig y Forwyn yn llefydd da i ddychymyg plant, wrth iddynt dyfu'n bobl ifanc roedd y bryniau hefyd yn llecynnau poblogaidd i gariadon fynd am dro.

Ym Mryngaer Pen y Corddyn ceir tystiolaeth o bobl yn ymsefydlu yn yr ardal yn y ganrif gyntaf Oed Crist, a defnyddiai'r Rhufeiniaid hen ffyrdd yr ardal o Ben y Corddyn dros afon Dulas a thrwy Lysfaen i lawr i'r môr ym Mae Colwyn. Gelwir y tir rhwng Pen y Cefn a'r môr gan haneswyr lleol yn 'Thermopylae Cymru', gan fod yr ardal yn lleoliad brwydrau cyson rhwng y Cymry a'r Normaniaid, ond er hynny nid oes tystiolaeth gadarn o unrhyw ysgarmesoedd. Yn ôl Syr J E Lloyd yr unig beth a wyddys i sicrwydd yw bod Rhisiart II wedi bod mewn brwydr gyda

Chymry lleol ger Penmaen Rhos. Cododd cymuned o gwmpas Eglwys Sant Cynbryd, mab Brychan Brycheiniog a ferthyrwyd gan y Sacsoniaid yn ystod Oes y Seintiau. Yn yr Oesoedd Canol yr oedd Llanddulas yn rhan o'r Berfeddwlad, a Chantref Rhos. Defnyddid afon Dulas i rannu'r cantref yn ddau gwmwd, sef Cymydau Is Dulas ac Uwch Dulas. Ond ar ôl cwymp Tywysogion Gwynedd daeth o dan reolaeth Coron Lloegr yn Statud Rhuddlan 1284. Yr oedd Valentine yn ymwybodol o'r cefndir yma, gan iddo ddweud gyda balchder bod hen gartref Ednyfed Fychan ar ffiniau'r plwy, sef Bryn Ffanugl Ganol. Ednyfed Fychan, yn ôl Valentine, oedd "y 'general' mwyaf yn Ewrop yn ei ddydd a 'Distain Gwynedd' o dan Llywelyn Fawr".[3] Nodir y fan ym Marwnad Iolo Goch i Tudur Fychan, lle cyfeirir at "Ffyniant hil naf Bryn Ffanugl".[4] Gwyddai Valentine hefyd am hanes i'r "ffigwr trist hwnnw"[5] Dafydd ap Gruffydd, brawd Llywelyn ein Llyw Olaf, fod ar encil yn Hwylfa Ddafydd, sydd wrth ymyl plwyf Llanddulas.

Roedd yr ymdeimlad yma o hanes a daearyddiaeth yn arbennig o bwysig i Valentine. Er iddo gyfaddef na fu "hanes mawr i'r fro hon – ar ffiniau'r plwy y mae lleoedd hynod. Ni wn am un gwleidydd mawr – yr un llenor mawr a gododd yma"; eto i gyd "erioed i mi bu'n fro a phethau mawr wedi digwydd ynddi. Ond diogelwyd y pethau mawr syml gan gymdeithas y fro".[6]

Yn ddiweddarach tyfodd y pentref yn sgil twf y diwydiant amaeth, ac yna, oherwydd y calchfaen cyfoethog yn ardal Llanddulas a Llysfaen, tyfodd diwydiant y chwareli calchfaen. Cofnodir cloddio calchfaen yng Nghefn yr Ogof a Chraig y Forwyn gan Edward Llwyd mor gynnar â 1695, ac erbyn nawdegau'r bedwaredd ganrif ar bymtheg yr oedd tair chwarel yn y pentref, ynghyd â rheilffordd a phorthladd bychan lle byddai'r llongau stêm yn cludo cerrig i borthladdoedd eraill. Erbyn geni Valentine cymysgedd o amaethyddiaeth a chwareli calch oedd diwydiant Llanddulas, a deuai llongau Ffrainc, Portiwgal, Iwerddon, yr Alban a Lerpwl i gyrchu'r cerrig a gloddid yn y pedair chwarel. Oherwydd y datblygiadau diwydiannol fe dyfodd poblogaeth y plwyf i 788 erbyn dechrau'r ugeinfed ganrif.

Mae traddodiad teuluol yn sôn mai o Wlad yr Haf yr hanai teulu'r Valentiniaid, ac iddynt grwydro ar hyd y gororau i Falpas, cyn croesi i Sir Ddinbych ac ymsefydlu yn ardal Trefechan, Penycae, ger Rhiwabon a dod yn rhan o gymdeithas Gymraeg yr ardal. Yn ôl tystiolaeth a gasglwyd ganddo tybiai Lewis Valentine fod y teulu wedi byw yn ardal Penycae er 1580au'r unfed ganrif ar bymtheg.

Ar ochr ei dad yr oedd gwreiddiau'r teulu yn ddwfn yn ardal Trefechan, y tu uchaf i Benycae ger Rhiwabon, ac yno y ganed Samuel Valentine ar 16 Medi 1854. Aeth Samuel i'r pwll glo yn wyth oed, a'r bywyd yn fywyd caled eithriadol. Arferai godi am hanner awr wedi pedwar y bore gan weithio yn y pwll o chwech o'r gloch y bore tan chwech o'r gloch yr hwyr. Yn y pwll, ac yntau ond yn blentyn ifanc, clymid gwregys ledr am ei ganol a gorchymyn iddo dynnu certiau yn cludo llwythi ugain tunnell o lo bob dydd. Weithiau, pan fyddai'r llwyth yn anarferol o drwm byddai mulod yn cael eu defnyddio i wneud y gwaith ond, yn ôl Samuel Valentine: "Gwnaethpwyd llawer iawn mwy o stŵr pan leddid mul na phan leddid bachgen, canys yr oedd gwerth ar ful, ond isel iawn ei bris oedd bachgen yn y farchnad lo y pryd hynny."[7]

Gweithio fel glöwr fu ei hanes wedyn, yn teithio ar hyd pyllau glo gogledd-ddwyrain Cymru a Swydd Stafford yn chwilio am waith. Rhan o beryglon gwaith glöwr oedd cael ei ddal mewn tanchwa, a chafodd Samuel ei ddal mewn damweiniau o'r fath dair gwaith. Mewn ysgrif o atgofion am ei blentyndod rhoddodd bortread byw iawn o gael ei ddal mewn tanchwa o'r fath:

> Mewn pwll arall yr oeddwn yn gweithio ynddo cymerth y nwy dân mor sydyn â'r fellten, ac yr oedd fflam drwchus uwch ein pennau, a ninnau'n gorwedd yn fflat ar y gwaelod, a diferion tân yn disgyn fel glaw ar ein croen noeth. O fewn teirllath i mi yr oedd tri dyn arall wedi eu dal ynghanol y fflam ac yn gweiddi am help, ond nid oedd modd gwneuthur dim erddynt hyd nes i'r ffrwydriad ddigwydd. Dyma'r adeg y daw'r gwynt mawr a hyrddio darnau o lo a cherrig fel ergydion o wn. Ni allaf feddwl am ddim byd mwy ofnadwy na bod mewn tanchwa pan fo dynion ynghanol fflam fel fflam dân ffwrn

> eiriasboeth. Y ffrwydriad sy'n achosi'r gwynt mawr ac yn hyrddio'r glo a'r cerrig i bob cyfeiriad, a theflir y dynion ganddo a'u lluchio fel haid o frain, a mawr yw'r difrod ar fywydau dynion. Truan o'r glöwr! Daw ei beryglon ato o bob cyfeiriad, o dde ac aswy, oddi fry uwch ei ben ac oddi obry dan ei draed.[8]

Croesodd Samuel i Loegr yn ddwy ar bymtheg oed, a bu'n crwydro'r meysydd glo yn chwilio am waith. Wrth i'r gwaith brinhau dychwelodd i Gymru am ychydig ond bu newid ym mhyllau ardal y ffin. Erbyn hynny "Saeson bocsachus oedd yr uchel a'r isel swyddogion yn y pyllau, a thrwm a gormesol oedd eu llaw ar y gweithiwr, yn enwedig ar y rhai hynny nad oeddynt yn ddigon gwasaidd i'w hanner addoli".[9] Penderfynodd ei bod yn haws dioddef Saeson yn Lloegr ac aeth i chwilio am waith ym maes glo gogledd Swydd Stafford. Yno, mewn capel Cymraeg yn nhref Hanley, y cyfarfu Samuel Valentine â Mary Roberts. Erbyn hynny yr oedd Samuel yn gweithio mewn pwll glo yn y cyffiniau a Mary wedi'i chyflogi fel morwyn yn un o dai bonedd yr ardal.

Dynes urddasol yr olwg oedd Mary Roberts, "a thôn ei chroen o liw ifori, a'i gwallt cyn ddued â'r frân".[10] Fe'i ganed ar 6 Mehefin 1865, ac roedd hi dipyn ieuengach na'i gŵr. Un o ardal Betws yn Rhos oedd hi, a'i gwreiddiau hithau'n ddwfn iawn ym mhlwyf Llanddulas. Ymfalchïai'n fawr yn y ffaith i'w theulu chwarae rhan bwysig yn sefydlu'r achos Wesleaidd yn Rhyd-y-foel. Ei thaid Robert Roberts, Caellin, a'i wraig Marged oedd sylfaenwyr capel Wesle Salem, Rhyd-y-foel, yn 1825. Cymuned Gymraeg gapelyddol oedd ardal Llanddulas a Rhyd-y-foel, ac roedd capel gan bob un o'r enwadau Anghydffurfiol yn y fro.

Ymgartrefodd y teulu i ddechrau yn Tan y Wal, Llanddulas, cyn symud i Hillside, un o dai Rhes Clip Terfyn yn y pentref. Gweithiai Samuel Valentine yn chwarel calch Llanddulas. Ei swydd yno oedd gweithredu fel *Checkwayman*, a'i gyfrifoldeb oedd cadw llygad ar faint o galch oedd yn cael ei gludo mewn tryciau gan y gweithwyr eraill. Yr oedd yn weithiwr cydwybodol dros ben a thasg amhosibl, yn ôl y sôn, oedd cael cert hanner llawn llwyth heibio i Samuel Valentine. Mae'n rhyfeddol ei fod wedi mwynhau cystal iechyd ar hyd ei oes, gan iddo ddioddef damwain yn y pwll glo pan oedd yn ifanc ac, o ganlyniad, curai ei galon yn araf iawn, tua chwe churiad ar hugain y funud mae'n debyg. Yr oedd gan Mary Valentine falchder mawr mewn cadw tŷ a choginio yn ddawn arbennig ganddi. Dynes ymarferol iawn oedd hi ac yn aml, mewn cymdeithas glòs fel Llanddulas ar droad yr ugeinfed ganrif, byddai galw arni i helpu rhai o bobl y pentref adeg digwyddiadau mawr bywyd fel genedigaethau, salwch neu farwolaeth.

Ganwyd saith o blant i Samuel a Mary: Richard William, eu mab cyntaf, a anwyd yn Lloegr; Idwal, a gafodd yrfa lewyrchus yn heddlu Manceinion; Hannah, a fu'n cadw siop groser gyda'i gŵr ym Mangor a Llandudno ac a fu'n gefn i Lewis yn ystod ei gyfnod fel myfyriwr a gweinidog; Nel, a symudodd yn ddiweddarach i ardal Cheadle Hulme ger Manceinion; Stan, a fu'n cadw siop gigydd yn Hen Golwyn, a Lilian, a arhosodd yn yr ardal gyfagos a phriodi Elias Evans, gweinidog gyda'r Bedyddwyr yn Abergele. Lewis oedd yr ail blentyn i gael ei eni, a hynny yng Nghymru. Rhywbeth rhagluniaethol oedd mynd i fyw i ardal ei fam yn ôl Valentine, "mi fydda'n drychineb 'tawn i wedi cael fy ngeni yn Hanley, neu mewn unrhyw ardal ddiwydiannol! Rwy'n falch mai yn yr ardal yma y ganwyd fi".[11]

Roedd gan Lewis gof clir o ddiwrnod geni Lil yn 1902:

> Yr oedd "Anti Martha", y fydwraig o Lysfaen yno, a 'nhad, yn ei ddillad gyda'r nos, trwy'r dydd a ninnau blant yn cael ein gyrru i lan y môr hefo brechdanau a photel o ddiod dail danadl (bendigedig o ddiod!). Un ystafell wely fawr oedd yn y "plasty hwn", a danfonwyd fi i gysgu allan i'r Gadlas i dŷ Anti Anni. Un hyfrydwch a ddaeth o'r digwyddiad – cyfle i flasu bwyd oedd wedi ei baratoi o flawd *arrowroot*, a'i fwynhau yn y dirgel – fe'm daliwyd wrth y gwaith ysgeler gan Anti Elin, a thaenodd y stori ar led, a bu rhai o'r plant yn fy mhryfocio. A llafar ganu ar fy ôl, "bwyta bwyd y babi, bwyta bwyd y babi", – y diawliaid bach![12]

Fel llawer o chwarelwyr eraill roedd Samuel Valentine hefyd yn bregethwr lleyg, ac yn mynd allan ar y Suliau i gynnal oedfaon yng nghapeli bach y Bedyddwyr. Cafodd ei ordeinio yn weinidog cynorthwyol gan bregethu'n aml yng nghapeli Dyffryn Conwy, Llangernyw, Llanfair Talhaearn, Llansannan, Llanefydd, Llanelwy a chan ymweld hefyd â chapeli oedd mor bell i ffwrdd â Sir y Fflint. Chwaraeai ran amlwg hefyd yn y gymdeithas leol; roedd yn ddiacon yn Bethesda, capel y Bedyddwyr, ac yn aelod o Gyngor Plwyf Llanddulas.

Yn ôl ei fab, Samuel Valentine oedd y "Piwritan hawddgaraf a gyfarfûm erioed".[13] Er cael ei fagu ar aelwyd grefyddol iawn, "nid oedd dim gormes yn y fagwraeth honno o gwbl".[14] Rhiant meddylgar ydoedd, yn ôl Valentine:

> Nid wyf fi erioed yn cofio cael cerydd ganddo, er fy mod i wedi haeddu cerydd ganwaith. Nid dyna ei ddull ef o ddelio â ni, ond dim ond edrych, a rhyw olwg wedi'i frifo ar ei lygaid o wrth edrych arnom ni pan yr oeddem ni wedi gwneud rhyw gamwri neu'i gilydd.[15]

Yr oedd dyletswyddau crefyddol hefyd yn elfen gyson o fywyd ar yr aelwyd. Ni fyddai'r tad byth yn gadael y tŷ i'w waith yn y bore heb gynnig gweddi, ac yr un oedd y drefn gyda'r hwyr. Cyfaddefodd Valentine fod hynny'n gallu bod yn boen i'r meibion ar eu twf, a hwythau wedi bod allan gyda gweddill llanciau'r pentref, yn ymddwyn yn afreolus neu mewn sgarmes â'i gilydd ac yn dychryn wrth feddwl am ddychwelyd adref i wynebu gweddi hwyrol eu tad. Yn aml byddent yn oedi cyn mynd i mewn i'r tŷ gan aros y tu allan i'r drws yn gwrando arni, er mwyn ceisio osgoi wynebu geiriau gweddi eu tad "am ein bod ni'n gwybod ei dylanwad hi".[16] Er hynny fe gafodd y gweddïau hyn effaith barhaol ar Valentine: "Nid oes gennyf fawr o gof am ei bregethau, ond byth nid anghofiaf ei weddïau, a chadwasant fi rhag llawer rhemp trwy gydol fy mywyd."[17]

Canmoliaeth nain Mary Valentine, Marged Roberts, ar seiadau Wesleaid Salem Rhyd-y-foel a berswadiodd ei gŵr Robert Roberts i ymuno â'r achos. Yn y man daeth Robert Roberts yn flaenor yno, ac yn ei dro daeth eu mab Richard Roberts (taid Valentine) yn flaenor yno hefyd. Bedyddiwyd Mary Valentine hithau yn aelod yn Salem Rhyd-y-foel yn blentyn chwe wythnos oed ar 16 Gorffennaf 1865.

Bedyddiwr o argyhoeddiad oedd Samuel Valentine. Mae'n debyg iddo droi at yr enwad ac yntau'n ddyn ifanc ar ôl clywed pregeth am hanes Ioan Fedyddiwr yn bedyddio'r Iesu, a bu'n Fedyddiwr selog weddill ei oes. Er gwaethaf cysylltiadau cryf ei theulu â'r Wesleaid, ar ôl priodi dilynodd Mary Valentine ei gŵr ac ymuno â'r Bedyddwyr. Yr oedd y penderfyniad yn un arwyddocaol, ac wrth edrych yn ôl ar ei fagwraeth dywedodd Valentine wrth ei chwaer "tybed beth a fuasai'n hynt pe bai 'nhad wedi dewis troi at y Wesleaid hefo Mam".[18]

Sefydlwyd Bethesda, Capel y Bedyddwyr, Llanddulas, yn 1836 a'r gweinidog cyntaf oedd Robert Ellis (Cynddelw), a ofalai am eglwysi'r Bedyddwyr yn Llanddulas, Llanelian a Glyn Ceiriog. Adwaenid Bethesda Tynyffordd fel y "Capel Bach", ac adeilad bach diaddurn ydoedd a godwyd ar gost o chwe phunt a phedwar ugain, a chwarelwyr oedd yr aelodau gan mwyaf. Lle gwerinol oedd yr hen gapel, ac fe gofiai Valentine fod yno gymeriadau byw a difyr ymysg yr aelodau.

> Yr oedd dwy o'r ffenestri yn gydwastad â'r cae oedd y tu cefn iddo ac ar hin boeth deuai'r anifeiliaid o'r cae i gydaddoli â ni, ceffyl neu fuwch neu asyn, a'r tri yn aml hefo'i gilydd. Oedfa fendigedig i ni'r plant oedd pan nadodd yr asyn, ond gan mai pregethwr cryg oedd yn gwasanaethu'r Sul hwnnw mynnai'r hen frodyr mai camgymryd bloedd y pregethwr am nâd asyn a wnaethom. Cerddai ieir yn ddiwarafun ar hyd llawr y capel, a chlwydai ceiliog dandi, yn ôl ei ffansi, ar gefn y seddau.[19]

Trysorai Valentine ei stôr o atgofion dwys a digrif am gymdeithas Bethesda, a'r rheiny'n amrywio o'r botel frandi a syrthiodd o gôt y pregethwr ar fore Sul, a hanes un o'i frodyr yn cuddio o dan y bwrdd yn y sêt fawr am ei fod wedi anghofio ei ddarn yn y cyfarfod Ysgol, i'r athrawon Ysgol Sul ardderchog, a'r seiadau cofiadwy a naws ysbrydol a chynnes y cyrddau gweddi. Hoffai hefyd adrodd y stori am ddyn a ofalai am y cymun yn y Capel Bach ac a arferai deithio bob mis i Fae

Colwyn i nôl potel o win dialcohol ar gyfer y gwasanaeth, a phrynu potel o whisgi i'w hun yr un pryd. Trwy ryw amryfusedd rhoddodd y whisgi yn y cwpanau cymun. Wedi i bawb yfed o'u cwpan cafwyd pwl mawr o besychu drwy'r gynulleidfa. Mae'n debyg mai "cymun y pesychu mawr" fu'r enw ar yr oedfa honno fyth wedi hynny.

Er mai cymdeithas hwyliog oedd hon, nid anghofid diben crefyddol y capel. Yr oedd yno athrawon digymar yn yr Ysgol Sul, a "gweddiwyr eneiniedig", a haerai Valentine fod dylanwad y gweddïau a'r myfyrdodau hyn wedi bod yn drwm ar ei ddiwinyddiaeth trwy gydol ei oes. Yng nghapeli'r pentref hefyd y cafodd Valentine glywed rhai o bregethwyr mawr y cyfnod, fel William Prydderch, Abertawe, a John Puleston Jones, gan ddechrau magu'r awydd ynddo i fynd yn bregethwr ei hun.

Effaith pellach a gafodd y Capel Bach arno oedd drwgdybiaeth o ryfelgarwch, er mai sylweddoli llawer o'r dylanwadau hyn yn nes ymlaen yn ei fywyd a wnaeth Valentine:

> Y mae gennyf gof clir, a minnau'n hogyn, weld dyn mewn cot goch yn dyfod i gapel bychan diaddurn Llanddulas a mawr oedd ein syndod a rhyfeddod fod dyn felly yn meiddio gosod ei droed dros riniog y cysegr... Nid oes angen dweud na chafodd y milwr druan hwnnw air o groeso gan neb a chofiaf un o'r hen frodyr wrth fynd o'r capel yn dywedyd yn hyglyw na ddylai fod wedi dod i Dŷ Dduw.[20]

Cymdeithas lawen a chytûn oedd hon. Haerai Valentine na wyddai hyd nes iddo ddechrau pregethu fod aelodau o fewn capeli yn ffraeo a phwdu. Dywedodd ar sawl achlysur na phrofodd fyth wedyn gymdeithas grefyddol debyg i'r un y magwyd ef ynddi ym Methesda Llanddulas: "Duw a fendithio yr hen achos bach," meddai, "nid oes lecyn anwylach ar y ddaear i mi."[21] Yno y profodd am y tro cyntaf y gyfeillach a'r gwmnïaeth felys a fu'n rhan hanfodol o'i fywyd, yr ymdeimlad a alwyd gan yr Apostol Paul yn "*koinõnia*".

Roedd yr ymdeimlad yma o gyfeillach rhwng grŵp bach oedd yn rhannu'r un daliadau a chredo yn ganolog i fywyd Valentine. (Cyfeiriai yn nes ymlaen yn ei fywyd iddo brofi yr un ysbryd o *koinõnia* ymysg gweithwyr cyntaf y Blaid Genedlaethol ag a wnaeth yng nghynulleidfa'r Capel Bach.) Disgrifio'r ysbryd a ddylai fodoli yng nghymdeithas eglwysi Cristnogol yr Eglwys Fore yr oedd Paul, ond mae union ystyr *koinõnia* yn anodd ei diffinio'n bendant. Yn yr Hen Fyd yr oedd y gair yn diffinio cymuned o bobl lle rhennir cred neu fyd-olwg penodol a oedd nid yn unig yn gyffredin ond hefyd yn hanfodol i'w bywyd. Mae defnydd Paul o'r gair yn pwysleisio bod y gymuned yn profi *koinõnia* yn yr ystyr ei bod yn rhannu ffydd a meddylfryd cenhadol. Nid yn unig hynny, mae *koinõnia* yn digwydd lle mae'r rhai sy'n arddel ffydd arbennig yn cydnabod bod eu lles ysbrydol yn ddibynnol ar eu cyd-gredinwyr:

> A dyna'r profiadau mawr – cael fy rhwymo am byth wrth yr Ysgrythur, profi melyster y *koinõnia,* neu Gymdeithas y Saint, a chael ymglywed yn arbennig yn y Cymundeb misol â phethau nad adnabu'r byd, ac ni allodd y pethau diflasaf a ddigwyddodd i mi ddifa effeithiau'r profiadau hynny. Drachefn a thrachefn yn ystod fy mywyd awn yn ôl at y pethau hyn er mwyn cael nerth i ddal ati.[22]

Un o brif ddigwyddiadau ei blentyndod oedd Diwygiad 1904 a ysgubodd trwy Gymru, ac ni bu Llanddulas yn eithriad. Er bod y Diwygiad wedi creu argraff fawr arno ac yntau'n fachgen ar drothwy ei arddegau, cafodd ffydd seml cynulleidfa'r Capel Bach, fodd bynnag, ddylanwad ac effaith llawer mwy arhosol arno na'r cynnwrf crefyddol:

> Y mae'n anhygoel bod gennyf gof byw (ac yn fwy bywiog wrth ddynesu i'r terfyn) am y Diwygiad, a'i gynulleidfaoedd gwefreiddiol – doedd dim dichon cael pobl o'r cyfarfodydd. Hyd y cofiaf nid oedd dim byd arbennig yn cael ei ddweud, ond rhyw ddisgwylgarwch tanbaid yn yr awyr, ac yn ein corddi ni yn blant hefyd – byr ei bara oedd, efallai iddo er hynny bara'n rhy hir, ac eiddilo ewyllys pobl. Ddaw tebyg hwnna byth eto.[23]

Bu Valentine yn ddrwgdybus o grefydd sentimental ac emosiynol erioed, amheuaeth a ddeilliodd efallai o natur fyrhoedlog Diwygiad '04, a'r hysteria torfol a fu ynghlwm â'r digwyddiad: "Chwiliwch, a chwi welwch na ddefnyddiodd Duw erioed mo'r dyrfa i ddim byd mawr,"[24] meddai wrth edrych yn ôl ymhen hanner canrif. Unigolyn yn dylanwadu er gwell ar eraill oedd man cychwyn gwir ddiwygiad, dadleuodd; neu, gan adleisio ei brofiad ef ei hun o bosib, "rhyw nifer fechan o ddynion yn dyfod at ei gilydd i wneud peth mor syml â gweddïo, a rhyfedd rin nerth drud yn cael ei ryddhau trwyddynt ar fyd".[25]

Un o effeithiau mwyaf clodwiw'r Diwygiad, ym marn Valentine, oedd creu ysbryd brawdol drwy'r pentref, a chofiai fel y taenodd ton o gyfeillgarwch brawdol ei dylanwad dros y fro. Gwahanol iawn oedd effaith mater datgysylltu'r Eglwys Wladol pan gododd hwnnw ei ben unwaith eto: "Daeth y pwnc hwnnw ysywaeth," meddai, "i rannu'r pentref yn Eglwyswyr a Chapelwyr."[26] Ni fynegodd Valentine unrhyw deimladau cryfion ynghylch datgysylltu'r Eglwys erioed, yn bennaf mae'n debyg oherwydd fod y mater eisoes yn rhan o wleidyddiaeth ddoe erbyn dechrau'r ganrif newydd.

Er ei fod efallai'n rhamantu rhinweddau'r Capel Bach, wrth edrych yn ôl mae'n anodd gorbwysleisio dylanwad cymdeithas glòs Bethesda ar Valentine. Bu'r hyn a gafodd yng 'Nghymdeithas y Saint' gwerinol yn greiddiol i'w ddatblygiad, nid yn unig fe gweinidog a Bedyddiwr ond hefyd fel Cymro. Yma y profodd, meddai'n ddiweddarach, "pob cyffro mawr crefyddol; yno y cefais ymglywed â'm cyfrifoldeb i Dduw a'm creodd, i Grist fy Mhryniadwr, i'm cyd-ddyn ac i'm cenedl".[27]

Pennod 3

Y Peiriant Llofruddio

The English have established the simulacrum of an education system, but its object is the precise contrary of the object of an education system. Education should foster; this education is meant to repress. Education should inspire; this education is meant to tame. Education should harden; this education is meant to enervate. The English are too wise a people to attempt to educate the Irish, in any worthy sense. As well expect them to arm us.

Padraig Pearse, *The Murder Machine*, 1916

Fel llawer eraill o'r un cefndir ag ef yr oedd Samuel Valentine yn gefnogwr pybyr i achosion Rhyddfrydol ac Anghydffurfiol yr oes. Bu'n gefnogol i'r ffermwyr a ddioddefodd adeg Rhyfel y Degwm, ac roedd yn frwd o blaid datgysylltu'r Eglwys. Oherwydd ei brofiadau yn yr ysgol gwelodd Samuel Valentine drahauster cyfundrefn addysg a fynnai orseddu iaith a ffordd o fyw Seisnig ar draul y Gymraeg. Bryd hynny hefyd y cyplyswyd yr Eglwys Wladol â Seisnigrwydd gormesol yn ei feddwl:

> Euthum i'r ysgol am ychydig fisoedd, a dyna'r pryd y deuthum i wybod bod mwy nag un iaith yn y byd, a chefais yr argraff mai amcan gwaith ysgol oedd troi pawb yn Saeson, a llawer gwaith y cefais y gansen am siarad Cymraeg ac am fethu â siarad Saesneg, a dyna'r adeg y dechreuodd ddyfod i'm calon ddicter mawr tuag at Saeson oherwydd eu trahauster. Peth arall na allwn ei oddef oedd cyrchu i'r eglwys wladol ar ddydd Mercher Lludw i wasanaeth y prynhawn, a chefais y gansen droeon yn yr ysgol am beidio â mynd, a byth er hynny â chansen y cysylltaf hen Eglwys Loegr.[1]

Arwr mawr yr aelwyd oedd David Lloyd George. Roedd llun "y Dewin" yn lifrai ffurfiol Canghellor y Trysorlys ar bared y gegin uwchben y lle tân yn Hillside. Fel Anghydffurfiwr cadarn roedd Samuel yn arbennig o gefnogol i ymdrechion Lloyd George i sicrhau bod Ymneilltuwyr yn cael eu claddu ym mynwent y plwy. Roedd yn ffyrnig o wrth-Eglwysig; i'r perwyl hynny yn ôl hanes teuluol roedd yna nodyn o gyfarwyddyd yng nghefn Beibl yr aelwyd yn datgan nad oedd am i'w gorff gael ei gludo i mewn i'r eglwys cyn y claddu ym mynwent Llanddulas – "Na aed â'r corff drwy'r eglwys i'w gladdu" oedd y gorchymyn.

Yn 1893 teuluoedd bonedd oedd yn berchen ar y rhan fwyaf o dir y pentref, a dau deulu yn arbennig, sef teulu Dundonald, Castell Gwrych, Abergele, a theulu Wynniaid Garthewin, Llanfair Talhaiarn. Fel sawl plwyf arall yn y Gymru wledig yn y cyfnod cafwyd gwrthdaro gwleidyddol a chrefyddol rhwng gwerin Anghydffurfiol y fro a'r tirfeddianwyr Eglwysig.

Cafodd Lewis Valentine ei eni pan oedd map y byd yn goch a dylanwad yr Ymerodraeth Brydeinig ar ei gryfaf, a'r cyfnod yma hefyd oedd awr anterth cryfder y Blaid Ryddfrydol ac Anghydffurfiaeth yng Nghymru. Yn wir diffiniwyd hunaniaeth grefyddol, genedlaethol a chymdeithasol y Cymry gan Anghydffurfiaeth. Ar droad y ganrif yr oedd tua 535,000 o bobl allan o boblogaeth o 2,450,000 yn aelodau o gapeli. Felly, roedd un Cymro o bob pump yn Anghydffurfiwr.

Clymwyd crefydd a gwleidyddiaeth ymhellach yn yr ardaloedd gwledig gan hawl yr Eglwys i ddegfed ran o gynnyrch tir amaethyddol, "y degwm" bondigrybwyll. Yn Etholiad Cyffredinol 1886 chwaraeodd pwnc y tir ran flaenllaw, ac arweiniodd hynny wedyn at wrthdaro Rhyfel y Degwm rhwng 1886 ac 1888, pan wrthododd ffermwyr dalu'r degwm, a phan ddefnyddiwyd plismyn gan yr arwerthwyr i feddiannu a gwerthu eiddo'r ffermwyr. Cafwyd helbul enwog yn ardal Llangwm, a bu cythrwfl hefyd nid nepell o Landdulas ym Mochdre, ger Bae Colwyn. Yn 1891 trosglwyddwyd y ddyletswydd o dalu'r degwm o'r tenant i'r landlord a distawodd yr helynt.

Yr oedd y nawdegau cynnar yn ymddangos fel cyfnod newydd yng ngwleidyddiaeth Cymru. Sefydlwyd Prifysgol Cymru yn 1893, ac yr oedd gobaith gwirioneddol y byddai'r Llywodraeth Ryddfrydol yn cymryd camau i ddatgysylltu'r Eglwys yng Nghymru, pwnc agos iawn at galon pob Anghydffurfiwr selog. Ymysg datblygiadau'r cyfnod, un o'r rhai mwyaf arwyddocaol o bosibl oedd ethol y gwleidydd ifanc dawnus David Lloyd George yn Aelod Seneddol Rhyddfrydol yn 1890, a hynny ychydig flynyddoedd wedi sefydlu mudiad Cymru Fydd yn 1886. Plentyn y Blaid Ryddfrydol oedd Cymru Fydd o'r cychwyn, ac o'r herwydd nod deuol, paradocsaidd, oedd gan y mudiad, sef hybu'r Blaid Ryddfrydol a dadlau dros ymreolaeth i Gymru. Y nawdegau cynnar oedd cyfnod twf Cymru Fydd, ac fe chwaraeodd Lloyd George ran amlwg yn natblygiad y mudiad. O dan ei arweinyddiaeth ef ac Aelod Seneddol Meirionnydd, T E Ellis, yr oedd gobaith mawr y gellid cael rhyw ffurf ar hunanlywodraeth i Gymru. Ond yn 1892 derbyniodd T E Ellis swydd fel Dirprwy Chwip y Blaid Ryddfrydol yn Senedd San Steffan, ac er iddo ddefnyddio ei ddylanwad i sefydlu Comisiwn Brenhinol ar Bwnc y Tir yng Nghymru yn 1893, tyfodd y farn ei fod wedi dewis rhoi teyrngarwch i'w blaid yn hytrach nag i'w awydd o weithio dros Gymru. Yna, yn sgil cwymp llywodraeth Ryddfrydol Gladstone yn 1895, drylliwyd pob gobaith am ddatgysylltu'r Eglwys am ddeng mlynedd (bu'n rhaid aros tan 1920 i hynny ddod yn ffaith). Pylu hefyd a wnaeth gobeithion Cymru Fydd gan gyrraedd penllanw yng nghyfarfod enwog Casnewydd yn 1896 lle trechwyd Lloyd George a'i ymreolwyr gan y gwrth-ymreolwyr o fewn y Blaid Ryddfrydol yng Nghymru. Wedi hynny trodd gwleidyddion dawnus fel Lloyd George eu golygon at borfeydd brasach a dilyn gyrfa ar y llwyfan Prydeinig.

Byddai methiant Cymru Fydd, ac yn arbennig yr hyn a welid fel cyfaddawd eu harweinwyr yn derbyn swyddi mewn Llywodraeth Brydeinig yn hytrach na gwasanaethu buddiannau Cymru, yn taflu cysgod hir, ac yn cael effaith pellgyrhaeddol ar agweddau'r genhedlaeth nesaf o wladgarwyr Cymreig – cenhedlaeth Valentine – pan ddeuai hi'n fater o sefydlu'r Blaid Genedlaethol.

Digwyddiad gwleidyddol mwyaf arwyddocaol plentyndod Valentine ac un a wnaeth argraff fawr arno oedd Rhyfel y Boer, ac ymateb awdurdodau Prydain i hynny. Dywedodd wedyn iddo gael ei chwerwi gan y Rhyfel a'r orfodaeth a roddid ar blant y Llan i ganu caneuon gwladgarol Prydeinig.

Pan ddechreuodd yr ymladd yn Ne Affrica yn 1899, yr oedd y Frenhines Victoria newydd ddathlu ei Jiwbilî Deiamwnt, ac roedd yr Ymerodraeth Brydeinig ar awr anterth ei grym. Yn unol ag arfer ei ragflaenwyr ledled y byd, yr oedd Uwch Gomisiynydd Trefedigaeth y Cape yn Ne Affrica yn awchus am fwy o gyfoeth a phŵer, ac yn llygadu mwyngloddiau aur gweriniaethau'r Boeriaid yn y Transvaal a'r Orange Free State. Ar ben hynny, efallai teimlid bod y gweriniaethau oren yn anharddu'r map Prydeinig o'r Affrig, ac roedd yr Ymerodraeth am weld y trefedigaethau coch yn lledaenu ar hyd y cyfandir o Cairo yn y gogledd i Cape Town yn y de. I'r perwyl hynny ysgogwyd rhyfel yn erbyn y Boeriaid.

Yn ôl yr arfer yr oedd disgwyl i holl drigolion y Deyrnas uno y tu ôl i ymdrech y fyddin yn erbyn yr anwariaid, ac nid oedd plwyf Llanddulas yn eithriad. Chwerwder, yn gymysg â rhywfaint o euogrwydd am iddo gymryd rhan yn y fath sioe efallai, oedd atgof Valentine o'r modd y gwthiwyd Prydeindod ar ei gymuned gan y digwyddiad:

> Pentref cwbl Gymraeg oedd ein pentref ni y pryd hynny ac ysgol gwbl Saesneg oedd ysgol y llan bach, a neulltid prynhawniau dydd Gwener i'n cyflyru i hanner addoli yr ymerodraeth Seisnig nad oedd haul Duw byth yn machludo arni, a chanwn innau nerth fy mhen fel pob hogyn arall, "Hurrah for the red, white and blue", a gallwn ganu'r gân honno hefyd heddiw, ond ni wnawn hynny hyd yn oed er arbed fy einioes. A mwyaf cywilydd gennyf gofio fel y bûm yn byrgamu... yn y fintai o blantos i lawnt Castell Gwrych, ger Abergele, i groesawu'r Iarll Dundonald a'i fyddin o gotiau cochion.[2]

I ddathlu goruchafiaeth yr Ymerodraeth cynhaliwyd jamborî mawreddog – ar lawntiau gwyrdd y Castell Gwrych – gyda diod a theisennau'n cael eu gweini i'r trigolion, a merched y plwyf yn cyflwyno torchau o flodau i'r milwyr:

> Bûm yn canu caneuon yn dilorni Kronje a Kruger a rhai yn duweiddio y cadfridogion White a Buller a Roberts... Deuai sioeau heibio'r pentref yn dangos rhyw fath o luniau symudol o'r rhyfel yn profi ysgelerder dieflig y Bwyriaid a mawr rinweddau y Lloegriaid.[3]

Yn siop y pentref yr oedd botymau arbennig, gyda lluniau arwyr y fyddin arnynt, yn cael eu gwerthu am ddimai. A byddai hogiau'r Llan am y gorau â'i gilydd i gael y bathodyn gorau o'u heilunod milwrol, a brolio eu gorchest gerbron eu cyfoedion, ac roedd Valentine mor frwd â neb i arddangos bathodynnau'r Ymerodraeth gyda balchder ar lawes ei siwmper.

Nid am y tro cyntaf, na'r tro olaf ychwaith, cafwyd darogan y byddai'r rhyfel ar ben "erbyn y Nadolig". Prydain fyddai'n fuddugol, ond byddai'n rhaid aros am rai blynyddoedd cyn cynnal te parti i ddathlu'r fuddugoliaeth. Oherwydd ffyrnigrwydd yr ymladd a natur ddi-ildio'r Böer ni ddaeth yr ymladd i ben tan 1902. Bu'r rhyfel yn destun dadlau a gwrthdaro gwleidyddol chwyrn ym Mhrydain a Chymru, ac ymysg y gwrthwynebwyr amlycaf yr oedd Lloyd George ac O M Edwards. Bu Rhyfel y Böer yn drobwynt yn hanes yr Ymerodraeth am sawl rheswm; nid y lleiaf ohonynt oedd tactegau "modern" byddin Prydain o losgi ffermdai ac atafaelu bwyd er mwyn cymell newyn ymysg y gelyn, a'r cam arloesol o gadw merched a phlant mewn gwersylloedd crynhoi – y *concentration camps* cyntaf – er mwyn torri ysbryd y Boeriaid a'u gorfodi i ildio. Er gwaethaf y fuddugoliaeth, ac er nad oedd hynny'n amlwg ar y pryd, dechrau'r diwedd oedd hyn i'r Ymerodraeth. Ni fu trechu'r gelyn mor hawdd â'r disgwyl, a dangoswyd gerbron y byd mai meidrol oedd awdurdod y Coch, Gwyn a'r Glas.

Sbloets fawr fu'r coelcerthi a'r te partïon i ddathlu camp filwrol yr Ymerodraeth. Cofiai Valentine am goelcerth anferth ar fynydd Llysfaen a channoedd o bobl o'r trefi gerllaw wedi ymgynnull yno. Yn wir, haerai Valentine iddo lwyddo i ennill gwobr am gofio cyfenw'r teulu brenhinol.

Os goleuwyd ei blentyndod gan ei fagwraeth ar aelwyd Hillside, a chan gymdeithas glòs capel Bethesda a difyrrwch bywyd y pentref, cymylwyd y dedwyddwch hwnnw gan ei brofiadau o'r gyfundrefn addysg. Er bod Adran Gymreig y Bwrdd Addysg wedi ei sefydlu yn 1906 – yr adran gyntaf o fewn llywodraeth ganol i ymdrin yn benodol â materion Cymreig – roedd y gyfundrefn addysg yn drwyadl Seisnig o hyd.

I Ysgol y Plwyf, Llanddulas, yr aeth Valentine am ei addysg gynradd a bu cychwyn yno yn sioc i'w system. Er bod yna lawer o lyfrau Saesneg ar yr aelwyd, ni chlywodd ei dad na'i fam yn siarad Saesneg erioed, ond uniaith Saesneg oedd Ysgol yr Eglwys. Er bod amryw o'r athrawesau'n medru Cymraeg, ychydig iawn o ddefnydd a wnaent o'r iaith, hyd yn oed gyda'r plant lleiaf yn y babanod. Poendod oedd mynd i'r ysgol, meddai:

> Doedden ni'n deall dim oedd yn digwydd, dim ond rhyw lafar ganu popeth – hyd yn oed *twice one two* – heb syniad beth oedd o'n ei olygu... Roedden nhw wedi'n dysgu ni i ganu gras cyn mynd i ginio, ac mi wn erbyn heddiw mai "*Be present at our table Lord, Be here and everywhere adored*" oedd y geiriau. Ond ar y pryd un gair yn unig oeddwn i'n meddwl 'mod i'n ei adnabod – y gair *present.* Roeddwn i'n meddwl mai cyfeirio at ffesant yr oedd o. Mi wyddwn beth oedd ffesant, ond mi wyddwn yn ddigon sicr nad ffesant welwn i ar fy mhlât![4]

Cafodd y driniaeth a brofodd gan y drefn addysgol effaith hirdymor arno hefyd. Bu'n dioddef o glawstroffobia ar hyd ei oes, ac fe briodolai tarddiad yr aflwydd meddwl o brofiad annifyr a gafodd yn yr ysgol fach:

> Yr oeddym yn dysgu yr A B C yn y dull ffôl o'i ganu... Ni wn beth a ddigwyddodd, ond fe'm bwriwyd gan yr athrawes i'r llecyn dan y grisiau, a byth er hynny ofn mawr fy mywyd ydyw cael fy nghau i mewn.[5]

Gan adleisio barn Padraig Pearse o'r gyfundrefn addysg Seisnig yn Iwerddon dywedodd Valentine mai "peiriant llofruddio meddwl ac enaid oedd yr ysgol..."[6] Meithrin ac ysbrydoli oedd priod waith addysg nid gormesu a dofi, ond yr oedd y Peiriant Llofruddio hwn – Saesneg ei gyfrwng – yn dibrisio'r pethau a ddylai fod yn sanctaidd, yn gwadu tras a gwadu iaith, yn gwadu cenedl, ac yn gwadu dyled pobl i'r gorffennol a'u dyled i'r dyfodol.

Seriodd y profiadau hyn argyhoeddiad dwfn ynddo y dylid sicrhau cyfiawnder i'r Gymraeg ym myd addysg. Y Gymraeg ddylai fod yn gyfrwng a deunydd addysg o'r ysgol gynradd i'r brifysgol. A phan gododd gwrthwynebwyr ehangu addysg Gymraeg eu lleisiau ynghanol yr 1970au, nid oedd Valentine yn araf i'w hatgoffa o'i brofiadau bore oes: "Digrif ydyw arswyd santaidd rhai o'n cynghorwyr yng Nghymru wrth feddwl am wthio'r Gymraeg i lawr corn gyddfau delicet ein plant dicra. Â gordd y pwniwyd y Saesneg i lawr corn gyddfau fy nghenhedlaeth i…"[7]

Ar ôl gadael Ysgol Plwyf y Llan aeth i Ysgol Uwchradd Eirias ym Mae Colwyn. Yn ystod ei gyfnod yno tyfodd ei ddiddordeb mewn ieithoedd, ac arhosodd y pleser mewn efrydiau ieitheg a ieithoedd gydag ef trwy gydol ei oes. Yn ei flynyddoedd cynnar yn yr ysgol uwchradd cyflwynwyd ef i wersi Lladin a Groeg yn ogystal â Saesneg a Chymraeg. Ar ganol ei yrfa yno, fodd bynnag, bu'n rhaid iddo ddewis rhwng parhau â'i wersi Groeg neu ynteu astudio'r Gymraeg. Wrth reswm, Cymraeg oedd ei ddewis cyntaf, ond nid oedd am wneud hynny ar draul gollwng iaith y Testament Newydd, felly penderfynodd ddilyn y cwrs Groeg yn ystod ei gyfnodau rhydd.

Ei fwriad, ar ôl llwyddo yn arholiad y matric, oedd mynd i Goleg Bangor, ond yr oedd yn rhy ifanc i wneud hynny, felly penderfynodd fynd yn ôl i'w hen ysgol yn Llanddulas fel disgybl-athro didrwydded. Dysgai dros 40 o blant, gan fod yn gyfrifol am bedwar dosbarth. O'r cychwyn cyntaf, gan fod pob un o'r plant yn Gymry Cymraeg, penderfynodd ddefnyddio llawer o Gymraeg fel cyfrwng cyfathrebu ac addysgu.

Nid oedd eto wedi magu egwyddorion pendant ynglŷn â gwerth y Gymraeg i'r genedl, felly nid cymhellion gwleidyddol oedd y sail dros ei benderfyniad. Mater o synnwyr cyffredin oedd defnyddio'r Gymraeg ar lawr y dosbarth, ac yn ymwneud llawer mwy â chadw trefn a disgyblaeth yn y dosbarth nag unrhyw egwyddor o gyfiawnder i'r iaith. Plant o'r un pentref ag ef oedd y disgyblion, ac nid oedd erioed wedi siarad Saesneg â hwynt o'r blaen:

> Doeddwn i ddim yn rhy rwydd yn Saesneg, a mwy na hynny yr oeddwn i'n dysgu plant oedd yn gyfoedion â mi, a phe bawn i'n defnyddio Saesneg – wel, peth smala iawn fyddai hynny; a'u tuedd nhw fyddai fy ngwawdio, y fi – hogyn o'r Llan – yn siarad Saesneg!... Ac er mwyn fy amddiffyn fy hun yn fwy na dim byd, am wn i, yr oeddwn i'n defnyddio cymaint o Gymraeg, ac yn tynnu gwg i wyneb y prifathro, mae gennyf ofn, yn aml.[8]

Er mawr syndod i'r plant, roedden nhw am unwaith yn deall beth oedd yn digwydd yn y dosbarth, ac er syndod i'r prifathro ac iddo ef ei hun, roedd disgyblaeth y llanc-athro yn ddi-fai.

Yn ystod y blynyddoedd yma hefyd y cyneuwyd ei ddiddordeb ysol mewn iaith ac orgraff iaith. Trwy gydol ei oes bu safon a chyflwr y Gymraeg ar lafar ac yn ysgrifenedig yn hollbwysig iddo. Rhoddai gryn bwys ar fynegiant coeth ar lafar ac ar bapur. Digwyddodd hynny'n bennaf dan ddylanwad D Tecwyn Evans a ddaeth yn weinidog i'r Llan ac a fu'n lletya gydag un o fodrybedd Valentine. Yn sgil gwaith Syr John Morris-Jones yr oedd Tecwyn Evans wedi'i drwytho ei hun ym mhwnc orgraff yr iaith, a throsglwyddodd y diddordeb hwnnw i'r Valentine ifanc.

O ganlyniad i'r diddordeb newydd yn y Gymraeg daeth cyfrolau clasurol Cymraeg fel *Gweledigaethau'r Bardd Cwsg*, *Llyfr y Tri Aderyn* a *Drych y Prif Oesoedd* i Hillside. Serch hynny, bu i Mary Valentine rybuddio'r plant rhag Ellis Wynne gan fod darllen y gyfrol honno wedi rhoi hunllefau iddi.

Yn ystod ei gyfnod fel disgybl-athro yn Ysgol y Llan arferai ddianc bob awr ginio i dŷ gerllaw'r ysgol. Yno y trigai hen fardd o'r enw Eilydd Elwy, a oedd yn gweithio fel peiriannydd yn y chwarel. Un o ddisgyblion Talhaiarn oedd Eilydd Elwy ac roedd yn englynwr medrus. Gan weld fod ganddo ddiddordeb mewn barddoniaeth a llenyddiaeth Gymraeg cymerodd yr hen fardd yr athro ifanc dan ei adain, a dysgodd rai o'r mesurau caeth iddo gan gynnau diddordeb Valentine mewn Cerdd Dafod.

Bob amser cinio "fe'm harweiniai i diroedd hud a lledrith llenyddiaeth fy ngwlad, canys nid oedd neb yn yr ysgol a wnâi hynny".[9] Gwnaeth fwy na hynny, fodd bynnag; Eilydd Elwy a gyflwynodd Lewis Valentine i un o ddylanwadau mwyaf ei oes, sef Emrys ap Iwan.

Ganed Emrys, sef Robert Ambrose Jones, yn 1848, rhyw dafliad carreg o Landdulas yn nhref Abergele. Cyn mynd yn weinidog gyda'r Methodistiaid Calfinaidd bu'n gweithio fel garddwr ym Modelwyddan ac mewn siop ddillad yn Lerpwl, a threuliodd rai blynyddoedd ar y cyfandir fel athro. Daeth i wrthdrawiad amlwg iawn gyda ffigyrau amlycaf ei enwad ar gorn ei wrthwynebiad i sefydlu achosion Saesneg eu cyfrwng mewn capeli Cymraeg ar gyfer mewnfudwyr o Loegr. Er bod dynion fel Lewis Edwards a John Thomas, Lerpwl, yn wŷr diwylliedig a deallus nid oedd y Gymraeg yn bwysig iddynt. Yn wir, aeth Lewis Edwards mor bell â datgan bod enaid Sais yn fwy gwerthfawr na'r iaith Gymraeg. Cythruddwyd arweinwyr y Methodistiaid gymaint gan wrthwynebiad Emrys i'r *Inglis Côs*, nes iddynt wrthod ei ordeinio yng Nghymdeithasfa Llanidloes yn 1881, er iddo gael ei dderbyn fel gweinidog ddwy flynedd yn ddiweddarach. Cyfrannodd Emrys yn gyson i *Faner ac Amserau Cymru* yn ogystal â'r *Geninen,* yn aml o dan ffugenwau, gan draethu barn bendant a dychanol ar faterion y dydd. Roedd yn gadarn o blaid hunanlywodraeth i Gymru (ef a fathodd y gair 'ymreolaeth'), ond arddelai genedlaetholdeb galetach na gwladgarwch sentimental Cymru Fydd, ac roedd yn wrth-imperialydd pybyr.

Bu Emrys yn ysgrifennu'n rheolaidd yn y *Geninen* yn ystod yr 1890au a thrwy law Eilydd Elwy cafodd Valentine fenthyg copïau o'r cylchgrawn gan ddarllen yr erthyglau'n eiddgar. Cafodd cenadwri Emrys effaith arhosol arno, ac yn ôl ei addefiad ei hun ni fu Valentine "byth yr un fath"[10] ar ôl darllen un erthygl yn arbennig, a'i brawddeg glo gofiadwy. "Trwy drais y collasom ein rhyddid, a thrwy drais y mae'n rhaid inni ennill ein rhyddid drachefn. Pawb i'w pebyll, O Gymry!"

Wedi cael blas ar yr erthyglau, roedd gan Valentine chwilfrydedd mawr ynghylch y garddwr o Fodelwyddan. Holodd ei dad mewn ymgais i gael mwy o wybodaeth am Emrys, a chafodd ei gyfeirio ganddo at un o Fethodistiaid blaenaf y pentref. Dywedwyd wrtho fod rhai o selogion achos y Methodistiaid wedi clywed Emrys yn pregethu ond eu bod o'r farn mai pregethwr sâl ydoedd. Yn sicr nid oedd Emrys ymysg sêr-bregethwyr yr enwad ond roedd Valentine yn dal am wybod mwy a maes o law cafodd fenthyg copi o gyfrol gyntaf *Homilïau* Emrys gan wraig cigydd y pentref.

Nid oedd wedi darllen dim fel hyn o'r blaen. Taranai Emrys yn erbyn yr imperialwyr a mynegai farn groyw am le Cymru a'r Gymraeg yn y byd y tu hwnt i Brydain. Gwahanol iawn oedd hyn i'r Prydeindod teyrngarol wedi'i lapio yng ngwisg Cymreictod dagreuol rhai o wladgarwyr pennaf yr oes. Cefnogwyr y Prosiect Ymerodrol oedd arweinwyr Cymru Fydd – roedd T E Ellis yn un o edmygwyr Cecil Rhodes, y dyn a ddofodd ddeheudir yr Affrig er lles yr Ymerodraeth ac er budd ei boced ei hun. Cefnogwr "ymreolaeth" oedd Emrys, a mynnai fod gan holl wledydd Prydain hawl i reoli eu tynged eu hunain.

Tynnai Emrys ap Iwan ysbrydoliaeth o wledydd Ewrop, megis yr Eidal, Hwngari a Ffrainc. Cefnogai'r Gwyddelod yn eu brwydr am ymreolaeth ac roedd am i'r Cymry ddangos eu haeddfedrwydd fel pobl a mynnu eu lle ymysg cenhedloedd y byd. I'r perwyl hynny, haerai nad oedd dim mater gwleidyddol pwysicach nag ennill ymreolaeth. Rhaid oedd sicrhau rhyddid i'r genedl yn gyntaf cyn mynd i'r afael â phroblemau cymdeithasol ac economaidd. Rhaid oedd ymwrthod â gosod hawddfyd personol a buddiannau dosbarth yn uwch na rhyddid y genedl. Cyn cychwyn ymryddhau ac aeddfedu fel cenedl, fodd bynnag, byddai'n rhaid torri ar arfer cenedlaethau. Nid oedd diben mwyach ymladd am ryddid o fewn pleidiau Prydeinig, na sôn am Chwigiaid Cymru a Thorïaid Cymru; yn hytrach dadleuodd Emrys mai dwy blaid wleidyddol yn unig a ddylai fod yng Nghymru hyd nes y câi ei hawliau'n llawn fel cenedl, sef Plaid Gymreig a phlaid wrth-Gymreig. Ymhellach, meddai, gwanhau'r blaid wrth-Gymreig ddylai fod yn brif nod pledwyr achos Cymru. Gwendid mawr mudiad Cymru Fydd oedd mai plentyn y Blaid Ryddfrydol ydoedd, ond yr unig Ryddfrydiaeth yr oedd diben i'r Cymry ymwneud â hi oedd "rhyddhau'r Dywysogaeth oddi wrth yr ormes Seisnig sy'n ei gwneud yn gadlas chwarae ac yn grochan golchi i bob anghyfiaith ac anghyweithas".

Rhoddodd Emrys ap Iwan bwyslais o'r newydd ar y Gymraeg, ac ysgrifennu a siarad Cymraeg safonol, ond yn fwy arwyddocaol yr oedd cadw'r Gymraeg yn ganolog i barhad a goroesiad y genedl. Y Gymraeg, meddai, yn ei ymadrodd cofiadwy, "yw'r unig wrthglawdd rhyngom â diddymdra".

Nid neges boliticaidd yn unig oedd hon, serch hynny, oherwydd nid gwleidydd yn gymaint â gweledydd oedd Emrys, ac yr oedd ganddo hefyd gyfiawnhad diwinyddol dros frwydro dros Gymru a'r Gymraeg. Nid oedd croesddweud na gwrthdynnu rhwng bod yn genedlaetholwr Cymraeg a dilyn Iesu Grist; i'r gwrthwyneb, yr oedd y naill a'r llall yn cydweddu â'i gilydd. Gan gyfeirio at bregeth yr Apostol Paul yn Athen, ym mhennod 17 Llyfr yr Actau, nododd fod Duw wedi llunio pob cenedl i ddynion "i breswylio ar holl wyneb y ddaear, gan bennu cyfnodau ordeiniedig a therfynau eu preswylfod". Rhan o Ragluniaeth Duw oedd bodolaeth cenedl y Cymry, a dyletswydd pob Cristion o Gymro oedd gwarchod y genedl honno a'i hiaith:

> Cofier mai'r Duw a wnaeth ddynion a ordeiniodd genhedloedd hefyd; ac y mae difodi cenedl y trychineb nesaf i ddifodi dynolryw, a difodi iaith cenedl y trychineb nesaf i ddifodi'r genedl, am fod cenedl yn peidio â bod yn genedl ymhen mwy neu lai o amser ar ôl colli ei hiaith. Pan fo cenedl yn esgeuluso dysgu ei hiaith ei hun ar yr aelwydydd ac yn yr ysgolion beunyddiol, y mae'r genedl honno'n euog o'i lladd ei hun.[11]

Ar awr anterth Prydeindod yr oedd Emrys wedi codi baner Cenedlaetholdeb Cymraeg a bu ei ddylanwad yn sylweddol ar genhedlaeth newydd o genedlaetholwyr, fel Valentine. Er i'r gweledydd farw yn 1906 atgyfnerthwyd ei ddylanwad pan gyhoeddwyd cofiant darllenadwy T Gwynn Jones iddo yn 1912. Cyfrol, yn ôl Saunders Lewis, a newidiodd hanes ac "effeithio ar genhedlaeth gan ei hysbrydoli a rhoi cyfeiriad iddi".[12]

Yn wir, gellir olrhain llawer o ddaliadau a pholisïau sylfaenol y Blaid Genedlaethol yn ôl at Emrys, ac yn hynny o beth ef oedd rhagflaenydd y mudiad cenedlaethol modern. Nid rhyfedd, felly, i Valentine ei fedyddio yn "Dad y Blaid Genedlaethol". Roedd yn destun cryn falchder iddo fod rhywun o'i filltir sgwâr wedi braenaru'r tir a dangos bod modd i'r Cymry feithrin asgwrn cefn a sefyll yn erbyn imperialaeth, a chyfuno hynny gyda'r ffydd Gristnogol. Byddai Valentine yn troi at weledigaeth Emrys drachefn a thrachefn ymhen blynyddoedd i ddod, ac yn cymell cenedlaethau eraill i wneud yr un fath. Dylid gwneud pwynt o ddarllen yr *Homilïau* unwaith y flwyddyn, meddai, "*and inwardly digest!*"[13]

Bu'r asio syniadol rhwng Cristnogaeth a chenedlaetholdeb a gafwyd gan Emrys ap Iwan yn greiddiol i Valentine. Yn ddiweddarach, adleisiwyd y safbwyntiau hyn ynddo yntau gan mai deubeth ynghlwm fyddai Cymreictod a Christnogaeth iddo; yn union fel Emrys o'i flaen. Roedd yr erthyglau a'r pregethau wedi hau had y dylanwad a ddôi'n ddiweddarach:

> Er fy mod i wedi dod o dan ddylanwad ysgrifau a homilïau Emrys ap Iwan, 'dwyf fi ddim yn credu bod gen i ryw syniad y gallai pethau fod yn gwbl wahanol: yr oedd ysgrifau Emrys ap Iwan wedi goglais dipyn arnaf fi; wedi cynhyrfu dipyn arnaf fi. Ond 'doedd o ddim wedi fy argyhoeddi fi o reidrwydd cenedlaetholdeb na dim byd felly.[14]

Dwyn ffrwyth yn nes ymlaen, felly, fyddai'r had yma, wrth i Valentine weld drosto ei hun mor agos i'w le oedd dadansoddiadau Emrys o Brydeindod y Llo Aur a Saisaddoliaeth y Cymry. Ei brofiadau yng ngheyrydd Prydeindod Lluoedd Arfog yr Ymerodraeth a Phrifysgol Cymru fyddai'n cadarnhau cywirdeb y dadansoddiadau hynny maes o law.

Rhoddodd ei fagwraeth a dylanwad y Capel Bach waelod moesol ac ysbrydol i'w gymeriad, a chafodd gipolwg ar ysgolheictod a chenedlgarwch amgen gan hoelion wyth y fro. Byddai'n tynnu maeth o'r gwreiddiau hynny ar hyd ei oes, ac er bod y darnau yn disgyn i'w lle ym myd-olwg y gŵr ifanc, nid oedd y darlun cyflawn yn eglur eto.

Un peth oedd yn sicr: gweinidog gyda'r Bedyddwyr fyddai Lewis Valentine.

Nid bod hynny'n union wrth fodd ei fam. Yr oedd Mary Valentine yn awyddus iawn i'w mab ddilyn gyrfa ym myd addysg. Daeth ei brifathro i Hillside un diwrnod i drafod dyfodol Lewis. Fel hyn y cofiodd ei chwaer Lil yr achlysur:

> Rwy'n cofio y Prifathro'n dod i weld Mam. A Mam yn deud "Hoffwn i weld... wel dw i am i'r bachgan fynd i ddysgu", meddai, "a mynd yn athro."
>
> "Wel mi hoffwn innau hefyd," meddai fo, "ond fydd o'n ddim byd ond pregethwr. Dw i wedi'i astudio fo, a phregethwr fydd o. Allwch chi ddim gneud athro o bregethwr," medda fo.[15]

Nid tröedigaeth ddramatig mewn gwres diwygiadol a wnaeth Lewis Valentine yn Gristion o argyhoeddiad; tyfu dros amser a wnaeth yr ymdeimlad mai yn y weinidogaeth fyddai ei ddyfodol. Profiad bron yn anorfod oedd ei ddewis alwedigaeth, ac roedd rhywbeth llwythol bron ynglŷn â'r modd y cafodd ei ddewis gan gynulleidfa Bethesda i fod yn bregethwr:

> A chymdeithas y capel bach yr hyn ydoedd, a phregethu yn cael ei fawrhau yno, yr oedd yn anochel i mi feddwl am ddim ond pregethu. Ni feddyliais erioed am ddim arall, a chredaf fod yr aelodau wedi fy nodi ar gyfer y weinidogaeth o'r cychwyn. Un o'r pethau cyntaf a gofiaf ydyw un o'r diaconiaid a gadwai dŷ popty yn fy nghodi ar y bwrdd tylino i roi pregeth. Y mae'n rhan o'm profiad wrth edrych yn ôl mai ychydig iawn o ran oedd gennyf mewn dewis dim; trefnedig oedd popeth o bwys, ac ymddengys i mi'n awr fod rhyw orfodaeth oddi allan arnaf. Felly gyda'r alwad i bregethu, nid myfi a geisiodd yr alwad, ond yr alwad a'm cafodd i.[16]

Dechreuodd bregethu'n swyddogol yn 1912, ac yn unol ag arfer eglwysi'r Bedyddwyr gofynnodd am gymeradwyaeth ei gapel i ymgeisio am y weinidogaeth. Nid bod hynny wedi bod yn drafferthus iddo o gwbl: "Cefais gefnogaeth gref ym mhob tywydd gan y frawdoliaeth yno

– Llifon, brawd Alafon, a'm cymhellodd i bregethu, neu yn gywirach ei wraig, merch y Dr Hugh Jones, Llangollen."[17] Felly, yn 1913, ffarweliodd â'r Llan i fynd i'r Coleg ym Mangor yn 1913 i astudio Cymraeg o dan yr Athro Syr John Morris-Jones a ieithoedd Semitig o dan Thomas Witton Davies, gyda'r bwriad yn y pen draw o fynd yn weinidog gyda'r Bedyddwyr.

Efallai ei fod am fynd yn weinidog ond roedd am yfed yn llawn o gwpan bywyd academaidd yn gyntaf:

> Y Sul cyntaf yn Awst yr oeddwn yn pregethu yn Llanrwst, ac yn rhyfedd iawn yn oedfa'r nos yn pregethu ar Gwyn Eu Byd y Tangnefeddwyr. Adref yr oeddwn ar fy ngwyliau o'r coleg – newydd orffen fy mlwyddyn gyntaf yn y Brifysgol ac wedi tynnu allan i mi fy hun raglen uchelgeisiol iawn. Fy mwriad oedd gorffen cwrs arbennig ym Mangor – treulio blwyddyn neu ddwy yn Rhydychen, a wedyn teithio am dymor neu ddau ar y cyfandir ym mhrifysgol enwog Heidelberg a gorffen yn y Sorbonne yn Ffrainc...[18]

Pwy a ŵyr ai breuddwydion ffansïol ieuenctid oedd hyn, ynteu bwriad mwy pendant i ledu gorwelion, ond fel y dywedodd Valentine ei hun, "Nid oes neb yn gwybod beth sydd yng nghôl y duwiau ar gyfer dyn",[19] ac ar y Sul tyngedfennol hwnnw yn Awst 1914 tarfwyd ar y gobeithion delfrydgar hynny am y dyfodol, ynghyd â gobeithion cyfandir cyfan, gan gynllwynion ac ymgiprys Ymerodraethau Ewrop. Câi brofi bywyd yn Ffrainc, ond profiad pur wahanol i astudiaethau ysgolheigaidd ar lannau afon Seine fyddai ei dynged.

Pennod 4

Twymyn y Gad

Oni chlywi di dwrf y tywysogion, a'r bloeddio a'r gwaywffyn a'r saethau yn tincian ar y tarannau? Onid yw twymyn y gad yn dyfod arnat?

Emrys ap Iwan[1]

Er taw lladd yr Archddug Fferdinand gan genedlaetholwyr Serbaidd ar 28 Mehefin 1914 a daniodd goelcerth y rhyfel, mewn gwirionedd roedd y ras arfau rhwng gwledydd mawr Ewrop wedi gwneud rhyfel yn anochel mor gynnar â 1907. Dros y cyfnod hwn ymrannodd gwledydd Ewrop yn ddau floc pŵer, yr Entente Triphlyg a'r Gynghrair triphlyg. Yn yr ymgiprys hwn roedd pwerau mawr Ewrop am y gorau â'i gilydd i ehangu eu hymerodraethau, ac roedd twf yr Almaen, a'i hagwedd filwriaethus wrth fynnu darn helaethach o'r gacen ymerodrol, yn fygythiad i hegemoni'r Ymerodraeth Brydeinig ar fôr a thir.

Yna, ar ddechrau Awst 1914, ymosododd yr Almaen ar Wlad Belg, ac roedd hynny'n ddigon i Brydain gyhoeddi rhyfel yn erbyn yr Almaen ar y pedwerydd o Awst.

Deffrodd Cymru i fyd gwahanol iawn y bore Llun wedi cyhoeddi'r rhyfel. Teimlai Valentine fod yr awyrgylch gynhyrfus "fel sŵn rhywbeth rhyfedd yn yr awyr – sŵn rhyfel a rhyw gyffro a chynnwrf dan bob bron".[2] Wrth aros am bedair awr am drên adref i Landdulas yng Nghyffordd Llandudno gwelodd Valentine drên ar ôl trên "yn chwyrnyllu drwy'r stesion yn dwyn milwyr llawen a thrystiog i'w gwahanol wersyllau".[3]

Fe'i magwyd ar aelwyd lle ystyrid rhyfel yn beth gwrthun ac Anghristnogol, ac roedd rhagfarn gref ymysg cynulleidfa'r Capel Bach yn erbyn militariaeth a milwyr – "dyn amharchus oedd y milwr... yn troi am ddinas noddfa i'r fyddin oedd yn derbyn pob scamp a methiant".[4] Y syndod mawr felly, yn wyneb y rhagfarn cryf oedd yng Nghymru yn erbyn militariaeth yn gyffredinol, yw fod cynifer o fechgyn ymneilltuol wedi ymuno â'r fyddin. "Y wlad yr oedd ei rhagfarn yn fwyaf yn erbyn rhyfel," meddai Valentine yn ddiweddarach, "a yrrodd fwyaf o fechgyn i'r ffosydd."[5] Iddo ef yn bersonol, "nid oedd fymryn o wladgarwch yn fy mynwes",[6] ond roedd bywyd coleg yn ddiflas ac roedd rhyw ysfa ymhlith y myfyrwyr am anturiaeth a phrofiad. Fe gafwyd ehangu gorwelion a phrofiadau cofiadwy, a hynny yn ôl cyfaddefiad Valentine flynyddoedd wedyn, "*with a vengeance* a thalwyd yn ddrud amdano".[7]

Ar drothwy'r rhyfel yr oedd Ymneilltuaeth yn dal yn rym mawr yn y tir, ac roedd yn allweddol bwysig i'r awdurdodau ddarbwyllo aelodau ac arweinwyr eglwysi'r Gymru Anghydffurfiol o'r cyfiawnhad dros fynd i ryfel. Hwyluswyd hynny, i raddau, gan mai y Blaid Ryddfrydol, plaid yr Anghydffurfwyr, aeth â Phrydain i ryfel yn y lle cyntaf, ond gyda chefnogaeth frwd y Torïaid a gweddill y Sefydliad Prydeinig.

Llugoer fu ymateb y Cymry ar y cychwyn a chafwyd peth trafferth recriwtio dynion i'r fyddin, ond trodd yr awyrgylch yn fwy o blaid y rhyfel wrth i'r peiriant propaganda godi stêm. Fel rhan o hynny gwnaed ymgais fwriadol i ddwyn perswâd ar enwadau crefyddol Cymru mai Rhyfel Cyfiawn oedd hwn, rhywbeth yr oedd yn rhaid wrtho i amddiffyn gwerthoedd Cristnogol y genedl.

Cyfaddefodd hyd yn oed "dyn heddwch" fel O M Edwards, a fu mor daer yn erbyn Rhyfel y Böer, bellach nad oedd dewis gan y Cymry ond ymladd o blaid cenedl fechan y Belgiaid yn erbyn ci cynddeiriog yr Almaen. Gyda chyfuniad nodweddiadol o ddadleuon emosiynol a phropaganda digywilydd, portreadwyd yr Almaenwyr fel gelynion gwareiddiad, ac ystumiwyd geiriau athronwyr yr Almaen i ddangos mor farus oedd awch yr Ellmyn i dra-arglwyddiaethu ar genhedloedd bach Ewrop. Aeth deallusion ac ysgolheigion gwladgarol ati i danseilio athronwyr yr Almaen, megis Nietzche a Treitschke, gan ddod i'r casgliad unfryd bod y drwg wedi bod yn y caws Tewtonig ers degawdau.

Cafwyd rhestr faith o weithredoedd ysgeler yr "Hun". Bu digwyddiadau megis llosgi llyfrgell prifysgol hen ddinas Louvain, malurio Eglwys Gadeiriol Rheims a suddo llong y *Lusitania* yn dystiolaeth ddigamsyniol o anwarineb y gelyn. Cafwyd adroddiadau yn y wasg Brydeinig am filwyr Almaenig yn saethu dinasyddion diniwed, yn llosgi ffermydd ac yn defnyddio merched a phlant fel "tariannau dynol". Mewn gwrthgyferbyniad llwyr i hyn, barnwyd bod ymddygiad byddin Prydain tuag at y gelyn yn fawrfrydig ac anrhydeddus. Yn yr awyrgylch gynhyrfus a'r hysteria hwn digon hawdd oedd beio'r Almaen gyfan am y trais.

Lledodd twymyn y gad i Goleg y Brifysgol ym Mangor hefyd, ac anodd oedd cynnal normalrwydd academaidd dan yr amgylchiadau. Cynhaliai'r *Officer Training Corps* ei ymarferion ar deras y Coleg a chomanderiwyd ystafelloedd darlithio at ddibenion Lluoedd y Brenin. Addaswyd y Ddarlithfa Gymraeg yn Ffreutur, a'r Ystafell Hebraeg yn stydi ar gyfer y merched.

Datganodd Syr Harry Reichel, prifathro Coleg Prifysgol Bangor, ac yntau o dras Almaenig, nad oedd dewis gan fyfyrwyr ond ymuno yn y gad. Rhyfel o fath newydd oedd hwn, meddai. Ers talwm ymladdai Prydain yn erbyn gwrthwynebwyr anrhydeddus, llawn sifalri, ond yn awr yr oedd dewrion yr Ymerodraeth yn wynebu gelyn o fath newydd. Bellach roedd yr Almaen ar y naill law yn defnyddio dulliau rhyfela mwy soffistigedig technoleg fodern ac, ar y llaw arall, yn mabwysiadu dulliau creulon, cyfrwys a thwyllodrus a oedd yn fwy nodweddiadol o lwythau cyntefig yr Indiaid Cochion.

Roedd Syr Harry yn iawn ar un cyfrif. Rhyfel technolegol fyddai hwn, yn rhoi llwyfan i fath newydd o ryfela. Bellach byddai dinistr yn dod o'r awyr yn ogystal ag ar fôr a thir. Byddai llongau tanfor *u-boats*, llongau awyr *zeppelin*, awyrennau fel y *Sopwith Camel*, magnelau fel *Big Bertha* a chreadigaeth newydd arloesol y tanc, yn codi gwyddor rhyfela i dir newydd. Ar ben hynny, yn y rhyfel hwn gwelid holl fanteision datblygiadau modern bomiau tân a nwy gwenwynig ar faes y gad am y tro cyntaf.

Yn Adran Gymraeg y Coleg yr un oedd byrdwn Syr John Morris-Jones. Pardduwyd yr Almaen ganddo am ei "chastiau llechgiaidd" a'r "ymosodiad bradwrus a llofruddiog". Nod yr Almaen oedd difa popeth gwerthfawr a gwâr ym mywyd Cymru a Phrydain. Er mai cenedl heddychlon oedd Cymru, yn yr achos hwn roedd yn rhaid tynnu'r cledd o'r wain, dilyn ôl traed Llywelyn a Glyndŵr a chamu "i'r gad". Daeth Syr John Morris-Jones i'r casgliad nad oedd yr Almaen yn deilwng o'i lle ymysg gwledydd y byd am iddi orseddu Duw Rhyfel, a bod mynd i ryfel yn erbyn y Duw Rhyfel o'r herwydd yn weithred "sanctaidd".

Llwyddiant fu'r holl ymdrech i ddarbwyllo'r efrydwyr i godi arfau, oherwydd, erbyn haf 1918, yr oedd cyfanswm o 554 o ddynion – yn staff ac yn fyfyrwyr – o Goleg Bangor wedi gwasanaethu yn y fyddin.

Ffactor mwy arwyddocaol i Lewis Valentine na geiriau ei addysgwyr, serch hynny, oedd y ffaith bod arwyr gwleidyddol a chrefyddol aelwyd Samuel a Mary Valentine, dynion fel Lloyd George a John Clifford, mor frwd dros y rhyfel. A diau i hyn fod yn ystyriaeth allweddol ym mhenderfyniad eu meibion Idwal, Lewis a Stan i ymuno â'r fyddin.

Roedd John Clifford yn un o arweinwyr amlycaf a mwyaf blaengar y Bedyddwyr yn Lloegr ac arweinydd amlwg i weddill Eglwysi Rhyddion Lloegr hefyd. Bu'n wrthwynebydd ffyrnig i Ryfel y Böer ac yn ymgyrchwr brwd dros undebau llafur a hawliau'r gweithiwr, dros ymreolaeth Iwerddon, a thros bleidlais i ferched a diwygio Tŷ'r Arglwyddi. Rhyfel dros heddwch oedd hwn yn ôl Clifford. Er ei fod yn gwrthwynebu gorfodaeth filwrol roedd y ffaith i rywun fel Clifford weld cyfiawnhad dros y rhyfel yn siŵr o gael dylanwad sylweddol ar aelwyd Gristnogol a Rhyddfrydol fel un Samuel Valentine.

Ond y gŵr mwyaf ei ddylanwad ar y Gymru Gymraeg oedd David Lloyd George. Fel y nododd Dewi Eirug Davies, "David Lloyd George, gyda chynhorthwy parod y sefydliad crefyddol a lwyddodd, yn anad neb arall i wneud rhyfel gwaedlyd yn grwsâd sanctaidd".[8] Erbyn hyn yr oedd y dyn a fentrodd ei einioes yn gwrthwynebu Rhyfel y Böer wedi dringo i frig polyn llithrig gwleidyddiaeth Brydeinig, ac yn sgil hynny barn wahanol iawn oedd ganddo am y Rhyfel Mawr. Defnyddiodd ei ddoniau rhethregol arbennig gyda'i effeithiolrwydd arferol. Nid ymladd yn erbyn pobl gyffredin yr Almaen yr oedd Prydain, dadleuai Dewin Llanystumdwy, ond yn hytrach brwydr ydoedd yn erbyn y dosbarth milwrol oedd wedi cipio grym yn y wlad. Cyffelybodd ymddygiad yr Almaen i fwltur yn hofran uwchben Gwlad Belg yn aros y cyfle i ymosod a'i thraflyncu hi a gwledydd bychain eraill fel Serbia. Bu'r genedl yn byw am genedlaethau, meddai, mewn dyffryn cysgodol yn llawer rhy gysurus ei byd, ond daeth llaw drom tynged i'w chodi i'r uchelder i weld y pethau a oedd o dragwyddol bwys, sef Anrhydedd, Dyletswydd, Gwladgarwch, ac yn fwy na dim Aberth.

Llwyddodd Lloyd George i ennill dadl o fewn y Cabinet gyda'r Arglwydd Kitchener (oedd am gadw'r Cymry mewn catrodau ar wahân i'w gilydd a'u gwahardd rhag siarad Cymraeg), i ffurfio catrawd Gymreig, sef y *38th Welsh Division.* Y Cadfridog-Frigadydd Owen Thomas, Annibynnwr selog o Fôn, a gafodd y gwaith o recriwtio yng ngogledd-orllewin Cymru i'r gatrawd hon.

Ar ddechrau 1916 roedd y wasg Gymreig yn clochdar bod Cymru, ar gyfartaledd, wedi cyfrannu mwy o fechgyn i'r fyddin nag unrhyw wlad arall yn Ewrop. Er nad oedd fawr o sylwedd ffeithiol i'r haeriad, yn ddi-os bu ymgyrch recriwtio Owen Thomas yn hynod lwyddiannus.

Elfen allweddol o'r llwyddiant oedd pwyslais Owen Thomas ar y lle blaenllaw a roddid yn ei fyddin Gymreig i ddaliadau crefyddol y milwyr. Mewn ymgais i dawelu ofnau rhieni pryderus, cyhoeddodd nad lle anfoesol oedd y fyddin bellach – roedd rhyddid i bawb addoli yn ôl eu dymuniad, ac roedd pob catrawd yn caniatáu cynnal cyrddau gweddi, Ysgolion Sul ac oedfaon Cymraeg. Tanlinellodd y Cadfridog-Frigadydd ddau beth uwchlaw popeth arall yn ei ymbiliadau recriwtio, sef yr hawl i siarad Cymraeg yn y fyddin Gymreig a dyletswydd y Cymry i fod yn deilwng o'u cyndeidiau a sefyll dros eu gwlad.

Cynllun y Cadfridog Owen Thomas oedd ffurfio uned arbennig o'r *Royal Army Medical Corps* (RAMC) a fyddai'n gysylltiedig â'r *38th*

Welsh Division. Cafwyd cylchlythyr ar ddiwedd 1915 yn datgan y bwriad i sefydlu'r Corfflu Meddygol. Derbyniodd y RAMC sêl bendith hoelion wyth Anghydffurfiol eraill fel John Williams, Brynsiencyn, a'r Parch. T C Williams, Porthaethwy, oedd wedi ymuno yn y rhyfel propaganda i ddenu llanciau'r capeli i'r fyddin. Felly, ar ôl mis Ionawr 1916, tyrrodd degau o fechgyn ifanc – a darpar weinidogion – o'r colegau diwinyddol a'r colegau prifysgol i ymuno â'r RAMC. Er bod tueddfryd y rhan fwyaf o'r llanciau hyn yn heddychol, mae'n arwyddocaol iddynt ddewis ymuno â'r fyddin yn hytrach na sefyll fel gwrthwynebwyr cydwybodol. Strôc bropaganda fawr fu sefydlu'r Corfflu Meddygol, oherwydd er eu bod yn ymuno â'r fyddin nid oedd gofyn i'r dynion ifanc hyn gario arfau. Fel y sylwodd Gareth Miles, yr oedd yn "ystryw athrylithgar i gymell deallusion ifainc, mwyaf delfrydgar y Genedl, ei darpar-weinidogion, i beidio â throi'n wrthwynebwyr cydwybodol".[9]

Mae'n debyg hefyd fod hyn yn adlewyrchiad o'r hinsawdd jingoistaidd ar y pryd wrth i ysbryd rhyfel afael yng nghymdeithas Cymru a Phrydain ac nid oedd aelodau eglwysi Anghydffurfiol wedi eu hynysu rhag hynny. Talodd y *Welsh Outlook* deyrnged i Owen Thomas:

> No man has laboured with more enthusiasm, and no man has done more to create this new Welsh army than Brigadier-General Owen Thomas... Never before in the history of Wales have Welsh ministers of religion been encouraged to such an extent in the army. The inimitable old Welsh hymns are sung at every battlefront... To thousands of these Welsh boys English may be the tongue of the market, the quarry and the coal pit, but not the language of Holy Things. General Owen Thomas knows all this, and Wales will not forget the inestimable service he has rendered to her sons by providing them on the battlefield with the moral stimulation and spiritual consolation of their religion in a form that revives in their hearts the holy memories of their home and dear ones.[10]

Cytunodd Coleg y Bedyddwyr yn sesiwn 1914/15 fod unrhyw fyfyriwr a ddewisai ymrestru yn y Lluoedd Arfog i gael cwblhau ei gwrs colegol pa bryd bynnag y gallai ddychwelyd. Datganodd y Parch.

Silas Morris, Prifathro Coleg y Bedyddwyr ym Mangor, yn glir wrth ei fyfyrwyr am y weinidogaeth mai eu cyfrifoldeb hwy oedd codi arfau a mynd i ymladd dros eu gwlad.

Cynhaliwyd amryw o gyfarfodydd recriwtio, cyfarfodydd a oedd, ym marn Valentine, "mor gyffrous a nwydus"[11] â rhai o gyfarfodydd y Diwygiad yn 1904. Daeth ei atgof am y cyfarfodydd hyn a'i brofiad o wirionedd maes y frwydr yn Ffrainc yn fodd i ategu ei amheuaeth o grefydd ar sail sentiment ac emosiwn. Ar y pryd, fodd bynnag, teimlai Valentine nad oedd ganddo ddewis ond dilyn ei frawd Idwal, a oedd eisoes wedi ymrestru yn y *Royal Artillery* ac yn gwasanaethu yn Ffrainc a'r Eidal. Felly, er ei fod yn dal yn y coleg, ymunodd â'r *Officer Training Corps*. Nid bod ganddo unrhyw gymhellion cadarn dros wneud hynny; ar ryw wedd yr oedd yn mynd i'r fyddin Brydeinig am ei fod yn Gymro: "Mi gredais i'r chwedl honno am ryddid cenhedloedd bach, ac er nad oeddwn i wedi rhesymu llawer ar y peth, mi gredais mewn ffordd digon annelwig y byddai Cymru, rywsut neu'i gilydd, yn sicr o elwa."[12]

Hyfforddi swyddogion ar gyfer y fyddin oedd diben Corfflu'r Swyddogion, ac i'r perwyl hwnnw cymerodd Valentine ran mewn ymarferion a gwrando ar ddarlithoedd ynghylch sut i weithredu fel swyddog effeithiol, gan gynnwys dysgu'r grefft o saethu gwn a sut i arllwys port wrth arlwyo bwyd ar gyfer uwch-swyddogion y fyddin. Ymrestrodd Valentine i ddechrau gyda chorfflu'r magnelwyr ond, ar ôl clywed am ffurfio'r RAMC, derbyniwyd ei gais i drosglwyddo i Gorfflu Meddygol y Fyddin Gymreig.

Galwyd aelodau'r Corfflu Meddygol ynghyd yn y Rhyl ar 28 Ionawr 1916. Yno, yn Neuadd y Dref, y daeth 200 o ddynion ifanc mwyaf disglair eu cenhedlaeth ynghyd, y rhan fwyaf ohonynt yn fyfyrwyr colegau diwinyddol. Ymunodd amryw o fyfyrwyr Colegau Bangor â'r Corfflu Meddygol, ac yn eu plith yr oedd dynion fel Valentine, Cynan a David ("Dei") Ellis, y bardd o Langwm a fu farw'n ddiweddarach yn y rhyfel yn Salonica mewn amgylchiadau hynod drist.

Nid oedd pawb mor danbaid o blaid rhyfel. Y dydd Sul cyn ymrestru yr oedd Valentine wedi bod yn pregethu yn Rhuthun ac yr oedd yr hen weinidog, Isaac James, wedi aros ar ôl yr oedfa i weddïo gyda'r darpar weinidog ifanc yn y sêt fawr. Yn amlwg yr oedd Isaac James yn ddi-sigl yn ei farn bod rhyfel yn waith rhy ffiaidd i weinidog yr Efengyl ymhél ag ef. Er na lwyddodd i ddarbwyllo Valentine rhag mynd i'r rhyfel dywed i'r weddi honno "hofran yn f'enaid drwy gydol y rhyfel – y mae yn hofran yn f'enaid heddiw".[13]

Os lleisiau yn yr anialwch oedd ffigyrau fel yr hen Isaac James, agosach at ysbryd yr oes oedd y Parch. John Williams, Brynsiencyn, a'i anogaeth barod i fechgyn ieuainc ymuno â'r lluoedd arfog "... ac na adewch i ryddid eich gwlad, diogelwch eich teuluoedd a'ch breintiau crefyddol gael eu hysbeilio oddi arnoch. Er ei holl ddiffygion Prydain yw'r lanaf, anrhydeddusaf y mae haul Duw'n tywynnu arni..."[14]

Ar 29 Ionawr bu'r bechgyn yn gwrando ar araith gan John Williams, Brynsiencyn, i'w hysbrydoli ar eu taith ac yna ymlaen â'r fintai i'r *Hillsborough Barracks* yn Sheffield, lle byddai Valentine yn lletya gyda Dei Ellis. Defodau undonog disgyblaeth filwrol oedd yn mynnu amser y dynion yno: glanhau toiledau, glanhau ceginau a chodi ysbwriel a bonion sigarennau oddi ar y llawr.

O'r cychwyn cyntaf daeth y Cymry yn ymwybodol o un o nodweddion amlycaf Lluoedd Arfog Prydain, sef pwysigrwydd gwahaniaethau dosbarth. Byd arall oedd byd y swyddogion, ychydig is na hwynt oedd y mân swyddogion fel y *square bashers* a'r sarjantiaid, yna ar waelod y domen yr oedd y milwyr cyffredin. Darluniwyd hyn gan Valentine yn ei atgofion yn *Dyddiadur Milwr* wrth iddo adrodd hanes sarsiant yn egluro wrth un milwr a gwynodd am boen yn ei abdomen, nad oedd ganddo abdomen. Swyddogion yn unig oedd ag abdomen, stumog oedd gan sarsiant, a bol yn unig oedd gan y milwr cyffredin. Yn y cyfnod yma y meithrinwyd ei deimladau negyddol tuag at ddosbarth y swyddogion milwrol – "rhyw Fajor Felltith"[15] – agwedd a fyddai'n tyfu'n gasineb llwyr maes o law wrth weld eu hagwedd a'u hymddygiad yn y ffosydd. Byddai ei atgasedd tuag at *Officer Class* dosbarth uwch Lloegr yn aros gydag ef weddill ei oes. Erbyn diwedd y rhyfel byddai'n dyheu am i'r werin "wneud y byd yn uffern i'r tacla cythreulig".[16]

Eto i gyd nid oedd Valentine yn brin o hunanhyder. Ni theimlai ei fod yn israddol i neb. Rhaid oedd sefyll yn gadarn, yn uniongyrchol neu'n anuniongyrchol, yn erbyn bwlis yr iard ymarfer ac awdurdod trahaus yr uwch-swyddogion. Dywedir iddo flino gofyn i un sarsiant beidio â rhegi yn ei ŵydd, gan ei fod yn cymryd enw un a oedd yn gysegredig iddo yn ofer. Parhau a wnaeth y milwr, nes i Valentine roi hergwd iddo trwy gynfas y babell a'i yrru'n glwt ar wastad ei gefn yn yr eira y tu allan. Credai ei fod wedi ei ladd, ond daeth y milwr ato ei hun toc ac wedi hynny ni regodd unwaith a daeth y ddau yn gryn ffrindiau. (Mae'n amlwg o'r digwyddiad hwn nad oedd daliadau heddychol Valentine wedi llwyr aeddfedu ar y pryd!)

Ymhen ychydig trosglwyddwyd y Corfflu Meddygol, *"The Lord's Own"* fel y bedyddiwyd yr uned ar lafar gwlad, yn ôl i Gymru, ac i dref Llandrindod ynghanol Maesyfed. Yno cafodd y dynion brofi rhagor o ymarferion milwrol a martsio blinedig ar draws cefn gwlad Maesyfed. Ond nid oedd bywyd milwr yn ddiflastod llwyr i Valentine. Cyfnod braf oedd y cyfnod yn Llandrindod; roedd cwmnïaeth felys y criw a chroeso'r bobl wrth ei fodd, ac fel y cofiai wedyn: "Cawsom groeso mawr yn y capel ac yn y dref, a chynaliasom wasanaethau Cymraeg bob bore Sul yng nghapel y Crynwyr, a phregethais unwaith neu ddwy yn y Capel Saesneg. Ni fûm byth wedyn mor gwbl ddedwydd er diflased oedd yr ymarferiadau milwrol."[17]

Cafodd Valentine ei osod i letya gyda theulu o Fedyddwyr, Mr a Mrs James, "Glendower", Craig Road, yn y dref. Yr oedd yno gwmnïaeth wych, y mwyafrif ohonynt yn fyfyrwyr, a byddent yn gorfod tramwyo'r wlad am filltiroedd fel rhan o'u hyfforddiant. Y rhain, meddai, oedd "rhai o fisoedd dedwyddaf fy mywyd, a chael croeso gan deuluoedd cyfrifol mewn gwestai fel y 'Manor'".[18]

Cymysgedd o ddifyrrwch a defosiwn oedd y cyfnod yma i'r cyw-filwyr, fel y dengys y darn hwn o bapur lleol y *Brecon & Radnor Express* ar 2 Mawrth 1916:

RAMC at Llandrindod. Interesting Doings.

> The men greatly enjoyed the snow and winter games like tobogganing were popular… on Sunday evening, the devotional part of the service at the Baptist Tabernacle was taken by Pte Rev. Parry Jones, B.A., B.D., D.Ph (Prestatyn) and private Edwin Davies (Canada). The addresses were given by Ptes Hughes, Valentine and W. Silver B.A. Private Morgan (Pontycymmer) spoke at the children's service…[19]

Braf hefyd, wedi gorymdeithio hir, oedd gwlychu pig mewn tafarn ar gyrion y dref, ac mewn llythyr atgofus at ei chwaer Lil soniodd am yr ymweliadau mynych i flasu'r cwrw yn nhafarn Llanllŷr: "Myfyrwyr am y weinidogaeth oedd pob copa walltog (y pryd hynny). Medru'n rhwydd ein perswadio ein hunain mai ceisio darganfod cyfrinach gafael y ddiod ar ddynion (a merched) yr oeddym, ond erys y gyfrinach."[20]

Dros y misoedd yn Llandrindod hefyd y daeth y Cymry ifanc hyn at ei gilydd i drafod syniadau mewn seiadau hwyr gyda'r nos, a dechrau sylweddoli taw Cymry oeddent. Ategwyd yr ymdeimlad hwn yn y man gan brofiadau'r Rhyfel, ac wrth edrych yn ôl ar y dyddiau hynny dywedodd Valentine: "Un peth a wnaeth y rhyfel i ni'r Cymry, yn fwy felly, efallai nag i'r rhai a fu yn y rhyfel diwethaf, oedd gneud i ni sylweddoli mai Cymry oedden ni."[21]

Erbyn canol mis Mai, fodd bynnag, fe ddaeth yr alwad anochel i'r RAMC symud yn ôl i Sheffield, ac achos tristwch i'r dynion a chymuned Llandrindod oedd achlysur y ffarwelio. Fel y nododd y papur lleol:

RAMC going

> The Welsh Unit, RAMC. expect to leave on Friday for Sheffield, but their subsequent movements are at present unknown. They are giving a farewell concert on Wednesday and a dance will follow. The last Welsh Parade service was held at the Congregational Church when the preacher was Pte. Lewis Valentine, of the University College North Wales, a Baptist student. At the same Church, in the evening, the sermon was preached by the Rev. T L Davies, B.A. Sheffield, a private in the Unit. The stay of the men in the town has been

> exceedingly pleasant for them, and they have made many friends amongst the residents. Their departure will be much regretted.[22]

Ni ddychwelodd Valentine i aros yn Llandrindod fyth wedyn – "gwybod efallai, na ddeuai'r dedwyddwch hwnnw byth yn ôl".[23]

Erbyn 19 Mai yr oedd Valentine yn ôl yn y Barracks yn Sheffield yn rhannu ystafell gydag Eliseus Howells, Dei Ellis a C Currie Hughes. Hyfforddiant mewn ysbytai gwahanol ar drin clwyfau oedd llawer o'r gorchwylion y tro hwn, ond ar ôl mwynder Maesyfed yr oedd dychwelyd i Farics Hillsborough yn anodd. Roedd y gwasanaethau crefyddol swyddogol yn fwrn, a beichus hefyd oedd yr *inspection parades* diddiwedd a chael eu "sarhau gan fân swyddogion sadistaidd".[24]

Er gwaethaf addewid yr awdurdodau milwrol na fyddai aelodau'r Corfflu Meddygol yn cael eu gwahanu, cyn hir cafodd y Cymry wybod y byddent yn cael eu gwasgaru ar hyd a lled y Ffrynt Orllewinol a'r Ffrynt Ddwyreiniol. Chwalwyd y Corfflu gyda rhai fel Cynan a Dei Ellis yn cael eu danfon i Salonica ac eraill fel Valentine yn cael eu symud i Ffrainc. Fe geisiodd Valentine gael ei ddrafftio i fynd i Ffrynt y rhyfel yn y Dwyrain, ond fe ddioddefodd oherwydd iddo sefyll i fyny yn erbyn yr awdurdodau milwrol unwaith yn ormod. Yr oedd wedi croesi cleddyfau sawl tro gyda Chyrnol y barics – yn enwedig ar gownt llythyr a ysgrifennodd Valentine at Lloyd George yn achwyn am hawlio "fod llwgrwobrwyo a thwyll ynglŷn â rhoddi leave i'r bechgyn ym maracs Hillsboro".[25]

Ar ddechrau Medi ysgrifennodd at ei deulu yn cyfaddef fod yr ymarferion a'r hyfforddiant bellach yn ofnadwy o lym a chaled, ond ar yr un pryd anogodd ei fam i fod yn ddewr ac i beidio bod mor bryderus er ei lles ei hun. Ymhen wythnos, fodd bynnag, ar 16 Medi, anfonwyd Valentine a phedwar aelod ar hugain arall o'r Corfflu Meddygol i Aldershot cyn symud ymlaen i Southampton i ddisgwyl llong filwrol i'w cludo ar draws Môr Udd.

Ymhen tridiau wedyn, ac yntau'n 23 oed, yr oedd Private Lewis Edward Valentine 81908 wedi glanio yn Ffrainc.

Pennod 5

Rhywle yn Ffrainc

Yn Rhywle yn Ffrainc mae fy meibion
Yn ymladd dros ryddid y wlad
Na feddant un droedfedd ohoni
Heb sôn am berch'nogi ystâd.[1]

Samuel Valentine, 1916

Mae'r rhan fwyaf o bobl yn ymwybodol bod Lewis Valentine wedi cadw dyddlyfr yn ystod ei gyfnod yn y fyddin. Gwnaeth hynny gan wybod y gallai wynebu camau disgyblu a chosb bosibl o gael ei ddienyddio am gadw cofnod o'r fath. Arwydd arall, mae'n debyg, o'r elfen yn ei gymeriad a fynnai dynnu'n groes i rai mewn awdurdod a hoffai dra-arglwyddiaethu ar eraill – a doedd dim prinder o'r rheiny yn y Lluoedd Arfog. Dro ar ôl tro byddai'n ateb swyddogion yn ôl a herio mân reolau'r fyddin. (Yn wir, parhaodd ei hoffter o dynnu blew o drwyn dynion pwysig tan y diwedd, boed yn swyddogion y fyddin, yn athrawon coleg neu'n wleidyddion a chyd-weinidogion.)

Nid yn ffosydd rhyfel Ffrainc, fodd bynnag, y lluniwyd y gwaith a gyhoeddwyd fel *Dyddiadur Milwr.* Nid "dyddiadur" yn ystyr arferol y gair a gyhoeddwyd yn *Seren Gomer* yn y chwedegau ac a gasglwyd yn ddiweddarach a'i gyhoeddi yn y gyfrol *Dyddiadur Milwr* a olygwyd gan John Emyr. Yr hyn a wnaeth Valentine oedd cywain y dyddlyfrau a gadwodd yn ystod y Rhyfel Mawr am ddeunydd crai i'w ddefnyddio fel sylfaen i ysgrifennu atgofion ac argraffiadau o'r cyfnod.

Gwaith llenyddol yw *Dyddiadur Milwr*, gyda rhagoriaethau a gwendidau "doethineb wedi'r drin". Weithiau mae aeddfedrwydd y Valentine hŷn yn gallu rhoi dadansoddiad golau o'r amgylchiadau a wynebai'r Valentine ifanc; dro arall mae cynildeb y dyn ifanc yn rhagori ar rethreg blodeuog yr henwr. Edrych yn ôl ar ddigwyddiadau'r Rhyfel Byd Cyntaf y mae Valentine yn *Dyddiadur Milwr,* a hynny trwy sbectol daliadau heddychol a'r cenedlaetholgar canol oed. Mae'r dyddlyfrau eu hunain, fodd bynnag, yn rhoi darlun byw ac ingol o fywyd a meddwl Cymro ifanc ynghanol tanchwa'r brwydro. Ysgrifennwyd rhannau cyntaf y dyddlyfrau yn Saesneg yn bennaf, ond tua chanol ei gyfnod yn y ffosydd mae'r mynegiant yn gyfan gwbl Gymraeg.

1 Hydref 1916 oedd noson gyntaf Valentine yn Ffrainc, ac o fewn oriau yr oedd yn hiraethu am ei gartref. "O fy hen Gymru llethir fy enaid gan hiraeth",[2] nododd, a byddai hiraeth mawr am Gymry a Llanddulas yn nodwedd barhaus o'i gyfnod yn y fyddin. Gwaethygwyd y teimlad wrth i'w gyswllt â chyd-Gymry leihau, oherwydd erbyn iddo gyrraedd ardal y brwydro, ef fyddai'r unig Gymro ar ôl yn y fintai, wrth i'r awdurdodau sicrhau bod hen griw y Corfflu Meddygol Cymreig yn cael eu chwalu i'r pedwar gwynt.

Treuliwyd y diwrnodau cyntaf yn Rouen yn dadlwytho llongau, dan ofal swyddogion oedd yn "*arthio ac yn coethi ac yn cyfarth gorchmynion*".[3] Cadarnhawyd ei ragfarn yn y dyddiau hynny yn erbyn dosbarth y swyddogion: "Dyfnheir beunydd fy atgasedd at filwriaeth. Awdurdod yn nwylaw crachod creulawn yn erfyn peryglus. *Chaos* yw popeth yma."[4] Hel eu traed i buteindai'r ddinas neu i'r tai gamblo a wnâi llawer o'r milwyr cyffredin, a thipyn o agoriad llygad ac achos anesmwythyd i fyfyriwr diwinyddol ifanc, a fu yng nghwmni llanciau o'r un cefndir a theithi meddwl ag ef, fu dod wyneb yn wyneb â iaith anweddus a moesau sigledig ei gyd-filwyr.

Ymladdfa fawr haf a hydref 1916 oedd Brwydr y Somme. Cynlluniwyd yr ymosodiad ar luoedd yr Almaen gan Douglas Haig, pennaeth *First Army* Lluoedd yr Ymerodraeth Brydeinig yn y Rhyfel Byd Cyntaf. Ac yntau'n

Gristion o argyhoeddiad, roedd Haig yn grediniol ei fod yn gwneud gwaith Duw ar y ddaear. O dan ei gyfarwyddyd ef cafodd cefnwlad y Somme, o dref fechan Albert i'r brifddinas ranbarthol Amiens, ei thrawsnewid yn wersyll milwrol anferth er mwyn paratoi ar gyfer yr hyrddiad mawr oedd i wasgu'r Almaenwyr yn ôl. Cynllun Haig oedd bomio a thanio di-baid gan awyrennau a gynnau mawrion am wythnos cyn yr ymosodiad. Yna ar 1 Gorffennaf, ymosododd catrodau Prydeinig a Ffrengig ar draws tir neb. Fel rhyw fersiwn cynnar o dactegau *shock and awe*, cynlluniwyd yr ymosodiad gan Haig a'i gyd-gadfridogion i ddefnyddio grym milwrol llethol i daro ergyd derfynol yn erbyn yr Almaen, ac o bosibl ei gorfodi i ildio a dod â'r rhyfel i ben. Y disgwyl oedd y byddai'r Almaenwyr wedi eu syfrdanu gan y bomio di-baid ac yn analluog i wrthsefyll y Prydeinwyr. Ond nid felly y bu. Ychydig o ddifrod a wnaed gan y bomio, ac yn nyddiau cyntaf y frwydr cafwyd lladdfa fawr; o'r 100,000 a ymosododd, lladdwyd 20,000 a chlwyfwyd 40,000. Lladdwyd rhai catrodau cyfain; hon oedd y golled fwyaf mewn bywydau yn holl hanes byddin Prydain. Er bod brwydr y Somme wedi cychwyn ar 1 Gorffennaf, dim ond ar 26 Medi y llwyddodd y Prydeinwyr a'r Ffrancwyr i gipio un o'u targedau cychwynnol, sef pentref Thiepval. Ond er hynny, ynghyd â mân enillion eraill, ataliwyd symudiad pellach gan fwd trwchus ac ystyfnigrwydd byddin yr Almaen.

Yn ystod yr hyrddiad mawr hwn ar 1 Gorffennaf 1916 cafodd Valentine a'i gyd-Gristnogion wers mewn realiti rhyfel gan Lifftenant Cyrnol o'r RAMC, pan gyhoeddodd nad oedd lle i'w delfrydau heddychol yn y ffosydd:

> Pan fyddwch nesaf ar y lein rhwygwch y croesau bach yna oddi ar eich tiwnig, a chipiwch y freichled a'r groes goch oddi ar eich braich. Y mae digon o ddrylliau a reifflau wrth law, a digon o fomiau o fewn eich cyrraedd. Ymaflwch ynddynt, a defnyddiwch hwynt, a chofiwch eich bod yma yn unig i ladd y blydi Almaenwyr.[5]

Ar 14 Hydref daeth gorchymyn i fintai Valentine symud gwersyll a chroesi i ddinas Albert a'r cyffiniau gerllaw ardal y brwydro mawr, ac ar

18 Hydref 1916 ysgrifennodd â chalon drom: "we entrain for the Somme a long and tedious journey and the weather is most miserable".[6] Bu'n rhaid i'r milwyr deithio mewn gwagenni budr drewllyd, ac roedd llau yn rhemp. Yn wir daeth y llau yn gymaint o boendod nes peri i Valentine ddatgan, "Daeth Ffrainc i ni, nid yn wlad y gwin na gwlad y ddawns, ond yn wlad y llau."[7] Nid trychfilod diniwed oedd y llau hyn ychwaith. Yn ogystal â chosi'n ofnadwy roeddent hefyd yn cario haint *pyrrexhia*, neu dwymyn y ffosydd. Y symptomau cyntaf oedd poenau yng nghrimogau'r coesau a dilynid hynny gan dwymyn ddrwg iawn. Er nad oedd yr haint yn lladdwr roedd yn brofiad annymunol dros ben, a oedd yn ychwanegu at ddiflastod bywyd yn y ffosydd.

Cyrhaeddodd Valentine ar ganol brwydr y Somme, nid ar gychwyn yr ymladd fel yr haerodd yn ddiweddarach. Am y diffyg cofnod yn y dyddlyfr yn ystod y frwydr dywedodd: "Nid oes gennyf air yn fy nyddiadur am y rhyfel honno – ni chafwyd cyfle i sgrifennu dim – yr oedd y lladdfa yn erchyll – ac nid oes gennyf gof amdani ond fel rhyw bythefnos o wallgofrwydd di-baid."[8]

Ynghanol yr hunllef byw hwn teimlai agosrwydd ei deulu: "Dearest ones, I feel your presence with me. I fear not."[9] Yr oedd yn ffyddiog y byddai grym cariad yn ei gynnal trwy ddyddiau'r ofn a'r dychryn. Nid cariad meddal emosiynol oedd hyn, serch hynny, ond rhyw bŵer bywiol oedd yn weithredol ym mywydau pobl. Ysgrifennodd yn ei ddyddlyfr ar 19 Hydref: "I believe in the protecting power of love. No one disbelieves in the inspiring power of love. Love is not mere sentiment, a state of mind, but a dynamic – a driving power and a protecting power."[10]

Y diwrnod canlynol mae'n nodi iddynt gael eu cludo ar drên i Acheux a martsio i Albert, mewn amgylchiadau difrifol: "The weather is hideous... Hostile aeroplanes visit us."[11] Wedi tramwyo mewn glaw mawr cyrhaeddodd y milwyr eu gwersyll dan flinder llethol. Rhannwyd hwy'n ddwy garfan ar ôl disgyn o'r trên, ac yno am y tro cyntaf daeth i gyfarfyddiad â Frank Carless, llanc o Swydd Amwythig a fu'n gyfaill mawr iddo weddill ei gyfnod yn y ffosydd. Athro ysgol oedd Frank Carless yn ôl ei alwedigaeth ac mae'n debyg i'w frawd, John Carless, ddioddef carchar am fod yn wrthwynebydd cydwybodol. Dros yr wythnosau nesaf deuai i adnabod aelodau eraill o'r llu ambiwlans, yn eu plith Tony Wells, a fyddai maes o law yn gydymaith iddo trwy rai o'r profiadau anoddaf.

Nid oedd cyfle i aros yn llonydd am lawer, fodd bynnag, cyn gorfod symud ymlaen eto, ac ar 21 Hydref martsiodd y fintai i La Boiselle: "We drink our fill of the gruesome. In a dug out in the vicinity were found the dead bodies of German lads and officers."[12] Er gwaethaf yr arswyd a'r amgylchiadau anghynnes yr oedd Valentine yn dal i ymdeimlo â Phresenoldeb arall: "We had a prayer meeting in the evening though in the semi-darkness the divine presence illuminated the place."[13]

Cafodd Valentine ei brofiad cyntaf o weithio fel cludwr stretsier ar ddydd Sul, 22 Hydref, yn Pozières a Courcelette. Nodir y blinder a'r dychryn cyson, llethol yn ei ddyddlyfr: "The work is tiresome. Oh God I feel exhausted – shells burst around us – I am hit on the edge of the boot but fortunately no damage done."[14] Fore wedyn gadawodd Pozières a symud i "dug-out" yn Albert ("darllawdy" oedd bathiad Valentine am y gair "dug-out"). Cafwyd saib yn yr ymladd yn ystod 26 a 27 Hydref. Er y distawrwydd gwyddai'r milwyr na fyddai'r ysbaid yn un hir: "Teimlwn oll mai rhyw dawelwch yn blaenori storm ydyw. Trigwn mewn rhyw hen furddun llaith ac oer..."[15]

Cymysg oedd ei farn yn y cyfnod hwn am ei gyd-filwyr. Rhyfyg a rhegfeydd a moesau llac a gaed gan fwyafrif y milwyr, er bod yno eithriadau. Dywed Valentine fod lliaws o'r bechgyn "yn mynychu tai anfoesol yn nhrefi Ffrainc a rhifir y bechgyn a ddioddef oddi wrth *venereal disease* wrth y miloedd".[16] Nid condemnio yw ymateb Valentine, fodd bynnag; dyletswydd y Cristion yw gofalu am y dynion hyn: "Mawr yw cyfrifoldeb yr Eglwys a mwy eiddo ei gweinidogion a'i phregethwyr",[17] ac mae gan y darpar weinidog gydymdeimlad greddfol â hyd yn oed y mwyaf garw o'i gyd-filwyr. Ar y cychwyn roedd iaith goch rhegfeydd y Cocnis yn enwedig yn merwino clustiau'r llanc duwiol o Landdulas ond, o dipyn i beth, tyfodd hoffter tuag at yr adar brith ymysg ei gyd-filwyr, er gwaethaf gerwinder eu hymadroddion. Gwelodd enghraifft o ragoriaethau'r Cocnis wrth iddynt wneud yn siŵr bod anffodusion oedrannus a fu'n gaeth yn selerydd adeiladau drylliedig y dref yn cael eu hachub yn ddiogel. Yn y saib cafodd Valentine gyfle i roi gwersi Cymraeg i Carless, a chael gwersi Almaeneg yn gyfnewid ganddo yntau. Yn y cyfnod hwn hefyd daeth i adnabod yr Albanwr Wink a oedd, ym marn Valentine, yn "Presbyteriad annirwestol iawn, a hen lanc da ei fyd".[18] Er gwaethaf gerwinder eu hiaith a'u hymddygiad roedd cydymdeimlad brawdol Valentine â'i gyd-filwyr, hyd yn oed y rhai mwyaf cwrs eu hiaith a'u moesau, yn fwy na rhagfarnau a rhagdybiaethau crefyddol a moesol. Sylweddolai fod pawb yn cyd-ddioddef ac yn ymdopi orau y medrent yn "ffwrn dân" y rhyfel.

Nid oedd pob Cristion mor haelfrydig. Tân ar ei groen oedd agwedd calon-galed rhai o gaplaniaid y fyddin, a'u diffyg cydymdeimlad â'r milwyr cyffredin wrth iddynt roi eu statws personol eu hunain o flaen eu dyletswyddau Cristnogol: "Ymchwyddo y mae llawer ohonynt. I mi meddyliant fwy am y swydd nag am y deyrnas."[19] Yn ddiweddarach yn y flwyddyn yr oedd capteiniaid a swyddogion eraill y fyddin hefyd yn dod dan ei lach: "Yn anffodus mae'n swyddogion y dynion mwyaf hunanol. Ni hidiant un iod am gysur ac iechyd y dynion dan eu gofal."[20]

Ddiwedd Hydref bomiwyd eglwys gadeiriol Albert gan yr Almaenwyr gan ddifrodi cerflun o'r Forwyn Fair a thrawsnewid ei delwedd, digwyddiad a wnaeth i Valentine ddwyn cymhariaeth ddychrynllyd: "Previous to the bombardment this statue on Albert Cathedral had the apearance of a mother presenting her child to heaven, now it is the appearance of a mother dashing her child to the ground."[21]

Nid oes llawer yn y dyddlyfrau am ddyddiau cyntaf mis Tachwedd. Fe drawyd Valentine yn sâl gan dwymyn ryfedd, yn crynu a chyfogi bob yn ail. Cafodd ofal meddylgar yn ei salwch gan y Cocnis, er nad oedd yn ymwybodol iawn o'r hyn oedd yn digwydd o'i gwmpas ac eithrio'r ffaith bod tanio'r Almaenwyr yn enbyd. Ar ôl gwella clywodd fod Idwal ei frawd wedi derbyn y Military Medal. Roedd Idwal hefyd wedi mynd i'r rhyfel, ymuno â'r Royal Artillery a gwasanaethu yn Ffrainc a'r Eidal.

Dyfarnwyd y Military Medal iddo am gludo corff uwch-swyddog ei uned yn ôl o faes y gad er bod yr Almaenwyr yn saethu a thanio ato. Enw'r uwch-swyddog oedd y Capten Frank Bliss (brawd Syr Arthur Bliss, a fu ar un adeg yn Master of the Queen's Musick), ac er iddo fethu ag achub bywyd Capten Bliss, fe gafodd ei ddewrder ei gydnabod.

Cyflymodd ymosodiadau awyr yr Almaenwyr ar y chweched o Dachwedd: "Pan ar fin mynd i orffwys dechreuodd yr Ellmyn daflu ei dân belenni. Bu amryw o aeroplanes hefyd yn disgyn bombs arnom. Gwnaed peth niwed a chlwyfwyd amryw. Bydded gennyf ffydd yn Nuw."[22] Er gwaethaf y dychryn yr oedd y dyddiau'n gyffrous hefyd a'r ymrafael rhwng awyrennau yn torri ar undonedd bywyd: "These days have some excitement. Air duels above the towns. Shells have dropped here and bombs from aeorplanes. Fortunately but little damage is done."[23]

Symudwyd y fintai ar 13 Tachwedd i seler hen fragdy oherwydd mai targed y gelyn oedd y Rue d'Amiens, sef y stryd lle lletyai mintai Valentine.

Yr oedd profiadau bywyd yn dechrau datgelu arwyddion yr amserau iddo, ac yr oedd yr argoelion yn awgrymu dyfodol ansicr ac anodd i'r grefydd Gristnogol ar ôl y rhyfel. Arweiniodd hyn iddo ddatgan yn y dyddlyfr: "The peril in which the church is, is really great and something must be done to safeguard the future of Christianity in our islands."[24] Eto i gyd, mae'n ddiddorol nodi'r cyfeiriad at "ein hynysoedd" sy'n dadlennu cyd-destun Prydeinig y myfyrion hyn. Er gwaethaf dylanwad Emrys ap Iwan a'i brofiadau milwrol, ar ganol 1916 beth bynnag, nid oedd Valentine eto yn gweld Cymru fel uned gwbl ar wahân i Brydain.

Parhau i bledu bomiau yr oedd yr Almaenwyr ar 14 Tachwedd: "Fritz is busy with his shells and does considerable damage to waggons and billets. Tomorrow I go to the lines again... If it is thy will protect me from all harm for the sake of aching hearts at home. Amen."[25] Er hynny cipiodd lluoedd Prydain Beaumont Hamel, gan gymryd rhyw bedair mil o garcharorion a'u martsio i Méaulte. Tarodd yr Almaenwyr yn ôl a bomio Albert o'r awyr a lladd llawer o filwyr Ffrainc a oedd wedi mynd yno i gymryd lle'r Prydeinwyr. Ym Méaulte yr oedd parseli o adref yn aros y milwyr, ond canlyniad pennaf hynny oedd esgor ar boen meddwl am ei deulu a'i gartref. Unwaith eto, fodd bynnag, yr oedd ei gred mewn Rhagluniaeth Duw yn ddi-syfl, ac roedd breichiau'r Ffydd yn dynn amdano: "If I return and I have no doubt on the matter but the utmost faith in God's protection. There are no accidents in God's world. The life of the faithful Christian is not a blind fatalism."[26]

Y bore Sul canlynol roeddent ar symud unwaith eto i'r ffosydd yn ardal Thiepval, gwlad a ddisgrifiwyd gan Valentine fel anial diffaith, a thir wedi'i gorddi yn llyn lleidiog.

Rhoddwyd mintai yng ngofal Valentine yn agos i'r ffrynt, a dywed iddi fod yn anodd iawn arnynt oherwydd cyflwr y tir a saethu rheolaidd magnelau a chudd-saethwyr (*'snipers'*) yr Almaenwyr. Ynyswyd y fintai ynghanol y ffosydd am ddeuddydd heb damaid o fwyd gan nad oedd modd cludo deunyddiau draw atynt oherwydd tanio ffyrnig y gelyn. Yna, wedi llwyddo i symud oddi yno, daeth gorchymyn i'r milwyr ddychwelyd i Albert, a mynd ar daith wyllt wedyn heb fawr o orffwys trwy Contay a Hérissart i Val-de-Maison. Yna, wedi seibiant byr, ymlaen trwy ddegau o bentrefi gogledd Ffrainc nes yn y diwedd cyrraedd Ouville, rhyw bedair milltir o Abbeville, a'r sôn ymysg y dynion oedd eu bod i dreulio'r gaeaf yno. Fodd bynnag, nid oedd dim cysur yn eu disgwyl, dim bwyd sylweddol na chyfle i newid dillad, dim ond cyfle i orffwys mewn stablau oer a digysur.

Ar y deunawfed o Dachwedd, 1916, daeth terfyn ar frwydr y Somme. Dioddefodd y ddwy ochr golledion enfawr ar bob ochr. Collodd Prydain 420,000 o filwyr, Ffrainc 205,000 a'r Almaen rhyw 500,000 o ddynion. Hyd yn oed wedi'r holl aberth a thywallt gwaed yr oedd y Prydeinwyr wedi methu cipio eu prif darged ar y diwrnod cyntaf, bum mis yn ôl, sef pentref Bapaume. Oherwydd eu colledion trwm, fodd bynnag, penderfynodd yr Almaenwyr dynnu'n ôl i linell Hindenberg, sef ffrynt lein llai ond haws ei amddiffyn. Wrth gilio, dilynodd yr Almaenwyr bolisi o ddiffeithio bwriadol, gan ddinistrio trefi, pentrefi a llinellau cyfathrebu, difa coedwigoedd a gwenwyno cyflenwadau dŵr.

Ym mis Rhagfyr, yn dilyn ymddiswyddiad Asquith, gwireddodd Lloyd George ei uchelgais a dod yn Brif Weinidog, ac ar ddiwedd y flwyddyn dyrchafwyd y Cadfridog Haig, pensaer y Somme, yn Gadlywydd.

Diddigwydd oedd Rhagfyr i Valentine. Cafodd gyfle i fynd ar ymweliad neu ddau â thref wledig Ouville, a dysgu dulliau newydd o drin clwyfau ac arfer â defnyddio sblintiau mwy modern. Yn segurdod cymharol tymor Gŵyl y Geni, fe'i cafodd ei hun yn myfyrio a meddwl: "Heddyw yw'r Nadolig," meddai, "y Nadolig rhyfeddaf yn fy hanes."[27] Bu hefyd yn hel meddyliau fwyfwy am ei gartref, ond yn gymysg â gofid ceir awgrym o benderfyniad newydd, os annelwig, am ddyfodol gwahanol pe llwyddai i ddianc yn ddianaf o'r rhyfel: "Hiraeth dwys a feddianna fy enaid. Hiraeth am Dduw. Hiraeth am gartref a Chymru. Os dychwelaf dan nawdd Duw i'm gwlad, rhoddaf fy hun yn fwy llwyr i'w wasanaeth."[28]

Daeth gorchymyn ddechrau Ionawr 1917 i symud ar frys i Varennes erbyn y pymthegfed o'r mis. Danfonwyd Valentine i wasanaethu mewn ysbyty o'r enw Clairfye Farm, tua thair milltir o'r pentref. Ysbyty pebyll (*field hospital*) oedd hwn gyda llawer o gleifion i'w trin, ac fe olygai hynny waith blinedig iawn. Er hynny cafwyd pryd o fwyd go iawn am y tro cyntaf ers tro byd, sef cig rhost a chyw iâr o duniau. Yn ystod ei gyfnod yn Clairfye Farm cafodd wybod i Idwal ac yntau fod o fewn milltir i'w gilydd heb yn wybod iddynt yn ystod anterth brwydr y Somme, a chlywodd hefyd fod ei frawd arall, Stan, wedi ei alw i'r fyddin. Felly, bellach yr oedd tri o feibion 'Hillside' yn y ffosydd yn ystod yr un cyfnod.

Fel amryw o deuluoedd tebyg, bu'r straen ar yr aelwyd yn Llanddulas yn fawr. Arferai Lilian ei chwaer, oedd tua phymtheg oed ar y pryd, fynd i ben y lôn cyn mynd i'r ysgol bob bore er mwyn cyfarfod â'r postmon, rhag ofn bod ganddo lythyr swyddogol yn ei fag ac ynddo newyddion drwg am ei brodyr. Mewn ymgais i atal y gofid rhag ei lethu lluniodd Samuel Valentine gyfres o benillion yn hiraethu am ei fechgyn. Ynddynt mae'r tad yn mynegi'n syml ei amheuon am y rhyfel ond yn gweddïo ar Dduw i gadw ei feibion yn ddiogel, ac i brysuro gwawrio byd heddychlon.

> Mae hiraeth yn fwrn ar fy meddwl
> A'i glais yn ysu fy mron;
> Gwrando fy ngweddi, O nefoedd,
> Am derfyn i'r gelanedd hon.
> Doed dydd egwyddorion yr Iesu
> I lywio llywodraeth pob gwlad,
> A holl drigolion y ddaear
> Yn frawdoliaeth yng nghymod y Tad.[29]

Treuliodd Valentine rhyw fis yn Clairfye cyn cael gorchymyn ganol Chwefror i fartsio ar hyd y llinell o Varennes trwy Hédauville ac Aveluy. Treuliwyd noson yr unfed ar bymtheg mewn *dug-outs*, a godwyd ar frys, oherwydd y bwriad oedd gorymdeithio tua'r ffosydd yn y bore ac ymosod a chipio tref gyfagos Miraumont.

Dechreuodd magnelau'r fyddin danio. Yn ddiweddarach ystyriodd mai "sioe dân gwyllt y diawliaid"[30] oedd y tanio mawr, ond argraff wahanol o'r arddangosfa o rym arfog a gafodd y milwr ifanc ar y pryd: "The barrage set up by our artillery was magnificent – it was weird. We post ourselves in the Essen trench and Regina trench."[31] Gwrthymosododd gynnau mawr yr Almaen gan wneud difrod mawr i filwyr Prydain. Llifai'r clwyfedigion yn ffrwd ddi-dor, ac yr oedd profiadau gwaeth i ddod:

> There was one continual stream of wounded all the day. The Royal Fusiliers are badly mutilated and the Northants lose heavily in prisoners. At dusk we move further up the ravine a veritable "Valley of the Shadow of Death". It was indeed "ghoulish". The march of the years can never dispel its weirdness from my mind. Its two sides were buried with dead, and this added to the weirdness of the place.[32]

Erbyn diwedd y mis roedd y fintai wedi cyrraedd ffos Essen ac yn "rhedeg y llinell" oddi yno. Yn ystod y cyrch daliwyd Wink yn feddw ar y lein. Tipyn o feddwyn oedd y Sgotyn, ond cafodd Valentine ef yn ŵr bonheddig, ac yn ddiwinydd treiddgar. Arestiwyd Wink a rhoddwyd y dasg o'i hebrwng yn ôl i Varennes i Valentine. Lletywyd y carcharor a'i hebryngwr mewn gwersyll gerllaw Varennes "ac ni chafodd carcharor a'i warchodwr erioed amser esmwythach".[33] Goruchwyliaeth go lac oedd un y Cymro ar yr Albanwr, a chafodd Wink fynd i'r cantîn yn ôl ei awydd ar yr amod ei fod yn medru cerdded yn ôl i'r babell-garchar heb igam-ogamu. Bu'r ddau yng nghwmni ei gilydd am dair wythnos, ac afraid dweud i Valentine fwynhau'r cyfnod hwn yng nghwmni'r Presbyteriad hoffus. Ysgafn fu dedfryd yr awdurdodau ar Wink, yn bennaf mae'n debyg am mai Albanwr oedd y Cyrnol a ddeliodd â'r achos.

Dathlodd Valentine ginio Gŵyl Ddewi 1917 trwy fwyta pryd allan o dun corn bîff gyda bisgedi i ddilyn. Dengys ei fyfyrdod ar y diwrnod fod ei deimladau yn dechrau crisialu. Yr oedd ei argyhoeddiad heddychol yn cryfhau, ac felly hefyd ei ymroddiad i achos Cymru. Roedd cyfarfod dynion o wledydd eraill wedi agor ei lygaid, ac roedd sylweddoliad gwirioneddol, am y tro cyntaf o bosibl, gymaint yr oedd Cymru'n ei olygu iddo. Nid oedd eto'n gwybod sut y byddai'n gwasanaethu ei wlad, ond roedd meddwl am Gymru a'i hiaith yn peri gofid iddo:

> Dyviau Gŵyl Dewi Sant ond ow ei dreulio ar faes y gwaed yn Ffrainc... Anwyled heddiw yw Cymru a Chymraeg i mi. Breuddwydiaf – na, gwn fod gan Dduw bethau mawr iti i'w cyflawni. Ynot ti mae ysfa gynhenid am heddwch a drannoeth wedi'r drin cei ddyrchafu baner wen heddwch. Caraf di fy ngwlad, fy Nghymru hyd angau, nid cyffredin dy bobl, yng ngwythi dy feibion y mae gwaed tywysogion.[34]

Erbyn dydd Sul 4 Mawrth roedd yn ôl ym Miraumont. Gan fod yr Almaenwyr wedi cwblhau tynnu eu lluoedd yn ôl fe syrthiodd y dref i ddwylo'r Prydeinwyr. Weithiau pan gâi orig rydd, byddai'n dianc ar ei ben ei hun i ryw gornel unig i ysgrifennu gweddïau a myfyrio. Wrth lunio *Dyddiadur Milwr* synnodd y Valentine hen mor ddefosiynol oedd y dyn ifanc. Ymgais i aros yn gall a thynnu cysur o werthoedd ei fagwraeth ynghanol y gwallgofrwydd oedd hyn mae'n debyg, ond erbyn y cyfnod hwn mae'r ymladd yn cael effaith gwirioneddol ar ei gyflwr meddwl:

> We are still up the line. In Tommy's jargon I have struck oil this time. I take no active part in operations but remain in Death's Valley on general duty owing to the fact that our squad was broken up. It would be indeed difficult for me to chronicle my thoughts during this period. I have two extreme moods. At times I feel extraordinarily jubilant, at other times on the verge of madness. I would do something reckless. I would run madly over shell riddled ground in the danger zone. I would shout scream and this aparently would give me relief.[35]

Ei ffordd ef o ymdopi a chael rhyddhad oedd hyn: "Rwy'n cofio yn Ffrainc, weithiau, yr oeddwn i'n torri allan i weiddi rhyw frawddegau Cymraeg, a chanu emynau Cymraeg – a hyd yn oed bloeddio enwau caeau a phentrefi a ffermydd fy awyrgylch i er mwyn cael rhyw fath o foddhad ac esmwythyd..."[36]

Ymhen deuddydd dychwelodd i ardal Pozières. Yno cafodd gyfle i orffwys ar ôl profiadau enbyd y ffrynt, ac un pleser annisgwyl oedd dod ar draws Llewelyn Jones o Lanberis, un o'i gyfeillion o Goleg Bangor, a chael cyfle i ymddiddan ag ef.

Nid oedd llawer o amser i ymddihatru, fodd bynnag; rhaid oedd symud ymlaen eto fyth. Hwyliau digon isel oedd ar y milwyr yn ystod eu siwrnai ar 17 Mawrth trwy Thiepval i Behencourt, a gorfodwyd Valentine i wthio fan wedi ei llwytho â chyfarpar trin clwyfedigion am lawer o'r ffordd. Yn Behencourt cafodd y dasg o weithredu fel rhedwr gan gludo negeseuon o'r ffrynt i bencadlys y Frigâd Ambiwlans. Yr oedd yr Almaenwyr yn parhau i encilio: "The enemy is rapidly retreating, burning villges. Smoking and smouldering villages can be seen for miles."[37] Wedi hynny cafwyd gorymdaith hir eto ymlaen i Molliens-au-Bois. Ond nid oedd honno yn daith mor llafurus, gan fod haul cynnes ar gefnau'r milwyr, a hyd yn oed ynghanol erchyllterau'r rhyfel roedd dyfodiad y gwanwyn yn llwyddo i godi ysbryd. Teithio ar drên wedyn o Bacquel ymlaen heibio i Boulogne a Chalais i letya mewn sgubor gerllaw pentref o'r enw Lambres. Plesiwyd y dynion yn fawr gan yr ardal wledig honno, gan fod y bobl yn fwy croesawgar na phobl ardal y Somme ac Arras, ac roedd y llonydd a'r tawelwch yn llesol.

Daeth yr ennyd o heddwch i ben yn dilyn gorchymyn i symud i gyfeiriad Houchin ac yna, trwy gydol gweddill Ebrill, teithio o bentref i bentref yng ngogledd-orllewin Ffrainc. Erbyn 27 Ebrill roedd y llu wedi cyrraedd pentref Wilington, gerllaw Arras. Gorchmynnwyd Valentine i gyflawni dyletswyddau yn yr ysbyty yno. *Casualty Clearing Station* (C.C.S.) oedd yr ysbyty lle rhoddid triniaeth frys a thros dro i filwyr a anafwyd.

Yn wahanol i anafiadau rhyfeloedd y gorffennol, nid dioddef clwyfau gan fwledi reiffl neu belenni plwm fyddai hanes milwyr y rhyfel modern, ond yn hytrach anafiadau shrapnel, *machine guns*, ffrwydron a bomiau. Gallai gynnau peiriant danio bum can bwled y funud ac felly roeddent mor rymus â chant o reifflau. Mewn rhai achosion byddai'r milwyr yn llythrennol yn cael eu darnio'n fyw. Byddai eraill yn colli rhan o'u breichiau neu eu coesau. Ar ben hynny, roedd haint yn berygl cyson. Mewn oes heb benisilin a meddyginiaethau gwrthfiotig roedd y bygythiad o haint anthracs a thetanws yn bryder parhaus.

Ar y pumed o Fai ysgrifennodd Valentine: "We are still at the C.C.S. The wounded of the recent heavy attack has been brought in. Their sufferings poor fellows must have been intense. Most of the amputations are in my ward and many die..."[38]

Straen ar gorff a meddwl oedd gweithio mewn amgylchiadau mor anodd. Un noson yn CCS Wilington cafodd Valentine brofiad lled gyfriniol. Wrth weithio'n flinedig ar ganol ei shifft gallai daeru iddo glywed llais yn dweud wrtho mewn Cymraeg: "Cymer gysur, derfydd y drin a'i thrallod, a thaenir eto dros fyd gwaed ruddiog faner y Brenin Iesu, ond rhaid wrth hir amynedd."[39] Wrth edrych yn ôl ni allai Valentine gynnig esboniad am y digwyddiad. Beth oedd i gyfrif am y profiad? Ai'r meddwl oedd wedi drysu mewn gorflinder llethol ynteu ai profiad ysbrydol cyfriniol ydoedd. Yr unig beth a wyddai oedd i'r geiriau fod yn gysur mawr iddo mewn dyddiau dyrys.

Yn ogystal â llythyrau rheolaidd oddi wrth ei deulu, o dro i dro derbyniai lythyrau gan athrawon a chydnabod hefyd. Wrth ddarllen yr ohebiaeth yr un peth a'i trawai dro ar ôl tro, sef bod anwybodaeth am ddulliau ac effeithiau rhyfel yn rhemp. Derbyniodd lythyr gan hen athro yn ei annog i barhau â'i astudiaethau, ond anodd oedd peidio gweld mor abswrd oedd rhywbeth felly ynghanol y drin. Nid peth anghyffredin oedd hyn. Adroddodd nifer fawr o filwyr am ymateb tebyg wrth ddychwelyd adref o'r rhyfel. Yr oedd yno, medd Valentine, ryw anwybodaeth affwysol am y cythreuldeb a'r uffern sydd mewn rhyfel. Er gwaethaf diniweidrwydd enbyd rhagdybiaethau cymdeithas ynglŷn â'r brwydro, "Nid chwarae criced ydyw rhyfel".[40]

Ailymunodd â'i uned yn ardal Arras ar Fehefin y chweched, ac yna teithio ymlaen i Souastre. Bu yno am rai wythnosau yn gwasanaethu mewn ysbyty yn trin milwyr wrth iddynt ddod i mewn wedi'u hanafu, "nid fesul un, ond fesul bagadau bob awr".[41]

Ym mis Mehefin 1917, penderfynodd y Cadlywydd Haig lansio yr hyn a alwyd yn '*major offensive*'. Y nod oedd torri drwy'r Ieper Salient a symud tuag at borthladdoedd Ostend a Zeebrugge lle roedd llongau tanfor *U-boat* yr Almaen wedi eu hangori ac yn creu cymaint o lanast a thrafferth i longau masnachol a milwrol Prydain. Ar y seithfed o Fehefin, 1917, ffrwydrwyd pedair ar bymtheg o fomiau tanddaearol ar hyd y ffrynt a chladdu llu o gatrodau'r Almaen yn fyw. Yn hytrach na manteisio ar y bwlch yn y llinellau Almaenig, fodd bynnag, penderfynodd y Cynghreiriaid lynu wrth y cynllun gwreiddiol ac aros tan fis Gorffennaf cyn ymosod â'u milwyr traed, gan roi cyfle i'r Almaen aildrefnu ei lluoedd.

Daeth yr alwad i fintai Valentine adael Souastre ar 5 Gorffennaf, a theithiwyd mewn trên dros y ffin i Wlad Belg, nes cyrraedd Poperinge erbyn y seithfed o Orffennaf. Poperinge oedd canolfan sector Prydain y tu ôl i'r ffrynt. Roedd strydoedd cul y dref yn orlawn o filoedd o filwyr, magnelau symudol, ambiwlansys, unedau milwyr meirch a bysys o Lundain wedi eu haddasu'n arbennig i gludo milwyr o'r porthladdoedd tua'r ymladd. Yma gallai'r milwyr brynu papurau Saesneg, mynd i weld ffilm neu gael adloniant byw. Byddai'r swyddogion yn cael yfed ac ymlacio mewn tai bwyta a glustnodwyd yn arbennig ar gyfer "swyddogion yn unig". Byddai'r milwyr cyffredin yn cael eu dogn o *vin blanc* mewn cantîns, caffis a bariau mwy tlodaidd. Er nad oedd puteindai yn cael sêl bendith swyddogol, roeddent yn rhan annatod o fywyd y dref yn y cyfnod ac yn boblogaidd iawn gyda llawer o'r milwyr. Cymaint oedd eu poblogrwydd nes bod y clwy gwenerol yn effeithio ar gynifer â phymtheg y cant o'r milwyr. Ond nid pawb oedd â'u bryd ar ardaloedd y golau coch. Wrth edrych yn ôl ar y cyfnod dadleuai Valentine mai'r traddodiad Anghydffurfiol Cymraeg a fu'n fodd i gadw buchedd llawer o ddynion o Gymru a aeth i'r rhyfel: "Chwardded a chwarddo, a gwawdied a wawdio, daeth miloedd o'r bechgyn yn ôl o'r rhyfel hwn yn ddilychwin eu cymeriadau."[42]

Yn Poperinge bu Valentine yn gweithio ar ward y swyddogion milwrol. Roedd y gwaith yno'n galed, ac mewn llythyr at ei fam ar 29 Gorffennaf 1917 dywedodd: "I did nothing but dress serious wounds from seven in the evening until four in the morning. There were amputations of legs and arms and divers operations..."[43] Ar ben hynny yr oedd agwedd haerllug a snobyddlyd y mân swyddogion Seisnig yn dân ar ei groen. Eithriad i'r rhain oedd y Lifftenant Gyrnol Stanley, aelod seneddol a brawd Arglwydd Derby, Sais o'r Saeson a'r glasaf o'r Toriaid. Er hynny cafodd Valentine ef yn ddyn bonheddig ac yn sgwrsiwr difyr. Tra bu'n gwasanaethu ar ward y swyddogion clywodd hwynt yn trafod ymysg ei gilydd am y *big push* arfaethedig fyddai'n sgubo lluoedd yr Almaen o'r neilltu ac yn troi'r rhyfel o blaid byddinoedd Prydain a Ffrainc.

Fe ddechreuodd gynnau mawr magnelau Prydain saethu at amddiffynfeydd yr Almaen yn yr Ieper Salient ar yr unfed ar bymtheg o Orffennaf. Ond er gwaethaf pythefnos o danio cyson roedd llawer o amddiffynfeydd y gelyn yn dal yn gyfan. Roedd y tir hefyd yn broblem gan fod yr Almaenwyr yn dal y tir uchel ar y Salient, ac yn gallu gweld popeth ar draws ardal eang.

Gyda'r ymosodiad mawr ar y gorwel, cynyddu a wnaeth y tensiwn yn rhengoedd y milwyr, a'r hyn oedd yn gwneud yr holl beth yn fwy ingol oedd bod yr holl aberth yn wiriondeb anfad. Ar 21 Gorffennaf ysgrifennodd:

> Active and insidious preparations for the "big push" are in progress, and it is our sincere hope that it will be the last "push" of this colossal struggle. We are driven to helpless despair at the thought that thousands of our young men must be sacrificed (and in vain) before the nations senseless lust for blood is satiated.[44]

Ymhen llai na deng niwrnod yr oedd yr awr dyngedfennol wedi dyfod. Ar y degfed ar hugain meddai: "This is the eve of the great push. God knows what may happen ere I write in this again. Brilliant futures will be blighted – mothers' and wives' hearts will be broken and this old earth will be more desolate than ever."[45] Ynghanol y cofnod yn y dyddlyfr lluniodd weddi oedd yn crisialu ei deimladau ar y noson honno. Yr oedd yn weddi nid yn unig dros famau Cymru a Phrydain, ond dros famau Ewrop, ac roedd llais y darpar broffwyd yn y weddi hefyd wrth iddo ofyn am gymorth Duw i chwalu'r Drefn a arweiniodd at ynfydrwydd y rhyfel:

> Give the courage born of faith in thee to all who are left desolate by this war. Especially do we pray for the mothers of Europe. They have loved much. Help us to destroy this order of things which makes this great suffering possible. Forgive us our sins against humanity and against thee. Amen.
>
> At 4am the first wave advances, then our brigade. Lord how long?[46]

Ar fore diwrnod olaf Gorffennaf 1917 rhoddwyd y gorchymyn i filwyr Prydain symud o'u ffosydd. Roedd trydedd frwydr Ieper wedi cychwyn, brwydr a fyddai'n cael ei hadnabod fel brwydr Passchendaele.

Pennod 6

Byd gwallgof

Mae'r byd yn gwalltgofi a minnau'n gwalltgofi gyda'r byd.

Lewis Valentine, *Dyddlyfr Rhyfel*, Mawrth 1918

Torrodd yr argae, ac i'r llanc ifanc o'r Llan yr oedd yn brofiad ofnadwy a rhyfeddol ar yr un pryd:

> But for the consciousness of the tragedy attached to it, it would be grand. The huge rolling barrels of fire – the many hued flashes of the guns, the whizz of shells, the whirr of many aeroplanes reduce one to a state of coma. This is the greatest battle of the war…[1]

Araf ac ychydig oedd y cynnydd a wnaed gan fyddinoedd y Cynghreiriaid, fodd bynnag, a hynny i raddau helaeth oherwydd cyflwr enbyd o gorsiog y tir. Roedd holl ergydion magnelau a bomiau awyrennau Prydain wedi dinistrio system ddraenio'r ardal a throi meysydd, oedd eisoes yn ddigon mwdlyd, yn un gors anferth. Cafwyd cynnydd bychan erbyn dechrau Awst ond daeth y gwthiad i ben ar yr ail o'r mis tan yr unfed ar bymtheg er mwyn caniatáu i'r tir sychu. Dim ond rhai llathenni a enillwyd hyd yn oed wedyn oherwydd yr amgylchiadau ofnadwy dan draed.

Rhoddwyd sawl gorchwyl i Private Valentine, y pennaf ohonynt oedd gweithredu fel rhedwr ar hyd y llinellau. Nid cludo negeseuon oedd unig dasg y rhedwyr, serch hynny. Roedd gofyn hefyd iddynt arwain minteioedd o filwyr i'w ffosydd, ac i wneud hynny byddai angen iddynt gydweithio gyda chriw o hyd at wyth rhedwr arall ar fannau gwahanol ar hyd y llinell. Bu'n rhaid i Valentine gyflawni'r dasg hon am oriau benbwygilydd gan fod y teleffon maes wedi methu. Wrth ruthro heibio gwelai gyrff marw llawer o'i gyd-filwyr, ond nid oedd amser i oedi oherwydd gwyddai fod amryw o redwyr wedi'u lladd gan gywirdeb bwledi cudd-saethwyr yr Almaenwyr. Golygai ffyrnigrwydd y tanio a'r ymladd nad oedd yn bosibl cario cyrff y meirw o faes y gad i'w claddu. Bu'n rhaid i fintai Valentine aros wythnos, tan Awst yr wythfed, cyn gallu mentro allan i gludo degau o gyrff bechgyn marw o dir neb.

Ysgrifennodd at ei rieni ar y degfed o Awst, ond ni ddatgelodd lawer am yr ymladd yn y llythyr. Cuddiodd yr erchylltra oddi wrthynt, gan ddweud bod popeth yn iawn ond bod y tywydd drwg yn anffodus. Erbyn canol Awst cafodd ei alw 'nôl i ardal Poperinge i ofalu am y milwyr a glwyfwyd. Yn y cyfnod hwnnw trefnwyd gwasanaeth coffa i gofio am eu cyfeillion a fu farw. Clywodd hefyd am ladd David Lewis, a fu'n gyfaill iddo yn nyddiau Llandrindod a Sheffield, ac wrth ddisgrifio'r profiad o dalu gwrogaeth iddo ger ei garreg fedd, dywedodd: "Sefais uwch ei phen yn hir gan gofio y calonnau drylliedig oherwydd y golled hon. Heddwch i'w lwch."[2]

Cafwyd cyrchoedd awyr cyson gan yr Almaenwyr ar y ffosydd, ac un noson gwelodd awyren Almaenig yn union fel glöyn byw yn cael ei saethu o'r awyr:

> Gweld dau ddwsin a mwy o chwiloleuadau yn byseddu'r awyr, ac yn sydyn yn cau am un o awyrennau newydd yr Almaen oedd yn debyg i löyn byw anferth ariannaidd. Truan y dynged a dyngwyd iddi – amdani hithau hefyd y gellir dywedyd, "Hi hen eleni ganed" – chwyrndroi i'r llawr mewn ffrwydrad tanbaid, a diffodd.[3]

Teithiodd y milwyr mewn loriau ar 20 Awst o Waratah, gerllaw Poperinge, er mwyn cael cyfnod i ffwrdd o'r ffrynt yng ngwersyll gorffwys Rubrouck a drefnwyd yn bwrpasol ar gyfer rhoi ysbaid i filwyr rhag yr ymladd.

Ddiwedd Awst aeth Winks dros ben llestri unwaith eto, gan wneud ymosodiad geiriol ffyrnig yn ei gwrw ar rai o'i gyd-filwyr a'r is-swyddogion. Cafwyd tipyn o ffwdan yn sgil y digwyddiad, ond y tro hwn ni fyddai'r awdurdodau milwrol yn dangos unrhyw dosturi. Cosb

Winks oedd cael ei rwymo wrth olwyn cert am nifer o oriau bob dydd, a llafur caled rhwng y cyfnodau hynny. Yr enw a roddid ar y math yma o gosb oedd *Field Punishment Number One*, ac ar ôl rhoi'r gorau i'r arfer o fflangellu fel dull o gosbi dyma'r dull cydnabyddedig yn y fyddin Brydeinig o ddelio â throseddau fel medd-dod. Roedd y gosb yn golygu clymu'r troseddwr wrth wrthrych llonydd, olwyn cerbyd gan amlaf, am hyd at ddwy awr y dydd, weithiau am wythnosau os nad misoedd lawer. Ambell dro byddai'r dynion hyn yn cael eu gosod o fewn cyrraedd magnelau'r gelyn, ond nid yw'n debygol bod Winks wedi dioddef hynny yn yr achos y sonia Valentine amdano yn ei ddyddlyfr. Cymhellodd achos Winks sylw chwerw gan y Cymro:

> Yesterday poor old Winks' sentence was read out to us on parade. He has been awarded 56 days... it was a humiliating sight to see a man of his social standing and intelligence tied ignominously to the wheel. His crime was getting drunk. The officers on the other hand have every facility of getting drunk at their billets and often make veritable pigs of themselves. If Britain is democratic – why is such an ultra-conservative institution as the Army tolerated.[4]

Yr oedd Valentine yn mentro ei enaid ei hun yn cofnodi'r fath deimladau ar ddu a gwyn. Yr oedd cadw dyddiadur yn beth mentrus ynddo'i hun, heb sôn am fynegi barn mor wrthsefydliadol. A phe bai'r awdurdodau wedi dod i wybod am fodolaeth y dyddlyfr byddai'r uwch-swyddogion wedi bod yn siŵr o'i gosbi'n hallt.

Mae'r ail o'r tri dyddlyfr a gadwodd Valentine yn y fyddin yn cychwyn gyda chofnod am gyfle a gafodd ddiwedd Awst 1917 i ymweld â hen ddinas St Omer lle roedd pencadlys y fyddin Brydeinig yn Ffrainc. Roedd yr ymweliad wrth ei fodd a chafodd "iechyd i ben a chalon" yno, er bod gweld milwyr byddin Awstralia yn swagro ar hyd y strydoedd mewn lifrai sgleiniog newydd yn cymell pwl o eiddigedd wrth iddynt ddenu sylw merched y *Women's Army Corps*.

Ddechrau Medi daeth y newydd am Gadair Ddu Eisteddfod Penbedw a lladd Hedd Wyn. Unwaith eto yn y cyfnod hwnnw yr oedd ei ffydd yn ei gynnal a'i galonogi, a theimlai Valentine iddo gael bendith o wasanaethau crefyddol a chwmni Cristnogion o'r Alban. Negyddol, fodd bynnag, oedd y teimladau a enynnwyd ynddo gan rai o'r swyddogion Seisnig, fel y Corporal Adamson, dyn cwrs ei dafod ac uchel ei glochdar am ei gampau ym mhuteindai'r trefi. Eto i gyd roedd yn rhaid i Valentine gyfaddef bod hyd yn oed yr hwrgi diffaith hwnnw ar faes y frwydr, "yn rhyfygus o ddewr yng nghanol peryglon".[5]

Derbyniodd lythyr gan ei dad ar y deunawfed o Fedi, ac er yr hiraeth a'r pryder a deimlai Samuel Valentine, yr oedd yn dechrau mentro meddwl am hynt bywyd ei fab ar ôl y rhyfel:

> Mae yn dda gennym gasglu oddi wrth dy lythyron dy fod yn dal gafael yng Nghrist, a'th fod yn ymarferu dy hun yn y gwaith ac yn ceisio troi troeon chwerw maes y frwydr i fod yn fantais i ti yn y dyfodol wrth gymhwyso dy hunan ar gyfer gwaith mawr dy fywyd... Y peth sydd yn ein blino fwyaf ydyw'r hiraeth am weld y rhyfel yn dod i ben, a chithau yn ôl gartre...[6]

Yr hyn sy'n werth nodi am ddyddlyfrau Valentine o ganol Medi ymlaen, yw mai Cymraeg yw'r unig iaith a ddefnyddir ynddynt. Mae hefyd yn dathlu blwyddyn union o fod ynghanol berw'r rhyfel ar y trydydd ar hugain, ac er gwaethaf pob profiad a ddaeth i'w ran nid oes tolc yn ei ffydd: "Blwyddyn union i heddyw mordwyasom i Ffrainc. Bu lawer tro ar fyd er hynny ond cynnwys y gwir Efengyl fy mhrofiad: "hyd yma y cynhaliodd yr Arglwydd fi".[7] Ddiwedd y mis dychwelodd mintai Valentine o wersyll gorffwys Rubrouck yn ôl i Poperinge i ganol yr ymladd.

Bu haf 1917 gyda'r gwlypaf ers cyn cof, ac roedd bomiau'r Prydeinwyr wedi difetha draeniad naturiol y tir yn ardal Ieper gan waethygu'r amodau lleidiog dan draed, ond mynnodd Haig gadw at ei gynllun. Ar ôl ychydig ddyddiau sych ddiwedd Awst, dychwelodd y glaw mawr ym mis Medi i droi maes y gad yn gors unwaith eto. Ystyfnigodd Haig, ac unwaith eto dewis parhau â'r ymgyrch. Dros bedair wythnos ar ddeg byddai'r Prydeinwyr a'u cynghreiriaid, ar o leiaf ddeg achlysur, yn ceisio torri drwy'r llinellau i gyrraedd pentref bychan Paschendaele. Weithiau enillid ychydig gannoedd o lathenni o dir, ond fel rheol byddai'r ymosodiad yn cloffi yn y baw a'r mwd. Diwrnod gwaedlyd arall oedd y nawfed ar hugain:

> Cyflawnwyd difrod a galanastr ofnadwy yn ein gwersyll. Daeth awyrlongau yr Ellmyn yma a disgynnodd amryw fombs ynghanol y pebyll. Lladdwyd yn uniongyrchol gryn ugain a bu farw bron ugain arall a chlwyfwyd dros bedwar ugain yn dost. Gwnaeth hefyd ddifrod mewn gwersylloedd eraill o fewn y cylch hwn. Buom yn trin clwyfau y bechgyn hyd oriau mân y bore.[8]

Y diwrnod canlynol yr oedd yn ddydd Sul, ac fe gynhaliwyd gwasanaeth crefyddol mawr, swyddogol. Noda Valentine fod morâl y milwyr yn isel, a'u bod yn "chwerw a gwrthryfelgar iawn ein hysbrydoedd".[9] Chwerwyd hwy fwy fyth gan bregeth un o'r caplaniaid ar destun "Y cloffion a ysglyfaethant yr ysglyfaeth" o lyfr Eseia. Siomwyd Valentine yn fawr iawn gan wagle crefyddol yr hyn a oedd yn ei farn yn bregeth ddychrynllyd, a chableddus: "Gwrandawasom nid ar weinidog a gwas i Grist yn traethu... ond swyddog milwrol yn siarad â milwyr am mai dyna y drefn."[10] Er hynny gallai wahaniaethu'n rhwydd rhwng gwirionedd yr Efengyl a gwacter ysbrydol amryw o gaplaniaid y fyddin. Cymerai gysur mawr yn ei ffydd bersonol, a hynny yn anad dim a gynhaliai ei ysbryd drwy'r erchyllterau. Ategwyd hynny wrth iddo gwrdd â Chymry eraill fel Grey Griffiths, a Llewelyn Jones unwaith eto, a chyfnewid hanesion am eu hynt a'u helynt ar hyd y ffrynt ger Ieper.

Wythnos yn ddiweddarach symudodd o Poperinge i St Julien: "Dyma uffern yn ei harfau. Gweithiwn yn galed o wawr hyd hwyr a'r gelyn yn taflu ei belenni angheuol atom. Dacw dorf o filwyr y fan draw ac ar amrantiad llygad symudir hwynt i wynebu yr Anwybod mawr."[11] Ac nid oedd terfyn ar y lladdfa. Safai Valentine gyda dau swyddog yng ngheg *dug-out*, ac ar gais y Capten aeth Valentine i mewn i archwilio'r fan. Ymhen eiliadau yr oedd bomiau tân wedi disgyn ar y fan lle safai'r swyddogion a'u lladd yn syth. Mis o wasanaeth milwrol oedd ar ôl gan y Capten Fisher, a'i fwriad wedyn oedd dychwelyd i Ganada i ofalu am ei fam oedrannus.

Cofnododd Valentine y golled yn ei ddyddlyfr:

> Dydd Gwener, Hydref 12
>
> O angau dygaist ymaith y mwyaf a'r lledneisiaf o blant dynion.
>
> Lladdwyd y Capten Fisher a Sergeant Ireland. Y cyntaf yn ŵr diymhongar a dirodres – yn fonheddwr i'r carn a militariaeth heb galedu ei galon fawr megis calonnau y gweddill o'r swyddogion.[12]

Ar y dydd Sul canlynol yr oedd Valentine a'i gatrawd yng ngwersyll Minty Farm yn yr un ardal pan ymosododd yr Almaenwyr arnynt o'r awyr. Awyrlongau yn hytrach nag awyrennau a ymosododd y tro hwn, ac fe achoswyd difrod aruthrol. Parhaodd yr ymosodiadau ar y nos Lun: "Ym min yr hwyr daeth un o'r 'balloons' i'r ddaear yn fflam dân. Anesmwyth fu fy nghysgu. Gorfu i mi ffoi yng nghanol nos a cheisio lloches mewn man cadarnach na'r tipyn to oedd uwch fy mhen. Disgynnodd 'shell' bum llath oddi wrthyf ond eto amlygwyd inni 'gadarn law' yr Hwn fedr arbed i'r eithaf."[13]

Teimlai fod rhyw allu wedi arbed ei fywyd hyd yma, ac roedd yn awyddus i weld newid er gwell ar ôl i'r ymladd ddod i ben, er nad oedd yn gwbl obeithiol y deuai diwedd rhyfel â byd mwy cyfiawn yn ei sgil. Cymysgedd o ddyhead gobeithiol a phesimistiaeth tywyll yw ei ddyddlyfr am y cyfnod: "O Famau Ewrop – maeddir eich anwyliaid yn ddidostur. Cewch lais eglur yn llywodraeth y byd wedi'r drin. Trugaredd â babanod eich bronnau fuasai diffodd eu bywyd ieuanc."[14]

Erbyn hyn yr oedd wedi cael digon ar frolio llwyddiannau ffug propaganda'r awdurdodau wrth ddarlunio hynt yr ymladd: "Dywaid y wasg Jingoaidd bod y gelyn yn cilio beunydd ond ni welais eto un arwydd o'i nychdod. Yn hytrach beunydd beunos cyflawna ddifrod dirfawr ac nid diogel yr un enaid ohonom..." Wrth holi pam fod y rhyfel yn parhau cyhyd daw i'r casgliad sicr fod rhywrai yn elwa ar gorn yr holl ddioddefaint. Er bod awydd angerddol am heddwch yng nghalonnau'r milwyr cyffredin yr oedd rhywun neu rywrai yn rhwystro heddwch:

> Mae y llaw ddirgel sy'n atal y diwedd ynte? Credaf fod dosbarth yn ein gwlad sy'n dda ganddynt ryfel ac yn elwa ar y cythreuldeb hwn. Y lleiafrif hwn sydd yn atal heddwch, ac yn gwneud y llywodraeth yn gyndyn a gwargaled. Barn pob milwr yw nas gellir byth orchfygu cenedl rymused ac mor athrylithlon â'r Almaen ac nid wyf i yn dymuno buddugoliaeth.[15]

Bu'r rhyfel yn addysg wleidyddol galed i Valentine fel i lawer milwr arall, ac yr oedd cymaint o dywallt gwaed a cholli nifer o gyfeillion wedi ei wneud yn fwy beirniadol o'r awdurdodau. Syrthiodd hynny o gen a fu ar ei lygaid, a gwelodd y rhyfel am yr hyn ydoedd: "Aberth ieuanc eto i'r milyn Moloch. Dygwyd Bert Wright i'r 'dressing station' dan gleisiau didostur, a bu farw yma. Bachgen dirodres a llednais – yn annwyl gan bawb."[16]

Ymlaen ac ymlaen yr â'r lladdfa: "Duw nef a ŵyr pwy aberthir eto o'm cymheiriaid i'r Moloch uffernol."[17] Geiriau eironig fyddai'r rhain oherwydd ar ddydd Llun, 22 Hydref, yr oedd angau am ddod yn agosach fyth ato pan laddwyd ei ffrind mynwesol Frank Carless:[18]

> Diwrnod fythgofiadwy. Och Dduw fy ngeni. Lladdwyd fy nghyfaill mynwesol Frank Carless. Daeth Carless i'r Ambulance yr un adeg â minnau a buom megis Dafydd a Jonathan. (Ysgolor gwych ydoedd – dysgodd Gymraeg)... yn byw ei grefydd a'r Beibl nid yn unig ar bennau ei fysedd ond hefyd yn ddwfn yn ei galon.[19]

Roedd Frank Carless o Groesoswallt wedi dod yn un o gyfeillion pennaf Valentine ers iddynt gyfarfod yn Albert ar ddechrau eu cyfnod yn Ffrainc. Un diwrnod braf ar adeg o seibiant yn yr ymladd aeth Carless a Valentine am dro i'r wlad un pnawn braf, ac ar ôl cerdded sawl milltir, gorffwysodd y ddau mewn tas wair. Deffrowyd Valentine gan Carless, oedd wedi cynhyrfu drwyddo. Dywedodd y Sais iddo gael sicrwydd yn ei gwsg y câi ef ei ladd yn fuan, ond y byddai Valentine yn cael dychwelyd adref yn saff. Flynyddoedd ar ôl y rhyfel gwahoddwyd Valentine i bregethu yng nghapel Penuel, Croesoswallt. Ynghanol oedfa'r prynhawn dywedodd iddo gael ei lesteirio gan "gloffni ymadrodd – myfi fy hun, fel y deuthum i ddeall, oedd yn ymwybodol o hyn, nid oedd neb yn y gynulleidfa wedi sylwi ar ddim byd anarferol… Yna o ryw isymwybod, daeth enw 'Carless' i'r cof, a gallwn daeru bod rhywun o'm mewn yn sibrwd yr enw, ac yn rhyfedd fe ddiflannodd pob atalfa rhwystrus…"[20] Ar ddiwedd yr oedfa holodd ef y diaconiaid a oedd teulu o'r enw Carless yn byw yn y dref. Cafodd wybod gan ŵr o blith y gynulleidfa fod teulu Frank wedi bod yn yr ysgol gydag ef. Trefnwyd i Valentine gyfarfod â thad Frank y bore canlynol. Yr oedd y tad wedi cysylltu'n ofer sawl gwaith â'r Swyddfa Ryfel i holi am fwy o wybodaeth am amgylchiadau marwolaeth ei fab. Yn eu cyfarfod soniodd Valentine wrth y tad am yr oll a wyddai am ddiwedd Frank.

Nodwedd o'r defnydd o dechnoleg fodern yn y Rhyfel Byd Cyntaf oedd ymosodiadau bomiau nwy. Amcangyfrifwyd bod yr Almaen wedi defnyddio 68,000 tunnell o nwy yn ystod y rhyfel. Nid oedd y Cynghreiriaid yn ddieuog chwaith, gan i fyddin Prydain a Ffrainc ddefnyddio 61 tunnell o arfau cemegol yn ogystal. Defnyddiwyd yn bennaf dri math o nwy yn y rhyfel. Yr oedd nwy clorin yn peri mygfa ofnadwy. Yr oedd nwy ffosgen yn debyg ond yn llawer mwy pwerus. Y trydydd math o nwy oedd nwy mwstard, ac ym mis Medi 1917 yn ystod brwydr Paschendaele defnyddiodd yr Almaen nwy mwstard am y tro cyntaf yn y rhyfel. Hwn oedd y mwyaf angheuol o'r cemegau gwenwynig a ddefnyddiwyd yn ystod y brwydro. Ar y cychwyn yr oedd effaith y nwy yn peri tisian a phesychu mawr, a dilynid hynny gan dymheredd uchel a phothelli a llosgiadau ar hyd y corff. Wedyn byddai amrannau'r llygaid yn chwyddo nes cau'n llwyr. Fe allai'r rhai a oroesai'r ymosodiad ddioddef problemau anadlu a nam parhaol ar eu golwg.

Ddiwrnod ar ôl marwolaeth Carless, ar ddydd Mawrth, 23 Hydref, dioddefodd Valentine ymosodiad gan fomiau nwy, gan beri iddo golli ei olwg a'i leferydd. Ni chofiai Valentine ddim am y digwyddiad; cafodd yr hanes yn ddiweddarach gan ei gyfaill Tony Wells:

> Yn y bore bach yr oedd rhyw hanner cant ohonom ynghyd â'n swyddogion, yn ymwthio ymlaen yn araf a gochelgar dan gawodydd o dân belenni – lladd neu glwyfo dau ddegwm ohonom mewn ychydig

> o funudau cyn cyrraedd y nod. Y peth olaf a gofiaf ydyw gwyro i gynorthwyo rhyw druan oedd yn gerain dan ei boen, ac yna nos ac angof. [21]

Yr oedd yr hanes am anafu Valentine wedi mynd ar led ymysg y Cymry yn y fyddin. Dyma sut y cofir yr hanes gan Iorwerth Dyfi (Iorwerth Davies), fferyllydd ifanc o Fachynlleth oedd hefyd yn aelod o'r Corfflu Meddygol ar y pryd ac a fu'n cyd-letya gyda Valentine yn 'Craig Road', Llandridnod:

> He [Valentine] went through something I can tell you. He went over the top as a stretcher bearer when he was in France with his group. I think there were two hundred in units, and I think it was fifty seven that came back, and the chaplain was killed and a couple of the Officers were killed. And Valentine survived and came back.
>
> And the officer, Colonel of this little group asked him:
>
> "Mr Valentine, I want to ask you a favour. The Chaplain's been killed, as you know, and this little lot that are left are going over the top again tonight. I've sent down to the base to get another to fill up, to make two hundred to go over the top again tonight. And several men have asked me; they'd like to get Communion before they go. And the Chaplain's equipment is here."
>
> Well Valentine said:
>
> "I'm not an ordained man," he said, "but I'm going in for the church I admit."
>
> "Well that's quite all right," he said, "you do it."
>
> So he gave Communion to them, and went over with them as a stretcher bearer that evening. And indeed, after he went into the No Man's Land and so on, a shell came over and buried Valentine, and he wouldn't come in. We could have saved him if he'd come in, but he insisted on staying with these chaps because he'd given Communion to them the night before and he couldn't leave them. And he was deaf, dumb and blind for three months after that.[22]

Pan ddaeth ato'i hun yr oedd Valentine ar fwrdd llong yng nghanol Môr Udd ar ei ffordd yn ôl i Brydain. Wrth ymyl ei wely yr oedd Tony Wells, a oedd hefyd wedi cael ei anafu. Yn ôl Wells dim ond Valentine ac yntau a lwyddodd i ddianc yn fyw o'r ymosodiad nwy. Mae'n debyg mai mantais i Valentine a Wells oedd i gludwyr y Groes Goch gael eu rhwystro gan ffyrnigrwydd y tanio rhag eu cyrraedd, gan fod symud unrhyw un oedd wedi cael ei anafu gan fomiau nwy yn beryglus... Aethpwyd â'r ddau yn y man i ysbyty CSS, ac er gwaethaf ymosodiadau gan yr Almaenwyr ar yr ysbyty hwnnw llwyddwyd i'w cludo drannoeth i ysbyty mawr yn Abbeville, ac oddi yno trefnwyd iddynt deithio yn ôl i Brydain ar long gan lanio maes o law yn Dover. Teimlai Valentine ei fod dan ddyled fawr i Tony Wells, oherwydd gwrthododd yn lân, er gwaethaf perswâd a bygythiadau Valentine, symud o'i olwg yn ystod yr amser y bu'r Cymro'n wael iawn, er bod clwyfau Wells ei hun yn ddigon difrifol.

Dygwyd Valentine a Wells i Ysbyty Coombe Lodge, Great Warley, yn Swydd Essex. Oherwydd ei anafiadau difrifol bu Valentine yn ddall am dri mis, anafwyd ei goesau a'i law hefyd a dioddefodd effaith y shrapnel yn ei law am weddill ei oes. Bu dan ofal meddygol tan ddiwedd y rhyfel, ac mewn amrywiol ysbytai milwrol am flwyddyn. Cafodd ar ddeall wedyn fod llawer o'i uned wedi eu lladd yn y brwydro, ac er mor arw ei anafiadau roedd ef a Wells wedi cael dihangfa wyrthiol.

Ddechrau Tachwedd daeth y newydd fod yr ymladd wedi dod i ben yn Paschendaele ar ôl i fyddin Canada gipio'r pentref. Yn ystod can niwrnod y brwydro collodd Prydain 310,000 o filwyr (naill ai wedi eu lladd, eu clwyfo neu ar goll) ac ennill llai na phum milltir o dir. Dinistriwyd tref Ieper yn llwyr yn y rhyfel. Heddiw mae'r dref yn edrych fel tref ganoloesol ond camarweiniol yw hynny. Yn ystod blynyddoedd y rhyfel lladdwyd hanner miliwn o bobl yn ardal Ieper a dinistriwyd naw canrif o hanes mewn pedair blynedd.

Yna, ni chofnodir fawr ddim yn y dyddlyfr tan 19 Tachwedd,[23] a brawddeg gwta yw honno: "Yn gyflym wella – nid rhyfedd oblegid derbyniwn pob bendith a ffafr."[24] Erbyn yr unfed ar hugain llwyddodd i anfon llythyr o Coombe Lodge at ei rieni yn dweud ei fod yn gallu codi o'i wely ac yn gwella'n ddyddiol: "Mae'r gwaethaf drosodd," meddai, "ond blin fu y profiad."[25] Er ei fod yn araf wella yr oedd ei lygaid yn dal yn ddolurus ac roedd dan orchymyn i beidio darllen.

Wrth adfer ei iechyd, cafodd Valentine amser i fyfyrio a gwneud rhywfaint o synnwyr o'i brofiadau. Ysgrifennodd o'r ysbyty at gyfaill gan ladd ar y "juggernaut filwrol" ac yn galaru oherwydd "credir yr athrawiaeth ddieflig honno, sef trech gallu na chyfiawnder gan fyd cyfan bron..."[26] Loes calon iddo hefyd oedd diymadferthedd yr eglwysi Cristnogol. Haerodd fod yr eglwys wedi colli cyfle euraid i ddangos yr hyn y gallai ei wneud "ond gwyddost cystal a minnau i ragrith, budr elw, hunangarwch ac aflendid yr Eglwys barlysu ei nerth".[27] Er gwaethaf ei bryderon am ddyfodol Cristnogaeth, a'r teimlad ym mêr ei esgyrn o'r argyfwng a wynebai'r grefydd gyfundrefnol, daliai i fyw mewn gobaith y deuai diwygiad crefyddol i "ysgubo ymaith yr aflendidau hyn". Mae'r llythyr hwn yn un dadlennol ar sawl cyfrif. Yn bennaf mae'n arwydd cryf bod y darpar bregethwr yn dechrau canfod ei lais a'i genhadaeth bersonol, ac mae yna ddicter proffwydol yn y rhethreg sy'n taranu yn erbyn dallineb cymdeithas a methdaliad yr eglwysi Cristnogol.

Ar ddechrau Rhagfyr clywodd fod tân wedi bod yng nghartref ei chwaer Hannah ym Mangor. Gyda hi a'i gŵr Jack y bu yn lletya yn ystod ei gyfnod fel myfyriwr, a llosgwyd ei holl lyfrau a'i bapurau. Trwy drugaredd fe lwyddodd Hannah a'r teulu i osgoi unrhyw niwed.

Ar 20 Ragfyr fe'i symudwyd o Coombe Lodge i Ysbyty Singholme y Groes Goch yn Walton-on-the-Naze ar arfordir dwyreiniol Swydd Essex. Ar ddydd Calan yr oedd yn fwy na balch o gefnu ar 1917: "Yn iach yr hen flwyddyn garpiog waedlyd. Henffych well flwyddyn ein gobaith. Bwriaf drem dros yr hen flwyddyn. Blwyddyn ingol. Ynddi gwelwyd claddu gobeithion lu."[28] Llwyddodd ymhen ychydig i gael ei ryddhau am gyfnodau o'r ysbyty. Dechreuodd ailafael mewn pregethu, a threfnodd gyfarfod ag Idwal ei frawd yn Llundain ar ddechrau Chwefror. Roedd Idwal erbyn hyn wedi symud o Ffrainc i ymladd gyda'r fyddin yn yr Eidal, ac roedd ganddo ychydig ddyddiau rhydd. Bu cyfarfyddiad y ddau frawd yn "orfoleddus". Y bwriad oedd ymweld â theulu Frank Bliss i gydymdeimlo, ond er gwaethaf prudd-der yr amgylchiad ni allai'r ddau frawd guddio eu llawenydd o weld ei gilydd eto. Ar ddiwedd y tridiau bu'n rhaid i Idwal fynd yn ôl at ei gatrawd yn yr Eidal. Dychwelyd i Singholme a wnaeth Valentine.

Mewn ymgais i gael ei leoli yn agosach at ei gartref gwnaeth Valentine gais i gael ei symud i'r "rhanbarth ogleddol". Wrth wneud hynny fe anghofiodd mai yn y rhanbarth gorllewinol yr oedd Cymru. Llwyddiannus fu'r cais, serch hynny, ac ar y pumed o Fawrth clywodd fod bwriad i'w symud i Ogledd Iwerddon. O leiaf byddai ganddo gyfle i fynd ar ymweliad sydyn â Hillside cyn croesi o Gaergybi i Iwerddon. Teithiodd i Lundain i ddal y trên am ogledd Cymru yng nghwmni Tony Wells ond, ar ôl cyrraedd y ddinas, cafodd y ddau eu dal gan ymosodiad awyrennau o'r Almaen a buont yn llochesu dan un o'r trenau yng ngorsaf Euston am gyfnod. Ymhen hir a hwyr gadawodd y trên am ogledd Cymru, gan gyrraedd Llanddulas erbyn hanner dydd ar yr wythfed o Fawrth, 1918. "Yr oeddwn yn wallgof o ddedwydd,"[29] meddai, wrth ymweld â'r hen lecynnau oedd yn annwyl iddo, ond ni allai osgoi sylwi bod ei dad wedi heneiddio, a gwallt du ei fam bellach wedi britho.

Ar ddiwedd Mawrth ailymunodd â Wells yng Nghaergybi a chroesi trwy Ddulyn a Belffast i Ysbyty Dunmore Park ger Randalstown yn ardal Lough Neagh, Swydd Antrim. Cartrefwyd y dynion mewn cytiau Nissen ar safle'r ysbyty ac, ar y cyfan, roeddent yn rhydd i fynd a dod o fewn ffiniau parc eang Dunmore, er bod disgwyl iddo fynd i Belffast bob pythefnos i gael archwiliad gan yr awdurdodau meddygol.

Ni wnaeth trigolion Protestannaidd Gogledd Iwerddon argraff dda iawn ar y Bedyddiwr ifanc. Ymddangosai ei gyd-Brotestaniaid fel pobl bengaled ac anoddefgar, yn arddel Prydeindod ymwthgar ac yn meithrin anoddefgarwch mawr tuag at y Catholigion, rhywbeth oedd yn gwbl groes i ysbryd Crist ym meddwl Valentine.

Yn y rhyfel ei hun yr oedd pethau'n edrych yn ddu ar luoedd Prydain ar ddiwedd Mawrth. Yr oedd gwrthymosodiad yr Almaen yn ei anterth ac yn ysgubo popeth o'i flaen. Creodd hynny ofn a dychryn ymysg y milwyr bod y gelyn am ennill y dydd, gan arwain at sibrydion o forâl isel yn y fyddin Brydeinig.

Clywodd y cleifion yn Ysbyty Dunmore Park fod si ar led am wrthryfel ymysg rhengoedd y fyddin yn Ffrainc oherwydd y colledion mawr, yr amgylchiadau enbyd yn y gwersylloedd a'r ffosydd ac arweiniad cibddall y cadfridogion. Nid oedd hynny'n synod i Valentine: "Mae pawb yn diflasu ar y rhyfel ac nid rhyfedd fydd gennyf glywed fod y fyddin yn gwrthryfela."[30] Yn wir roedd yn syndod na ddigwyddodd rhywbeth felly cyn hyn: "Rhyfedd i'r bechgyn fod yn ddigyffro cyhyd."[31] Nid oedd pethau lawer gwell ar y Ffrancod hwythau, felly. Poendod mawr oedd agwedd drahaus yr uwch-swyddogion, ond tyngodd Valentine y deuai dydd o brysur bwyso i'r giwed hon ryw ddydd: "Ysgyrnygir arnom gan ddynionach a'u hwynebau yn dweud yn huawdl beth ydynt. Mae'r swyddogion yn feddw rhan fawr o'r dydd. Dial! Dial! Dial! Wedi'r drin uffern fydd bywyd y diawliaid hyn."[32]

Ar ddechrau mis Ebrill yr oedd tensiwn gwleidyddol mawr yn Iwerddon. Roedd yr awdurdodau Prydeinig ar bigau rhag ofn i'r Gwyddelod benderfynu "dathlu" Gwrthryfel 1916 trwy ei efelychu. Ofnai'r milwyr oedd yn aros yn Dunmore Park y byddent yn cael eu hanfon i Ddulyn i gadw'r heddwch dros y Pasg. Er mor annhebygol oedd hynny, gan mai clwyfedigion oeddent, yn yr hinsawdd cynhyrfus ymddangosai fod unrhyw beth yn bosibl, yn enwedig i Valentine gan fod "ein Cyrnol (os dyna ei radd) yn ddyn hanner gwallgof ac yn ystyried pob Gwyddel yn anifail gwyllt yn haeddu ei ddinistrio".[33]

Bwriad Llywodraeth Prydain oedd cyflwyno Gorfodaeth Filwrol yn Iwerddon, a chafodd plaid Sinn Fein a'r mudiad gweriniaethol gryn lwyddiant yn sgil y gwrthwynebiad i hynny. Ar 25 Medi 1917 bu farw Thomas Ashe ar streic newyn yng ngharchar Mountjoy, ac roedd Eamonn DeValera ac Arthur Griffith, dau o arweinwyr amlycaf y blaid, wedi ennill isetholiadau yn yr un flwyddyn. Roedd y Llywodraeth yn benderfynol o wthio gorfodaeth ar y Gwyddelod ac ar 18 Ebrill pasiwyd y Ddeddf Gorfodaeth Filwrol yn San Steffan. Arweiniodd hynny at lofnodi'r *Anti-Conscription Pledge* ledled Iwerddon. Dyma oedd yr achos a drodd y fantol yn Iwerddon o blaid Sinn Fein a'r mudiad gweriniaethol a chyda'r gwynt yn ei hwyliau llwyddodd Sinn Fein i gipio mwyafrif llethol o'r seddi seneddol yn yr etholiad yn 1918, gan agor y drws i'r gwrthdaro a fyddai'n arwain yn anorfod at y rhyfel annibyniaeth.

Nid oedd amheuaeth gan Valentine pwy oedd yn haeddu ei gydymdeimlad. Ar y seithfed o Ebrill, ysgrifennodd: "Mae'r llywodraeth yn ceisio gwthio 'Gorfodaeth' ar yr Iwerddon ond mae'r Sinn Fein a'r Cenedlaetholwyr yn ei wrthwynebu i'r eithaf. Duw yn rhwydd i'r Sinn Fein."[34]

Yn ystod wythnosau cyntaf Ebrill cafodd gyfleon aml i fynd am dro ar lan y llyn. Bachodd ar y cyfle i ddod i adnabod Catholigion brodorol, ac yn sgil sgwrsio a siarad â thyddynwyr oedd yn byw ar lan Lough Neagh trefnodd i gwrdd â chenedlaetholwyr Sinn Fein oedd yn cyfarfod mewn pentref cyfagos:

> Roedd pentref heb fod ymhell o'n gwersyll lle'r oedd nifer fawr o'r Sinn Ffeiniaid. Roedden nhw'n bobl fonheddig iawn, ac yn eu plith nifer o Sgotiaid a Saeson oedd wedi ffoi o'r fyddin Brydeinig am eu bod nhw'n cydymdeimlo ag achos Iwerddon. Mi fûm i a chyfaill o Sais... yn ystyried yn ddifrifol iawn ymuno â'r bobl yma. Byddem wedi cael croeso a lloches ganddyn nhw.[35]

Wrth ymuno â'r gweriniaethwyr byddai Valentine wedi troi cefn nid yn unig ar y fyddin Brydeinig, ond hefyd ar unrhyw obaith o ddychwelyd i Gymru a byddai wedi dedfrydu ei deulu i ddioddef gwawd a sarhad cymdeithasol. Cam rhy fawr oedd hynny, felly penderfynu peidio ymuno â'r Gweriniaethwyr a wnaeth y ddau, yn bennaf oherwydd pryder mai eu teuluoedd fyddai'n dioddef y gwawd a'r erlid cymdeithasol a ddeuai yn sgil hynny.

Roedd Sinn Fein wedi llunio cynllun i wrthsefyll gorfodaeth pe bai'n cael ei weithredu gan Lywodraeth Prydain, ac ar 24 Ebrill cadwyd y cleifion milwrol yn gaeth i'w cabanau Nissen yn Dunmore Park oherwydd bygythiad y cenedlaetholwyr i wrthdystio a chodi helynt pe bai gorfodaeth filwrol yn cael ei gweithredu yn Iwerddon.

Heb os, fe wnaeth cyfarfod â phobl "fonheddig a diwylliedig" Sinn

Fein argraff ddofn iawn ar Valentine: "Nid oes fyddin yn y byd," meddai, "a all orchfygu y math yma ar ddynion."[36] Daeth yn edmygydd mawr ohonynt ac yn gefnogwr brwd i'r achos cenedlaethol yn Iwerddon. Ysgrifennodd yn ei ddyddlyfr ddechrau mis Mai ei fod "yn hoffi y Gwyddelod yn fawr ac yn cydymdeimlo yn llwyr â hwynt. Gresyn na roddir Ymreolaeth iddynt".[37] Bu unigolion fel Arthur Griffith a Padraig Pearse yn arwyr iddo ar hyd ei fywyd, ac wedi'r rhyfel câi gyfle ymarferol i ddangos ei edmygedd o safiad y Gwyddelod, trwy ddangos cefnogaeth gyhoeddus gyda'i gyd-fyfyrwyr i'r achos cenedlaethol yn Iwerddon.

Ymhen ychydig cafodd glywed ei fod ar restr ddrafft i adael y gwersyll yn Iwerddon am Loegr. Ar yr wythfed ar hugain o fis Mai hwyliodd Valentine o borthladd Belffast i Fleetwood yn Swydd Gaerhirfryn, cyn symud ymlaen i'w lety yn Blackpool. Digon isel oedd ei hwyliau yn y cyfnod hwn, ond ar ddechrau Mehefin cafodd gyfle i gyfarfod ag amryw o Gymry o'r Corfflu Milwrol oedd wedi dychwelyd o Salonica a chyfnewid syniadau gyda hwy, ac fe gododd hynny ei ysbryd am ryw hyd.

Fis yn ddiweddarach cynhaliwyd seremoni filwrol i godi morâl y milwyr, ond yr oedd y teimladau'n fwy cymysg nag ar ddechrau'r rhyfel, ac roedd Valentine, fel amryw o'r milwyr clwyfedig eraill, wedi colli pob ffydd yn eu harweinwyr milwrol a pholiticaidd, ac yn ddiamynedd â'u hystumiau rhagrithiol:

> Bu'r General Pitcairn Campbell yma dydd Llun diwethaf yn dosbarthu medalau i nifer o'r milwyr ond ni arddangoswyd dim brwdfrydedd gan y milwyr oddigerth pan ddaeth dwy weddw ger bron i dderbyn medalau eu gwŷr marw. Amlwg wedyn y lleithder oedd ymhob llygad. Nid oes neb yn meddu gronyn o ffydd yn y Llywodraeth ac mae hyd yn oed Lloyd George, gwron y miloedd gynt yn colli ei ddylanwad. *Ymreolaeth* i Gymru. Pa bryd? Mae oes euraid Cymru ymlaen. Ai llai annwyl Cymru i'r Cymro na'r Iwerddon i'r Gwyddyl? Ai difraw y Cymro parthed hawliau Cymry? Paham y cyfrifwn ni yn llai o genedl na'r Gwyddelod? Ein Dic Siôn Dafyddion a'n haelodau Seneddol gwlatgar sy'n cyfrif am hyn.[38]

Erbyn Awst roedd rhod y rhyfel o'r diwedd yn troi o blaid y

Cynghreiriaid. Roedd ei frawd ieuengaf Stan wedi ei wenwyno yn yr ymladd yn Ffrainc ond nid oedd ei fywyd mewn perygl. Daeth tri mab Hillside drwy'r rhyfel yn fyw. Ym mis Medi cafodd Tony Wells, a fu gyda Valentine trwy gydol ei gyfnod yn Coombe Lodge, Dunmore Park a Blackpool, ei anfon yn ôl i'r uned yn Ffrainc, ond methodd Valentine yr archwiliad meddygol.

Ddiwedd Medi bu cynnwrf mawr yn y gwersyll lle lletyai Valentine a'i gyd-filwyr. Mae'r troednodyn yma i yrfa Valentine yn y fyddin yn un sy'n dweud llawer am ddiffyg parch y Sefydliad Prydeinig tuag at y milwyr cyffredin oedd wedi cario baich yr Ymerodraeth yn y rhyfel. Gosodwyd y milwyr hyn mewn gwersylloedd milwrol arbennig ar gyrion Blackpool oherwydd bod "landledis gwlatgar Blackpool"[39] yn gwrthod rhoi llety i filwyr yn eu tai gwely a brecwast. Cafwyd glawogydd trwm a dioddefodd y gwersyll lifogydd drwg, gan wneud amgylchiadau byw y milwyr yn annioddefol. Ar nos Sadwrn yr unfed ar hugain o Fedi ymgasglodd y dynion wrth glwydi'r gwersyll a gorymdeithio tuag at dramiau cyfagos a'u meddiannu gyda'r bwriad o adael am Blackpool. Lledodd anesmwythyd fel hyn ar draws amryw o wersylloedd milwrol yr haf hwnnw ac aflwyddiannus fu pob ymgais gan y swyddogion milwrol i geisio rheoli'r sefyllfa. Yn y diwedd galwyd ar y Prif Gwnstabl i geisio tawelu'r dyfroedd – bron yn llythrennol o gofio gwraidd yr helynt. Caniatawyd cais y dynion i gael llety clyd a sych yn y gwersyll a chytunwyd na fyddai gan yr awdurdodau milwrol unrhyw ran yn y mater. Ni chafodd y milwyr hynny a fu'n gwrthdystio eu herlid am eu rhan yn y brotest. Mae'n amlwg o'r hyn o gofnodwyd ganddo yn *Dyddiadur Milwr* fod Valentine ynghanol yr helynt hwn, ond mae'n anodd iawn canfod faint yn union o ran a chwaraeodd ef ei hun yn y cythrwfl. Gellir ond dyfalu, o gofio ei gydymdeimlad â'r milwr cyffredin a'i gasineb tuag at y mân swyddogion, iddo gymryd rhan egnïol yn y gwrthdystiad.

Symudwyd Valentine eto yn yr hydref i fyny'r arfordir i wersyll hyfforddi ger Barrow-in-Furness. Câi ei ryddhau o dro i dro i bregethu a chafodd un cyfle i fynd adref i Landdulas i weld ei frawd Stan oedd newydd ddychwelyd o Ffrainc. Yna, ar 11 Tachwedd, daeth y Cadoediad hirddisgwyliedig: "O newydd gogoneddus. Ai breuddwyd ydyw? Heddwch. Gorohian a miri mawr fu yn y dref hon."[40]

Er gwaethaf y terfyn ar yr ymladd nid oedd sôn pryd y câi Valentine ei draed yn rhydd o hualau'r fyddin. Ceisiodd daro ar gynllun i osgoi'r *parades* a dyletswyddau milwrol syrffedus tebyg. Y bwriad oedd iddo yntau a chriw o gyfeillion lechu yn llyfrgell y gwersyll hyfforddi er mwyn cael llonydd a darllen, ond daeth yr awdurdodau milwrol i glywed am y cynllun a chafwyd cyrch gan yr heddlu milwrol ar y llyfrgell ac fe'i dygwyd ef a'i gyd-gynllwynwyr i'r ddalfa gan y "capiau cochion". Er gwaethaf cyfarth annifyr swyddogion yr heddlu milwrol nid oeddent yn menu dim ar Valentine erbyn hyn oherwydd gwyddai fod ei ddyddiau yn y fyddin yn dirwyn i ben. Er iddo ofni y câi ei symud i wasanaethu yn Ne Affrica, methodd yr archwiliad meddygol unwaith eto, a gwyddai mai mater o amser yn unig fyddai hi cyn cael ei draed yn rhydd o Luoedd Arfog Ei Fawrhydi. Amrywiai ei hwyliau yn ddyddiol bron. Weithiau byddai digalondid am ei sefyllfa yn ei lethu, dro arall byddai'n llawn cynlluniau at y dyfodol. Meddai, ar ddydd Mawrth, 10 Rhagfyr: "Deffrois bore heddiw yn llawn bywyd ac ynni. Yr hen uchelgeisiau mewn gwisgoedd newydd yn fy ngrymuso."[41]

Galwodd Lloyd George Etholiad Cyffredinol mewn ymgais i fanteisio ar lawenydd y cadoediad. Ond nid plaid hen arwr ei dad a gafodd bleidlais gyntaf Lewis Valentine yn yr etholiad "Khaki". Yn ei ddyddlyfr ar 19 Rhagfyr 1918 fe nododd: "Y ddoe rhoddais fy mhleidlais gyntaf i E T John, aelod [*sic*] Llafur dros Ddinbych."[42] Yr oedd E T John yn ymreolwr brwd ac ef fu Aelod Seneddol Rhyddfrydol Dwyrain Sir Ddinbych rhwng 1910 ac 1918. Gadawodd y Blaid Ryddfrydol yn sgil cael ei ddadrithio gydag arweinyddiaeth Lloyd George, ac ef oedd ymgeisydd Llafur y sedd yn etholiad 1918.

Yna, o'r diwedd, ar ddechrau 1919, daeth dydd rhyddhau Valentine o'r fyddin. "Torres y wawr a cefais fy nhraed o rwymau Satan yn rhydd. Gollyngwyd fi ar yr 8ed Ionawr a dychwelais ar fy union i'r coleg – a f'uchelgais yw gorphen fy ngradd ym Mehefin."[43]

Rhwng 1914 ac 1918 fe laddwyd 40,000 o Gymry yn y rhyfel ac er nad oedd yn ddyn chwerw wrth natur, ni allai Valentine osgoi teimlo dicter at arweinwyr crefyddol a gwleidyddol Prydain. Hudwyd llanciau Cymru i farw yn ffosydd Ffrainc a Fflandrys ac yna anghofiwyd eu haberth o fewn dim. Ym marn Valentine:

> Y wlad yr oedd ei rhagfarn yn fwyaf yn erbyn y rhyfel a yrrodd fwyaf o fechgyn i'r ffosydd, a chollodd fwy na'r un wlad arall a dioddefodd yn enbytach – dyna un o baradocses y rhyfel... Yr oedd catrodau Lloegr yn cael pob clod, a phapurau'r Deyrnas yn canu eu clodydd beunydd, ond nid oedd Aberth Cymru yn werth sôn amdano.[44]

Profiad chwerw felys felly oedd dychwelyd i fywyd normal, a difrawder a rhyw fyfiaeth newydd a welai ymhobman o'i gwmpas:

> Nid yw ebyrth y pum mlynedd wedi deffro fawr ar y werin ond yn hytrach wedi creu ynddynt ysbryd digon ansaig a hunanol – ac nid oes yr un dewin a ŵyr i ble mae'r byd yma yn mynd... Yn y niwl yn ysbrydol o hyd – yn disgwyl am y wawr. Fy mhrofiad i yn gyffredin i'r lliaws – achos da i'r eglwysi fod mor ddifraw a ninnau megis esgyrn sychion.[45]

Beth bynnag am gyfeiriad y byd, wedi'r Rhyfel Mawr yr oedd Valentine ei hun yn fwy sicr ei feddwl ynghylch yr hyn a gredai. Yn un peth yr oedd bellach yn heddychwr o egwyddor, ac yn ganolog i'r heddychiaeth honno yr oedd elfen gref o wrthimperialaeth. Caledu hefyd a wnaeth ei ymlyniad i Gymru a'r Gymraeg. Bellach yr oedd wedi gweld a phrofi drosto'i hun wirionedd geiriau Emrys ap Iwan am arwahanrwydd Cymru fel cenedl, a'r angen iddi fynnu ei lle yn y byd. Sylweddolai hefyd, yn enwedig wrth weld brwydr annibyniaeth Iwerddon yn mynd rhagddi, fod gofyn i'r Cymry hefyd sefyll yn gadarn er mwyn mynnu eu hawliau. Er gwaethaf ei feirniadaeth o ddifrawder yr Eglwys ni wnaeth y rhyfel a bywyd yn y ffosydd ddim i bylu ffydd Gristnogol Valentine – os rhywbeth dyfnhau a wnaeth. Ni ellid dal Duw'n gyfrifol am y lladdfa ar feysydd Ewrop. Nid gwaith Duw oedd y Rhyfel Byd ond canlyniad gweithredoedd dynion pechadurus, yn arweinwyr cymdeithas, boed gadfridogion, gwleidyddion neu grefyddwyr.

Wrth i Valentine ddychwelyd i'r coleg, felly, yr oedd darlun cyfan ei genhadaeth a byrdwn ei alwedigaeth yn dod yn fwyfwy eglur:

> Deuthum yn genedlaetholwr Cristnogol yn cydnabod Arglwyddiaeth Crist yn uchaf awdurdod fy mywyd. Myfi oedd piau dewis Cymru yn faes fy llafur a'm hegni, ond Crist sydd piau dodi arnaf y math ar wasanaeth a allaf ei gynnig iddi. Yn araf deg daeth dau beth yn glir i mi, sef na allwn arddel Crist yn Arglwydd a bod yn ddall i'r caethiwed a oedd yn llethu fy nghenedl, ac na allwn gynnig i'm cenedl unrhyw wasanaeth heb i gariad Duw yng Nghrist fod yn rowndwal iddo.[46]

Pennod 7

Gwneud Rhywbeth

Gwneud rhywbeth, derbyn cyfrifoldeb yn lle siarad a siarad heb esgor ar ddim o werth.

Lewis Valentine, *I Gofio J P*
(cyfrol deyrnged J P Davies)

Yn 1919 dychwelodd nifer o'r milwyr i Goleg y Brifysgol ym Mangor, a Valentine yn eu plith, a oedd unwaith eto yn lletya gyda'i chwaer Hannah. Lle gwahanol iawn oedd y coleg erbyn hyn i'r lle a adawsai dair blynedd ynghynt, ond roedd Valentine hefyd wedi newid. Yr oedd yna aeddfedrwydd newydd yn y dyn chwech ar hugain oed – aeddfedrwydd oedd yn ddiamynedd â'r hyn a welai o'i gwmpas ac yr oedd yn dyheu am newid: "Profiad rhyfedd ydyw profiad y dychwel yn ôl – teimlaf fel hen ŵr mewn seiat plant. Prin y cofir y gorphennol – mae yn gyflym ddiflannu fel cysgod neu niwl y bore."[1]

Ar ôl y rhyfel treblodd nifer y myfyrwyr yng Ngholeg Prifysgol Bangor. Aç er bod y rhaniadau ar sail dosbarth a chenedl a brofodd yn y fyddin wedi bod yn y Coleg o'r cychwyn, bellach yr oedd Valentine yn llawer mwy ymwybodol ohonynt. Rhywbeth arall oedd yn dân ar ei groen ac yn achos annifyrrwch oedd y ffaith bod amryw o swyddogion y fyddin wedi ailgofrestru yn y coleg hefyd: "Mae'r C.O.'s yn dychwel yn ôl hefyd – ciwed digon digydwybod yw lawer ohonynt – cyfystyr iddynt hwy yw cydwybod â hunan."[2]

Bu'n rhaid i awdurdodau'r coleg eu haddasu eu hunain i'r newidiadau cymdeithasol a ddaeth yn sgil yr heddwch. Enghraifft o hynny oedd llacio'r rheolau ynghylch gwisg y coleg. Cyn y rhyfel gorfodid myfyrwyr i wisgo gŵn du a het galed y *mortar board*. Yn wir, cawsai Valentine ei ddwrdio ar un o'r coridorau gan neb llai na'r Prifathro Syr Harry Reichel am beidio â gwisgo'r lifrai addysgol cymeradwy. Llestair cymdeithasol arall oedd yr angen i gael caniatâd arbennig i wneud pethau hollbwysig i fywyd myfyrwyr fel "hebrwng merch o'r coleg i de yng nghaffi Roberts",[3] ond yn hynny o beth hefyd bu newid sylweddol ar ôl 1919.

Dywedodd Valentine mai un o'r pethau mwyaf trawiadol am y coleg pan aeth yno gyntaf yn 1913 oedd dod wyneb yn wyneb â Seisnigrwydd go iawn am y tro cyntaf. Saesneg oedd iaith pob darlith, hyd yn oed darlithoedd Syr John Morris-Jones yn Adran y Gymraeg, am y credai mai'r "Saesneg oedd wedi disodli'r Lladin fel iaith dysg",[4] er i Ifor Williams ddechrau gwthio'r cwch i'r dŵr trwy gynnal rhai darlithoedd yn Gymraeg. I Valentine yr oedd awyrgylch y coleg yn anhygoel o Seisnig, a theimlai fod yno wrthwynebiad cryf i siarad unrhyw Gymraeg: "A chofiaf un digwyddiad yn yr Ystafell Gyffredin yno. Nifer ohonom ni, myfyrwyr y flwyddyn gyntaf, yn siarad gyda rhyw afiaith ryfedd yn Gymraeg, a rhai o'r myfyrwyr hynaf yn dod atom ni a'n ceryddu ni a dweud, Na, nad oedd y peth yn gymeradwy – yn yr Ystafell Gyffredin!"[5]

Yn 1919, fodd bynnag, yr oedd yno benderfyniad o'r newydd ymysg Cymry fel Valentine, Moses Griffith a J P Davies i newid yr hinsawdd Seisnig hollbresennol, ac mae'n weddol sicr mai profiadau blynyddoedd y Rhyfel Mawr a galedodd eu penderfyniad: "Wedi credu truth y gwleidyddion mai rhyfel i roi rhyddid i genhedloedd bach oedd honno, euthum iddi ar fy mhen. Yn dyfod o'r rhyfel yr oeddwn yn genedlaetholwr Cymreig rhonc."[6]

Os oedd y Cymry ifanc hyn yn chwilio am gefnogaeth gan yr awdurdodau i'w hymgais i Gymreigio agweddau o'r Coleg yna nid oedd diben iddynt droi at y Prifathro am arweiniad. Yn fab i esgob Anglicanaidd Swydd Meath, ganwyd Syr Harry Reichel i mewn i'r Sefydliad Protestannaidd yn Iwerddon. Yn 1884, ac yntau ond yn ei ugeiniau hwyr, fe'i penodwyd yn Brifathro cyntaf Coleg Prifysgol Bangor, a bu'n dal y swydd honno tan ei ymddeoliad yn 1927. Yr oedd yn Dori ac yn

Eglwyswr i'r carn, er iddo chwarae rhan flaenllaw yn y symudiad i sefydlu Prifysgol Cymru yn 1893. Cymraeg clapiog iawn oedd gan Reichel, fodd bynnag, er iddo dreulio bron i ddeugain mlynedd yn ei swydd fel Prifathro. Mynegodd Reichel ei safbwynt ar yr iaith Gymraeg yn ddigon clir yn 1887 mewn erthygl ar *The Future of Welsh Education*: "Every Welshman who desires that his race should play their due part in the life of Great Britain, and, through it, of the world, will do what in him lies, to realise the aim first by learning to think in English himself, and secondly by encouraging his friends to follow his example..." Ychwanegodd, yn fawrfrydig, nad oedd am wahardd defnyddio'r Gymraeg ond yn hytrach annog meistrolaeth lwyr ar y Saesneg, ac yn hynny o beth yr oedd yn cyd-fynd â theithi meddwl llawer o Gymry Cymraeg yr oes.

"Noryn oer"[7] oedd disgrifiad Valentine o'r Prifathro, sef ymadrodd o dafodiaith Rhosllannerchrugog am rywun "oeraidd anodd gwneud efo fo". Cofiai weld Reichel yn "bwhwman ar hyd y coridorau"[8] ("bwhwm" oedd y gair a fathwyd gan Valentine am "promenade") yn erlid myfyrwyr am dorri mân reolau'r sefydliad, a daeth i wrthdrawiad sawl tro gyda'r Prifathro ar gorn materion mawr a mân.

Nid oedd Syr John Morris-Jones ychwaith yn cefnogi'r ymdrechion i ledaenu'r defnydd o'r Gymraeg y tu allan i astudio'r iaith fel pwnc academaidd. Barnai Syr John nad oedd gan yr iaith ond ychydig ddegawdau ar ôl fel iaith hyfyw, ac fe roddai'r pwyslais yn hytrach ar ei hastudio fel iaith glasurol megis Lladin neu Hebraeg. Er hynny, cafodd Valentine flas aruthrol ar ei ddarlithoedd, yn enwedig ym maes ieitheg, yr hengerdd a'r cywyddwyr. Felly, er na welai'r Athro ei hun ddyfodol byw i'r Gymraeg, fe gafodd effaith gadarnhaol iawn ar agwedd ei fyfyrwyr tuag at eu hiaith a'u treftadaeth, gan godi eu hymwybyddiaeth a'u balchder ynddi: "Doedd o ddim yn ddarlithydd gwych, cofiwch chwi; doedd o ddim yn huawdl. Ond yr oedd o'n agor maes newydd i ni, ac yr oedd ei glywed o'n darllen hen farddoniaeth Gymraeg yno... yn ein hargyhoeddi ni hyned oedd ein hetifeddiaeth ni, ac mor wych hefyd."[9]

Ni fyddai Syr John yn marcio rhestr bresenoldeb, nac yn ceryddu'r myfyrwyr am fod yn hwyr i'w ddarlithoedd, ac ni fyddai ychwaith yn gofyn am waith cartref nac yn gosod traethodau iddynt. Dysgai'r Hengerdd drwy rannu copïau o'r cerddi yn ei lawysgrifen ei hun ac wedi eu dyblygu â pheiriant llaw, ac er mor astrus oedd yr eirfa yr oedd dawn yr Athro yn codi'r astudiaeth i dir uwch: "Yr oeddym trwy ryw ryfedd reddf yn deall ystyr fel y byddys yn deall cerddoriaeth fawr weithiau."[10] I Valentine yr oedd Syr John ar ei orau yn esbonio "medr y bardd yn dethol ei gynganeddion, yr oedd rheswm deg dros ddewis y Sain, neu'r Groes, neu hyd yn oed y Draws Fantach". Yn aml iawn deng munud olaf y ddarlith fyddai'r uchafbwynt, ac roedd clywed yr athro ei hun yn darllen y cywydd neu'r awdl dan sylw yn "ddatguddiad ac yn orfoledd".[11]

Daeth Valentine yn gyfeillgar iawn â Syr John a'i deulu, yn enwedig ei ferch Rhiannon, a fu yn Is-lywydd y myfyrwyr pan oedd Valentine yn Llywydd, a chafodd ei wahodd sawl tro i groesi Pont y Borth a swpera yn eu cartref yn Llanfair Pwll a chael blasu cynnyrch seler win Tŷ Coch. Parhaodd i gadw mewn cysylltiad am rai blynyddoedd ar ôl gadael Bangor, gan actio rhan Myrddin yng nghynhyrchiad Syr John Morris-Jones o *Gweledigaethau'r Bardd Cwsg* yn Harlech yn 1922, lle chwaraewyd rhan y Bardd Cwsg ei hun gan Syr John.

Er gwaethaf ei hoffter o'r Gymraeg, prif bwnc Valentine yn y Coleg oedd Ieithoedd Semitig, a Hebraeg yn arbennig. Thomas Witton Davies oedd Athro Ieithoedd Semitig Coleg Prifysgol Bangor. Ac yntau'n arbenigwr eang ei ddysg a fedrai'r ieithoedd Hebraeg, Arabeg, Syrieg a ieithoedd Assyria, bu Witton Davies yn Diwtor Hebraeg a Llenyddiaeth yr Hen Destament yng Ngholeg y Bedyddwyr, Bangor, cyn derbyn swydd fel Athro Hebraeg Coleg y Brifysgol yn 1905. Ystyriai Witton Davies fod Valentine yn un o'r myfyrwyr galluocaf a mwyaf gwreiddiol iddo eu dysgu mewn unrhyw goleg.

Ar ddiwedd 1919 sefydlwyd cymdeithas Gymraeg arbennig yn y Coleg gan gyfyngu yr aelodaeth i bobl oedd yn dilyn cwrs anrhydedd Cymraeg neu'n gefnogwyr pybyr i Gymreictod. Lluniwyd Cymdeithas "Y Facwyfa" ar batrwm Cymdeithas Saesneg y "Thirty Club" a chyfyngwyd yr aelodaeth i ddeg ar hugain. Valentine oedd ysgrifennydd cyntaf y Facwyfa, gydag Ifor Williams yn Llywydd a Griffith John Williams, a oedd yn gwneud gwaith ymchwil yn y coleg ar y pryd, yn Is-lywydd. Etholwyd Thomas Shankland, Llyfrgellydd Cynorthwyol y Coleg, yn aelod anrhydeddus ohoni, ac ef a ddynodwyd fel yr Archfacwy.

Heddychwr a Chymro tanbaid oedd Shankland, ac roedd gan Valentine barch mawr iddo, a phwysodd yn drwm arno am gyngor a chefnogaeth trwy gydol ei gyfnod ym Mangor. Un o ardal Sanclêr, Sir Gaerfyrddin, ydoedd, a bu'n weinidog gyda'r Bedyddwyr yn yr Wyddgrug am gyfnod. Llyfrau oedd ei wir faes, fodd bynnag, ac yn 1904 gwahoddwyd ef i Fangor i ddod yn Llyfrgellydd Cynorthwyol yn Llyfrgell Gymraeg Coleg y Brifysgol Bangor, ac ef yn anad neb arall a osododd y llyfrgell honno ar seiliau cadarn. Yr oedd Shankland hefyd yn aelod amlwg o bwyllgor Coleg y Bedyddwyr ym Mangor, a Chymanfa Bedyddwyr Arfon.

Arferai'r Macwyiaid gyfarfod bob pythefnos i drafod a chlywed darlithoedd a sgyrsiau am hanes a diwylliant Cymru. Trafodid amrediad eang o bynciau yn cynnwys Thomas Shankland yn traddodi ar "Fudiadau Cymru yng ngoleuni ei chyfnodolion" a darlith gan Ifor Williams ar "Ddylanwad y Chwyldro Ffrengig ar Lenyddiaeth Cymru". Dim ond dynion oedd yn cael bod yn aelodau a'r cymhwyster angenrheidiol oedd eich bod "wedi gwneud rhywbeth, ac yn gwneud rhywbeth arbennig dros yr iaith Gymraeg a thros eich cenedl yn y coleg".[12]

Yn ôl Valentine cymdeithas y Facwyfa oedd mam y Gymdeithas Genedlaethol Gymreig, sef Cymdeithas y Tair G, a fu â rhan mor ganolog yn y broses a arweiniodd at sefydlu'r Blaid Genedlaethol ymhen rhai blynyddoedd. Sefydlwyd y Tair G ym Mawrth 1922, gydag E T John yn Llywydd. Er na chwaraeodd Valentine ran yn sefydlu Cymdeithas y Tair G gan ei fod wedi gadael y Coleg erbyn hynny, fe ellir dweud iddo osod y seiliau ar ei chyfer yn ystod ei gyfnod yn y Facwyfa, a thrwy'r ymgyrchoedd y bu'n eu harwain yn erbyn Seisnigrwydd y Coleg ar y Bryn.

Un o gyfeillion agosaf Valentine yn y Coleg oedd J P Davies, heddychwr ymroddedig ac un a fu'n wrthwynebydd cydwybodol yn y rhyfel. Hanai J P o Glawddnewydd yn Sir Ddinbych, ac roedd yn fyfyriwr am y weinidogaeth gyda'r Methodistiaid Calfinaidd. Roedd y ffaith i J P wrthod mynd i'r fyddin yn golygu fod gan Valentine barch mawr ato, a theimlai, yn sgil ei brofiadau yn Ffrainc, mai dyna y dylai yntau fod wedi'i wneud hefyd. Bu J P am flynyddoedd wedi iddo adael y coleg yn weinidog yng Nghapel Curig, cyn symud yn ddiweddarach i Lanberis ac yna i Borthmadog. Bu'n gefnogwr selog i achos Cymru a'r Gymraeg a'r mudiad heddwch ar hyd ei oes a chydweithodd Valentine ac yntau yn agos mewn sawl brwydr dros yr achosion hynny yn ystod eu dyddiau coleg ac wedi hynny. Un arall o'i gyfoedion ym Mangor oedd Moses Griffith, mab fferm o Edern, Llŷn, a chenedlaetholwr brwd a ddaeth maes o law yn Drysorydd cyntaf y Blaid Genedlaethol.

Unwyd y dynion hyn yn eu penderfyniad ysol bod yr amser i siarad ar ben, bod angen gweithredoedd pendant bellach dros Gymreictod yn y Coleg ar y Bryn. Daeth cyfle i wneud hynny pan glywyd bod criw o fyfyrwyr wedi ffurfio cymdeithas o'r enw yr "Old English Club". Nod y clwb hwnnw mae'n debyg oedd "llesteirio cynnydd Cymreictod" ac atal y Cymry rhag gwneud unrhyw dolc yn rheolaeth y Saeson o brif bwyllgorau'r Coleg, gan fod y mwyafrif llethol ohonynt ar y pryd yn nwylo unigolion di-Gymraeg. I gael unrhyw effaith ar y sefyllfa, fodd bynnag, yr oedd angen trefnu gofalus, a barnwyd nad oedd modd gwneud hynny trwy gyfrwng y Facwyfa yn unig. Ar wahoddiad J P daeth deuddeg o Gymry at ei gilydd – Valentine yn eu plith – i ffurfio cymdeithas arall, sef "Y Gwylliaid". Is-gangen answyddogol o'r Facwyfa oedd y Gwylliaid, a diben y gymdeithas gudd oedd sicrhau mai Cymry Cymraeg oedd yn mynd ar y pwyllgorau. Disgwylid i bob un o'r deuddeg aelod sicrhau deuddeg pleidlais i bob ymgeisydd a noddid gan y Gwylliaid. Aed ati felly i drefnu pleidleisiau i bobl "y pethe" ymhob etholiad i swydd neu bwyllgor yn y coleg. Bu'r ymgyrch yn llwyddiant a Chymreigiwyd llawer o bwyllgorau'r coleg (am y tro o leiaf).

Un arall o lwyddiannau'r lobïo a'r trefnu y tu ôl i'r llenni oedd buddugoliaeth Moses Griffith mewn ffugetholiad a gynhaliwyd ym mis Tachwedd 1920. Yr hyn oedd yn galonogol am ei lwyddiant oedd iddo sefyll yn agored fel cenedlaetholwr Cymraeg. Cafwyd ymgais hefyd i geisio diwygio cyfarfodydd Mudiad Cristnogol y Myfyrwyr, yr SCM, pan gyfetholwyd Valentine a J P yn aelodau o bwyllgor y mudiad. Bwriad y ddau oedd ceisio diwygio cyfarfodydd sidêt y mudiad. Yr oedd hon, meddai Valentine, yn gymdeithas gysetlyd a phropor, yn arswydus o barchus, ac "yn ymylu ar fod yn Phariseaidd, ac yn amhoblogaidd iawn, ac yn dra Seisnigaidd".[13] Yr oedd yn arfer gan yr SCM i gynnal cyfarfod gweddi byr bob diwrnod, a Saesneg oedd iaith y cyfarfod yn ddieithriad. Cyflwynodd J P gynnig fod cyfarfod yr SCM yn cael ei gynnal yn Gymraeg bob dydd ac eithrio dydd Iau, gan neilltuo'r cyfarfod dydd Iau i'r Saesneg. O fethu hynny dylid cynnal dau gyfarfod bob dydd, y naill yn Saesneg a'r llall yn Gymraeg. Roedd y cynnig yn un ffrwydrol, ac fe syfrdanwyd Valentine a J P gan ffyrnigrwydd yr ymosodiadau geiriol arnynt gan eu cyd-Gristnogion. Y cyfaddawd yn y diwedd oedd cynnal cyfarfod Cymraeg ar ddydd Iau. Aeth y ddau ati i raffu digon o fyfyrwyr Cymraeg i fynychu'r cyfarfod cyntaf i sicrhau ei fod yn llwyddiant. Daeth cymaint o gynulleidfa i'r cyfarfod Cymraeg fel y bu'n rhaid symud i ystafell fwy a chyn hir yr oedd holl gyrddau gweddi dyddiol y mudiad, ac eithrio un, yn Gymraeg.

Estynnodd Valentine a J P wahoddiad hefyd i'r heddychwr Cristnogol George M Ll Davies i ddod i'r coleg i genhadu ymysg y myfyrwyr. Llwyddodd hynny i godi gwrychyn rhai myfyrwyr oedd yn gyn-filwyr yn y Rhyfel Mawr. Nid oedd tynnu'n groes a dod i wrthdaro ag "elfennau anhydrin"[14] a chymeriadau garw fel y rhain yn loes calon i Valentine, serch hynny; i'r gwrthwyneb yn wir gan ei fod o'r diwedd yn cael cyfle i droi ei ffydd a'i ddaliadau'n weithredoedd ymarferol.

Cwyn arall gan aelodau'r Gwylliaid oedd yr arfer o benodi Saeson di-Gymraeg i swyddi pwysig yn y Brifysgol. Teimlai Valentine fod awyrgylch y Brifysgol yn un lle "gall pawb ond Cymro deimlo'n gartrefol ynddi".[15] Nid oedd mwyafrif athrawon y Brifysgol yn gwybod dim am Gymru nac yn meddu fawr ddim cydymdeimlad â'r genedl. Yr unig beth a olygai Cymru iddynt hwy oedd lle braf i fyw a swyddi bras.

Amwys ar y gorau fu teimladau Valentine tuag at Brifysgol Cymru ar hyd ei fywyd. Gwylltiai yn enwedig ar yr arfer o Seisnigo'r Brifysgol a hynny ar draul y Cymry a'r Gymraeg. Wrth i'r ganrif fynd rhagddi, gwaethygu ar lawer cyfrif a wnaeth y Seisnigo gyda niferoedd y myfyrwyr a'r darlithwyr o Loegr yn cynyddu y tu hwnt i bob rheswm. Fel y dengys y dyfyniad canlynol o Fehefin 1925, un peth a wnâi i'w waed ferwi oedd penodi Saeson i swyddi yn y Brifysgol:

> Penodwyd Sais uniaith yn athro mewn Economeg yn Mangor, a gwrthodwyd rhoddi ystyriaeth i Gymro disglair ei ddoniau oedd yn ceisio am y swydd. Gwnaethpwyd peth cyffelyb yn Abertawe; etholwyd Sais yn athro mewn Athroniaeth, a Chymry llawer iawn cymhwysach yn ymgeisio amdani... Yr ydym ni yn dal allan na ddylai neb gael swydd ym Mhrifysgol Cymru oni fedr ddysgu a hyfforddi yn yr iaith Gymraeg. Nid dweud yr ydyn na ddylai Sais gael swydd yn y Brifysgol. Nid ydym mor gul a rhagfarnllyd â hynny. Ond croeso i Sais neu Iddew neu Ffrancwr dderbyn swydd, os medd y cymwysterau, ond IDDO DDYSGU CYMRAEG. Nid oes berygl i Gymro dderbyn swydd yn Lloegr heb fedru Saesneg, ac ni ddylai chwaith.[16]

Graddiodd Valentine gydag Anrhydedd Dosbarth Cyntaf mewn Ieithoedd Semitig ym Mehefin 1919. Ychydig cyn graddio ym mis Ebrill y flwyddyn honno dywedodd iddo gael sgwrs hir gyda Thomas Witton Davies a bod ei Athro yn "awyddus i mi gymryd ei le – dibynna'n llwyr ar fy ngyrfa yma. Excelsior ynde [?] bellach".[17] Bwriad Witton Davies oedd ymddeol ymhen blwyddyn, ac mae'n debyg ei fod yn gweld darpar olynydd iddo yn y myfyriwr ifanc disglair. Am ei bapur arholiad dywedodd yr Athro: "In my opinion – and I was one of his examiners – some of his papers reached a standard of merit not exceeded or equalled in Semitic in the University of Wales during the last 21 years."[18]

Yn ddiweddarach y flwyddyn honno dechreuodd Valentine ar ei draethawd M.A. Yn nhestun ei radd ymchwil cyfunwyd ei hoff bynciau academaidd, sef ieitheg Hebraeg a Chymraeg: "A critical examination of the two main versions of the Book of Job by Bishops Morgan and Parry, with special reference to the hebraisms in these versions, together with a new translation of the book into idiomatic Welsh." Pan ddyfarnwyd M.A. i Valentine, ymfalchïai Witton Davies mai ef oedd y myfyriwr cyntaf o golegau Prifysgol Cymru i gyflawni hynny o gamp yn ei faes: "He is one of the ablest and most original pupils I have ever had at any college – He is a very industrious student, but besides being a hard worker he always thinks for himself."[19] Yn fwy na hynny yr oedd gan y gŵr ifanc bersonoliaeth atyniadol hefyd, ac roedd yn hynod gydwybodol a hawddgar "and as a friend as true as steel".[20]

Yn 1920 daeth un o'r trobwyntiau hynny mewn bywyd sy'n cael effaith mwy pellgyrhaeddol nag sy'n amlwg ar y pryd. Nid oedd fflam uchelgais academaidd Valentine wedi ei diffodd gan y rhyfel, ac roedd ganddo fwriad o hyd i fynychu Prifysgolion gorau Ewrop, ac ar ôl cwblhau ei radd M.A. roedd ei fryd ar fynd i Rydychen i barhau â'i astudiaethau. Dewis troi ei gefn ar hynny a wnaeth Valentine, fodd bynnag, oherwydd fe'i darbwyllwyd gan J P Davies ac eraill i aros ym Mangor er mwyn iddo geisio cael ei ethol i swydd Llywydd Cyngor y Myfyrwyr. Gwireddwyd hyn ac fe'i hetholwyd ef yn Llywydd a Rhiannon Morris-Jones (merch Syr John) yn Is-lywydd. Tua'r un cyfnod hefyd derbyniodd alwad i ddod yn weinidog ar gapel y Tabernacl, eglwys y Bedyddwyr yn Llandudno, ac fe'i hordeiniwyd yno ym mis Ionawr 1921. Er ei fod yn parhau yn y coleg fel Llywydd y Myfyrwyr a myfyriwr ymchwil, ymwelai'n aml â'i ofalaeth newydd a phregethai'n rheolaidd yn y capel bob mis.

J P oedd llaw dde Valentine yn ystod cyfnod ei Lywyddiaeth, ac ymgynghorai ag ef ar bob mater o bwys. Byddai'r ddau yn eu tro hefyd yn ymgynghori gyda'r hen ben Thomas Shankland ar sawl mater dadleuol, ac nid oedd prinder o'r rheiny yn 1920.

Yn y flwyddyn honno yr oedd rhyfel annibyniaeth Iwerddon yn ei anterth a'r wlad yn ferw gwyllt gydag ymosodiadau'r IRA a dialedd yr awdurdodau Prydeinig yn codi dychryn ar ddwy ochr môr Iwerddon. Fel llawer arall dilynodd Valentine hanes brwydr y Gwyddelod am annibyniaeth yn y wasg yn ofalus, ac atgyfnerthwyd y teimladau o blaid cenedlaetholwyr Iwerddon, a enynnwyd gan ei brofiadau yn ardal Lough Neagh ddwy flynedd ynghynt, gan yr adroddiadau am weithgareddau brwnt y *Black and Tans*.

Sefydlwyd y *Black and Tans* gan Lywodraeth Prydain er mwyn cynorthwyo'r heddlu i ymateb i ymosodiadau'r IRA. Cyn-filwyr oedd y mwyafrif llethol o'r *Black and Tans*, yn ennill deg swllt y dydd i greu anhrefn i elynion Prydain yn Iwerddon. Roedd dulliau'r "Tans" yn cynnwys llofruddio cenedlaetholwyr a gweriniaethwyr, llosgi pentrefi ac adeiladau cyhoeddus ac yn aml yn gorfodi'r boblogaeth i ffoi o'r pentrefi i lochesi yng nghefn gwlad. Fel y dywedodd un o swyddogion y "Tans" ym Mehefin 1920: "If a police barracks is burned or if the barracks already occupied is not suitable, then the best house in the locality is to be commandeered, the occupants thrown into the gutter. Let them die there – the more the merrier." Cyflawnwyd hyn i gyd gyda sêl bendith y Bedyddiwr a'r Cymro oedd yn Brif Weinidog ar y pryd, er iddo fynegi ei bod yn well ganddo weld saethu aelodau Sinn Fein na llosgi adeiladau cyhoeddus. Fel y nododd un o haneswyr y rhyfel annibyniaeth, "however appalling their deeds they were the product of Lloyd George's policies".[21]

Daeth y digwyddiadau yn nes adref adeg ympryd Terence MacSwiney, cenedlaetholwr Gwyddelig blaenllaw a chymeriad amlwg ym mudiad yr iaith Wyddeleg yn ardal Dinas Corc. Cymerodd MacSwiney ran yng ngwrthryfel y Pasg, 1916, gan ddod yn un o arweinwyr yr IRA yng Nghorc yn y rhyfel annibyniaeth. Etholwyd ef yn Arglwydd Faer Dinas Corc yng ngwanwyn 1920, ond ym mis Awst cafodd ei ddal gan y fyddin Brydeinig a'i gyhuddo o fod â "dogfennau yn ei feddiant fyddai'n debygol o achosi annheyrngarwch",[22] ac fe'i dedfrydwyd i ddwy flynedd o garchar gan lys milwrol. Gwadodd MacSwiney'r cyhuddiad, a phenderfynodd ymprydio gan ddweud y byddai'n rhydd o fewn y mis, yn fyw neu'n farw, gan na fyddai'n bwyta nac yfed tra byddai yn y carchar. Yna, symudodd yr awdurdodau MacSwiney i garchar Brixton yn Llundain, er mwyn ceisio rheoli'r cyhoeddusrwydd ac effaith ei ympryd. Er gwaethaf apeliadau ar draws y byd bu farw MacSwiney ar 25 Hydref 1920, gan ddatgan cyn ei farw: "I am confident that my death will do more to smash the British Empire than my release."[23]

Yn sicr fe gafodd ei farwolaeth effaith ledled y byd, ac wrth i arch MacSwiney gael ei chario trwy strydoedd Llundain safai pobl y ddinas ar ochr y lôn i dalu teyrnged iddo. Yr oedd Valentine yn teimlo'n ysol bod angen gwneud rhywbeth i dalu gwrogaeth i rywun a oedd yn wladgarwr dewr yn ei olwg. Daeth cyfle pan ddeallwyd bod yr awdurdodau wedi trefnu cludo corff MacSwiney yn ôl i Iwerddon ar drên o Lundain i Gaergybi. Golygai hynny y byddai'r trên yn pasio trwy orsaf Bangor ar ei daith. Felly, fel Llywydd Cyngor y Myfyrwyr, trefnodd Valentine fod mintai o fyfyrwyr Bangor yn gorymdeithio i lawr i'r orsaf ac yn sefyll mewn rhes ddistaw ar ymyl y platfform fel arwydd o barch i'r ymprydiwr wrth i'w gorff basio heibio ar ei daith yn ôl i'w famwlad.

Roedd terfyn streic newyn MacSwiney yn cyd-daro â *cause célèbre* arall yn y rhyfel annibyniaeth, oherwydd ar 1 Tachwedd 1920, yng ngharchar Mountjoy yn Nulyn, dienyddiwyd Kevin Barry, gweriniaethwr ifanc 17 oed, gan y Llywodraeth Brydeinig.

Roedd Kevin Barry yn fyfyriwr meddygol yng Ngholeg Prifysgol Dulyn, ac yn aelod brwdfrydig o'r IRA. Bu'n weithredol mewn sawl cyrch i gipio arfau oddi ar y fyddin Brydeinig ac, ar 20 Medi 1920, bu'n rhan o ymosodiad ar lorri arfau y tu allan i Siop Fara Monk's yn Nulyn. Ei fwriad oedd cymryd rhan yn y cyrch am un ar ddeg y bore a dychwelyd i sefyll ei arholiadau meddygol yn y coleg am ddau o'r gloch y prynhawn. Aeth y cynllun o chwith, fodd bynnag, pan ddechreuodd y milwyr danio 'nôl. Lladdwyd tri o'r Prydeinwyr yn yr ymladd a gorfu i'r Gwyddelod gilio a dianc. Ceisiodd Barry guddio o dan y lorri ond fe'i gwelwyd ac fe'i llusgwyd allan. Yn y ddalfa cafodd ei boenydio'n giaidd; tynnwyd ei ewinedd, ond nid agorodd ei geg i fradychu ei gyd-filwyr. Ar 20 Hydref 1920, mewn achos milwrol yn y Marlborough Barracks, fe'i dedfrydwyd i farwolaeth ac yntau ond yn 17 oed. Gyda diffyg dealltwriaeth a chrebwyll a fu'n nodwedd o reolaeth Llywodraeth Prydain ar Iwerddon dros y canrifoedd penderfynwyd mai dyddiad dienyddiad Barry fyddai 1 Tachwedd, sef dydd Gŵyl yr Holl Saint, un o brif wyliau crefyddol yr Eglwys Gatholig.

Roedd achos Barry wedi cael cryn sylw yng ngwledydd Prydain ac yn rhyngwladol, ond er i nifer fawr o sefydliadau, papurau newydd ac unigolion dylanwadol ymbilio ar ran y Gwyddel ifanc gwrthododd Prydain bob apêl am drugaredd. Mewn Cynhadledd o Weinidogion o dan gadeiryddiaeth Lloyd George yn Nhŷ'r Cyffredin ar 28 Hydref penderfynwyd na ellid gwyrdroi'r ddedfryd o farwolaeth. Yng ngeiriau'r *Sunday Times* ar y pryd: "An example had to be made."[24] Roedd hyd yn oed swyddog propaganda Castell Dulyn yn gorfod cyfaddef i'r llanc wynebu ei ddienyddiad yn eofn, gan ddweud, "...he went to the drop with callous composure".[25]

Lledodd awyrgylch gynhyrfus ar draws y wlad yn sgil angladd MacSwiney ar 31 Hydref a dienyddiad Kevin Barry ar 1 Tachwedd 1920. Eto i gyd mewn areithiau yng Nghaernarfon ar 9 Hydref ac yn Llundain ar 9 Tachwedd yr oedd Lloyd George yn hyderus mai Prydain oedd â'r llaw uchaf: "We have murder by the throat," meddai.

Mynegodd nifer o wŷr blaenllaw eu hanesmwythyd ynghylch polisïau Llywodraeth Lloyd George. Cynhaliwyd cyfarfod ar y Maes yng Nghaernarfon lle siaradodd Thomas Shankland a'r Parch. Thomas Rees, Prifathro Coleg yr Annibynwyr, i wrthwynebu ymddygiad y *Black and Tans* a rhan y Llywodraeth yn y digwyddiadau. Ymddangosodd llythyr yn *Seren Cymru*, wythnosolyn y Bedyddwyr, wedi'i lofnodi gan amryw o aelodau staff Prifysgol Cymru, yn cynnwys D. Emrys Evans, Thomas Shankland, Ifor Williams, Henry Lewis a WJ Gruffydd, yn cwyno am agwedd yr awdurdodau tuag at Iwerddon. Yn ôl y llythyr yr oeddent yn protestio "against the actions of the British government and its agents in Ireland", gan haeru hefyd "...there is a vigorous unanimity among Welsh University Students on this question".[26]

Yn rhinwedd ei swydd fel Llywydd Cyngor y Myfyrwyr derbyniodd Valentine lythyr gan swyddogion Cyngor Myfyrwyr Coleg Prifysgol

Dulyn, lle bu Kevin Barry yn fyfyriwr cyn ei ddienyddio. Dywedwyd bod y llythyr hwn yn cael ei anfon i Brifysgolion pob gwlad rydd yn Ewrop ac ynddo adroddwyd hanes achos Kevin Barry, gan fynd ymlaen i gondemnio ei ddienyddiad a pholisi Prif Weinidog Prydain yn Iwerddon.

"Fy nyletswydd i fel Llywydd," meddai Valentine, "oedd hysbysu fy Nghyngor ym Mangor a darllen ei gynnwys, a'r Cyngor oedd i benderfynu a oedd yr achos yn ddigon pwysig i alw cyfarfod cyffredinol i glywed ei gynnwys. Nid oedd y llythyr yn gofyn am ddim – dim cydymdeimlad, dim protest, dim ond cyflwyno'r gwir a'r hanes cyflawn."[27]

Trafododd Valentine y llythyr gyda J P Davies a Shankland, ac roedd y tri ohonynt yn gytûn y dylid ei ddarllen yn gyhoeddus. Hysbyswyd awdurdodau'r Coleg i'r perwyl ei bod yn arferol darllen gohebiaeth oddi wrth fyfyrwyr prifysgol arall mewn cyfarfod o gorff y myfyrwyr. Cafwyd gwrthwynebiad ffyrnig i'r bwriad yma, fodd bynnag, gan Gyngor y Coleg. Pobl y Sefydliad oedd yr aelodau a llawer ohonynt wedi bod yn uchel-swyddogion yn y fyddin yn ystod y rhyfel. Anfonodd un ohonynt gŵyn ffurfiol at Brif Gwnstabl y Sir yng Nghaernarfon yn haeru bod dogfen fradwrus ym meddiant Llywydd Cyngor y Myfyrwyr. Gwnaed ymholiadau i'r mater gan yr heddlu, a mynegodd y Prif Gwnstabl ei anesmwythyd ynglŷn â'r bwriad i ddarllen y llythyr mewn cyfarfod cyhoeddus. Canlyniad hyn i gyd oedd galw Valentine gerbron ei Brifathro, y "noryn oer" ei hun, Syr Harry Reichel.

Gofynnodd Reichel a oedd yn wir bod ganddo ddogfen fradwrus yn ei feddiant?

Atebodd Valentine nad oedd yn ymwybodol o hynny.

Oedd ganddo ohebiaeth o Brifysgol yn Iwerddon?

Oedd.

Gofynnodd Reichel a gâi weld y ddogfen.

Na, ond fe wnâi Valentine ei darllen iddo.

Wedi i Reichel glywed y cyfieithiad Saesneg o'r llythyr Gwyddeleg, dywedodd ei fod yn waeth nag y tybiai ac nad oedd Valentine i gael defnyddio unrhyw ystafell yn y coleg i ddarllen y llythyr.

Atebodd Valentine mai'r arfer felly, os oedd yr awdurdodau yn gwrthod rhoi ystafell i'r myfyrwyr gyfarfod, oedd ymgynnull yn yr awyr agored. Ymhelaethodd ar hynny trwy ddatgan mai dyna oedd ei fwriad yn yr achos hwn, ac y cynhelid y cyfarfod o dan olau stryd ym Mangor Uchaf – gan ychwanegu y gallai hynny olygu y deuai'r myfyrwyr i "gyswllt" â'r awdurdodau.

Yn y diwedd cytunodd Reichel y câi'r myfyrwyr ddefnyddio un o ystafelloedd y Coleg. Wedi ildio ar yr egwyddor o ddarllen y llythyr ar dir y Coleg, fodd bynnag, ceisiodd y Prifathro sicrhau addewid na fyddai darllen y llythyr yn esgor ar drafodaeth o'i gynnwys. Cytunodd Valentine na fyddai ef fel Llywydd yn caniatáu trafodaeth ar yr ohebiaeth. Cyfarfod "rhyfedd, rhyfedd" fu'r cyfarfod hwnnw, yn ôl Valentine, gyda merched yn wylo ar ôl clywed manylion y poenydio a fu ar y Gwyddel ifanc. Yn dilyn adrodd cynnwys y llythyr yr oedd gan y Llywydd gyhoeddiad i'w wneud: "Mae'n ddrwg gen i, yr wyf wedi rhoi fy ngair na wnaf i ddim caniatáu trafodaeth ar y llythyr yma. Wedyn y peth gorau i mi ei wneud yw ymddeol o'r Gadair, ac i chwi ethol llywydd newydd."[28] Cadwodd Valentine at ei air i'r Prifathro na fyddai ef yn caniatáu trafodaeth o gadair y Llywydd, a chyda hynny ymddiswyddodd o'r gadair ac arwain trafodaeth o'r llawr.

Yr hyn sy'n drawiadol am agwedd Valentine i'r helynt yn Iwerddon, mewn erthyglau ac atgofion, yw na chondemniodd ddulliau brwydro'r cenedlaetholwyr erioed. Er mae'n siŵr na allai ef fel heddychwr gymeradwyo mabwysiadu dulliau treisiol i gyflawni nod gwleidyddol, prin iawn oedd ei feirniadaeth o'r rhai a ddefnyddiai dulliau o'r fath. Ei obaith cyson oedd y byddai'r Cymry yn deffro i argyfwng eu gwlad a'u hiaith cyn y byddai angen troi at unrhyw drais. Ceir cipolwg ar ei safbwynt yn y cyfnod hwn mewn darn a ysgrifennodd rai blynyddoedd yn ddiweddarach pan oedd yn weinidog yn Llandudno:

> Darllenasoch yn ddiau am Saeson yn Fflint yn chwerthin yn wawdlyd am ben y cynigiad i roddi lle amlycach i'r Gymraeg. Chwerthin am ben y Gymraeg yn ei chartref! Onid ydym yn genedl oddefgar? Mae'n

> dda i'r Saeson hyn ein bod yn caru heddwch. Ni fuasai eu bywyd yn Iwerddon yn werth grôt ar ôl y fath haerllugrwydd. Ond daliwn i garu heddwch ac hwyrach y cawn ninnau yn y man trwy rym moesol yr hyn a enillodd y Gwyddel trwy y cleddyf."[29]

Yna, ym mis Mai 1921, cynhaliwyd cyfarfod arall yn ymwneud â'r argyfwng yn Iwerddon yn Neuadd y Penrhyn. Bwriad y trefnwyr, mae'n debyg, oedd dangos cefnogaeth i Lloyd George a'i bolisïau. Rhoddodd Valentine a'i gyd-ymgyrchwyr yr wybodaeth ar led y dylai pawb oedd yn ymddiddori yng ngwleidyddiaeth Cymru neu Iwerddon fynychu'r cyfarfod, ac felly trwy drefnu manwl ymlaen llaw llwyddodd y myfyrwyr i feddiannu'r rhan fwyaf o'r seddi yn y Neuadd. Cadeiriwyd y cyfarfod gan yr Athro E V Arnold o'r Adran Ladin, gŵr parod iawn ei gefnogaeth i'r Llywodraeth ac erlidiwr diflino gwrthwynebwyr cydwybodol y coleg yn ystod y Rhyfel Mawr.

Wedi i siaradwr ar ôl siaradwr ganmol doethineb a gweledigaeth Lloyd George i'r cymylau cynigiwyd pleidlais o gefnogaeth i bolisi'r Prif Weinidog yn Iwerddon. Bryd hynny safodd Valentine ar ei draed a chamu i'r blaen er mwyn darllen cynnwys y llythyr a dderbyniodd o Iwerddon ynglŷn ag achos Kevin Barry. Yna cynigiodd welliant i'r cynnig, sef na ddylid ystyried y cynnig gwreiddiol nes derbyn ateb i gais yn gofyn i Lloyd George ei hun ddod i'r Coleg i gyfiawnhau ei bolisi Gwyddelig ac ateb am weithredoedd y *Black and Tans* yn benodol. Cafodd y gwelliant ei eilio a'i gario, ond gwrthododd Arnold dderbyn y bleidlais. Cyhoeddodd nad oedd gan y myfyrwyr hawl i bleidleisio, ac felly nad oedd y canlyniad yn ddilys. Ychwanegodd fod y cynnig gwreiddiol, o blaid Lloyd George, wedi ei gario.

Yn sgil yr helyntion hyn yr oedd Valentine yn rhyw hanner disgwyl cael ei ddiarddel o'r coleg, ond ddigwyddodd hynny ddim. Mae'n bosib mai'r rheswm am hynny oedd mai cwta wythnosau oedd ganddo cyn dechrau ar ei waith fel gweinidog amser llawn yn Llandudno a gadael Bangor am byth. "Ond eto i gyd," teimlai Valentine o'r diwedd fod "Cymreictod yn dechrau ennill tir."[30]

Pan oedd y cynnwrf yn ei anterth ddechrau mis Mai 1921 derbyniodd Valentine, yn rhinwedd ei swydd fel Llywydd Cyngor y Myfyrwyr, neges mewn Gwyddeleg a Saesneg gan Sarsfield Hogan a Richard Johnson, Ysgrifenyddion Mygedol Cyngor Myfyrwyr Coleg Prifysgol Dulyn, yn diolch i fyfyrwyr Bangor am eu cefnogaeth. Mae'r llythyr Gwyddeleg[31] yn darllen fel a ganlyn:

Mai 4ydd 1921

Gyfaill

Ar ran Cyngor y Myfyrwyr ac ar ran yr holl fyfyrwyr yn y Brifysgol hon, rhoddwn ddiolch i ti ac i fyfyrwyr y Brifysgol ym Mangor am y cynnig a roddwyd ar waith gennych o du rhyddid Iwerddon. Testun llawenydd inni yw bod hanes yr ymladd sydd ar droed yn ein gwlad ein hunain yn cael ei glywed dramor ym mhob gwlad y mae cariad at ryddid eto'n fyw.

Gobeithiwn y bydd y cyfeillgarwch rhwng Iwerddon a Chymru yn mynd yn ei flaen am byth.

Nyni

Dros achos Iwerddon

Sairseal O h-Ogain
Risceard MacEoin
(Ysgrifenyddion)

Pennod 8

Crefydd gwneud nid crefydd dweud

Na ato Duw inni fod yn debyg i'r crefyddwyr hyn a ddarlunnir gan Esekiel... Y maent yn uwch eu hamenau na neb, ond da chi, peidiwch â disgwyl iddynt gario allan ddysgeidiaeth y pregethau a wrandawant... ymadrodd ac nid ymarfer ydyw crefydd iddynt... crefydd deud ac nid crefydd gwneud. Ddarllenydd, i brun y perthyni di?

Lewis Valentine, *Y Deyrnas*, Awst 1928

Cyn gorffen ei gwrs M.A. cafodd Valentine gynnig gwaith fel cynorthwyydd Thomas Witton Davies, swydd a fyddai wedi ei osod mewn safle manteisiol i ennill Cadair Hebraeg y Coleg maes o law. Yr oedd eisoes, fodd bynnag, wedi derbyn galwad ym mis Mai 1920 i ddod yn weinidog ar eglwys y Tabernacl, Llandudno, a'i changhennau yn y dref, sef capeli Salem a Horeb. Er eu bod yn ganghennau i'r Tabernacl yr oeddent i bob pwrpas yn eglwysi ar eu pennau eu hunain. Mewn un o'r dewisiadau diarwybod o dyngedfennol hynny sy'n pennu cyfeiriad bywyd, fe wrthododd y cynnig gan ei Athro Hebraeg, a dewis aros yn driw i'w addewid i fynd yn weinidog i Landudno.

Ordeiniwyd ef i'r weinidogaeth yng Nghapel y Tabernacl Llandudno ar 12 Ionawr 1921. Cymerodd ei dad ran yn y gwasanaeth, a thalwyd teyrnged i'r henwr yn y gwasanaeth gan ei fab am ei addysg grefyddol a'i "arweiniad pan oedd yn blentyn".[1] Yn wir, un o'r rhesymau iddo fod mor barod i dderbyn gwahoddiad y Tabernacl oedd y cysylltiad agos a fu rhwng capel mawr y Bedyddwyr yn Llandudno a "Chapel Bach" yr enwad ym mro ei febyd:

> Y mae cysylltiad agos rhwng eglwys Llanddulas a Llandudno ar wahân i'r ffaith fod y gweinidog wedi ei fagu a'i godi i bregethu yn yr eglwys fechan yno. Yn 1832 bedyddiwyd saith yn afon Dulas gan y Parch. John Griffiths, Llandudno, a'r saith hynny ac un arall oedd aelodau cyntaf y Bedyddwyr yn Llanddulas.[2]

Un o'i gyd-weinidogion yn yr ardal oedd R Parri Roberts, gweinidog gyda'r Bedyddwyr yn Salem Ffordd Las. Cychwyn cyfeillgarwch oes oedd cyfarfod Parri Roberts. Yn wreiddiol o Fodedern, cafodd ei ordeinio'n weinidog ar Salem Ffordd Las yn 1912, ac ef oedd mentor Valentine ym mlynyddoedd cynnar ei weinidogaeth. Yr oedd y Monwysyn yn ŵr o'r un anian â Valentine, ac yn coleddu syniadau tebyg iddo ar Gristnogaeth, Cymreictod a heddychiaeth. Un o ddilynwyr yr ymgyrchydd heddwch Thomas Rees, Prifathro Coleg yr Annibynwyr ym Mangor, oedd "Parri Bach", ac fel cenedlaetholwr a heddychwr pybyr safodd yn gyhoeddus yn erbyn y Rhyfel Byd Cyntaf. Dioddefodd Parri Roberts enghraifft o'r math o driniaeth a wynebai heddychwyr amlwg yn y Rhyfel Mawr. Yn 1914, adeg angladd y gweinidog a hanesydd enwog y Bedyddwyr, Spinther James, trefnwyd bod y claddu i ddigwydd yn y fynwent ar Ben y Gogarth, a darparwyd cludiant arbennig i fynd â'r galarwyr a'r gweinidogion i fyny'r ddringfa serth i'r copa. Ond oherwydd ei ddaliadau heddychol ni chafwyd lle i Parri Roberts ar y cerbydau, a bu'n rhaid iddo gerdded yr holl ffordd i ben yr allt. Er iddo symud yn 1924 i gymryd gofal o eglwys Bethel, Mynachlog Ddu, bu'r tair blynedd a gafodd Valentine a Parri Roberts o gyd-weinidogaethu mewn dwy ardal gyfagos yn ddigon i serio cyfeillgarwch oes.

Yr oedd y ddau ymysg sylfaenwyr Cymdeithas Heddwch y Bedyddwyr, a bu Parri Bach yn gefnogol iawn i Valentine yn nyddiau cynnar y Blaid Genedlaethol ac yn ystod achos yr Ysgol Fomio. Chwaraeodd Parri Roberts ei hun ran flaenllaw yn 1946 yn yr ymdrech lwyddiannus i atal y Fyddin Brydeinig rhag cipio tir a chwalu cymdogaethau yn ardal y Preseli i gynnal ymarferion milwrol.

Felly, yn wyth ar hugain oed, dechreuodd y Parchedig Lewis Valentine fwrw ei brentisiaeth fel bugail ei gynulleidfa, ac o'r dechrau nodweddwyd ei weinidogaeth â brwdfrydedd ac egni newydd. Yn fuan ar ôl cyrraedd dechreuodd gylchlythyr misol eglwysig yn y Tabernacl, ond nid cylchlythyr syml yn adrodd hanesion y capel fyddai hwn ond cylchgrawn bywiog amrywiol ei gynnwys. Teitl y misolyn fyddai *Y Deyrnas,* teitl bwriadol, er mwyn adleisio "*Y Deyrnas*" arall, sef cyfnodolyn y Prifathro Thomas Rees, Bala-Bangor. Oherwydd rhwng 1916 a 1919 bu'r *Deyrnas* yn pledio achos heddwch yn daer ac yn gefnogol iawn i wrthwynebwyr cydwybodol gan lefaru'n groyw yn erbyn y dwndwr jingoistaidd. Tyfodd Thomas Rees yn arwr i Valentine dros y cyfnod hwn. Fel y dywed Dr Dafydd Densil Morgan: "I Valentine a llawer o rai tebyg, roedd Thomas Rees yn ymgorfforiad o ysbryd y gwir broffwyd. Trwy ddewis yr enw *Y Deyrnas* roedd gweinidog y Tabernacl yn ei osod ei hun yn sgwâr yn olyniaeth ei arwr."[3]

Cyhoeddwyd y misolyn yn rheolaidd o fis Tachwedd 1923 hyd at rifyn 76, yn Chwefror 1930. Wedi hynny cyhoeddwyd tri rhifyn bob deufis hyd at haf 1930, pryd y daeth i ben. Atgyfodwyd *Y Deyrnas* am gyfres o ddeg rhifyn ychwanegol yn 1936, ond yn wahanol i'r gyfres gyntaf o rifynnau, a argraffwyd ar ffurf papur newydd safonol, cynhyrchwyd rhifynnau 1936 ar bapur salach ei ansawdd ac roedd wedi ei deipio a'i atgynhyrchu â llaw. Roedd cynnwys cylchgrawn y Tabernacl yn gyfuniad o daflen bropaganda, misolyn capel a chylchgrawn teuluol. Mae pori yn rhifynnau'r blynyddoedd cynnar yn rhoi argraff o fwrlwm ac afiaith golygydd sy'n credu y gall ddylanwadu er gwell ar ei eglwys, ei aelodau a'r gymdeithas yn gyffredinol.

O dŷ'r gweinidog yn "Croeso", St Andrew's Place, Llandudno, dechreuodd Valentine roi mynegiant i'w ddaliadau crefyddol a gwleidyddol, ac adlewyrchir hynny yn nhudalennau'r *Deyrnas.* O'r cychwyn cyntaf cyplysir dyfodol y Gymru Gymraeg gyda dyfodol Cristnogaeth yng Nghymru:

> Tachwedd 1923, Rhif 1
>
> Dyma rywbeth newydd sbon danlli. Ni wn am un eglwys Gymraeg arall a misolyn ganddi. Pa amcan sydd mewn golwg wrth gyhoeddi

> hwn? Yn bennaf oll creu diddordeb ym mywyd yr eglwys, ac yn holl gyfarfodydd yr eglwys. Mae amcan arall gennym hefyd, sef ceisio cael gan ein pobl ieuainc ddarllen Cymraeg. Mae ein tynged ni fel eglwys a thynged yr iaith yn un. Oni fedrwn roddi bywyd newydd yn yr hen iaith annwyl, parlysir ein hymdrechion yn yr eglwys hon. Famau Llandudno! Wrthych chwi yr ydym yn disgwyl.[4]

Mae arddull *Y Deyrnas* yn amrywiol iawn – pytiau o newyddion, colofn hanes yr enwad yn lleol, colofn y plant, colofn ddefosiwn ac anecdotau crefyddol a gwladgarol, a cholofn natur. Yr oedd llawer o bwyslais y cylchgrawn ar weddi a defosiwn ond weithiau fe allai'r *Deyrnas* daranu'n broffwydol. Er hynny nid oedd bwriad i'r cylchgrawn ymhél yn uniongyrchol â gwleidyddiaeth bleidiol. "Nid ydym yn bwriadu i'r Misolyn hwn ymyrryd â Phartiaid Politiciaidd" meddai yn Ionawr 1924, ond ni fedrai ymatal rhag mynegi barn groyw yn yr un frawddeg ei fod yn "datgan ein llawenydd mawr oherwydd gorchfygu'n llwyr yr ymgeisydd Torïaidd. Ni fedrai air o Gymraeg, a bu yn ddigon ysgornllyd o Gymru a'r Gymraeg".[5] Yn Chwefror yr un flwyddyn rhoddwyd croeso i Lywodraeth Ramsay MacDonald a dymchweliad y Torïaid. Yn gyffredinol, fodd bynnag, fe geisiai osgoi propaganda pleidiol.

Ei gyngor i aelodau ei gapel ynghylch pleidleisio mewn etholiad i Gyngor y Dref oedd datgan na "ddylid dyfod ag ystyriaethau politicaidd i'r frwydr o gwbl. Y mae cymeriad yn fwy na chredo wleidyddol mewn etholiad drefol".[6] Wedi dweud hynny, yr oedd yno feini prawf ar gyfer pwyso a mesur darpar-gynghorwyr:

> Os yw'r ymgeisydd yn addo rhoi ei holl egni i sicrhau tai, ac yn enwedig tai i weithwyr; os yw'n addo gwneud ei orau glas i ddiogelu'r Sul Cristnogol; os yw yn rhydd oddi wrth ysbryd *clique*; os yw yn grefyddwr, ac yn debyg o glymu ei grefydd a'i ddyletswyddau dinesig yn dynn wrth ei gilydd, yna cymhellwn chwi i roddi eich pleidlais yn llawen iddo a cheisio cael gan eraill wneud hynny.[7]

Beth bynnag am wleidyddiaeth plaid nid oedd am ymddiheuro ynghylch cenhadu ar ran yr iaith. Bwriad rhifyn Gŵyl Ddewi 1924 o'r *Deyrnas*, meddai, oedd ymdrin â "phopeth yn ymwneud â bywyd Cymru a cheisir ei wneuthur yn fath ar bropaganda i ddeffro ein pobl i'w dyletswydd genedlaethol".[8] Hysbysodd ei ddarllenwyr fod deddf gwlad Prydain yn ei gwneud yn drosedd siarad Cymraeg mewn llys barn. Rhyfeddodd sut yr oedd y Cymry wedi dygymod â'r fath anfri trwy gydol y blynyddoedd. Yr oedd lleiafrif bach wedi codi llais i brotestio bob hyn a hyn, ond difraw oedd y mwyafrif mawr. Anogwyd ei gynulleidfa i ddeffro cyn iddi fynd yn rhy hwyr. Roedd rhifyn Gŵyl Ddewi 1925 yn fwy tanllyd byth:

> Nid oes unrhyw genedl yn Iwrop mor ddiystyrllyd o'i iaith na'n cenedl ni. Mewn difri calon, onid yw'n hen bryd i'r Cymro fwrw ymaith ei waseidd-dra ffôl, ei ymdeimlad o israddoldeb, a'i ddiffyg hunan-barch a hunan hyder sydd yn gwenwyno ac yn crebachu ei fywyd cenedlaethol?[9]

Mae ôl dylanwad pendant Emrys ap Iwan ar y traethu yma, a'r un yw'r arddull a byrdwn ei neges pan fo'n cystwyo rhieni Cymraeg am fagu eu plant yn Saeson, neu'n apelio ar awdurdodau'r dref i Gymreigio enwau strydoedd Llandudno. Fel rhyw Amos neu Hosea Cymreig, mae'r arddull yn adlais bwriadol o waedd proffwydi'r Hen Destament yn cystwyo'r genedl, ac yn galw'r bobl i weld eu cyflwr:

> Truan o'r hen wlad, y mae'n gyfyng arni oherwydd balchder mursendod ei merched, a llacrwydd a difaterwch ei meibion. Pryd y sylweddolwn mai DYLEDSWYDD GREFYDDOL ydyw meithrin yr iaith? Colled GREFYDDOL anhraethol fyddai ei cholli.[10]

Nid oedd unrhyw wrthdaro ychwaith rhwng caru cenedl a dilyn Iesu. Datganodd Valentine yn eglur yn 1924 mai "Iddew gwlatgar oedd Iesu Grist". Dywed fod Crist wedi dangos parch at hanes a thraddodiadau'r Iddewon a'i fod wedi wylo dagrau'r gwladgarwr dros Jerwsalem. Mae'n tynnu sylw at anghysondeb rhai Cristnogion sy'n barod i ddadlau'n frwd dros hawliau llefydd anghysbell fel "Tombouctou" gan gyhuddo'r rhai sy'n sôn am hawliau Cymru o fod yn anghristnogol. Pwysleisia Valentine nad gwladgarwch jingoistiadd yw hyn. Byddai ysbryd "fy ngwlad iawn neu beidio" yn groes i grefydd Iesu Grist. "Ni charwn weld Cymru yn hunanol ei hysbryd, yn treulio ei bywyd i feddwl am ddim ond ei hunan." Dymuniad Valentine yw gweld y Cymry yn dangos i'r byd y gall ddilyn Crist a bod yn wladgarwyr pybyr hefyd, oherwydd meddai, mewn brawddeg sy'n cyfleu'n gryno ddaliadau'r Cristion o genedlaetholwr Cymraeg, "trwy garu ein gwlad ein hunain yn angerddol y dysgwn y ffordd i garu'r holl ddaear gyfan".[11]

Y tu allan i'w eglwys, bu'n flaenllaw hefyd mewn materion enwadol ac yng Nghymanfa Bedyddwyr Arfon ym Mawrth 1923, rhoddodd gynnig gerbron, a eiliwyd gan Thomas Shankland, ynghylch rhoi lle i'r Gymraeg yn y gyfundrefn addysg, a'i dysgu yn yr ysgolion dyddiol, ac apelio hefyd ar Golegau'r enwad i gyhoeddi eu hadroddiadau blynyddol "yn Gymraeg ac nid yn Saesneg fel yn bresennol".[12] Cafodd lwyddiant yn hyn o beth i'r graddau bod Adroddiadau Blynyddol colegau'r Bedyddwyr yn cael eu cyhoeddi yn Gymraeg a Saesneg o 1924 ymlaen. Trefnodd hefyd fod cynnig yn cael ei gyflwyno yng Nghymanfa Bedyddwyr Arfon:

> Fod y cyfarfod hwn o Gymanfa Bedyddwyr Sir Gaernarfon, yn wyneb dylanwad dirywiol estroniaid sy'n ein gwlad, yn gymdeithasol a chrefyddol, yn annog Pwyllgor Addysg y Sir i osod y Gymraeg, yn ddiymdroi, ar yr un tir â'r Saesneg yn addysg yr holl ysgolion, a'i gosod hefyd ar yr un tir â'r Saesneg yn yr Arholiad am Ysgoloriaeth i'r Ysgolion Sir.[13]

Cylchgrawn crefyddol oedd *Y Deyrnas* yn ei hanfod, wrth reswm, ac fe geid ynddo bytiau o ddyfyniadau a phregethau byr fel hon yn Chwefror 1926:

> **Pregeth ferr y mis**
> Tri anhebgor llawenydd:
> Rhywbeth i'w WNEUD
> Rhywbeth i'w GARU
> Rhywbeth i OBEITHIO amdano.[14]

Y rhan fwyaf nodedig oedd y Golofn Ddefosiwn, ac roedd cynnwys y golofn yn arddangos ehangder darllen a dysg Valentine, gyda dyfyniadau o ffynonellau mor amrywiol ag Emrys ap Iwan ac Awstin Sant, Sant Ffransis o Assisi a'r heddychwr H E Fosdick, a hyd yn oed y Proffwyd

Mohamed. Dyfynnir yn helaeth hefyd o waith enwog Thomas à Kempis, *De Imitatione Christi*. Bu'r clasur defosiynol hwn yng nghyfieithiad y Pabydd Hugh Owen, Gwenynog, o'r ail ganrif ar bymtheg, wrth benelin Valentine trwy gydol ei fywyd a chafodd fudd mawr o droi at yr "hen Dwm"[15] chwedl yntau. Gwelir yn y dyfyniadau hyn bwysigrwydd y bywyd ysbrydol mewnol i Valentine. Nid rhywbeth goddefol, serch hynny, oedd canlyniad y myfyrio hwn. Oherwydd trwy ddarllen ac ystyried y deuai'r nerth ysbrydol angenrheidiol i weithredu yn y byd. Yr oedd myfyrdod defosiynol yn esgor nid yn unig ar dawelwch meddwl ond hefyd ar argyhoeddiad i wneud ewyllys Duw.

Weithiau byddai'r golofn ddefosiwn yn ildio ei lle i Golofn y Stafell Ddirgel gyda'i hadleisiau o waith Morgan Llwyd, ac yn yr un modd â'r Piwritan anniddig hwnnw, fe fyddai'r awdur yn dweud y drefn wrth ragrithwyr crefyddol y tu fewn a'r tu allan i'r eglwys:

> BETH YW CREFYDD I CHWI?
> Uniongred! Sacramentau! Seremonïau!
> Defodau manwl! Uchafiaeth y Pab! Yr Olyniaeth Apostolaidd!
> Ysbrydoliaeth y Beibl! Yr ail ddyfodiad! Y mae'r neb sy'n meddwl am y tlawd a'u hadfyd, y caeth a'r dall a'r clwyfus a'r anghenus yn nes na thi i ysbryd Iesu Grist.[16]

Adlewyrchiad yw'r taranu yma o ddylanwad yr Efengyl Gymdeithasol ar deithi meddwl Valentine ar y pryd. Yr oedd syniadau'r Efengyl Gymdeithasol yn eu hanterth yn y cyfnod hwn rhwng y ddau Ryfel Byd, ac roedd y gred mai'r ffordd orau o wireddu efengyl Crist oedd trwy weithredu gwleidyddol a chymdeithasol. Mudiad a ddeilliodd o'r eglwysi Protestannaidd yn bennaf oedd hwn, gan geisio rhoi egwyddorion Cristnogol ar waith yng nghyswllt anghyfiawnder cymdeithasol, yn enwedig problemau llosg y dydd megis tlodi a heddwch. Yn gyffredinol pwysleisid y dylai pob Cristion geisio sefydlu Teyrnas Nefoedd ar y ddaear, trwy gymhwyso egwyddorion Cristnogol i greu cymdeithas wedi ei seilio ar gyfiawnder yn y byd hwn. Agwedd grefyddol ryddfrydol oedd hon, oedd yn pwysleisio moeseg o flaen diwinyddiaeth.

Bu Valentine yn gefnogwr brwd i gynhadledd COPEC, sef y

Christian Conference on Politics, Economics and Citizenship a gynhaliwyd ym Mirmingham yn 1924. Cyngor o dri chant o gynrychiolwyr oedd COPEC dan gadeiryddiaeth William Temple, esgob Manceinion, a sefydlwyd i edrych ar agweddau gwleidyddol a chymdeithasol yr Efengyl. Ymysg cefnogwyr COPEC yng Nghymru yr oedd Herbert Morgan, D Miall Edwards a David Thomas. Apeliai pwyslais y gynhadledd ar Gristnogaeth weithredol at Valentine, ac unwaith eto yn hyn o beth dilynai ôl troed ei arwr Thomas Rees – a oedd hefyd yn un o gefnogwyr amlycaf COPEC. Meddai Valentine:

> Y mae yn ein mysg bobl sy'n cysylltu daioni a chrefydd â'r deml a'r cysegr â'r capel. Ai mewn teml y trig Duw? Y mae Ef yn byw yn holl ymdrechion plant dynion… I'r Iesu nid yn y Deml yr oedd Duw yn unig ac yn bennaf, ond ym mysg angen a chyni a dioddef a phechu meibion dynion.[17]

Gorchwyl y gweinidog oedd deffro ei gynulleidfa yn gyntaf i weld gwirionedd y byd o'u cwmpas, a'u dyletswydd fel Cristnogion oedd helpu'r anghenus. Nid mater o addoli deirgwaith ar y Sul a dweud pader yn ufudd oedd crefydd; golygai ymrwymiad llawer mwy na hynny. Nid oedd cyfiawnhad trwy ffydd yn ddigon; rhaid oedd i'r ffydd honno arwain at weithredoedd.

Dilyn ôl troed y proffwydi yr oedd Crist, yn pregethu yr un bregeth ond, meddai,

> … yn llawer iawn mwy tanbaid. Casbeth oedd gan ein Harglwydd hefyd grefydd heb weithredoedd… Y grefydd a ddylai ein gwneud yn fawrfrydig yn ein gwneud yn gul a checrus. I'r Meistr Mawr prydferthwch ac nid hagrwch oedd crefydd, ffynhonnell graslonrwydd ac ysbryd mawrfrydig, hunanangof a hunanaberth, amcan uchel a llawenydd di-baid mewn gwasanaeth. Ffynhonnell brawdoliaeth diderfynau, a chariad heb ei handwyo gan bechod ac anniolchgarwch.[18]

Gan adlewyrchu ei deimladau ar ddau bwnc haerodd Valentine fod crefydd yn debyg i wladgarwch. Yr oedd, meddai, yn deimlad hyfryd ar y dechrau, lle gallwn ganmol ein gwlad a'i dyrchafu mewn cerdd a chân. Daw adeg, fodd bynnag, pan fo gwlad yn gofyn am fwy na geiriau canmoliaethus, a'r pryd hynny mae gwladgarwch yn golygu aberth a hunanymwadu, a dewrder di-ildio, ac weithiau fe allai ofyn i'r gwladgarwr fentro ei fywyd er ei mwyn. Yn yr un modd yr oedd neges Crist yn cyhoeddi bod Duw yn hawlio mwy nag addoliad yn unig – yr oedd yn hawlio perthynas frawdol a hunanaberthol rhwng dynion a'i gilydd. "Nid ynfytyn yw Duw," meddai "y gellir ei foddhau â rhyw druth wenieithus."[19]

Nid mater o achub eneidiau unigol oedd hi bellach; rhaid oedd achub y gymdeithas gyfan, ei hachub rhag pechod tlodi ac anghyfiawnder cymdeithasol, ei hachub hefyd rhag pechodau masnacheiddio rhemp, a grymoedd bas y baganiaeth newydd. Gwelai arwyddion y baganiaeth honno yn amlwg bob dydd Sul yn ystod yr haf ar bromenâd Llandudno, lle cynhelid cyngherddau a difyrion hapchwarae disylwedd. I'r perwyl hynny taranodd yn erbyn "Blacpwleiddio Llandudno";[20] dyletswydd Gristnogol oedd amddiffyn y Sul Cymreig yn erbyn y llifeiriant o adloniant Seisnig y Palladium a marchnata ar y Sul.

Byd gwahanol iawn oedd y dauddegau, serch hynny, i fyd y Llan a'r Capel Bach yn Llanddulas. Gwasgai atyniadau mwy materol y byd modern fwyfwy ar grefydd Anghydffurfiol, a "diymadferthedd a chysgadrwydd" y capeli. Yr oedd edwino Anghydffurfiaeth ar droed gan droi yn gaseg eira o ddirywiad dros y degawdau dilynol. Nid mor hawdd bellach oedd denu diddordeb pobl ifanc ym mywyd capel; roedd hyd yn oed y plant yn ddiymateb i apeliadau'r gweinidog ifanc!

> **Colofn y plant**
>
> F'annwyl blant
>
> Yr wyf yn ameu yn fawr a oes rhai ohonoch yn darllen y golofn hon. Gofynnais i bawb oedd yn ei darllen anfon ataf i ddweud hynny, ac nid oes Neb wedi gwneud hynny.[21]

Mor gynnar ag 1929 yr oedd Valentine yn gweld yr arwyddion yn amlwg: "Yn bersonol ni welwn obaith am adferiad buan. Y mae

Cristnogion yn rhy ddychrynllyd o faterol a di-hidio, a'r eglwysi yn rhy farw a mud." Bellach yr oedd addysg, byd masnach a'r wladwriaeth Seisnig yn ehangu eu tiriogaethau, a chyfryngau modern cyffrous radio a ffilm yn denu trwch y boblogaeth ac yn tanseilio'r hen ffordd Gymreig o fyw. Colli'r dydd i swyn y *matinees* oedd hanes y capeli.

Teimlai Valentine hefyd mai dirywio oedd effaith pregethu ar gynulleidfaoedd y capeli: "Ni fu pregethu Cymru erioed yn effeithio cyn lleied ar ein gwrandawyr," meddai, ond yr oedd dadansoddi ac esbonio hynny yn "dasg rhy anodd i ni".[22] Rhoddai lawer i gael gwybod y rheswm pam fod pregethu grymus pulpudau Cymru'n colli ei effaith ar y gwrandawyr. Am ryw reswm nid oedd pobl ei gyfnod yn eu gosod eu hunain mewn sefyllfa i dderbyn adnewyddiad ffydd trwy glywed pregethu Gair Duw. Crefydda gwag oedd yn cael y bai am y diffyg hwn: "Oni wyddom am lawer o bobl sydd yn bur grefyddol, ond ni chynnwys eu crefydd ddaioni na'i ffydd gyfiawnder." Ysgarwyd crefydd y bobl hyn oddi wrth eu bywydau beunyddiol. Yr oedd, meddai, ugeiniau o bobl yn yr Eglwys Gristnogol nad oedd eu Cristnogaeth yn cael ei weithredu'n ymarferol ac yn eu gwneud yn well cyfeillion, yn well cymdogion ac yn well dinasyddion.

Beth oedd i'w wneud yn yr hinsawdd croes yma felly? Yn sicr nid tawelu ac ymddofi. Rhaid oedd cyflawni cenhadaeth broffwydol yr Eglwys, a dilyn ôl troed Iesu, oherwydd nid oedd rhithyn o ots pwy fyddai'n cael ei ddigio; roedd dyddiau cadw'r ddysgl yn wastad ar ben, rhaid oedd "bod yn ffyddlon i UN doed a ddelo",[23] hyd yn oed os oedd hynny'n golygu creu gelynion. Bendith nid melltith fyddai hynny yn ôl Valentine: "Nid oes lawer mewn dyn onid oes ganddo elynion. Y mae cymeriad diffuant – dyn a feddwl drosto ei hun, a ddywed yr hyn a feddwl – yn sicr o elynion bob amser. Y mae gelynion mor angenrheidiol iddo ag awyr iach; cadwant ef yn fyw ac yn egnïol."[24]

Un yn sicr a waeth elynion ac a ddigiodd llawer o fewn ei enwad, ac a ddioddefodd o'r herwydd, oedd y Parchedig Tom Nefyn Williams. Yn 1928 fe ddiarddelwyd Tom Nefyn, gweinidog gyda'r Methodistiaid

Calfinaidd yn Ebeneser y Tymbl, yn Sasiwn Nantgaredig am arddel athrawiaeth oedd yn groes i sylfeini ffydd ei enwad, ac yn enwedig yn sgil cynnwys ei bamffled, *Y Fford yr Edrychaf ar Bethau*. Sail dysgeidiaeth Tom Nefyn oedd y syniad o Dduw yn ffynhonnell unoliaeth y greadigaeth, a'r hyn a gorddodd y dyfroedd oedd yr annhebygrwydd rhwng y Duw hwn a Duw'r Testament Newydd, a oedd wedi datguddio ei hun fel Tad, Mab ac Ysbryd Glân yn y Testament Newydd. Ar ben y dadleuon athrawiaethol, yr oedd Tom Nefyn yn gefnogwr mawr i frwydr y gweithwyr yn ystod Streic Gyffredinol 1926, a brwydrodd dros wella amodau cymdeithasol y dosbarth gweithiol yn y Tymbl. Cafodd rhai o'i aelodau yn Ebeneser eu corddi gan radicaliaeth wleidyddol a syniadau anghonfensiynol eu gweinidog, fel rhoi darn o lo yn hytrach na bara ar y platiau cymun neu ganiatáu ysmygu yn y capel. Fel y dywed Robert Pope yr oedd achos Tom Nefyn yn "uchafbwynt megis i flynyddoedd o ddadleuon diwinyddol a chymdeithasol".[25]

Credai Valentine fod anonestrwydd a chulni meddwl yr enwadau wedi'i ddinoethi gan yr achos, ac o'r herwydd yr oedd yn cefnogi gweinidog Ebeneser y Tymbl i'r carn: "Y mae ugeiniau o weinidogion yng Nghymru heddiw, o'r un farn a chred â Thom Nefyn, a hwythau ymysg ein dynion gorau."[26] Dichon bod cydymdeimlad naturiol Valentine gyda'r gwrthryfelwr gwrthodedig, er na fyddai mae'n siŵr yn mynd mor bell â chytuno â phob peth a haerai Tom Nefyn, ond mewn ffrae rhwng bugail a'i braidd yn amlach na heb byddai Valentine yn ochri gyda'r bugail. Baich a dyletswydd y gweinidog oedd rhoi arweiniad gonest ac unplyg i'w eglwys: "Yn ein tyb ni angen mawr eglwysi Cymru heddiw ydyw gonestrwydd. Y mae dynion meddylgar yn ofni siarad rhag ofn y dynion bychain cecrus sydd yn gyfyng eu darllen, ac yn gyfyngach eu meddwl."[27]

Ymhen rhai blynyddoedd newidiodd ei farn ynghylch gwerth yr Efengyl Gymdeithasol, ond ni wanychodd ei argyhoeddiad ynghylch pwysigrwydd yr angen i'r gweinidog ymhél â gwleidyddiaeth: "Honni gormod," meddai, "a wnaeth selogion yr Efengyl Gymdeithasol yn y genhedlaeth a aeth heibio, ond er newid ohonom ein pwyslais nid oes gennym hawl i wadu bod i'r Efengyl neges Gymdeithasol fawr."[28] Yr oedd yr Efengyl yn fwy na'i hagwedd gymdeithasol, ond eto i gyd yr oedd yr agwedd honno'n rhan bwysig o'r Efengyl, meddai. Dyletswydd y pregethwr oedd efelychu Iesu a'r proffwydi a mentro allan i'r byd i lefaru ar faterion y dydd, yn fwy felly os oedd gwleidyddion yn meiddio beirniadu'r eglwys am ymyrryd mewn gwleidyddiaeth.

Dyna a wnaeth Lloyd George ym Mehefin 1928 mewn cyfarfod yng nghapel y Bedyddwyr, Heol y Castell, Llundain. Yn ei araith gosododd y cyn-Brif Weinidog yr Eglwys Gristnogol yn y *witness box* a'i chroesholi hi'n llym. Haerodd na fyddai'r Llywodraeth wedi meiddio cyhoeddi rhyfel yn 1914 pe bai'r eglwysi wedi dangos eu gwrthwynebiad: "If all the Churches had said 'Halt', there is not a Minister or Monarch who would have dared to have done it."[29] Yr oedd rhagrith haerllug y datganiad yn anghredadwy i Valentine: "Peth cas," meddai, "ydyw cofio pethau weithiau – peth cas oedd cofio areithiau hynod eraill a draddododd y cyn-Brif Weinidog huawdl hwn."[30] Cofir ef yn areithio yng Nghymanfa Gyffredinol y Methodistiaid ym Mhorthmadog yn 1921 ar ôl i'r Eglwys lefaru yn erbyn ymddygiad y Llywodraeth yr oedd Lloyd George yn ben arni ym materion y streic lo, a chreulondeb y *Black and Tans*: "Ond beth a ddigwyddodd? Yn y Gymdeithasfa ym Mhorthmadog dywedodd Mr. George wrth yr eglwysi am feindio eu busnes."[31] Yn ôl Lloyd George busnes yr Eglwys y pryd hynny oedd ymgyrchu anwleidyddol dros ddirwest "a rhyw bethau diniwed felly".[32] Gan apelio am fwy o wroldeb gwleidyddol ymysg Cristnogion, cwynodd Valentine am yr ymddygiad glastwraidd a welid yn yr eglwysi yn ddiweddar, gan honni mai hynny oedd y rheswm am y cefnu arnynt.

Mater arall na fedrai Valentine ei anghofio oedd rhan amlwg Lloyd George yn galw ar weinidogion i "droi'n *recruiting sergeants* a throsi eu pwlpudau yn llwyfannau i chwythu utgyrn rhyfel, ac annog ohonynt yr ieuanc i ymuno yn y rhyfel sanctaidd [*sic*] oedd i sicrhau buddugoliaeth i ni a chrocbren cyfuwch â chrocbren Haman i'r Kaiser". Yn hyn o beth gallai siarad o ing profiad personol:

> Buom ni yn y fyddin – yr oeddym ni yn un o'r bechgyn a wrandawodd ar yr efengylwyr hyn. Buom yn y rhyfel – gwelsom ei huffern, cawsom ein clwyfo'n dost – buom am dri mis yn ddall – buom am chwe mis heb wybod ai angau ai einioes oedd ein tynged i fod. Dioddefasom fel miloedd eraill, ond atgas gennym y gweinidogion hynny a buteiniodd y pwlpud i bregethu rhyfel, ond chwarae teg i'r gweinidogion hynny, y maent heddiw'n barod i weiddi "PECHASOM".[33]

Er canmol y pregethwyr hynny oedd yn barod i syrthio ar eu bai am eu geiriau rhyfelgar yn y gorffennol, pwysleisiodd Valentine fod teyrngarwch i ddysgeidiaeth y Testament Newydd wedi costio'n llawer drytach i'r gwrthwynebwyr cydwybodol a brotestiodd yn enw Crist yn erbyn rhyfel, gan iddynt gael eu herlid a'u taflu i garchardai'r wladwriaeth. Onid Lloyd George, gofynnodd Valentine, mewn cwestiwn rhethregol, oedd arweinydd y llywodraeth a fu'n gyfrifol am hyn?

Er bod modd i'r Eglwys wneud llawer mwy dros heddwch, roedd angen i bob dyn ei roi ei hun yn y *witness box* cyn barnu'r Eglwys. Rheitiach gwaith i Eglwyswyr fyddai ceisio ymgyrchu i ddileu rhyfel na diwygio'r Llyfr Gweddi Gyffredin, neu wastraffu amser ac adnoddau yn trefnu "basarau a phetheuach amheus eraill i dalu dyledion eglwysig oherwydd bod y saint yn grintachlyd".[34] Nid oedd y Bedyddwyr yn ddi-fai chwaith:

> Beth am ein henwad ni? Bu unwaith yn odidog o ddewr yn gwrthwynebu rhyfel. Pryd y gwneir ymwrthod ag arfau rhyfel yn amod aelodaeth eglwysig? Y mae'n rhaid gwneud rhywbeth yn fuan, fuan gan fod Seiat y Cenhedloedd mor annheg a di-rym ac o dan bawen yr ymerodraethau cedyrn, a pha fodd y gallwn ni ymuno â hi, a hithau yn nadu inni ymuno fel Cymry? Nid cysurwyr galaru mohonom, ond efallai fod rhyfel arall yn nes atom nag a feddyliwn.[35]

Yr oedd y proffwyd yn dechrau cael ei draed tano yn ei eglwys a'i enwad. At hynny yr oedd yn ddyletswydd grefyddol iddo hefyd fynnu hawliau i'w wlad a'i iaith; ac yr oedd eisoes wedi cymryd camau pendant i droi delfrydau ei ffydd yn weithredoedd.

Pennod 9

Esgyrn Sychion

...holl dŷ Israel yw'r esgyrn hyn. Y maent yn dweud "Aeth ein hesgyrn yn sychion, darfu am ein gobaith ac fe'n torrwyd ymaith."

Eseciel, pennod 37, adnod 11

Daeth Valentine o brofiadau bore oes y rhyfel a'r coleg yn genedlaetholwr Cymreig argyhoeddedig. Profodd ddadrith terfynol gyda'r hen Blaid Ryddfrydol a'i methiant i wireddu dyheadau cenedlaethol Cymru. Ategwyd hynny gan y tri pheth creiddiol a'i gwnaeth yn genedlaetholwr. Yn gyntaf yr oedd ei fagwraeth yng nghymuned Gymraeg Llanddulas a'r ymdeimlad bod Seisnigrwydd y byd modern yn ymosod ar werthoedd y gymuned honno; yr ail elfen a ffurfiodd ei fyd-olwg oedd y Rhyfel Mawr ac yn arbennig ei brofiad uniongyrchol o agweddau trahaus yr "*officer class*" Seisnig; ac yn drydydd oedd esiampl ysbrydoledig Gwrthryfel Iwerddon, yn dangos bod modd i bobl cenedl fach ennill ei rhyddid trwy feithrin dur yn ei hasgwrn cefn, a sefyll yn erbyn grym yr Ymerodraeth Brydeinig.

Nid oedd sefyllfa wleidyddol Cymru ar ddechrau'r dauddegau'n argoeli bod unrhyw fath o ymreolaeth ar y gweill heb sôn am ryddid cenedlaethol llawn. I bob golwg, felly, ffantasi ffôl oedd breuddwydio am wireddu'r argyhoeddiadau hyn.

Ar un wedd yr oedd pethau'n edrych yn galonogol, fodd bynnag. Yn rhyngwladol wrth i ddyfroedd y brwydro gilio, fe ddaeth hen wledydd bychain Ewrop i'r golwg, a rhoddwyd pwys mawr ar hawliau'r gwledydd bach yng Nghynhadledd Versailles yn 1919. Yr oedd Gwlad Belg yn wlad sofran unwaith eto, ailgodwyd Gwlad Pwyl ac roedd yr arweinydd dygn Tomas Mazaryk wedi arwain Tsiecoslofacia i ryddid yn sgil dymchwel yr Ymerodraeth Awstro-Hwngaraidd. Yng ngoleuni'r datblygiadau hyn, mynegwyd gobaith gan rai o'r hen do Rhyddfrydol yng Nghymru y deuai rhyw fath o ymreolaeth i'w gwlad: "The war has ostensibly been fought for the right of small nations," ebe'r Uwchgapten David Davies, Aelod Seneddol Rhyddfrydol Maldwyn ym 1918. "Is Wales to be the only small nation who is not prepared to assert her individuality?"[1]

Nid oedd achos Cymru yn uchel iawn ar agenda unrhyw un o'r pleidiau Prydeinig, serch hynny. Yn etholiad 1918 Rhyddfrydwyr Cenedlaethol Lloyd George oedd yn dal y mwyafrif o'r seddi er iddynt golli tir i'r Blaid Lafur, yn enwedig yn ardaloedd diwydiannol de-ddwyrain Cymru. Cilio fel pwnc roedd ymreolaeth i Gymru; yn wir cilio roedd llawer iawn o faterion uniongyrchol "Cymreig" oddi ar y llwyfan gwleidyddol. Enillwyd eisoes, mae'n wir, amryw o'r brwydrau a fu'n gymaint o dramgwydd i Anghydffurfwyr Cymraeg: diwygiwyd y degwm, a sicrhawyd hawliau claddu i Anghydffurfwyr, a phan ddaeth datgysylltu'r Eglwys yn ffaith yn y diwedd, fe brofodd yn dipyn o "anticleimacs"; pwnc llosg oes arall oedd y mater bellach. Er y twf mewn sefydliadau cenedlaethol Cymreig, fel Prifysgol Cymru ar ddiwedd y bedwaredd ganrif ar bymtheg, ac er bod y Llyfrgell Genedlaethol a'r Amgueddfa Genedlaethol wedi derbyn siarter frenhinol yn 1907, ni chafwyd llawer o sôn am hawliau cenedlaethol i Gymru. Materion economaidd a gwleidyddol mwy uniongyrchol fel diweithdra, hawliau gweithwyr a chartrefi addas oedd yn mynd â bryd pobl fwyfwy.

Ar ôl y rhyfel roedd fel pe bai "parlys meddyliol",[2] chwedl A O H Jarman, wedi gafael yn y Cymry. Mynnai rhai lynu'n sentimental wrth yr hen Ddewin o Gricieth, tra bo eraill yn troi at syniadau sosialaeth a chomiwnyddiaeth, ac yn benodol at y Blaid Lafur. Troi eu cefnau ar hunaniaeth Gymreig yn sylweddol a wnaeth y Rhyddfrydwyr yn y cyfnod hwn, a llugoer oedd cefnogaeth y Blaid Lafur i Ymreolaeth. Er gwaethaf datganiadau o "Home rule all-round" ym 1918, ni chafwyd gweithredu pendant i ategu'r rhethreg, ac er bod ymreolwyr fel Silyn Roberts a David Thomas yn aelodau brwd o'r ILP, edrychai'n annhebygol y byddai'r Blaid Lafur yn rhoi blaenoriaeth uchel i bynciau penodol Cymreig, fel hunanlywodraeth neu hawliau'r iaith, ar draul materion bara menyn fel cyfiawnder i'r dosbarth gweithiol.

Trefnwyd cynadleddau yn Llandrindod gan E T John yn 1917, 1918, ac 1919 i drafod sefydlu Cyngor Cenedlaethol i Gymru a chafwyd cefnogaeth gan fwyafrif llethol awdurdodau sirol a bwrdeistrefi sirol Cymru i fesur o ymreolaeth i Gymru. Er hynny nid oedd yno ddim brwdfrydedd i gefnogi Mesur Llywodraeth Cymru a gyflwynwyd gan Syr Robert Thomas, Aelod Seneddol Rhyddfrydol Wrecsam, ac fe'i trechwyd yn Senedd San Steffan. "A very poor joke"[3] oedd yr holl ymdrech yn ôl un colofnydd papur newydd ifanc o'r enw Saunders Lewis.

Yn ymgyrchoedd etholiadau cyffredinol 1922, 1923 a 1924 ni chafwyd nemor ddim cyfeiriad at faterion Cymreig, ac o dipyn i beth yr oedd fel pe bai Cymreictod ar drai, ac yn diflannu oddi ar y llwyfan gwleidyddol. Ychwanegwyd at yr ymdeimlad o ddadfeiliad Cymreictod gan ganlyniadau Cyfrifiad 1921, a ddangosodd gwymp sylweddol yng nghanran a niferoedd poblogaeth Cymru a fedrai siarad Cymraeg. Buasai'r arwyddion yn y gwynt ers tro. Cafwyd gostyngiad yng nghanran y siaradwyr Cymraeg o 54.4 y cant yn 1891 i 43.5 y cant yn 1911, gyda chyfanswm o 977,366 yn siaradwyr Cymraeg. Yn y cyfrifiad hwnnw hefyd datgelwyd bod naw o bob deg oedolyn yn honni eu bod yn deall Saesneg. Roedd y Gymru uniaith ar ben ond, yn fwy brawychus, roedd nifer y siaradwyr Cymraeg wedi syrthio i 929,183 erbyn 1921 – bron i hanner can mil o ostyngiad mewn degawd.

Y dirywiad hwn oedd y rheswm pennaf, o bosibl, a sbardunodd amryw o bobl oedd yn rhannu argyhoeddiadau tebyg i ddod at ei gilydd i geisio gwneud rhywbeth, a Valentine yn eu plith. Bu tynged yr iaith yn ganolog i'r ymdeimlad cynyddol o'r angen i fynnu lle Cymru ar yr agenda gwleidyddol a rhoi llwyfan i ddyheadau cenedlaethol y genedl. Yn wahanol i'r genhedlaeth flaenorol yr oedd teimlad cryf na ddylid gweithio o fewn y pleidiau Prydeinig, a'r Blaid Ryddfrydol yn benodol. Seriwyd methiant Cymru Fydd ar feddyliau llawer o wladgarwyr ifanc a'r hyn a welid fel brad arweinwyr y mudiad yn hyrwyddo eu gyrfa eu hunain yn San Steffan ar draul eu cenedlaetholdeb. Crisialwyd hyn ym mherson Lloyd George ei hun, a fu'n gymaint o eilun i genhedlaeth Samuel Valentine, ond a oedd bellach yn cael ei weld fel imperialydd rhonc gan ei fab. Felly, yn dilyn etholiad cyffredinol 1924, aeth rhai gwŷr ati i ffurfio mudiad gwleidyddol pwrpasol a fyddai'n pledio achos Cymru.

Ymhlith y gwŷr hyn yr oedd gŵr o Ddeiniolen, sef H R Jones. Cyn-chwarelwr oedd H R, ac wedi i salwch ei orfodi i roi'r gorau i'w waith yn y chwarel enillai ei fywoliaeth fel trafaeliwr nwyddau. Delfrydwr a breuddwydiwr ydoedd, ond meddai ar frwdfrydedd diderfyn dros achos Cymru. (Credai y dylai pentrefi Arfon gael enwau Cymraeg yn hytrach na'r gormodedd o enwau Beiblaidd. Er i drigolion Nasareth, Nebo a Bethel wrthod yr awgrym, cafodd lwyddiant yn ei bentref genedigol a newidiwyd enw'r lle o Ebeneser i Ddeiniolen.) Ysgogwr mawr a phamffledwr di-ail oedd H R, a ysbrydolwyd yn bennaf gan esiampl rhyfel annibyniaeth Iwerddon, a breuddwydiai am y dydd y byddai'r Cymry'n dangos yr un sêl dros eu rhyddid â'r Gwyddelod.

Yn ystod 1924 galwodd H R Jones gyfres o gyfarfodydd yng Nghaffi'r Queen's yng Nghaernarfon. Yn bresennol yn y cyfarfodydd yr oedd croestoriad o bobl, yn bennaf gweithwyr o bentrefi llechi Arfon a chynrychiolwyr o gymdeithas Gymraeg Coleg y Brifysgol Bangor, sef Cymdeithas y Tair G.

Tyfu allan o Gymdeithas y Facwyfa yng Ngholeg Bangor a wnaethai'r Gymdeithas Genedlaethol Gymreig ac ymhlith arweinwyr y Tair G yr oedd dynion fel Tom Parry, O M Roberts a J E Jones. Dirmygwyd y gwŷr hyn yn y *South Wales Daily News* fel "cultured Mohawks connected with the University, who having failed to acquire fame by their learning are now determined to do so by sheer ferocity and dexterity in gnashing their teeth".[4] Fodd bynnag, clywodd Valentine am y cyfarfodydd hyn trwy ei gysylltiadau â Chymdeithas y Tair G. Cafodd achlust hefyd fod hen gyfeillion coleg iddo fel J P Davies a Moses Griffith, yn ogystal ag ysgolheigion fel Ifor Williams a'r Prifathro Thomas Rees, yn mynychu'r cyfarfodydd. Dechreuodd Valentine fentro draw yng nghwmni'r bobl hyn yn y gobaith y byddai mudiad trefnus ac effeithiol yn tyfu o'r cyfarfodydd. Y nod wedyn oedd y byddai'r mudiad hwn yn symud pethau yn eu blaen ac yn cynnig gweledigaeth ac arweiniad newydd i Gymru.

Ond roedd y cyfarfodydd hyn yn ddiarhebol o ddi-drefn, fel y cofiai Valentine: "Âi'r cyfarfodydd yn faith gyda llawer o siarad diamcan. Roeddwn i'n gadael mewn diflastod, ac eto'n teimlo rywsut: Does dim arall i'w gael. Palfalu'n ffordd sydd raid inni."[5]

Cadeirid y cyfarfodydd gan y Doctor Lloyd Owen, Cricieth, gŵr, yn ôl Gerald Morgan, "yr oedd ei ddull o fynegi ei hun yn ei gwneud hi bron yn amhosibl i neb ei ddeall".[6] Mae "lliwgar" yn un gair i ddisgrifio Lloyd Owen, ond nid arweinydd mudiad cenedlaethol mohono er gwaethaf ei gefnogaeth bybyr i ymreolaeth a'i lythyru brwd i'r wasg. Nid oedd amryw o drigolion Cricieth yn hollol siŵr o ble y cafodd yr hawl i alw ei hun yn Ddoctor, ac mae'n debyg nad oedd ganddo unrhyw gymhwyster meddygol cydnabyddedig. Er hynny teithiai'r wlad yn cludo bag ac offer meddygol ynddo. Cymeriad hoffus ydoedd ond roedd ei arddull ecsentrig yn gyfrifol i raddau am natur flêr ac anhrefnus cyfarfodydd Caernarfon. (Hyd yn oed wedi ffurfio'r Blaid Genedlaethol yn y dauddegau sonnir iddo gyflwyno ei siaradwyr gwadd fel Saunders Valentine a Lewis Lewis.)

Wrth i'r cyfarfodydd dan sylw fynd ymlaen yn ddigyfeiriad, cynyddai rhwystredigaeth Valentine – nid am y tro olaf chwaith – gyda diffyg gweithredu a thuedd ei gyd-Gymry i falu awyr. Nid fel hyn yr oedd mynd ati i herio hawl Llywodraeth Lloegr i reoli Cymru. Profodd drosto'i hun beth y gellid ei gyflawni trwy fod yn drefnus yn ystod ymgyrchoedd dyddiau coleg, ond er mai mudiad gweriniaethol Iwerddon oedd wedi tanio'r brwdfrydedd, nid dynion tebyg i aelodau Sinn Fein oedd criw Caffi'r Queen's. Nid oedd yna argoel o wleidydd o ansawdd De Valera neu drefnydd o allu Michael Collins yn eu mysg.

Anodd yw gorbwysleisio dylanwad llwyddiant Sinn Fein a'r IRA yn rhyfel annibyniaeth Iwerddon ar y genhedlaeth hon o Gymry gwladgarol. Yn sicr mae hynny'n wir am Valentine ei hun. Fel y gwelwyd, er gwaethaf ei argyhoeddiadau heddychol yr oedd yn llawn edmygedd o lwyddiant gweriniaethwyr Iwerddon i ennill rhyddid i'w gwlad; eto i gyd fe wyddai'n iawn nad Cymru oedd Iwerddon, ac na thyciai dulliau mor ymosodol yng ngwlad y menig gwynion.

Ar yr ugeinfed o Fedi, 1924, galwodd H R Jones gyfarfod unwaith eto yn y Queen's. Hwn fyddai trydydd ymgais H R i ffurfio rhyw fath o fudiad cenedlaethol. Mae'n debyg bod deg ar hugain yn bresennol ar y diwrnod, a'r tro hwn cafwyd rhyw fesur o lwyddiant, a chytunwyd i ffurfio Byddin Ymreolwyr Cymru. Penodwyd swyddogion i'r Fyddin gyda Gwallter Llyfnwy yn Gadeirydd, Ifan Alwyn Owen, Rhyd-ddu, yn Drysorydd a H R yn gweithredu fel Ysgrifennydd. Yn wahanol i'r model Gwyddelig y ceisiwyd ei efelychu, nodweddid Byddin Ymreolwyr Cymru gan benrhyddid i bawb, diffyg cyfrinachedd a dim syniadau o ran dulliau neu amcanion pendant.

Er bod Meuryn (R J Rowlands), golygydd *Yr Herald* ar y pryd, yn gefnogol i ymreolaeth i Gymru, dyma a adroddodd gohebydd y papur am y cyfarfod pan ffurfiwyd y fyddin:

> Nid oedd y cyfarfod o Ymreolwyr y cylch a gynhaliwyd yng Nghaernarfon y dydd Sadwrn o'r blaen yn unrhyw help i'r mudiad; ond yn hytrach fel arall. Yr oedd y cwbl yn rhy anghyfrifol a phlentynnaidd. Gresyn mawr yw symud ymlaen gyda mudiad mor bwysig heb baratoad priodol ar ei gyfer, a heb sicrhau siaradwyr dylanwadol.

Ychwanegodd y gohebydd: "Onid yw'r mudiad am Ymreolaeth i Gymru yn rhywbeth mwy difrifol a chyfrifol na'r cyfarfod hwn, goreu po gyntaf i roi terfyn arno."[7]

Yr oedd sylweddoliad ymysg yr aelodau bod angen gwell trefn, fodd bynnag. Dadleuodd Valentine a Moses Griffith yn frwd dros ddod yn fudiad gwleidyddol yn hytrach na byddin, a chael gwared â'r teitl abswrd "Byddin" oedd yn cymell mwy o wawd nag o ofn. Felly, ar ddiwedd Tachwedd, cysylltodd Alwyn Owen â H R, yn cynnig y dylid ailwampio'r Fyddin a'i throi'n blaid wleidyddol a chynnig ymgeiswyr mewn etholiadau. Ar 20 Tachwedd 1924 galwyd cyfarfod unwaith eto yn y Queen's er mwyn newid enw'r mudiad yn ffurfiol i'r Blaid Genedlaethol Gymreig. Yn dilyn hynny etholwyd swyddogion a phenodwyd Valentine yn Llywydd, Lloyd Owen, Cricieth, yn Drysorydd, H R Jones yn Drefnydd a Gwilym R Jones yn Ysgrifennydd. Er hynny, digon anhrefnus oedd cynulliadau'r caffi o hyd. "Pethau digri" oeddent meddai Valentine, "pawb â'i stori a phawb â'i theori; y gymysgfa ryfeddaf a welsoch chwi erioed, heb fawr o drefn a llun arnom ni".[8] Gwaredigaeth felly oedd clywed bod grŵp o genedlaetholwyr tebyg yn y de.

Un o'r arwyddion cyntaf bod unigolion o'r un meddylfryd yn y de oedd erthyglau Ambrose Bebb a Saunders Lewis yn *Y Faner*. Cafodd H R Jones achlust am fodolaeth y Mudiad Cymreig gan Mai Roberts, un o'r aelodau yng Nghaernarfon, a phenderfynodd ohebu â Saunders Lewis. I Valentine yr oedd hyn yn newyddion hynod galonogol:

> A dyma glywed fod criw bach o genedlaetholwyr yn cyfarfod yn y de, gan gynnwys Saunders, D J, Bebb, Griffith John Williams, Syr Ben Bowen Thomas ac eraill. Anfonwyd at y rhain i ofyn fydden nhw'n ymuno efo ni i ffurfio plaid genedlaethol. A daeth llythyr yn ôl gan Saunders i ddweud ar ba amodau y bydden nhw'n fodlon gwneud hynny.[9]

Cymdeithas ddirgel oedd y Mudiad Cymreig, a sefydlwyd ym Mhenarth yn Ionawr 1924 gan Saunders Lewis, Ambrose Bebb a Griffith John Williams. Cysylltodd Bebb â D J Williams, Abergwaun, o fewn wythnosau, ac yna rhwydwyd y Parchedig Fred Jones a Ben Bowen Thomas i mewn. Mewn llythyr ym mis Chwefror a anfonodd at D J Williams yn ei wahodd i ymuno â'r Mudiad Cymreig dywed Saunders Lewis: "Gwn yn burion nad ydych yn cytuno â mi ar bob pwnc. Nid yw hynny o bwys – y peth pwysig yw ein bod yn cytuno ar yr ychydig egwyddorion hanfodol."[10] Mudiad lle rhoddid pwyslais mawr ar gyfrinachedd a disgyblaeth oedd y Mudiad Cymreig. Er hynny, yn y traddodiad Cymreig gorau, nid oedd y mudiad mor "ddirgel" â hynny mewn gwirionedd, gan fod sibrydion am ei fodolaeth wedi cyrraedd criw annisgybledig caffi'r Queen's.

Nid yw'n syndod o gwbl, felly, gweld bod amryw o'r cymeriadau allweddol yn y de a'r gogledd eisoes yn gwybod am ei gilydd. Yr oedd Valentine ei hun yn adnabod Griffith John Williams ers dyddiau coleg Bangor, ac roedd hefyd yn gyfarwydd â Ben Bowen Thomas a oedd yn Fedyddiwr ifanc amlwg. Digwyddodd y cyfarfyddiad cyntaf rhwng Valentine â D J Williams rai blynyddoedd wedi'r Rhyfel Byd, pan oedd yn pregethu mewn cyrddau yn Sir Benfro. Dyma gychwyn ar gyfeillgarwch agos a barhaodd am dros drigain mlynedd, a chyfeillgarwch a fu'n fuddiol i'r ddau ohonynt, nid yn unig ar lefel bersonol, ond hefyd o safbwynt atgyfnerthu daliadau crefyddol a gwleidyddol ei gilydd. Valentine, meddai D J mewn llythyr at Kate Roberts, oedd "un o'm cyfeillion gorau i gyd, er y diwrnod cyntaf y cwrddson â'n gilydd, a hynny heb fod yn hir wedi diwedd y Rhyfel Byd Cyntaf – Val yn dod i bregethu i gyrddau mawr yn Abergwaun, er y gwyddwn amdano'n gynt drwy gyd-filwr ag e yn y Rhyfel".[11]

Fe gafwyd cysylltiadau anffurfiol rhwng mudiadau'r de a'r gogledd felly cyn y llythyru swyddogol ar ddechrau 1925, ac yn hynny o beth yr oedd Cymdeithas y Tair G yn ddolen bwysig. Eisoes fe draddododd Saunders Lewis ddarlith ar bwnc hunanlywodraeth yng nghyfarfod y Tair G yn Eisteddfod Genedlaethol yr Wyddgrug yn 1923. Daeth i sylw'r Gymdeithas yn sgil erthyglau a gyhoeddwyd ganddo yn *Y Faner*, a'i ymateb i awgrym y cylchgrawn y dylid cael cynhadledd arall i drafod dyfodol y genedl. Dadleuodd Saunders Lewis nad oedd diben mwyach i'r cynadleddau cyson ar ddyfodol Cymru: "Nid cynhadledd a achub ein cyflwr, eithr disgyblaeth ac ufudd-dod. Na cheisiwch gynhadledd lle y gall holl glebrwyr Cymru areithio'n ddi-fudd..."[12] Yn hytrach, maentumiodd, dylid rhoi cenedlaetholwyr Cymreig dan ddisgyblaeth filwrol am gyfnod er mwyn eu "drilio" ac er mwyn iddynt ddysgu "ufuddhau i orchmynion milwraidd, fel y caffont wers mewn gweithio ynghyd yn dawel ac heb ffraeo, pawb yn fodlon ufuddhau ac i'w gospi onis gwnelo".[13]

Peth cwbl newydd mewn gwladgarwch Cymreig oedd agwedd ymosodol fel hyn. Mae'n siŵr bod darllen y geiriau hyn yn cynnig achubiaeth i Valentine ar ôl blerwch ac anhrefn cyfarfodydd Caernarfon, oherwydd o'r diwedd yr oedd rhywun yn meddwl yn eglur a threfnus ac yn cynnig ffordd ymlaen. O'u darllen eto yng nghyd-destun y cysylltiadau anffurfiol rhwng y prif gymeriadau yn yr hanes mae'n anodd credu nad oedd Saunders Lewis yn ymwybodol o safon y drafodaeth ac ansawdd cyfarfodydd ymreolwyr y gogledd.

Yn Chwefror 1925 ysgrifennodd H R ar ran Plaid Genedlaethol Cymru at Saunders Lewis yn ei wahodd i fod yn Is-lywydd ar y Blaid. Atebodd Saunders Lewis, yn derbyn y cynnig ond gydag amodau ynghlwm, sef:

> Gorfodi'r Gymraeg: Hynny yw bod gorfod ar bob awdurdod lleol yng Nghymru drafod yr holl fusnes yn yr iaith Gymraeg, a bod yn rhaid i bob gwas a swyddog dan yr awdurdod sy'n ymwneud â chofnodion, ystadegau, rheolau, etc yr awdurdod, ddefnyddio'r Gymraeg. Bod Cymraeg hefyd yn iaith addysg, hynny yw yn gyfrwng addysg yn holl ysgolion Cymru.[14]

Nid oedd dim newydd yn hyn o beth, ond yr oedd Saunders Lewis am fynd yn bellach na hyd yn oed Emrys ap Iwan, wrth fynnu nad ystyr gorfodi'r Gymraeg oedd ei rhoi ar yr un tir neu mewn sefyllfa gydradd â'r Saesneg; yr hyn a olyga oedd "gorfodi y Gymraeg yn unig".[15]

Ail amod llythyr Saunders Lewis oedd nid yn unig torri cysylltiad â phob plaid wleidyddol arall yng Nghymru a Lloegr, ond hefyd "rhaid torri pob cysylltiad hefyd â Senedd Loegr". Rhaid oedd i blaid genedlaethol weithio yng Nghymru, drwy'r awdurdodau lleol a throi Cymru yn Gymreig drwyddynt hwy, a "boicotio" Senedd Loegr; yr oedd Saunders Lewis yn argyhoeddedig na ddeuai "dim i Gymru fyth drwy Senedd Loegr".

Ar ben yr amodau ynglŷn ag amcanion gwleidyddol rhoddodd Saunders Lewis hefyd amod ychwanegol, sef amod yn ymwneud yn uniongyrchol â disgyblaeth a threfn unrhyw blaid newydd, oherwydd "er mwyn sicrhau bod holl aelodau'r blaid yn cadw egwyddorion y blaid, mi hoffwn weld yn gyntaf gymryd llw o ufudd-dod gan holl aelodau'r blaid i'r pwyllgor gweithio".

Dadleuwyd mai rhyw fath o *fait accompli* gan y Mudiad Cymreig oedd amodau Saunders. Mae'n wir mai ei brif fwriad wrth dderbyn y cynnig i fod yn Is-lywydd oedd sicrhau bod egwyddorion y Mudiad Cymreig yn llywio'r blaid newydd. A phwysleisiodd yr egwyddorion hynny yr angen am eglurder ynglŷn â dulliau'r blaid newydd. Fel y nodwyd, mae'n siŵr bod rhemprwydd cyfarfodydd caffi'r Queen's yn wybyddus iddo, felly taro'r post i'r pared glywed oedd y pwyslais ar yr angen allweddol am ddisgyblaeth ac "ufudd-dod" i'r Pwyllgor Gwaith arfaethedig. Nid oedd gan griw Caernarfon safbwyntiau eglur na fawr ddim trefn, ac annelwig oedd eu hamcanion. Nid oedd ganddynt unrhyw syniad pendant am y math o ymreolaeth i'w gyrchu ac nid oedd unrhyw gytundeb yn eu plith ynghylch pa ddulliau i'w defnyddio i gyrraedd y nod. Roedd mwy o waelod deallusol a sylwedd yn y Mudiad Cymreig, ac nid oes amheuaeth y byddai pobl fel Valentine yng ngharfan y gogledd wedi derbyn unrhyw amodau gan y Mudiad Cymreig, nid yn unig er mwyn denu cenedlaetholwyr amlwg o'r de i'r mudiad ond hefyd i gael rhyw lun ar gyfeiriad a disgyblaeth yn y rhengoedd.

Pan gyhoeddodd y *South Wales Daily News* erthygl yn datgelu bodolaeth y Blaid newydd yn Ebrill 1925, ysgrifennodd Valentine at y golygydd yn datgan: "I have no authority to make a statement on the subject at this stage. No committee or national officers have yet been elected, but it is hoped to be able to do so when representatives of the North and South meet at Pwllheli during the eisteddfod. Until these meet it cannot be said that the movement has national officers."[16] Nid sefydlu nod, dulliau a pholisïau oedd y peth pwysig i Valentine; y cam cyntaf hollbwysig iddo ef oedd sefydlu'r blaid newydd fel corff cenedlaethol i siarad ar ran Cymru. Byddai'n rhaid aros tan ar ôl y cyfarfod ffurfiol cyntaf cyn penderfynu ar y rhain.

Erbyn diwedd gwanwyn 1925 yr oedd cynlluniau ar droed i lansio

Plaid Genedlaethol Cymru yn Eisteddfod Pwllheli ym mis Awst, ac yn ystod wythnosau Mai a Mehefin daeth aelodau'r Mudiad Cymreig i gysylltiad pellach ag aelodau'r Blaid Genedlaethol Gymreig, yn enwedig H R a Valentine. Bellach roedd Ambrose Bebb wedi cychwyn yn ei swydd yn y Coleg Normal, Bangor, ac mewn sefyllfa i gysylltu rhwng dwy adain y blaid genedlaethol arfaethedig. Yn sgil hynny gwnaeth Bebb fwy o ymholiadau am grŵp Caernarfon, ac roedd yr adroddiadau'n ffafriol. Valentine oedd yr un oedd yn cyfrif, meddai Bebb yn ei ddyddiadur ar ddydd Sadwrn, 9 Mai 1925: "Yn y prynhawn daeth Valentine yma o Landudno i gael ymddiddan â mi... Deallais ar unwaith ei fod ef a minnau a'n meddwl yn yr un man ar y pwnc cenedlaethol... Dyma'r adeg i'n Mudiad ni ac eiddo Valentine ymuno i ffurfio'r Blaid Genedlaethol. Bachgen iawn ydyw, rhadlon, mwyn a diddorol. Nid yw efallai'n wleidydd. Ond y mae'n bersonoliaeth. Y mae'n ddylanwad. Yr wyf yn falch iawn o'i gyfarfod a chredaf mai hawdd o beth fydd cydweithio ag ef. Yr oeddem ar unwaith yn gyfeillion; ac felly y tybiaf yr arhoswn."[17]

Trefnwyd man cyfarfod yn ystod wythnos yr Eisteddfod, sef caffi'r Maes Gwyn Temperance Hotel. Ysgrifennodd Valentine lythyr at H R ar ddechrau Mai, ac yn ôl tôn y llythyr gellir synhwyro ei fod yn teimlo mai mater i griw y gogledd oedd hi yn awr i brofi eu bod o ddifrif: "Yr wyf newydd ddychwelyd o'r deheudir. Gwelais rai o gyfeillion Saunders Lewis ar fy nhaith, ac y maent yn disgwyl wrthym. Yr wyf yn rhoi pwys mawr ar yr hyn a ddigwydd ym Mhwllheli; fe fydd awdurdod cenedl wedyn y tu ôl i bopeth a wnawn."[18]

Y chwech a oedd yn bresennol yn y Maes Gwyn, Pwllheli, ar ddydd Mercher, y pumed o Awst oedd – Saunders Lewis, Valentine, H R Jones, Fred Jones, Moses Griffith, a D Edmund Williams o'r Groeslon (sef brawd Morris Williams, gŵr Kate Roberts maes o law). Bwriadwyd hefyd i D J Williams, Abergwaun, fod ymysg y criw dethol ond roedd ei drên yn hwyr ac roedd y cyfarfod wedi gorffen cyn iddo gyrraedd.

Mae'r cyfarfod cyntaf rhwng Valentine a Saunders Lewis yn rhan o chwedloniaeth y mudiad cenedlaethol, ac mae'r hanes yn un cyfarwydd.

Er bod Saunders Lewis i siarad yn y cyfarfod yn y Maes Gwyn Temperance Hotel nid oedd dim golwg ohono. Aeth Valentine a Fred Jones allan i'r stryd i chwilio amdano, gan ddisgwyl gweld dyn tal, gosgeiddig â rhyw bresenoldeb corfforol sylweddol. Ond "ni welwn neb tebyg i'r darlun ohono oedd gennyf yn fy meddwl, darlun oedd yn seiliedig ar sbonc a newydd-deb gwrol rhai ysgrifau a gyhoeddwyd yn *Y Faner*. 'Does dim golwg o Saunders Lewis', meddwn i wrth Fred Jones. 'Dacw fe', meddai, am ŵr byr, main, a wyneb gwelw dan gnwd o wallt coch oedd yn anelu amdanom."[19]

Yr oedd y dyn main a byr a welai Valentine o'i flaen yn cerdded yn fân ac yn fuan wysg ei ochr i lawr y stryd gan gario het yn ei law. O ran argraff gychwynnol fe'i hatgoffwyd o ddarlun a welodd o un o'i arwyr, yr athronydd o Ddenmarc, Søren Kierkegaard. Fel Kierkegaard yr oedd odrwydd osgo Saunders Lewis yn atgyfnerthu'r argraff fod yma ddyn o ddeallusrwydd uwch na'r cyffredin. 'Pwy?' meddwn i, 'hwn! Nid hwn ydi Saunders Lewis?' Ac fe ddaeth Saunders Lewis a chyfarch Fred Jones. Roedden nhw'n nabod ei gilydd. 'Wel, Mr Fred Jones, lle rydych chwi'n aros? Mewn gwesty dirwestol mae'n debyg'."[20]

Yn ôl ei gyfaddefiad ei hun, cyfarfod Saunders Lewis oedd un o'r trobwyntiau mwyaf yn ei fywyd. Er na flodeuodd cyfeillgarwch rhyngddynt yn syth – rhywbeth a fyddai'n tyfu a chryfhau dros y blynyddoedd fyddai hynny – fe synhwyrai Valentine fod rhywbeth arbennig yng nghymeriad a phersonoliaeth y dyn hwn. Yr oedd wedi cyfarfod â mawrion y genedl, gwŷr fel Syr John Morris-Jones, Ifor Williams a Lloyd George, ond yr oedd gan Saunders Lewis rywbeth ychwanegol, rhyw garisma allweddol oedd yn hoelio sylw.

Amodau llai na ffafriol i lansio plaid wleidyddol a gafwyd yn y caffi y prynhawn hwnnw. Amharwyd ar y trafod gan sŵn llestri'n cael eu clirio a the yn cael ei weini, ac roedd fel pe bai holl drigolion Llŷn wedi dod am baned i Faes Pwllheli, ond yr oedd yna rywbeth ym mynegiant, osgo ac ymarweddiad y dyn bach o gorff a ddarbwyllodd Valentine ei fod wedi cyfarfod rhywun y byddai'n rhaid iddo roi ei deyrngarwch yn llwyr iddo o'r diwrnod hwnnw ymlaen. "Ni siaradodd neb erioed dan fwy o anfanteision nag ef y prynhawn hwnnw; yr oedd yn ddieithr i lawer ohonom, ac yr oedd trwst mawr yn y gwesty." [21] Er gwaethaf yr amodau anodd argyhoeddwyd y gweinidog gan ymresymu tawel y dyn bychan, "heb ddim meddalwch, dim gwamalu, dim lliniaru dim ar enbydrwydd yr alwad, dur o araith oedd yn trywanu'n ddwfn". [22]

Yr hyn oedd yn drawiadol oedd y gwrthgyferbyniad llwyr rhwng arddull a chynnwys yr hyn yr oedd gan Saunders Lewis i'w ddweud, a chyfarfodydd traed moch Byddin Ymreolwyr Cymru. Un wers a ddysgodd Valentine gan Saunders Lewis ar y diwrnod hwnnw oedd bod yn rhaid i rywun a oedd am wasanaethu unrhyw fudiad yn effeithiol feithrin ymroddiad cyson a disgyblaeth lem, ac nad gwaith ffwrdd-â-hi oedd ymladd dros y genedl. Dyma, meddai wedyn, "oedd un o oriau mwyaf fy mywyd. Ni wyddwn y gallai geiriau dynol fod mor fywiol..."[23]

Dywedodd nad polisi a gafwyd gan Saunders yn y Maes Gwyn ond athroniaeth, ac roedd hynny'n fwy wrth fodd Valentine na dim. Nid dyn a hoffai drafod manylion polisi oedd Valentine. Cas ganddo oedd hollti blew ar faterion cymdeithasol neu economaidd. Un gyffes ffydd seml oedd ganddo, a honno oedd ennill rhyddid i Gymru a chyfiawnder i'w hiaith. Eilbeth oedd pob polisi a damcaniaeth wleidyddol i wireddu dyheadau'r gyffes ffydd honno, a'u troi'n ffaith.

Yn y cyfarfod penderfynwyd ar benodi swyddogion. Valentine oedd y Llywydd, gyda Moses Griffith fel Trysorydd, ac ef, meddai'r Llywydd cyntaf, oedd yn "ein cadw ni â'n traed ar y ddaear" a bu yn y swydd am saith mlynedd. Penodwyd H R Jones yn Ysgrifennydd, gyda Saunders, D J Williams a Fred Jones yn aelodau o'r Pwyllgor Gwaith. Penderfynwyd trefnu Ysgol Haf ym Machynlleth yn Awst 1926. Hawdd gweld, o edrych yn ôl, mai hwn oedd un o'r penderfyniadau pwysicaf a wnaed y diwrnod hwnnw, gan ei fod yn gosod cynsail ar gyfer ysgolion haf blynyddol, sef un o nodweddion mwyaf llwyddiannus y Blaid Genedlaethol ifanc. Yn ogystal â'r cyfarfod preifat yn y Maes Gwyn fe gynhaliwyd cyfarfod cyhoeddus yn festri Capel yr Annibynwyr, Penlan, Pwllheli, am hanner awr wedi pump y prynhawn hwnnw. Cadeiriwyd y cyfarfod gan Meuryn, ac areithiwyd gan D J, Valentine a Fred Jones, ond mae'n debyg nad oedd llawer yn bresennol, ac ni chafwyd llawer o adroddiadau yn y wasg am sefydlu'r blaid newydd chwaith.

Er hynny yr oedd rhywbeth cwbl newydd wedi cychwyn yn hanes gwleidyddiaeth Cymru. Amcanion gwahanol iawn oedd rhai'r Blaid Genedlaethol hon i unrhyw beth a welwyd cyn hynny. Torrwyd cysylltiad â phleidiau gwleidyddol Prydeinig, penderfynwyd mewn egwyddor na ddylid anfon cynrychiolwyr etholedig i San Steffan, a rhoddwyd pwyslais canolog ar adfer y Gymraeg. Yn *Y Faner* yn 1925 pwysleisiodd Valentine mai dechrau pennod newydd oedd hyn, nid atgyfodiad Cymru Fydd: "Mynn rhai mai'r hen Blaid Ryddfrydol ydyw'r Blaid newydd wedi ymddangos mewn 'gwedd arall' ond ni ellir pwysleisio yn rhy bendant nad oes cyswllt yn y byd rhyngddi â'r hen bleidiau."[24]

Eto i gyd, yr oedd gan y 'Blaid bach' fynydd i'w ddringo, fel y dywedodd y *Welsh Outlook* yn 1926: "Wales is an integral part of the British Empire, and may it long remain so."[25]

Deuparth gwaith, fodd bynnag, yw ei ddechrau, ac wrth gyfarfod â D J Williams oddi ar ei drên hwyr yng ngorsaf Pwllheli yn ddiweddarach y prynhawn hwnnw, fe'i cyfarchwyd gan Saunders Lewis gyda'r geiriau – "Y mae'r peth wedi ei gychwyn."[26]

Pennod 10

Efengylu

Yr oedd gennyf y pryd hynny synied fod y mudiad newydd hwn yn wahanol i'r erthylod oedd o'i flaen.

Lewis Valentine, *Y Ddraig Goch*, 1935

Os oedd 1925 yn flwyddyn bwysig yn hanes datblygiad y mudiad cenedlaethol yng Nghymru, yr oedd yn bwysicach fyth i Valentine ar lefel bersonol. Er ei fod, yn ôl ei addefiad ei hun, "yn rhoi peth wmbredd o fy amser, pob munud fedrwn i", i osod y blaid newydd ar ei thraed, fe lwyddodd i achub awr neu ddwy i syrthio mewn cariad â Margaret Jones, merch bump ar hugain oed o Landudno. Yr oedd Margaret yn eneth ddeniadol ac yn perthyn i un o hen deuluoedd y dref. Ei thad oedd William Jones, Pen y Gogarth, a dywedir mai bywyd ei thaid, Rice Edwards, Y Bala, fu'n ysbrydoliaeth i Daniel Owen greu cymeriad Rhys Lewis yn ei nofel enwog. Priodwyd Lewis a Margaret ar y cyntaf o Hydref, 1925, gyda Samuel Valentine yn cymryd rhan yn yr oedfa briodasol. Yna, yn y flwyddyn ganlynol ar 17 Awst, ganwyd eu plentyn cyntaf, sef Hedd, a dilynwyd hynny rai blynyddoedd wedyn gan enedigaeth eu merch, Gweirrul, yn 1932.

Hyd yn oed ar ddydd ei briodas ni chafodd lonydd gan Ysgrifennydd y Blaid. Yn un o westyau Llandudno, lle cynhelid y wledd briodasol, darllenwyd ymysg y cyfarchion, deligram cellweirus oddi wrth H R Jones yn cynnwys y neges: "Ewch i Lanfairtalhaiarn i annerch cyfarfod heno."[1] Bu'n rhaid i Lywydd y Blaid hyd yn oed ddewis anufuddhau, ar y noson honno o bob noson.

Yn 1926 cyfetholwyd aelodau ychwanegol i'r Pwyllgor Gwaith, yn eu plith Ben Bowen Thomas, Prosser Rhys, Iorwerth Peate, Mai Roberts, Kate Roberts a J Dyfnallt Owen, a sefydlwyd cylchgrawn cenedlaethol y blaid newydd, *Y Ddraig Goch*, ym Mehefin 1926. Penodwyd H R Jones yn drefnydd amser llawn, agorwyd swyddfa yn Aberystwyth a sefydlwyd Cylch Merched y Blaid gyda Kate Roberts yn Llywydd.

Fel Llywydd, neilltuai Valentine bob munud sbâr er mwyn lledaenu'r neges wleidyddol. Ym mis Mawrth 1926, dechreuodd ar y cyntaf o'i "deithiau efengylu", chwedl yntau, ac roedd yn barod i deithio i bobman ar hyd a lled gogledd Cymru a thu hwnt – o Lerpwl i Sir Fôn – ar ran y Blaid. Yn y blynyddoedd nesaf eilbeth fyddai popeth arall; yr oedd o'r diwedd yn teimlo ei fod yn cyflawni rhywbeth. Yr oedd ganddo ffordd ymarferol o geisio troi ei argyhoeddiadau'n ffaith.

Efengylu oedd pennaf ddawn y pregethwr. Nid oedd fawr o ddadansoddiadau cymdeithasegol ac economaidd yn ei areithiau. Dibynnai ar eraill, fel D J Davies, i'w fwydo â manylion ac ystadegau pethau o'r fath. Er gwaethaf datganiadau a phwyslais Saunders Lewis, nid oedd anhrefn yr hen Fyddin Ymreolwyr wedi llwyr ddiflannu. Yn fynych iawn câi Valentine air dirybudd ar y ffôn neu deligram gan H R yn ei hysbysu fod cyfarfod wedi'i alw ym mhen draw Llŷn neu bellafion Dyffryn Conwy, ond wedi'r strach o gyrraedd yno, yn aml iawn neuadd wag oedd yn ei aros gan nad oedd cyfarfod wedi ei drefnu. Weithiau byddai H R yn mynd gydag ef, yn llawn afiaith a gobaith, ac yn siarad fel pe bai Cymru eisoes wedi'i hennill i bolisi'r Blaid – polisi digon annelwig ar y pryd. Digon di-ffrwt fu'r cyfarfodydd cyntaf hefyd ond, er gwaethaf neuaddau mawr oer, chwarter llawn, ymateb gelyniaethus neu groeso llugoer, ni fenwyd dim ar ysbryd H R, ac roedd ei danbeidrwydd gobeithiol yn hwb i'r Llywydd ddygnu arni.

At ei gilydd nid oedd dim annisgwyl yn y cwestiynau a ofynnid yn y cyfarfodydd; codid pwyntiau megis, onid ymddiried yn Lloyd George fyddai orau i Gymru, ac a fedrai Cymru fforddio ei llywodraethu ei hun? Ynghyd â rhai mwy taeog ond eithaf disgwyliadwy – oni ddylid gadael y

Gymraeg i'r cartref, a chanolbwyntio ar ddysgu Saesneg yn yr ysgolion? Yr oedd yr holwyr yn y cyfarfodydd cyhoeddus hyn yn arddangos rhyw ddiniweidrwydd anwleidyddol mawr ym marn Valentine. Gwelodd Valentine drosto'i hun yn y teithiau cynnar hyn mor ddwfn oedd y cyswllt rhwng crefydd Ymneilltuol a Rhyddfrydiaeth Prydeinig-Gymreig a maint y dasg a wynebai'r Blaid Genedlaethol. Tanlinellwyd hynny gan natur y pynciau a godai eu pennau yn y cyfarfodydd cenhadol hyn, megis y peryglon i'r enwad Anghydffurfiol cryfaf ddefnyddio hunanlywodraeth i'w fantais ei hun, a'r haeriad bod pregethu Cenedlaetholdeb yn groes i ddysgeidiaeth yr Ysgrythur.

Graddol iawn oedd y cynnydd, ac arafach na hynny hyd yn oed, a bu hynny'n achos rhyw gymaint o syndod a siom i'r sylfaenwyr: "Roedden ni'n obeithiol iawn," meddai Valentine, "efallai'n bod ni'n 'naïve' – yn credu y byddai'r mudiad yn uniongyrchol boblogaidd, ac yn llwyddo'n anghyffredin."[2]

Os cropian oedd y babi cenedlaethol, nid oedd dim pall ar fwrlwm cymdeithasol a deallusol y Blaid. Ym mis Awst 1926 cynhaliwyd Ysgol Haf Machynlleth lle gwahoddwyd siaradwyr amrywiol i annerch, yn eu plith William George, brawd Lloyd George, Syr Rhys Hopkin Morris, AS Ceredigion, E T John a Kevin O'Sheil, Dirprwy Fine Gael o'r Dàil yn Iwerddon. Er hynny, yr araith bwysicaf yn yr ysgol haf honno oedd un Saunders Lewis ar *Egwyddorion Cenedlaetholdeb.*

Roedd dadl Saunders Lewis am y gwrthgyferbyniad rhwng cenedlaetholdeb faterol a chenedlaetholdeb ysbrydol yn apelio at Valentine. Yn ôl Saunders, yr Oesoedd Canol oedd yr oes aur y dylai'r mudiad cenedlaethol yng Nghymru edrych ati am nerth ac ysbrydoliaeth, oherwydd dyna'r cyfnod olaf y bu'r genedl yn wirioneddol rydd. Darlun delfrydol o Gymru'r Oesoedd Canol a gyflwynwyd yn yr anerchiad, ond ymysg y datganiadau ysgubol yr hyn a apeliai at Valentine oedd ei alwad i amddiffyn gwareiddiad Cristnogol Cymru. Haerodd Saunders Lewis mai yn yr unfed ganrif ar bymtheg y daeth bri am y tro cyntaf ar y syniad o genedlaetholdeb materol a hynny ar draul yr hen werthoedd ysbrydol.

Yn ôl y syniad hwn, yr awdurdodau gwladol oedd yn ben ar bopeth ym mywydau pobl: "Gallai'r awdurdod gwladol newid credo, newid diwinyddiaeth, newid safonau moesol, os mynnai. Gan mai nerth materol oedd sail awdurdod yr oedd yn rhaid gwthio *unffurfiaeth* ar bawb – dyna syniadau'r Tuduriaid ym Mhrydain, a cheisiwyd ganddynt ddileu pob gwahaniaeth rhwng Lloegr a Chymru. Un llywodraeth oedd i fod i'r ddwy wlad, un iaith, un grefydd, a chrefydd y llywodraeth oedd honno, ac offeryn i sicrhau'r unffurfiaeth hon oedd hyd yn oed cyfieithu'r Beibl i'r Gymraeg."[3] I Saunders Lewis yr oedd y bri a roddwyd i'r syniad newydd hwn am genedlaetholdeb yn fuddugoliaeth y materol ar yr ysbrydol, buddugoliaeth paganiaeth ar Gristnogaeth, ac iddo ef, a Valentine hefyd, "hon oedd y fuddugoliaeth a ddinistriodd Gymru".[4]

Yr hyn sy'n peri peth syndod yw bod y Bedyddiwr pybyr yn barod i dderbyn dadleuon *Egwyddorion Cenedlaetholdeb* ynghylch sgil effeithiau gwleidyddol negyddol y Diwygiad Protestannaidd yn gymharol ddi-gwestiwn. Derbyniodd Valentine gyda breichiau agored ddiffiniadau Saunders Lewis o rinweddau "rhyddid" ar draul "annibyniaeth". Dylid brwydro, meddai, dros achub gwareiddiad Cymru yn lle mynnu annibyniaeth i'r genedl, a cheisio rhyddid Cymru yn hytrach nag ennill hawl sofran y genedl. Yn ôl Valentine (fel Saunders) "peth materol a drwg"[5] oedd annibyniaeth a allai arwain at greulondeb mwy imperialaeth. Gwrthbwynt i hynny oedd Cristnogaeth a fynnai y dylai cenhedloedd gydnabod eu bod yn gyd-ddibynnol ar ei gilydd. Nid oedd annibyniaeth, felly, yn hanfodol i amddiffyn gwareiddiad Cymru; yr allwedd i wneud hynny oedd rhyddid, ac ynghlwm â'r syniad hwn o ryddid yr oedd ymdeimlad o gyfrifoldeb dros fywyd gwâr yn y gornel hon o Ewrop.

Elfen allweddol arall o apêl syniadau Saunders Lewis iddo oedd y gred bod "ffyniant a pharhad holl lendid ein dull o fyw ynghlwm wrth yr iaith Gymraeg, ac yn dibynnu ar yr iaith Gymraeg".[6] Yr oedd yr iaith nid yn unig yn llestr gwareiddiad, ond hefyd yn wrthglawdd rhag dirywiad moesol "pan nycho'r iaith Gymraeg a dyfod moes ac iaith estron yn ei lle".[7] I Valentine pennaf swyddogaeth gwleidyddiaeth oedd diogelu iaith a diwylliant y genedl yng Nghymru, gan mai dyma oedd y cyfryngau "i fynegi'r ysbryd sydd mewn dyn".[8] Er mwyn diogelu'r pethau hyn, roedd yn ofynnol Cymreigio bywyd y genedl o'r bôn i'r brig. Dim ond hynny fyddai'n rhoi cyfle i'r diwylliant Cymreig flaguro eto a lefeinio bywyd y genedl. Rhaid felly oedd troi addysg Cymru yn Gymreig a Chymraeg, a gwneud y Gymraeg yn gyfrwng addysg o'r ysgolion cynradd i'r Brifysgol, a rhaid oedd rhoi statws iaith swyddogol i'r Gymraeg ym mhob rhan o fywyd cyhoeddus Cymru.

Dau air allweddol *Egwyddorion Cenedlaetholdeb* oedd "rhyddid" a "chyfrifoldeb", a maes o law byddai'r eirfa hon yn esgor ar broblemau i'r Blaid ddiffinio beth yn union a olygid wrth "annibyniaeth", "hunanlywodraeth" a "rhyddid". Ar y pryd, serch hynny, yr oedd neges yr Is-lywydd yn rhywbeth cyffrous ac arloesol i'r rhai a'i clywodd. Nid oedd neb wedi siarad fel hyn o'r blaen. Fel y dywedodd Gerald Morgan: "Nid rhethreg niwlog Lloyd George mewn Eisteddfod mo hyn."[9] I Valentine hefyd, yr oedd ymgais Saunders Lewis i grisialu sylfeini gwleidyddol y Blaid newydd yn cadarnhau'r ymdeimlad a gafodd yn y Maes Gwyn ym Mhwllheli mai hwn oedd y gŵr oedd yn haeddu ei deyrngarwch gwleidyddol yn llwyr.

Erbyn 1926 yr oedd y Blaid Genedlaethol yn gytûn ar nod canolog, sef cael Cymru gwbl Gymraeg ac i gyrraedd y nod yr oedd yn rhaid cyflawni tri pheth sylfaenol. Y rhain oedd diogelu ac atgyfnerthu'r diwylliant .Cymraeg yng Nghymru, sicrhau'r Gymraeg fel unig iaith swyddogol Cymru ac felly iaith holl drafodaethau awdurdodau lleol Cymru, a sicrhau'r Gymraeg yn gyfrwng addysg Cymru o'r ysgol elfennol hyd at y Brifysgol. Yr oedd yn rhaglen uchelgeisiol ac, yng nghyd-destun popeth a gafwyd o'r blaen, yr oedd yn fentrus ac eithafol. Nid oedd hyd yn oed Emrys ap Iwan wedi galw'n agored am wneud y Gymraeg yn *unig* iaith swyddogol y genedl.

Er hynny, ni phenderfynwyd ar ba ddulliau yr oedd y Blaid i'w mabwysiadu er mwyn cyflawni'r nod aruchel hwn o sicrhau Cymru Rydd Gymraeg. Dadleuai H R Jones yn frwd dros wrthod talu'r dreth incwm, ac o blaid gweithredu'n uniongyrchol. Roedd am wrthwynebu penodi swyddogion di-Gymraeg i Fwrdd Iechyd Cymru trwy daflu taflenni o oriel ymwelwyr Tŷ'r Cyffredin yn Llundain. Er bod cefnogaeth i'r egwyddor o weithredu anghyfansoddiadol ni ddaeth dim o'r syniadau hyn. Teimlai'r rhan fwyaf o'r aelodau nad oedd yr amser yn iawn ar gyfer gweithred o'r fath. (Efallai mai cymeriad byrbwyll ac anhrefnus H R oedd y rheswm dros amau'r dulliau, sy'n eironig o gofio y byddai Saunders Lewis ymhen degawd yn dewis mabwysiadu dulliau anghyfansoddiadol llawer mwy dramatig fel ffordd o gyflawni amcanion y mudiad.)

Ym Machynlleth hefyd fe gyhoeddodd Valentine, ar ôl dal y swydd am flwyddyn, nad oedd am ailsefyll am y Llywyddiaeth. Y rheswm cyhoeddus a roddodd oedd nad oedd ganddo ddiddordeb mewn economeg, ond mae'n debyg ei fod yn awyddus iawn i roi'r lle blaenaf i Saunders Lewis. Er mai Valentine oedd y Llywydd mewn enw, safodd o'r neilltu er mwyn i arweinydd *de facto* y Blaid gymryd yr awenau'n ffurfiol. Etholwyd Saunders i'r swydd ac er iddo geisio ymddiswyddo sawl gwaith, ef fu Llywydd y Blaid Genedlaethol wedi hynny o 1926 tan 1939.

Dros y blynyddoedd cynnar llwyddodd yr ysgolion haf i atgyfnerthu penderfyniad yr aelodau a chynnal eu hysbryd mewn dyddiau digon anodd. Does dim dwywaith bod Valentine yn dipyn o ffefryn ymysg y ffyddloniaid. Roedd yn gymeriad atyniadol, a feddai ar ddawn i ddweud y peth iawn ar yr adeg iawn, heb roi'r argraff ei fod yn seboni. Roedd ganddo synnwyr digrifwch byw, a gallai gadw wyneb syth wrth dynnu coes nes gwneud i bobl amau a oedd o ddifrif ai peidio. Dywedodd Saunders Lewis am Valentine mewn ysgolion haf mai "ef oedd enaid pob tirionwch a phob mwyndra. Yr oedd ei bresenoldeb ef yno a'i bersonoliaeth hawddgar yn tynnu allan orau parabl fel gwlith ar flodau".[10] Credai un arall o'r aelodau cynnar, O M Roberts, mai un o rinweddau pennaf Valentine oedd ei fod yn gallu "gwneud efo pawb yn ddiwahân… a rhyw air clên hwyliog i'w ddweud wrth bawb".[11] Mae'n debyg fod Valentine a D J Williams yn dipyn o *double act* ymysg selogion yr ysgolion haf, yn pontio unrhyw anghydfod ac yn atal rhwygiadau. Un o'r rhesymau pam na chafwyd ffraeo mawr rhwng y carfanau gwahanol o genedlaetholwyr pur, heddychwyr a sosialwyr oedd y pwyslais mawr a roddai Valentine ar gadw unoliaeth. Dywedodd J E Jones, trefnydd y Blaid ar ôl H R Jones: "Yr wyf yn siŵr mai hynawsedd hwyliog ac ysbryd cyfeillgar y ddau yma (Valentine a D J), ynghyd â'u hymroddiad gweithgar, a fu'n un o'r rhesymau pennaf, na bu na chynnen na rhwyg o fawr pwys ym Mhlaid Cymru tros y blynyddoedd."[12]

Trafodid popeth yn yr Ysgolion Haf, o gyfansoddiad de a gogledd Iwerddon i fudiad cenedlaethol Denmarc, ac yn naturiol fe roddid lle blaenllaw i broblemau cenedlaethol Cymru (gan gynnwys y pwnc bythol hwnnw o briffordd rhwng de a gogledd), ac yn 1929 traddododd Valentine ei hun sgwrs ar "Iaith a Llên Cymru". Y peth allweddol yn hyn i gyd oedd mai buddiannau a byd-olwg Cymreig oedd flaenaf yn y trafod a'r annerch.

Er y bwriad i drafod hanfodion cenedlaetholdeb, roedd arwyddocâd cymdeithasol yr ysgolion haf o bosibl yn ddyfnach. Roeddent yn gyfle i gyfeillion hen a newydd gydgyfarfod dros aml i seiat neu noson lawen, a chael ail wynt i'w hysbryd a'u hewyllys i barhau â'r gwaith o efengylu yn enw achos Cymru. Pleser cymdeithasol digymysg oedd yr ysgolion haf i Valentine: "A oes gwmni yn y byd debyg i gwmni Ysgol Haf y Blaid? Yn fuan ar ôl cyrraedd ni chlywid dim ond cyfarch gwresog ac ysgwyd llaw chwyrn, a holi am hen wynebau."[13] Ymysg yr "hen wynebau" hyn yr oedd amryw o ddeallusion pennaf eu cenhedlaeth, a chyfeillion oes i Valentine fel O M Roberts, Cassie Davies, D J Williams, Kate Roberts a Morris Williams. Cwmni agos, yn rhannu'r un delfrydau a dyheadau oedd y bobl hyn, a daethant "yn gyfeillion anwahanadwy ymhob Ysgol Haf a llawer Pwyllgor Gwaith ac Eisteddfod Genedlaethol am lawer blwyddyn".[14]

Un o'r ysgolion haf mwyaf afieithus oedd honno a gynhaliwyd yn Llandeilo yn ystod Awst 1928. Fel oedd yn arferol yr oedd yno sylwedd deallusol a diwylliannol gydag areithiau gan R T Jenkins, D J Davies a Saunders Lewis. Trefnwyd taith i Gastell Carreg Cennen a thaith dan arweiniad Valentine yn dilyn ôl traed y Pêr Ganiedydd o Lanymddyfri i Lanfair ar y Bryn a chartref William Williams ym Mhantycelyn. Yn ogystal â'r bwrlwm diwylliedig, serch hynny, yr oedd yna ysbryd hwyliog iawn ymysg y mynychwyr.

Meddai O M Roberts am Ysgol Haf Llandeilo: "Gofynnodd H R Jones i Huw Roberts a minnau i fynd o gwmpas Llandeilo gyda chloch law i gyhoeddi bod Leila Megane yn canu yn un o gyngherddau'r Ysgol Haf. Wrth gwrs, roedd yn ofynnol cael caniatâd yr heddlu i wneud hynny. Pan aethom i swyddfa'r heddlu dywedodd yr Arolygydd wrthym y dylai ein cloi yn y ddalfa am gadw twrw hyd y lle... Gwelech D J a Valentine yn cerdded dan ganu ymysg criw o rai ifanc. Dyna'r 'twrw' oedd wedi cythruddo'r Arolygydd!"[15]

Daethpwyd i wrthdaro mwy difrifol gyda'r heddlu pan wnaed ymholiadau ganddynt ynghylch pwy oedd ar gofrestr y gwesty lle roedd rhai o'r Pleidwyr yn aros, ac aeth un rhingyll yno am chwarter wedi un y bore a chanfod ystafell lle roedd Valentine, R Williams Parry a D J ymysg eraill yn rhannu gwydryn hwyrol. Holodd y plismon ymhellach a gweld nad oeddent wedi cofrestru fel gwesteion. Cododd ffrae wrth i D J Williams haeru na ddylai'r heddwas roi "ei drwyn i mewn lle nad oedd busnes ganddo".[16]

Yn y pen draw bu'n rhaid i Saunders Lewis ymyrryd er mwyn ceisio tawelu'r dyfroedd. Mewn llythyr at ei wraig Margaret dywedodd:

> The one trouble was last night when one of our members staying in this hotel had a tiff with a police sergeant. The policeman is bringing a summons against him and I and the vice-president of the Party are going tonight (in half an hour) to the superintendent of police to try if conciliation and a polite apology will hush the ruffled constable and stop proceedings!! The thing is very comic, for the man in trouble is one of our most quiet and amiable friends, but he's a schoolteacher, so it's important we should stop any scandal about him.[17]

Nid oedd pawb mor ddidaro â'r Llywydd. Cysylltodd Kate Roberts i fynegi ei phryderon ynghylch y drwg y gallai cysylltu'r Blaid â medd-dod ei wneud i enw da y mudiad ac i weinidog Llandudno yn benodol:

> Gofynnodd mab Pedr Hir i mi ai gwir i Mr Valentine fod mewn helynt gyda'r plismyn yn Llandeilo, a dywedwyd wrthyf heno ein bod wedi meddwi yn Llandeilo... Wrth gwrs nid oes gennym ni ddim i boeni yn ei gylch, ond fe ddylem ystyried Mr Valentine. Fe all ef fyned i ddŵr poeth. Ac efallai nad ychwanega at ein hurddas fel plaid i'r stori fynd allan ein bod yn diota.[18]

Penllanw'r mater oedd erlyn perchennog y gwesty am fethu cadw cofrestr o'r sawl oedd yn aros yno, a chywydd gan R Williams Parry i'r Rhingyll Trwyngoch a wnaeth y cyhuddiad "tramgwyddus" fod D J wedi ymosod arno.

Esgorwyd ar bryder Kate Roberts yn bennaf mae'n debyg gan y ffaith fod Valentine wedi cytuno i sefyll yn enw'r Blaid mewn etholiad seneddol yn Sir Gaernarfon. Mewn cyfarfod o Bwyllgor Gwaith y Blaid Genedlaethol ar y trydydd o Ionawr, 1928, pasiwyd, pe byddai hynny'n bosibl yn ymarferol, y dylid ymladd dwy sedd yn yr etholiad cyffredinol, sef Sir Gaernarfon a Caerfyrddin. Pe bai etholiad yn digwydd yr haf nesaf, fodd bynnag, byddai'n rhaid ailystyried y mater. Yn yr un cyfarfod, er nad oes cofnod ffurfiol o hynny, gofynnwyd i Valentine fod yn ymgeisydd yng Nghaernarfon. Yn y diwedd, ym Mawrth 1929, galwyd etholiad cyffredinol gan Stanley Baldwin, Prif Weinidog y Llywodraeth Geidwadol, i'w gynnal ar 30 Mai.

I bob golwg yr oedd Valentine yn ymgeisydd delfrydol. Roedd ganddo sêl dros achos Cymru a phersonoliaeth atyniadol gynnes a huawdl, roedd yn ŵr golygus ynghanol ei dridegau, yn weinidog parchus, ac yn gyn-aelod o'r fyddin yn y Rhyfel Mawr ar ben hynny. Credai O M Roberts y "buasai wedi bod yn amhosibl cael ymgeisydd gwell; yr oedd Cymru yn ei waed a thân yn ei fol, ond roedd hefyd yn glamp o ddyn mawr gyda phersonoliaeth hardd a gwên hawddgar".[19] Yn ôl un arall o weithwyr ifanc y Blaid perthynai hefyd iddo yr elfen o "ddireidi bachgennaidd hwnnw a ddeuai i'r golwg yn awr ac yn y man".[20]

Cadarnhaol iawn hefyd oedd barn Kate Roberts am Valentine fel darpar ymgeisydd seneddol. Ysgrifennodd at Saunders Lewis yn Hydref 1928 yn adrodd hanes Valentine yn siarad mewn cyfarfod yn ardal Rhosgadfan: "Siaradodd Mr Valentine yn wych a barn pawb ydoedd mai dyna'r araith boliticaidd orau a gafwyd yn yr ardal erioed."[21] Dywed fod Valentine wedi mynd drannoeth i chwarel Cors y Bryniau gan wneud argraff dda ar y chwarelwyr, a bod yr argoelion yn dda i'r etholiad arfaethedig: "Yr wyf yn sicr y caiff nifer dda o'u fotiau yn y lecsiwn. Mae o'r *very* dyn i fod yn ymgeisydd Seneddol."[22]

Fel ymgeisydd Caernarfon roedd Valentine yn awyddus iawn i'r blaid ymladd ar fwy nag un ffrynt a gosod ymgeiswyr mewn seddi eraill, ond nid felly y bu. Yr oedd rhai, a Valentine yn eu plith mae'n debyg, yn awyddus iawn i ymladd tair sedd seneddol, sef etholaethau sedd y Brifysgol, Caerfyrddin a Sir Gaernarfon. Ar ôl trafodaethau hir, serch hynny, penderfynwyd canolbwyntio ar sedd Caernarfon yn unig. Un penderfyniad allweddol arall, ac un o amodau creiddiol Saunders Lewis wrth ymuno â'r Blaid Genedlaethol yn 1925, oedd peidio anfon cynrychiolwyr i San Steffan ped etholid un o ymgeiswyr y Blaid yn Aelod Seneddol. Penderfyniad oedd hwn, serch hynny, a fyddai'n wrthgynhyrchiol yn yr ymgyrch etholiadol ei hun wrth i gefnogwyr ganfasio ac annerch ar draws yr etholaeth.

Ffiniau pur wahanol i'r rhai cyfoes oedd i etholaeth Sir Gaernarfon yn 1929. Ymestynnai'r etholaeth o Lysfaen ger Bae Colwyn i Aberdaron gan hepgor bwrdeistrefi Pwllheli, Cricieth, Nefyn, Bangor, Caernarfon, Llandudno a Chonwy a berthynai i etholaeth arall, sef sedd seneddol Lloyd George, Bwrdeistref Caernarfon.

R Williams Parry oedd Cadeirydd Pwyllgor Gwaith Sir Gaernarfon, gyda H R Jones yn drefnydd. O fewn y sir wedyn ffurfiwyd dau is-bwyllgor, un i drefnu'r ymgyrch yn Nyffryn Conwy a'r llall i drefnu yn Llŷn ac Eifionydd. Mabwysiadwyd Valentine yn ffurfiol fel ymgeisydd yng nghyfarfod Pwyllgor Gwaith y Sir ar y degfed o Fawrth. Pasiwyd cynnig a roddwyd gerbron gan Ambrose Bebb, a'i eilio gan Lloyd Owen i'r perwyl eu bod yn mabwysiadu Valentine fel eu hymgeisydd yn yr etholiad seneddol arfaethedig. Ariannwyd yr ymgyrch gan yr aelodau er mwyn talu am gostau teithio a llogi neuaddau, ac fe gytunodd y Llywydd Cenedlaethol y dylai'r Blaid wario £15 ar fotobeic ail-law ar gyfer yr ymgyrch etholiadol. Anfonodd Saunders Lewis hefyd air o anogaeth i'r ymgeisydd: "Hoffwn eich gweld i fynegi fy mawr ddiolch i chi am ymgymryd â sedd Sir Gaernarfon. Gwn i yn dda gymaint aberth yw ef i chi mewn pryder, amser, a blinderus drafferth."[23]

Ar yr ugeinfed o Fai aeth R Williams Parry gyda Valentine i gyflwyno'r papur enwebu a'r £150 o ernes a oedd yn angenrheidiol er mwyn enwebu'r ymgeisydd, at y Swyddog Etholiadol yng Nghaernarfon. Llofnodwyd y papurau fel a ganlyn:

Cynnig: R Williams Parry, Plwyf Bethesda

Eilio: J P Davies, Plwyf Llanberis

Ategu: H R Jones, Llanddeiniolen
Benjamin Owen, Llanberis
D Edmund Williams, Plwyf Llandwrog
E Alwyn Owen, Plwyf Beddgelert
Priscilla Roberts, Llanddeiniolen
Nesta Roberts, Llanrug
G R Jones ac R H Jones, Plwyf Llanllyfni

Fel y gwelir o'r rhestr uchod, selogion Caffi'r Queens oedd selogion y Blaid newydd hefyd.

Cynhaliwyd y cyfarfod cyntaf ar ôl ei enwebu fel ymgeisydd yng Nghapel Curig, cyfarfod a drefnwyd gan ei gyfaill coleg, y Parch. J P Davies. Y noson honno dywedodd Valentine, gan fynegi'r hyn a deimlai am gyfeillach aelodau a gweithwyr y Blaid Genedlaethol, cyfeillach a oedd bron yn ysbrydol yn ei feddwl: "Am y Blaid, y mae'n fwy na phlaid – ffydd ydyw."[24] Wrth ei gyflwyno dywedodd ei hen gyfaill coleg J P Davies amdano: "Cymru yw gair mawr bywyd Mr Valentine. Nid wyf yn sicr ei fod wedi llwyr wirioni ar neb na dim erioed oddigerth y foneddiges hon… Nid yw ond dyn ieuanc eto ac nid yw wedi dysgu triciau gwleidyddwyr. Ac i rai dyma ei unig wendid…"[25] Ifanc neu beidio, ni ddysgodd Valentine driciau gwleidyddion erioed trwy gydol ei fywyd. Cenhadu dros Gymru oedd ei ddiddordeb, nid politics ymarferol. Er efallai nad oedd ganddo ddiddordeb mewn gyrfa boliticaidd, a'r pwysau anorfod i gyfaddawdu egwyddorion, bu ganddo erioed ddawn y gwleidydd i feddwl yn chwim ar ei draed ac i ddweud y peth iawn ar yr adeg iawn wrth yr unigolyn iawn.

Aeth ymgyrch 1929 yn rhan o lên gwerin y Blaid, gyda'r darlun rhamantus o Valentine yn gwibio o le i le ar ei fotobeic Triumph, fel rhyw apostol cenedlaethol yn efengylu dros Gymru. Teithiodd dros dair mil o filltiroedd ar y motobeic yn ystod yr ymgyrch, yn bresenoldeb cofiadwy, fel y dywedodd O M Roberts, gan ei fod yn "gawr o ddyn, cap am ei ben a'r pig tu ôl ymlaen, a chôt a legins amdano. Wedi cyrraedd [cyfarfod] dadwisgai'r gêr ac i'r llwyfan ag ef yn ei siwt pregethwr".[26]

Trafaeliodd yr ymgeisydd ar y motobeic i bob rhan o'r etholaeth a'r peth oedd yn rhyfeddol iddo, oedd mai ef oedd yn cael y cyfarfodydd mwyaf. Weithiau câi gwmni R Williams Parry, a fyddai'n ei yrru yn ei gar i gyfarfodydd ledled y sir. Dywedir bod y bardd yn dra pharod i wneud unrhyw beth fel rhannu llenyddiaeth, casglu a gwerthu'r *Ddraig Goch* – popeth ond siarad. Yn y cyfnod hwn daeth Williams Parry a Valentine yn ffrindiau da, yn wir yn gyfeillion digon da i'r bardd roi cyngor sartoriadd i'r gweinidog: "Yr oedd hetiau'n boen i mi erioed, a phrynais het fowlar yn y gobaith y buasai'n para'n hwy o lawer na'r hetiau eraill. Gwisgais hi tro cyntaf i fynd i Gyfarfod Pregethu yng Ngarndolbenmaen. Brasgamwn o stesion Caernarfon i ddal y bws olaf o'r Maes, a dim ond rhyw funud wrth gefn. Dyna lais o ochr arall y stryd – llais Bob: 'Na. Does gen i ddim munud i aros, Bob, y mae'r bws ar adael'. 'Dim ond un gair ynte, PAID,' gan bwyntio at yr het. Dyna'r cwbl, a byr iawn, iawn fu hoedl yr het honno. Ni chafodd gwrdd mawr na chwrdd bach byth ond hynny.[27]

Yn fynych ceisid baglu Valentine trwy godi amheuon ynghylch Cymreictod ei gyfenw. Fe'i heriwyd mewn un cyfarfod trwy ei holi pam na allai'r Blaid gael ymgeisydd yn dwyn enw Cymreiciach. Cais i danseilio'r cyfarfod ydoedd, mae'n debyg, trwy fwrw gwawd ar yr ymgeisydd. Dro arall, yn un o bentrefi Arfon, mewn ymgais i gynnal cyfarfod awyr agored byrfyfyr, gofynnwyd i hen ŵr am ganiatâd i ddefnyddio grisiau cerrig hwylus oedd ganddo o flaen ei dŷ fel llwyfan. Gwrthod a wnaeth gan ddweud: "Pe baech yn Rhyddfrydwyr neu'n Doriaid, neu'n rhyw gre'duriaid rhesymol eraill, byddai croeso i chi, ond nid wyf yn credu dim yn eich ffwlbri."[28] Yn y diwedd cafwyd benthyg cadair gan hen wraig o dŷ cyfagos a'i rhoi ar ganol sgwâr y pentref, ond yr oedd y dorf rhyw ddau canllath oddi wrth y siaradwr, "yn edrych yn swil a digynnwrf". Aeth Valentine draw atynt a'u hannog i ddod yn nes, ond ymateb swta a gafodd: "Ewch chi'n mlaen," meddent, "fe ddeuwn ninnau'n nes fesul tipyn."[29] Ond cyn iddynt ddod o fewn cyrraedd i glywed yr araith, yr oedd wedi ei chwblhau, a bu'n rhaid iddo ei thraddodi eilwaith. Hyd yn oed wedyn, ar ddiwedd y cyfarfod, swta oedd ymateb y gynulleidfa; ni ddywedodd neb yr un gair wrtho nac wrth ei gilydd, a cherddodd pob un ymaith heb gyfarch ei gilydd.

Cafodd well ymateb yn Llanystumdwy, "Pentref Lloyd George" fel y'i gelwir bellach. Cynhaliwyd y cyfarfod mewn tywydd braf yn yr awyr agored ac roedd torf deilwng wedi ymgasglu i wrando ar Valentine. Yr oedd y Triumph a'i yrrwr yn hwyr, fodd bynnag, a thra oeddent yn aros amdano anerchwyd y dorf gan W J Davies, Tal-y-sarn. Yn y dorf yr oedd W S Jones (Wil Sam, y dramodydd) yn blentyn naw oed. A'r hyn a arhosodd yng nghof y Wil Sam ifanc oedd tro trwstan a ddigwyddodd i W J Davies, oherwydd aeth i gymaint o hwyl nes baglu oddi ar y pentan cerrig a syrthio i'r gweiriach. Cyn hir, fodd bynnag, fe welwyd motobeic go fawr yn agosáu a dyn tal yn disgyn oddi arno ac yn cyfarch y dorf. Cafodd hwyl ar ei araith a derbyniad gwresog: "Mi gafodd y cawr golygus Lewis Valentine gryn groeso pan gyrhaeddodd o, a hynny ar glamp o fotobeic Triumph."[30]

Dro arall yr oedd yn ymweld ag un o bentrefi llechi Arfon am y bedwaredd waith. Bu yno deirgwaith o'r blaen heb gael yr un enaid byw i'r cyfarfod, er bod y Blaid wedi talu deg swllt am logi'r neuadd bob tro. Penderfynwyd na fyddai Valentine yn mynd oddi yno'r noson honno heb annerch torf. Aeth o ddrws i ddrws i grefu ar bobl i fynychu'r cyfarfod.

Bu hynny'n eithaf llwyddiannus oherwydd denwyd rhyw gant o bobl, ac yn eu plith blismon y pentref. Meddai:

> Fy mhwnc y noson honno oedd y Gymraeg a'r Llysoedd Barn, a dadlau yr oeddwn mai braint Twrc neu Negro oedd unig fraint Cymro yn llysoedd barn ei wlad. Ond digroeso iawn oedd y dorf a gelyniaethus hefyd. Ymyrrodd y plismon yn y ddadl, a chododd i'm hatgoffa am ryw gyfraith o deyrnasiad Victoria ac fel hyn ac fel arall. Byr iawn oedd fy nhymer; yn wir ni chofiaf i mi golli fy nhymer mewn unrhyw gyfarfod ond hwn. Ond bwriais fy llid ar y plismon a dywedyd pethau chwyrn iawn wrtho, nad oedd ganddo ddim hawl i ymyrraeth mewn cyfarfod gwleidyddol, etc. Bu'r effaith yn drydanol, chwedl gwŷr y wasg, a bu cyfarfod cynnes o hynny i'r diwedd. Yr oedd y plismon yn hynod o amhoblogaidd yn y pentref, ac yr oedd bendith ar neb a dorrai ei grib ef. Yn nhŷ gŵr oedd yn addo bod yn elyn chwyrn i ni ar ddechrau'r cyfarfod y cafwyd swper y noson honno.[31]

Llwyddwyd i gael sylw yn y wasg Brydeinig pan gyhoeddwyd cyfweliad gyda Valentine yn y *Manchester Guardian* ar 15 Mai 1929. Pwysleisiai nad neges wrth-Seisnig oedd ganddo: "We are not antagonistic to the English in Wales. We are not anti-English."[32] Pan gododd y gohebydd fater y boicot a pheidio mynd i senedd Llundain, cyffelybu'r sefyllfa gydag Iwerddon a chyfeirio at ddryllio gobeithion Cymru Fydd a wnaeth Valentine. Dywedodd fod cenedlaetholwyr Iwerddon wedi anfon cynrychiolwyr yn ofer i Senedd Lloegr am genedlaethau: "… their numbers, and consequently their influence, in an alien Parliament availed nothing. Wales too, had had its Home Rule group, among the most brilliant men the country had ever produced, but they became absorbed in the English political system."[33]

Cafodd dderbyniad cyfeillgar hefyd gan ei gyd-ymgeiswyr, yn enwedig yr ymgeisydd Llafur R T Jones, a'i rhoddodd ar ben ffordd ynghylch dulliau ymladd etholiad. Cynigiodd Valentine, yn un o'i gyfarfodydd yn y Groeslon, gadeirio i R T Jones, a thalodd y Llafurwr y gymwynas yn ôl trwy gadeirio cyfarfod etholiadol y Blaid hefyd, a chael gweithwyr y

Blaid Lafur i rannu llenyddiaeth ar ran Valentine. Estynnai'r cymwynasau i bleidiau eraill hefyd, oherwydd ar ôl annerch cyfarfod ym Mhen Llŷn cafodd lety a chroeso yn nhŷ un o brif swyddogion y Blaid Ryddfrydol yn yr ardal. Nid oedd pob Rhyddfrydwr mor groesawgar, serch hynny. Nawddoglyd oedd agwedd yr eilun a drodd yn elyn, sef David Lloyd George. Bychanu'r blaid newydd oedd byrdwn ei araith mewn cyfarfod ym Methesda yn ystod yr ymgyrch: "Megis Cicaon Jonah," meddai, "y cododd y Blaid hon, mewn noswaith y bu ac mewn noswaith y derfydd."

Lluniwyd anerchiad gan Valentine i'r etholwyr i'w anfon drwy'r post at bawb ar y rhestr etholwyr. Taflen seml oedd hi, gyda chennad uniongyrchol a darllenadwy. Mewn llythrennau bras pwysleisir newydd-deb yr hyn a gynigir:

> Myfi yw'r ymgeisydd seneddol cyntaf yn holl hanes Cymru i gymryd rhyddid Cymru ac ymreolaeth i Gymru yn unig sail apêl mewn etholiad seneddol. Y mae'r etholiad yn Sir Gaernarfon yn gychwyn i gyfnod newydd yn hanes politicaidd Cymru.[34]

Mae'n agor gyda chyfres o bwyntiau negyddol. Dywedir wrth etholwyr Sir Gaernarfon i beidio pleidleisio i Valentine os credant mai peth "nobl yw gwawdio Cymru yn Senedd Loegr", neu os credant y dylai pob gwlad o'r Aifft i'r India – ac eithrio Cymru – gael rhyddid, os barnant fod swyddogion Llywodraeth San Steffan yn deall Cymru'n well na'r Cymry eu hunain ac, yn fwy ymfflamychol, dywedir na ddylent gefnogi ymgeisydd y Blaid os credant mewn byw yn llwfr a chaeth a gwasaidd. Atebir y gosodiadau hyn wedyn gan ddatganiadau cadarnhaol mai fotio i Valentine yw'r peth i'w wneud os credant fod yr awr wedi dod i daro ergyd dros Gymru, mynnu profi bod Cymru yn hawlio cyfiawnder, gorfodi Llywodraeth Lloegr i ystyried hawliau Cymru, a gwneud hawliau Cymru yn realiti politicaidd.

Dilynir y penawdau breision gan anerchiad Valentine sy'n nodi'r modd y teithiodd i bob rhan o'r etholaeth yn lledaenu'r neges. Olrheinir sut y ceisiodd cwmwl tystion hunanlywodraeth – dynion fel Michael D

Jones, Gwilym Hiraethog, Thomas Gee ac Emrys ap Iwan – freuddwydio am ryddid Cymru, ond hyd yma ni chafwyd cais gwirioneddol i droi'r freuddwyd yn ffaith. Bellach yr oedd plaid Gymreig yn bodoli a'i bwriad oedd gwireddu'r dyheadau a rhoi sylw difrifol i anghenion Cymru, rhywbeth na wnaeth na Senedd na Llywodraeth Lloegr erioed. Yn ei hanfod, un neges sylfaenol oedd y neges hon: "Dyma fy addewid: os etholwch fi, y broblem gyntaf a wyneba'r llywodraeth newydd ar ôl yr etholiad cyffredinol fydd problem ymreolaeth Cymru."[35] Hon, mewn gwirionedd, oedd unig neges ymgyrch Valentine, gan nad oes sôn am nemor ddim arall yn y daflen – nid oes sôn yma am bolisi economaidd, na thrafod materion cymdeithasol. Byddai'n rhaid i'r pethau yna aros tan y ceid maen rhyddid politicaidd y genedl i'r wal.

Gorffennir yr anerchiad gyda rhethreg wladgarol, wresog gan apelio at bleidleiswyr Arfon:

> Os yw eich calonnau yn llosgi ynoch gan ddyhead am fyd gwell ar Gymro a Chymraes, am godi'ch gwlad i barch, os mynnwch chi fod yn rhyddion ar eich tir eich hunain a thaflu oddi ar Gymru ganrifoedd o ddirmyg a sarhad, os mynnwch chwi weld y Gymru hon yn ardd yr Arglwydd, a gweld gwirio gair y bardd amdani:
>
> Y nod bydd pob daioni – hoff bau deg,
> A phob digoll dlysni;
> Pob gwybod a medr fedri;
> Aml fydd dy ddrud olud di.[36]

Yn anffodus, nid oedd taflen etholiadol effeithiol ac ymgeisydd atyniadol ynddynt eu hunain yn ddigon i adael argraff wleidyddol ar yr etholwyr. Un o nodweddion yr ymgyrch oedd diffyg trefn sylfaenol, a chynhaliwyd brwydr etholiadol oedd yn gymysgedd rhyfedd o anhrefn a brwdfrydedd. Camgyfeiriwyd gohebiaeth swyddogol Valentine at yr etholwyr am fod y Blaid wedi cael gafael ar y rhestr etholwyr anghywir. Felly, rhaid oedd trefnu anfon yr ohebiaeth eilwaith a hynny ar frys. Daeth R T Jones, yr ymgeisydd Llafur, i'r adwy eto, ac ymgyrch R T Jones hefyd a gyflenwodd y 40,000 o amlenni ar gyfer anfon neges y Blaid Genedlaethol i'r etholwyr. Bu'n rhaid llogi ystafell yng Nghaffi Pendref,

Caernarfon, er mwyn cyfeirio a llenwi'r amlenni. Cymaint oedd y brys nes bod rhaid i'r ymgeisydd ei hun, ynghyd ag Ambrose Bebb a J E Daniel oedd wedi bod allan yn annerch cyfarfodydd eu hunain, orfod dychwelyd i Gaffi Pendref i helpu gyda'r gwaith o gyfeirio'r amlenni.

Anwastad oedd presenoldeb yn y cyfarfodydd. Ceid cynulleidfa sylweddol mewn ambell le, ond dro arall ni fyddai fawr neb yn bresennol. Yn aml byddai'r cyfarfodydd a drefnwyd gan aelodau lleol yn eithaf llwyddiannus ond, yn amlach na dim, byddai siaradwyr yn cyrraedd lleoliad arbennig a fawr neb yn gwybod dim am y cyfarfod. I'r perwyl hynny ysgrifennodd un o'r canfaswyr ifanc, Gwilym R Jones, at H R Jones yn erfyn arno: "Paid â threfnu'n fyrbwyll da thi a rho ddigon o rybudd i'th dipyn siaradwyr pwy bynnag a fônt." Hyd yn oed pan geid cynulleidfa dda, cymysg fyddai'r ymateb. Yr oedd fel pe bai pobl yn ansicr beth i'w wneud o'r Blaid newydd Gymreig yma. Mewn cyfarfod ynghanol Llŷn, gwaeddodd heclwr arno o'r dorf: "Hei, be 'di'r peth gwyrdd 'na sy gen ti?" Atebodd Valentine mai rhuban gwyrdd Plaid Genedlaethol Cymru ydoedd, gan ychwanegu mai dyna oedd "lliw popeth sy'n tyfu". Fe feddai Valentine ar ddawn effeithiol i feddwl yn chwim ar ei draed, ond breuddwyd gwrach oedd y darogan twf sydyn. Er iddo gael ymateb brwdfrydig mewn ambell le fel Dyffryn Nantlle mater arall oedd darbwyllo pobl i roi croes wrth ei enw: "Roedd croeso a brwdfrydedd ymhobman – popeth ond y pleidleisiau!"[37]

Er hynny yr oedd Saunders Lewis yn ffyddiog o ddyfodol tymor-hir, ac ysgrifennodd i ddatgan hyn wrth Valentine o fewn pythefnos i'r bleidlais gan fynegi'n gadarn ei fod "yn argyhoeddedig o un peth: bod y gwaith a wneir gennych yr wythnosau hyn – ennill neu golli – am adael ei ôl ar Gymru ac yn debycach o sicrhau dyfodol ein diwylliant nag un mudiad o fewn cof neb byw".[38]

Y noson cyn yr etholiad penderfynodd canfaswyr y Blaid ganolbwyntio ar Dal-y-sarn a Phen-y-groes gan fod cryn dipyn o ddiddordeb yn y mannau hynny. Fe dalodd hynny ar ei ganfed oherwydd cafwyd pleidlais gref o blaid Valentine yno, a dichon mai yma yr heuwyd hadau a fyddai'n troi'r ardal yn gadarnle i Blaid Cymru maes o law. Canlyniad yr etholiad ar 30 Mai 1929 oedd:

Major Goronwy Own (Rh)	18,507
Mr R T Jones (Llafur)	14,867
Mr D Fowden Jones (Tori)	4,669
Parch. L.E. Valentine (Plaid Genedlaethol Cymru)	609

Mae'r chwe chant a naw bellach yn enwog yn hanes y mudiad cenedlaethol, y nhw oedd y "Gallant Six Hundred" chwedl Fred Jones gan eu cymharu ag anffodusion cyrch milwrol y Charge of the Light Brigade.[39] Valentine ei hun a wthiodd y cwch chwedlonol yma i'r dŵr pan dalodd deyrnged i'w gefnogwyr wedi'r bleidlais: "I chwi y chwe channwr a naw dyma fy llaw a'm calon. Credasoch i'm hymadrodd; gwnaethoch y fenter fwyaf a wnaeth neb yn hanes politicaidd ein gwlad ers canrifoedd, canys ni ofynnodd neb erioed i chwi wneuthur peth mor anodd o'r blaen. Gresyn na cheid eich enwau i'w cofio a'u hanwylo yn oes oesoedd."[40]

Roedd y gweinidog wedi addo i eglwys y Tabernacl na fyddai'n sefyll eto mewn etholiad cyffredinol, felly dyma fyddai'r tro cyntaf a'r tro olaf i Valentine ymgeisio mewn etholiad seneddol, er iddo sefyll fel ymgeisydd aflwyddiannus ar ran y Blaid mewn etholiad i gyngor y dref yn Llandudno ynghanol y tridegau.

Bu canlyniad yr etholiad yn wers galed i amryw yn rhengoedd y Blaid a dybiai mai siwrnai sydyn ddramatig fyddai'r ymdaith i ryddid cenedlaethol. Efallai iddynt fod yn orobeithiol, ac wrth edrych yn ôl ar y cyfnod cyfaddefodd Valentine ei hun: "Efallai'n bod ni'n *naïve* – yn credu y byddai'r mudiad yn uniongyrchol boblogaidd, ac yn llwyddo'n anghyffredin."[41] Nid yw naïfrwydd yn gyfystyr â thybio mai breuddwyd ffôl ac ynfyd oedd dyheadau sylfaenwyr y Blaid Genedlaethol, serch hynny. Cam arloesol, chwyldroadol bron, oedd sefydlu plaid wleidyddol yng Nghymru heb unrhyw gyswllt â'r pleidiau Prydeinig mwy. Treiddiodd Prydeindod yn ddwfn dros y canrifoedd i'r isymwybod Cymreig, ac ni fu'r Cymry yn swil o chwarae eu rhan yn y prosiect Ymerodrol, ac elwa o hynny. Nid ar chwarae bach y mae newid patrymau meddwl o'r fath.

Wrth ymateb i'r canlyniad yn *Y Ddraig Goch* ar y pryd, nid oedd agwedd Valentine yn wangalon. Efallai fod y bleidlais wedi bod yn siom iddo, ond nid oedd am ddangos hynny. Yn ôl ei arfer pwysleisio ochr gadarnhaol gweithredu ymarferol dros Gymru oedd y peth pwysig: "A gawsoch eich siomi? a ofynnir i mi ar bob tu. Fy siomi! Ni bu brwydr odidocach erioed. Gwn na chynnig bywyd byth oriau hafal i oriau'r taro cyntaf dros ryddid Cymru yn ein hoes ni."[42]

Pennod 11

Pentecost o Fudiad

Cyflawnwch fy llawenydd trwy fod o'r un meddwl, a'r un cariad gennych at eich gilydd, yn unfryd ac yn unfarn.

Llythyr Paul at y Philipiaid, pennod 2, adnod 2

Ar ôl etholiad 1929 roedd y Blaid mewn twll ariannol. Nid oedd llawer o aelodau ganddi ar lawr gwlad, ac er gwaethaf llwyddo i ddenu cenhedlaeth ifanc o ddeallusion disgleiriaf y Gymru Gymraeg i'r rhengoedd, nid oedd wedi gwneud fawr ddim cynnydd gwleidyddol. Fodd bynnag, nid oedd Valentine yn difaru dim, ond roedd angen pwyso a mesur y modd y rhedwyd yr ymgyrch: "Ar ôl eistedd i lawr i ystyried gwelsom ein bod yn gofyn aruthr o beth – yn disgwyl cefnogaeth gan bobl a'u rhagfarnau wedi hen wreiddio yn y tir, ac yn gobeithio'u hargyhoeddi mewn ychydig o flynyddoedd nad oedd senedd Lloegr ddim yn bwysig o gwbl i Gymru."[1]

Roedd amryw o wersi i'w dysgu gan y Blaid ifanc. Yn un peth, credai Valentine mai camgymeriad fu bodloni ar roi un ymgeisydd yn unig ymlaen yn yr etholiad cyffredinol. Mae'n debyg iddo deimlo'n gymharol ynysig yn ystod yr ymgyrch, ac fe deimlai'n gryf o'r cychwyn y byddai'n well pe bai ymgeiswyr eraill wedi sefyll gydag ef mewn o leiaf dwy sedd arall. Y pwnc a gododd ei ben amlaf mewn cyfarfodydd ôl-etholiad, serch hynny, oedd mater boicotio San Steffan. Creodd y polisi beth dryswch a phenbleth ym meddyliau'r etholwyr. Creu problemau a wnaeth y dacteg ym marn llawer o ymgyrchwyr y Blaid. Bedyddiwyd y polisi yn "bolisi'r pwdu" gan William George, ymreolwr a Rhyddfrydwr. (Bu brawd Lloyd

George yn gefnogwr cyson i'r Blaid ond ni fu erioed yn aelod ohoni.) Maentumiai aelodau fel Gwilym R Jones a fu ar riniog y drws yn canfasio, y byddai mwy wedi pleidleisio i'r Blaid yn 1929 oni bai am y boicot. Yn sicr fe wynebwyd problem wrth ymdrechu i esbonio'r dadleuon o blaid rhoi pleidlais i ymgeisydd nad oedd yn bwriadu mynd i San Steffan. Tueddai Valentine ei hun i gytuno â'r farn hon ar y pryd:

> Roedd o'n ofyn aruthrol i bobl oedd wedi arfer â rhoi eu hymlyniad i'r hen bleidiau. Ac yn wir yr oedd sôn am wneud Cymru a rhyddid Cymru yn fater politicaidd yn beth nad oedd pobl yn ei ddeall. Yr oedd pobl wedi eu magu ar ogoniant yr Ymerodraeth Seisnig, a'r byd i gyd – tri chwarter ohono yn goch ac yn Brydeinig.[2]

Saunders Lewis oedd pensaer y rhan helaeth o bolisïau cynnar y Blaid Genedlaethol, ac ysbrydolwyd y dacteg i raddau sylweddol gan lwyddiant polisi tebyg mudiadau cenedlaethol gwledydd fel Hwngari ac Iwerddon. Tybiwyd hefyd bod y boicot yn pwysleisio newydd-deb y Blaid newydd, ac yn tanlinellu'r ffaith nad ailbobiad o amcanion Cymru Fydd oedd ei bwriadau. Dadleuai'r Llywydd mai cyff gwawd fyddai'r Blaid yn senedd Lloegr pe bai ei Haelodau Seneddol yn cymryd eu lle yn San Steffan. Rhesymai nad oedd unrhyw fudiad cenedlaethol yn Ewrop wedi ennill rhyddid i'w gwlad trwy fynychu senedd estron. Polisi negyddol oedd hwn, fodd bynnag, i amryw o aelodau'r mudiad. Safbwynt rhywun fel D J Davies oedd mai canlyniad profiad chwerw cenedlaetholwyr Iwerddon dros ddegawdau oedd penderfyniad Sinn Fein i beidio mynd i senedd Llundain, ac y byddai'n rhaid i'r Blaid Genedlaethol fynd trwy felin profiad cyffelyb cyn y gellid darbwyllo etholwyr Cymru o briodolrwydd polisi eithafol o'r fath.

Daeth y mater hwn i benllanw yn Ysgol Haf Llanwrtyd yn 1930 lle bu Valentine, Moses Griffith, J P Davies a J E Daniel yn dadlau yn erbyn boicotio'r senedd yn San Steffan, ar y sail nad oedd pobl yn barod i bleidleisio i ymgeisydd nad oedd am fynd i Lundain. Fel y nodwyd eisoes, roedd cysgod methiant Cymru Fydd yn drwm ar y penderfyniad i gael boicot hefyd. Ofnai aelodau fel Gwenallt y byddai Aelodau Seneddol y

Blaid Genedlaethol yn dilyn llwybr hunan-les a llwyddiant personol yn union fel y gwnaeth arweinwyr Cymru Fydd fel Lloyd George a Tom Ellis o'u blaenau. Glynai Saunders Lewis ei hun yn bendant wrth y polisi; nid oedd am weld tacteg y boicot yn cael ei newid o gwbl – a chyhoeddodd y byddai'n ymddiswyddo pe bai'r polisi seneddol yn cael ei newid. Er gwaethaf dadleuon Saunders Lewis, llwyddo a wnaeth y cynnig i anfon ymgeiswyr y Blaid i eistedd yn San Steffan pe baent yn cael eu hethol yn Aelodau Seneddol.

Yn unol â'i fygythiad cyn yr Ysgol Haf i ildio'r llywyddiaeth fe gyflwynodd Saunders ei ymddiswyddiad. Er hynny ni welai lawer o ddarpar olynwyr, ac wrth drafod y mater gyda Valentine fe ddywedodd nad oedd yn "ymddiried yn sadrwydd Bebb"[3] ac, yn ei farn ef, Valentine ei hun neu J E Daniel oedd yr unig rai ymhlith aelodau'r Pwyllgor oedd yn addas i lenwi'r swydd. Nid oedd Valentine yn gweld y mater yn ddigon pwysig i golli arweiniad clir y Llywydd, ac felly rhoddodd yntau gynnig gerbron yn gwrthod derbyn yr ymddiswyddiad, cynnig a gafodd ei eilio gan J P Davies a'i basio'n rhwydd.

Parhau i gorddi dan yr wyneb yr oedd mater y boicot, a chafwyd datganiad yn 1931 a oedd yn pwysleisio, er bod y blaid wedi newid polisi, nad oedd am ddilyn ôl traed ASau Cymru Fydd: "Ni dderbyn cynrychiolwyr y Blaid na swydd nac anrhydedd gan y Senedd Seisnig." Ymhen blynyddoedd wedyn daeth Valentine ei hun i amau doethineb y newid sydyn mewn polisi. Yn 1949, wedi darllen colofn Saunders Lewis yn *Y Faner*, dywed wrth D J Williams ei fod wedi ei gyffroi gan 'Gwrs y Byd' a bod angen i'r Blaid ailystyried ei pholisi etholiadol a "mynd yn ôl i'r polisi gwreiddiol o weithio yng Nghymru yn unig ynte?"[4] Hyd yn oed ymhen rhai degawdau wedyn ar ddiwedd y chwedegau, a'r Blaid wedi cael rhyw fesur o lwyddiant etholiadol, yr oedd yn dal i amau doethineb newid y polisi cyntaf:

> Ac mi fydda i'n dal i feddwl ambell waith tybed ai Saunders oedd yn iawn. Tybed a fyddai'n well inni fod wedi anwybyddu'r Senedd a gadael iddi wneud ei gwaethaf, a chanolbwyntio'n holl adnoddau

> ar ennill ein pobl ein hunain i gredu yng nghenedligrwydd Cymru? Wrth gwrs mae ymgyrch seneddol yn gyfle ardderchog i gyrraedd at bobl: ond mi fydda i'n parhau i betruso weithiau.[5]

Nid mynd i San Steffan neu beidio oedd yn bwysig i Valentine yn y pen draw, ond yn hytrach ymladd etholiadau ac ymgyrchu ar lawr gwlad a chynyddu ymwybyddiaeth pobl, oherwydd y "ddadl sylfaenol sy'n ennill pobl – eu cael nhw i sylweddoli mai Cymry ydyn nhw".[6] Y gamp fawr oedd cymell y Cymry i feddwl fel Cymry unwaith eto; pe llwyddid i wneud hynny fe ddeuai adferiad ysbrydol a gwleidyddol yn ei sgil.

Torrodd iechyd H R Jones, ac ychydig cyn Ysgol Haf Llanwrtyd bu farw, ac yntau ond yn 36 oed. Cynhaliwyd ei angladd ym mynwent Llanddeiniolen ym Mehefin 1930 gyda Valentine a J P Davies yn cymryd rhan yn y gwasanaeth. Er mai Saunders Lewis oedd wedi gosod sylfaen ideolegol y Blaid newydd yn y blynyddoedd cynnar, H R oedd wedi gwneud y gwaith caib a rhaw o osod sylfaen drefniadol. Er nad oedd y mwyaf ymarferol o ddynion – "breuddwydiwr"[7] oedd disgrifiad Kate Roberts ohono – roedd ganddo frwdfrydedd di-baid a thân yn ei fol i weithio dros Gymru, ac yn ôl Saunders Lewis ef oedd "y puraf ohonom".[8] Heb ei lythyru brwd â'r wasg, a'i ddyfalbarhad a'i ymdrechion diflino i greu mudiad a fyddai'n pledio achos Cymru'n wleidyddol, ni fyddai'r Blaid wedi dod i fodolaeth. Mewn teyrnged iddo yn *Y Ddraig Goch* dywedodd Valentine mai trwy'r trafaeliwr o Ddeiniolen "y rhoddwyd cyfeiriad newydd sbon i'm bywyd, a phrin y bu i mi awr anniddorol na diflas wedyn, o leiaf prin y cefais awr segur, canys nid oedd segurdod i neb a gydweithia â H R".[9]

Penodwyd J E Jones yn Ysgrifennydd Cenedlaethol y Blaid ar ôl marwolaeth H R. Hanai J E Jones o Felin y Wig, ac ymfalchïai fod ei ardal wedi chwarae rhan mor amlwg yn Rhyfel y Degwm. Graddiodd o Goleg Prifysgol Bangor lle bu'n aelod o Gymdeithas y Tair G. Meddai ar feddwl trefnus, ac yn fuan daeth yn ganolog i drefniadaeth gyfathrebu a gwybodaeth y Blaid ifanc.

Un o'r camau pwysicaf yn natblygiad y Blaid oedd sefydlu Pwyllgor

Bangor, neu'r Pwyllgor Bach. Saunders Lewis oedd yr arweinydd athronyddol heb os, ond aelodau'r Pwyllgor Bach oedd yn gwneud llawer o'r gwaith ymarferol allweddol o drefnu ymgyrchoedd a llunio propaganda'r mudiad; roedd o bwysigrwydd hanfodol i weithgaredd y Blaid, a gweithredai fel rhyw Uwch-bwyllgor Gwaith. Yr aelodau oedd J E Jones, J E Daniel, Ambrose Bebb a Valentine. Yn swyddogol, Bwrdd Golygyddol y *Ddraig Goch* oedd y pwyllgor, ac fe gyfrannai'r pedwar erthyglau rheolaidd i'r cylchgrawn ond, mewn gwirionedd, roeddent yn penderfynu ar lu o eitemau eraill yn cynnwys llunio rhaglen Ysgol Haf bob blwyddyn a phenderfynu ar y rhan fwyaf o ymgyrchoedd a gweithgareddau'r Blaid. Cyfarfyddai'r Pwyllgor Bach bob pythefnos ac weithiau'n amlach na hynny rhwng 1930 ac 1939. Amrywiai lleoliad y cyfarfodydd, o swyddfa J E yng Nghaernarfon i lety J E Daniel neu gartref Bebb ym Mangor.

Amhrisiadwy, yn ôl J E Jones, oedd y cyd-drafod cyson cyfeillgar rhwng y "Pedwar Llawen ffyddiog".[10] Darparai gyfle i raeadru syniadau a chael eglurder meddwl, yn ogystal â rhoi trefn ar y byd a'i bethau. Meddai J E:

> Bu'r Pwyllgor hwn yn amhrisiadwy i mi, ac i'r Blaid. Yr oedd yn fath o Bwyllgor Gweithredol... Caem drafodaeth rydd a chall a chlir ar bob pwnc, deuem i gytundeb, a byddai'n penderfyniadau yn arweiniad i waith y Blaid oll. Trafodem hefyd fras gynlluniau ymgyrchoedd a thacteg, megis yr ymgyrch yn erbyn yr Ysgol Fomio, a phob brwydr arall a ymladdem... Bu inni gyd-drafod antur Tŵr yr Eryr cyn y dydd, a thrafod y dulliau iddo gael yr effaith orau ar y cyhoedd.[11]

Ond ynghanol y bwrlwm gweithgaredd a'r *camaraderie* yr oedd yno lawer o dynnu coes hefyd. Cofiai J E Jones am "un tro gefn gaeaf cyfarfyddem yn llety Daniel yn Ffordd Farrar, Bangor lle'r oedd ef yn droednoeth o flaen y tân braf – am 'fod ei draed yn oer'; ni bu terfyn y pnawn hwnnw nac am fisoedd wedyn, ar gyfeiriadau gwamal Valentine at y traed noeth hynny a'u lliw a'u haroglau a'u cyrn."[12] Adroddodd Valentine hefyd am dro trwstan ar y ffordd i Ysgol Haf Llandysul ym modur J E Daniel:

> Y mae ef [J E Daniel] yn enwog, yn wir yn ddihareb bellach, am oriogrwydd ei beiriannau modur, a gwyn ei fyd y gŵr nad ymddiriedo ynddynt. Gŵyr pawb nad yw ei fodur fawr fwy na berfa, ond yn y ferfa honno mewn anialdir, rhyw wyth milltir o Aberystwyth, y gorfu i ni dreulio nos Sul. Cychwynasom o'r Gogledd am ddeg nos Sul er mwyn bod yn brydlon yn y Pwyllgor Gwaith fore dydd Llun, ond yn hwyr y prynhawn y cyraeddasom yno a rhyw berswadio'n gilydd yn ddewr mai profiad bendigedig oedd cysgu noson mewn berfa...[13]

Y tu allan i'w eglwys a'i deulu gweithgaredd y Blaid oedd pennaf ddiddordeb Valentine o hyd. Gweithiai'n ddiflino dros yr achos, ac nid oedd unman yn rhy bell iddo fynd i ledaenu'r neges. Yn 1931 roedd J E Daniel yn ymgeisydd ar gyfer sedd Caernarfon. Er nad oedd yn sefyll cyfrannodd Valentine lawer o'i amser i'r ymgyrch etholiadol. Bob dydd byddai J E Jones yn rhoi amlen i bob gweithiwr yn cynnwys ei ddyletswyddau am y dydd. Y drefn, yn ôl Valentine, oedd:

> ... un i wneud ugeiniau o bosteri yn hysbysebu cyfarfodydd, gyrru un arall ar daith trwy bentrefi Llŷn ac Eifionydd i logi ystafelloedd, un arall i ardaloedd y chwareli i annerch y di-waith... Erbyn hanner nos byddai'r siaradwyr olaf wedi dychwelyd i'r Swyddfa, ac yn arllwys y ceiniogau o'n pocedi, ceiniogau prin chwarelwyr Arfon i'n helpu yn y frwydr. Yna dechreuai'r cyfnewid profiadau a straeon a phytiau porffor o'n hareithiau. Erbyn rhyw ddau o'r gloch y bore, yr oedd y "nos dawch" olaf. Dyna raglen gyson bob dydd.[14]

Er gwaethaf y gwaith caled, dyddiau digymar oedd y rhain. Teimlai Valentine ei fod wedi cael braint bod yn rhan o'r criw bach ymroddgar a gychwynnodd y mudiad cenedlaethol modern. Wrth edrych yn ôl ar y cyfnod, barnai fod y Blaid "wedi bod yn fodd i fyw i mi, ac rwy'n diolch i Dduw bod y mudiad yma wedi codi yn fy amser i, ac imi gael cyfle i chwarae rhan ynddo. Bu'n gymdeithas llawn asbri, cyfeillgarwch ac ymddiriedaeth, a chynhyrchodd gymeriadau na fu mo'u tebyg".[15]

Cyffelybwyd dyddiau cynnar y Blaid Genedlaethol gan Valentine ar sawl achlysur i ddyddiau cynnar yr eglwys Gristnogol, gan sôn am y Blaid fel "pentecost o fudiad". Roedd yn gredwr mawr yng ngallu'r criw bach dethol i weithredu fel blaengad i ddangos y ffordd i relyw'r boblogaeth. Gwelai gyffelybiaeth rhwng ymdrech y Blaid ifanc ynghanol Prydeindod llethol Cymru'r tridegau a'r celloedd bach hynny o Gristnogion yr Eglwys Fore yn cynnal eu ffydd yng nghysgod grym byd-eang yr Ymerodraeth Rufeinig. Adlewyrchid hynny yn natur y mudiad ar y pryd ac, fel y sylwodd yr hanesydd Hywel Davies, yr oedd 'y Blaid bach' yn debycach i gorff o gredinwyr na mudiad politicaidd.[16]

Yn sicr, fel hyn y gwelai Valentine bethau. Nodwyd eisoes ei hoffter o gysyniad *koinõnia*, a ddefnyddiwyd gan yr Apostol Paul i ddisgrifio'r gydberthynas rhwng aelodau'r eglwysi Cristnogol cyntaf. Ddwywaith yn unig, meddai Valentine, y profodd ef y *koinõnia* ysbrydol hwn – unwaith yng nghymuned y Capel Bach yn Llanddulas ac yna yn rhengoedd y Blaid Genedlaethol. Mewn llythyr at O M Roberts yn hel atgofion am yr hen ddyddiau dywed "y bu raid i Paul fathu gair newydd spon i ddisgrifio llawenydd y gymdeithas Gristnogol gyntaf, a Coinônia oedd y gair hwnnw – yr wyf yn berffaith siŵr yn fy meddwl mai yn nyddiau cynnar y Blaid a'i chanolfan yng Nghaernarfon y profais i'r peth..."[17] Mae'r gair hwn yn un creiddiol i feddylfryd Valentine; nid yn unig o fewn cyd-destun penodol y Blaid a chymuned capel Llanddulas, ond hefyd yn y modd yr oedd ei grefydd a'i wleidyddiaeth yn adlewyrchu a chydblethu â'i gilydd. Mewn Groeg clasurol mae'n debyg mai ystyr *koinõnia* yw cymdeithas neu bartneriaeth, ac fe'i nodir tua deunaw o weithiau yn y Testament Newydd, ac mae ei ystyr yn ymestyn yn eang ar draws y cysyniad o gymuned Gristnogol. Yn gyffredinol gellir dweud ei fod yn cyfeirio at bobl o'r un ysbryd, yr un anian, yr un dyhead ac sy'n rhannu'r un nod. Sonnir am *koinõnia* sydd yn golygu rhannu cyfeillgarwch a rhannu ymarferol rhwng rhai sy'n llai ffodus. Mae yna hefyd *koinõnia* gyda Christ a chyda'r Ysbryd Glân, ac yn ei lythyr at y Philipiaid mae Paul hefyd yn cyfeirio at bartneriaeth yng ngwaith Crist, ac yn Effesiaid mae'n trafod *koinõnia* "yn y ffydd" lle nad yw'r unigolyn sy'n arddel y ffydd fyth ar ei ben ei hun; mae'n un o gwmni sy'n credu yr un fath ag ef.

Gwelir felly sut y gallai Valentine gyffelybu cwmnïaeth criw bach y Blaid i un o gelloedd yr Eglwys Fore. Yr oedd y cenedlaetholwyr yn gwmni o bobl o'r un anian oedd yn rhannu'r un syniadau, ac yn cynnal breichiau ei gilydd yn gymdeithasol ac yn wleidyddol wrth gyrchu at eu nod.

Y tu hwnt i'r gymhariaeth hon, serch hynny, mae arwyddocâd *koinõnia* yn ddyfnach na chydweithio cymdeithasol i Valentine, gan fod i gymdeithas y *koinõnia* ei dyletswyddau yn ogystal â'i breintiau. Nid oedd ei grefydd wedi ei hysgaru oddi wrth gyfrifoldebau a dyletswyddau bob dydd, ac yr oedd ei ffydd Gristnogol yn rhedeg fel llinyn arian trwy ei wleidyddiaeth, ond yn yr un modd yr oedd ei ddyletswydd a'i gyfrifoldeb tuag at ei Dduw yn golygu bod yn rhaid iddo ymhél â gwleidyddiaeth, a chydag achos tynged ei wlad yn benodol.

Wrth i'r ganrif fynd rhagddi, dyfnhau oedd argyfwng crefydd Anghydffurfiol Cymru. Yn rhifyn Mai-Mehefin 1930 o'r *Deyrnas* gwelir ei fod yn sylweddoli maint y broblem a oedd yn wynebu Anghydffurfiaeth yn sgil dirywiad parhaus. Un peth, fodd bynnag, oedd dadansoddi'r broblem, peth arall oedd canfod atebion: "Ni fu pregethu erioed yn effeithio cyn lleied ar ein gwrandawyr, a rhoddi cyfrif am hyn sydd dasg rhy anodd i ni. Mi rown lawer am gael gwybod paham y mae pregethu Cymru, ac yntau yn bregethu mor wych a grymus yn cario cyn lleied o effaith ar y gwrandawyr..."[18] Er hyn yr oedd Valentine yn grediniol bellach mai pregethu ddylai fod yn ganolog i'r gwasanaeth crefyddol yn y capeli, oherwydd "daliwn i gredu mai prif beth y gwasanaeth ddylai fod y pregethu, ac edrychwn at adfer pregethu'r Gair i'w urddas cynhenid. Dyma'r peth ffyndamental wedi'r cwbwl".[19] Dywed fod llawer o sôn a siarad am yr hyn a gollodd yr eglwys Gristnogol, ond i Valentine y "peth mawr a gollodd ydyw ffydd ym mhregethu'r Gair. Dyma i'n tyb ni, sacrament fawr yr eglwys".[20] I Valentine elfen hanfodol addoliad, "ffordd ffydd", oedd pregethu, ac arhosodd y gred hon yn ddi-sigl ganddo trwy gydol gweddill ei weinidogaeth.

Ym Mawrth 1936 ac yntau wedi bod yn weinidog ers pymtheg mlynedd ac yn pregethu ers dros ugain mlynedd, cyfaddefodd iddo weld dirywiad mawr ym mywyd yr eglwysi yn y cyfnod hwnnw: "Yr wyf yn drist," meddai, "pan gofiaf fel y ciliodd afiaith a hyfrydwch addoli o'n mysg, a phan welaf y cynulleidfaoedd yn lleihau o flwyddyn i flwyddyn."[21] Ar fore Sul dim ond traean o'r gynulleidfa a fu oedd yn bresennol yn y gwasanaeth. Beth oedd i gyfrif am hyn felly? Yn sicr yr oedd y radio a'r papurau Sul yn chwarae eu rhan ond i Valentine yr oedd llawer o gyfrifoldeb ar aelodau'r capeli am y sefyllfa; a thestun rhwystredigaeth i ddod oedd "syrthni ac ysbryd digyfrifoldeb aelodau eglwysig".[22]

Tueddai rhai Anghydffurfwyr i hiraethu am oes aur y diwygiadau, a breuddwydio am ddigwyddiad dramatig cyffelyb i aileni Cristnogaeth yng Nghymru. Ofer oedd hynny yn ôl Valentine, oherwydd "ffolineb ydyw gweddio a dymuno diwygiad tebyg i ddiwygiadau y gorffennol… Peidiwn â disgwyl diwygiadau fel y diwygiadau hynny. Nid ydyw Duw byth yn ei ailadrodd ei hun, ac nid gofynion y dyddiau hynny ydyw gofynion ein dyddiau ni heddiw – y mae ein byd ni yn wahanol iawn i fyd 1859 a 1904".[23] Ymhellach, meddai, gan gystwyo diymadferthedd yr aelodau: "Credwn mai o fewn yr eglwys ei hun y mae'n rhaid i'r diwygiad gychwyn. Rhaid i bob aelod aneffeithiol ddod yn aelod effeithiol."[24]

O bosibl mewn ymateb i'r argyfwng hwn, rywbryd ar ddechrau'r tridegau, rhwng achos Tom Nefyn yn 1928 ac 1933, gwelir newid pwyslais diwinyddol gan Valentine. Lleihau y mae'r pregethu am yr efengyl gymdeithasol, ac yn lle hynny daw mwy o bwyslais ar athrawiaeth draddodiadol a lle canolog pregethu Gair Duw yn y weithred o addoli. Bellach teimlid nad oedd yr efengyl gymdeithasol yn ddigon ar ei phen ei hun; rhaid oedd cael sylfaen ddiwinyddol gadarn i fywyd yr Eglwys Gristnogol yng Nghymru. Adlewyrchiad yw hyn o symudiad cyffredinol a welwyd ymysg rhai o ddiwinyddion Protestannaidd amlycaf Ewrop tuag at syniadau a gafodd eu labelu wedyn fel Cristnogaeth neo-uniongred. Cysylltwyd y syniadau hyn yn fwyaf arbennig â dynion fel Karl Barth ac Emil Brunner o'r Swistir a Reinhold Niebhur o'r America. Daeth Valentine dan ddylanwad Barth a Niebhur yn y tridegau, ond mae'n debyg mai yr un a ddylanwadodd fwyaf arno oedd Emil Brunner.

Datblygodd neo-uniongrededd ar y cyfandir ar ôl y Rhyfel Mawr fel mynegiant o wrthwynebiad i brif ddaliadau Protestaniaeth ryddfrydol y cyfnod. Nod diwinyddion fel Barth a Brunner oedd gosod Crist yn ôl yng nghanol y ffydd Gristnogol, a dadlau nad oedd dynoliaeth wedi'i thynghedu i gynnydd a gwelliant anorfod. Dadleuai Brunner, er enghraifft, yn erbyn y portread rhyddfrydol ffasiynol o Iesu Grist fel dyn da yn unig; yn hytrach mynnai mai Ymgnawdoliad o Dduw oedd Iesu a bod hynny'n ganolog i achubiaeth y Cristion. Er bod amrywiaeth barn a safbwyntiau ymysg diwinyddion neo-uniongred, mae yna rai nodweddion pendant sy'n gyffredin rhyngddynt. Rhoddir pwyslais o'r newydd ar Dduw yn ei ddatguddio ei hun trwy'r Ysgrythurau a'r Ymgnawdoliad, a hefyd pwysigrwydd trosgynoldeb Duw. Credai Barth fod gormod o bwyslais wedi'i roi ar fewnfodaeth Duw, sef bod Duw yn trigo y tu mewn i bob unigolyn, a bod hynny wedi arwain pobl i greu Duw ar eu delw eu hunain, ond mewn gwirionedd meddai, yr oedd yna wahaniaeth hanfodol rhwng y dynol a'r dwyfol. Gwnaeth y diwinyddion hyn ddefnydd o syniadau dirfodol hefyd, yn enwedig dirfodaeth Gristnogol yr athronydd Søren Kierkegaard o Ddenmarc, un arall a fu'n drwm ei ddylanwad ar Valentine.

Daeth bri ar ddarllen Kierkegaard yn y tridegau pan welwyd cyhoeddi cyfieithiad poblogaidd Saesneg o'i ddyddlyfrau ysgytwol am y tro cyntaf. Bu Kierkegaard yn feirniadol iawn o sefydliad Cristnogol rhyddfrydol ei famwlad a'r ymdrechion i 'resymoli' Cristnogaeth. Mynnodd yn hytrach fod Cristnogaeth yn cyflwyno dewisiadau paradocsaidd i'r unigolyn, a oedd ar un lefel yn abswrd. O ganlyniad, nid penderfyniad rhesymegol oedd dod yn Gristion i Kierkegaard, ond naid ffydd i'r tywyllwch. Er bod diwinyddion fel Barth a Brunner yn wrthwynebus i ryddfrydiaeth Gristnogol nid oeddent yn ffwndamentalwyr o bell ffordd. Darlunnir hynny gan ddehongliad Barth o'r Beibl. Ar y naill law, gwrthododd y gred ffwndamentalaidd fod y Beibl i gyd yn wir ac yn anffaeledig, ond, ar y llaw arall, dadleuodd yn erbyn y gred, boblogaidd ar y pryd, y gellid adnabod mawredd natur "arall" trosgynnol Duw trwy astudio'r Ysgrythurau gan ddefnyddio arfau dysg ac ysgolheictod Feiblaidd. Y Beibl oedd y man allweddol lle datgelwyd Gair Duw i ddynoliaeth, ond yr oedd angen naid ddirfodol o ffydd gan yr unigolyn er mwyn bod yn agored i glywed y Gair.

Cafwyd pwyslais hefyd ar natur bechadurus dynoliaeth. Canlyniad uniongyrchol i erchyllterau'r Rhyfel Byd Cyntaf oedd hyn, gan fod y gyflafan honno wedi dryllio am byth unrhyw syniad o gynnydd dynol anorfod, sef bod pobl dda a chymdeithasau gwell yn sicr o esblygu ymhen amser. Er bod hon yn agwedd besimistaidd am y natur ddynol, fe fu amryw o Gristnogion a arddelai'r syniadau hyn yn weithgar iawn yn wleidyddol, yn enwedig yn yr Almaen lle bu'r Eglwys Gyffesiadol yn gwrthdystio yn erbyn Llywodraeth Natsïaidd Hitler. Karl Barth, ynghyd â Christnogion Protestannaidd amlwg eraill megis Dietrich Bonhoeffer a Martin Niemöller, oedd un o arweinwyr yr Eglwys Gyffesiadol a chyd-awdur Datganiad Barmen yn 1934. Yn y Datganiad enwog tystiolaethwyd yn gryf yn erbyn dylanwad y wladwriaeth Natsïaidd ar Gristnogaeth yr Almaen, gan ddatgan mai eiddo Crist yn unig yw'r eglwys, a dylai ymwrthod â phob dysgeidiaeth dwyllodrus sy'n mynnu bod yna ddigwyddiadau, grymoedd, ffigyrau a gwirioneddau hanesyddol eraill yn arwyddion o ddatguddiad Duw yn ogystal â'r Gair. Wrth i ormes Hitler gynyddu dros y blynyddoedd nesaf byddai Valentine yn datgan ei edmygedd o "safiad durol... Cristionogion o'r Eglwys Gyffesiadol, yn erbyn paganiaeth erchyll Natsïaeth".[25] Alltudiwyd Barth, carcharwyd Niemöller, a dienyddiwyd Bonhoeffer oherwydd eu gwrthwynebiad i'r gyfundrefn Natsïaidd.

Hawdd gweld apêl y diwinyddion hyn i Valentine, gan eu bod yn cynnig gwaelod syniadol a dehongliad oedd yn cyfateb i brofiadau a byd-olwg y Cristion a'r cenedlaetholwr Cymraeg. Bu'n ddarllenwr brwd o waith Reinhold Niebhur hefyd. Mewn gweithiau fel ei lyfr enwog *Moral Man and Immoral Society* dadleuai'r Americanwr hwnnw waeth pa mor foesol bynnag oedd y dyn unigol, oherwydd natur syrthiedig Dynoliaeth, a chan na allai grym a phŵer fod yn foesol, yr oedd yn anorfod y byddai cymdeithas yn anfoesol. Mae'n debyg y gallai Valentine uniaethu â theimladau Niebhur wrth ei weld ei hun yn y canol rhwng yr eglwysi hunangyfiawn nad oeddent am faeddu eu dwylo drwy weithredu'n wleidyddol ar y naill law, a Christnogion mwy rhyddfrydol ar y llaw arall â'u gobaith y byddai popeth yn iawn yn y diwedd. Nid oedd gweddïau, addoli a myfyrio ynddynt eu hunain yn ddigon i achub cymdeithas. I Niebhur, ac unwaith eto gellir synhwyro sut y byddai hynny'n taro tant gyda Valentine, nid diben pregethu oedd cysuro'r cadwedig, ond yn hytrach ceisio deffro Cristnogion i weithredu yn enw teyrnas Dduw. Nid syndod felly i'r syniadau hyn apelio at Valentine, a oedd yn amheus o bwyslais rhai Cristnogion ar achub eneidiau unigol a'r ffocws gormodol ar unigolyddiaeth. Nid oedd achub un pechadur yn ddigon ynddo'i hun; yr oedd yn rhaid achub y gymdeithas gyfan, ac yng nghyswllt Valentine, Cymru oedd y gymdeithas yr oedd angen ei hachub.

Un peth oedd yn gyffredin yn y diwinyddion hyn oedd eu bod yn cynnig *critique* ar yr oes fodern. I'r graddau hynny gellid cytuno â'r ysgolheigion hynny sy'n dadlau mai rôl dysgeidiaeth uniongred a thraddodiadol yr eglwys Gristnogol erioed fu cynnig beirniadaeth ar "foderniaeth", gan ddatgelu'r hyn a gafodd ei anghofio, ei blismona neu ei atal gan y byd modern.[26] Diau fod hynny'n wir yn achos Valentine hefyd. Pechod mwyaf yr oes oedd rhyfeloedd y "juggernaut filwrol". Canlyniad anorfod dynion yn troi eu cefnau ar Dduw oedd y drwg a ryddheir gan ryfel, ac nid oedd anfadwaith mwy na hynny. Roedd yn feirniadol o holl agweddau'r byd modern, serch hynny – masnacheiddio parhaus, dibrisio'r grefydd Gristnogol, y cynnydd mewn defnydd o iaith sathredig, ac adloniant bas proletaraidd – y rhain oedd duwiau'r baganiaeth newydd a apeliai at y gwaethaf mewn pobl, yn cynnig boddhad materol a chorfforol o flaen yr ysbrydol. Yma hefyd gellir olrhain dylanwad ac apêl syniadau Saunders Lewis, gan ei fod yntau hefyd yn beirniadu Moderniaeth yn ddeifiol yn ei waith o safbwynt Cymreig a Christnogol – er mai gogwydd Pabyddol a gaed ganddo.

Yr oedd gan Valentine syniadau creiddiol am Gymru ac Efengyl Crist ond o fewn ac o gwmpas y syniadau hynny fe allai fod yn hyblyg.

Felly roedd ei gredo yn un a berthynai i Gristion uniongred nad oedd yn ffwndamentalydd neu'n llythrenolwr – roedd gormod o'r ysgolhaig ynddo i hynny. Wedi dweud hynny, camgymeriad fyddai meddwl am ei ddiwinyddiaeth fel athrawiaeth ddiwyro. Eclectig yn hytrach na systematig ydoedd, gan deilwrio a chymhwyso ffrwyth syniadau diwinyddion ac athronwyr yn ei ddarllen eang i'w safbwyntiau pendant ei hun. Ac roedd lle i ddynion mor amrywiol â Brunner, Kierkegaard, Thomas à Kempis, Morgan Llwyd a Saunders Lewis yn ei syniadaeth.

O ystyried cred Valentine yn yr angen am ddiwinyddiaeth braff i roi sylfaen i ffydd y Cristion, mae'n ddiddorol nodi mai un o brif ladmeryddion syniadau diwinyddion fel Barth yng Nghymru yn ystod y cyfnod hwn oedd J E Daniel.[27] Gan fod Valentine a Daniel, fel cyd-aelodau o Bwyllgor Bangor y Blaid, mewn cyswllt agos â'i gilydd o leiaf bob pythefnos, mae'n anodd credu na wnaethant drafod a thafoli'r pynciau diwinyddol llosg yna â'i gilydd. Daniel, ym marn Valentine, oedd "diwinydd disgleiriaf Cymru o ddigon, ac y mae'n diwinyddion ni'n brin iawn".[28] Cam rhy fawr, efallai, fyddai mynd mor bell â haeru fod y naill wedi dylanwadu ar ddiwinyddiaeth y llall, ond fe ellir olrhain y newid pwyslais yn syniadau diwinyddol Valentine i'r cyfnod hwn.

Er gwaethaf yr argraff ddofn a wnaeth datblygiadau diwinyddiaeth y cyfnod ar Valentine, yr oedd llyfrau mawr y Beibl yn ddylanwad cyn bwysiced os nad pwysicach arno, yn enwedig proffwydi'r Hen Destament a'u pwyslais ar y dyletswydd i gyhoeddi i'r bobl, "yn ysbryd Amos ac Eseia a Jeremeia 'holl gyngor Duw', costied a gostio".[29] Mewn llythyr at D J Williams cyfaddefodd: "Rhwng Niebhur a Kierkegaard, fy meunyddiol gymheiriaid ers wythnosau... siawns na ddeuaf yn ŵr doeth. Ac eto y mae'n dda gennyf yn aml gael troi at Eseia neu Ieremeia oddi wrthynt ar adegau."[30]

Gwelai ei hun yn llinach y proffwydi hyn, a rhoddai werth mawr ar "weinidogaeth broffwydol". Dyletswydd gweinidogaeth o'r fath oedd cyhoeddi meddwl Crist ar bynciau llosg yr oes fel rhyfel a pharatoadau am ryfel, diffyg gwaith a diweithdra, "a phob rhyw ormes sy'n cyfyngu ar ryddid a llawenydd dyn".[31] Nid swydd y gweinidog oedd cynnig crefydd swcwr a chysur meddal i'w gynulleidfa a "dywedyd pethau bach neis ac esmwyth – dywedyd pethau y gallant heb ddim ymdrech meddwl ac enaid eu derbyn a chytuno â hwynt". Proffwyd oedd y gweinidog ac o'r herwydd "profocio a chynhyrfu a chythruddo dynion ydyw swydd proffwyd, nid eu hanwesu a'u maldodi".[32]

Nid oedd tuedd yr ysgolhaig yn Valentine wedi diflannu'n llwyr ychwaith, er gwaethaf pregethu tanbaid ei weinidogaeth broffwydol a'i genhadu eirias ar ran y Blaid. Diau ei fod yn rhwystredig ar adegau mewn gofalaeth capel, gan fod ganddo reddf ysgolheigaidd ac ymddiddorai'n fawr mewn Hebraeg. Hoffai ymweld yn rheolaidd â'r Synagog yn Llandudno; yn wir roedd yn gyfeillgar gyda pherchennog Iddewig siop emwaith Wartski's yn y dref. Cyfrannodd ysgrif ar lyfr Job i'r *Geiriadur Beiblaidd* yn 1926, a bu'n gweithio yn y tridegau ar gyfieithiad o ddetholiad o'r Salmau a gyhoeddwyd gan Wasg Ilston yn 1936.

Dywedodd unwaith wrth gyfaill mai yn ei farn ef "y darn mwyaf godidog o farddoniaeth yn y byd oedd y drydedd salm ar hugain mewn Hebraeg".[33] Diddorol, felly, yw sylwi ar rai o nodweddion cyfieithiad Valentine ohoni yn y gyfrol. Nid oes, er enghraifft, gyfeiriad yn ei gyfieithiad at Glyn Cysgod Angau. Yn hytrach mae'r Salm yn darllen:

> A phe rhodiwn ar hyd geunant tywyll du
> nid ofnaf ddim niwed; canys yr wyt ti gyda mi.[34]

Y rheswm am y cyfieithiad gwahanol oedd mai'r hyn a gaed gan y Salmydd, yn ôl Valentine, oedd "disgrifiad byw o fynydd-dir Iwdea, sydd yn frith o geunentydd caddugl yd a'u mynych oglau sy'n lloches lladron ac anifeiliaid gwylltion".

Nid "gwialen" ychwaith ond "Dy bastwn a'th ffon Di yw fy nghysur" … a'r rheswm am hyn yn ôl y cyfieithydd oedd nad "y bugeilffon ond y pastwn a garia'r Arglwydd fel arf amddiffyn, a'r ffon sydd ganddo i bwyso arni a hybu ei gerddediad". Gwahanol hefyd yw'r pwyslais a roddir ar linellau olaf y Salm.

Yn ddiau y mae daioni a chariad
Yn erlid ar fy ôl holl ddyddiau fy mywyd.

Mae'r uchod yn ddehongliad gwahanol ac iddo arwyddocâd diwinyddol cryfach na'r cyfieithiad traddodiadol o "ddaioni a thrugaredd yn ddiau a'm canlynant holl ddyddiau fy mywyd". Nid dilyn yn llipa a goddefol y mae "daioni a chariad", ond yn hytrach grymoedd gweithredol ydynt, sy'n "erlid" yr unigolyn trwy ei fywyd.

Er mai ar gyfer yr Ysgol Sul y bwriadwyd y gyfrol, mae ysgolheictod Valentine yn amlwg yn y rhagair gwybodus a'r nodiadau cefndir. Er hynny, wrth edrych yn ôl ar y gyfrol mewn darlith radio ar "Y Salmau – Emynau Israel" a ddarlledwyd yn 1967, dywedodd mai "ychydig o newid a fuaswn yn ei wneud ar y cyfieithiadau, ond am y Rhagymadrodd buaswn yn ei ailwampio'n llwyr".[35] Mae'n debyg mai'r rheswm am hyn yw'r newid meddwl a fu rhwng y 1920au a'r 1960au ymysg ysgolheigion, gyda'r pwyslais yn symud o natur unigolyddol y Salmau i'r farn mai darnau cynulleidfaol oeddent i'w llafarganu gan gynulleidfaoedd.

Er nad oedd yn esgeuluso ei eglwys na'i enwad, y Blaid Genedlaethol oedd yn dal i fynd â llawer iawn o amser ac egni Valentine. Daliai i annerch ac ymgyrchu'n selog ar ei rhan, a daliai i fynychu cyfarfodydd y Pwyllgor Bach ym Mangor. Er na safodd fel ymgeisydd seneddol ar ôl 1929, bu Valentine yn Is-lywydd y Blaid Genedlaethol rhwng 1935 a 1938.

Cawn gip ar ei syniadau gwleidyddol yn ystod y cyfnod hwn mewn araith a draddodwyd ganddo yn Neuadd y Graig, Llandudno, yn ystod Ysgol Haf y Blaid yn 1934. Mewn neuadd orlawn a Dyfnallt yn llywyddu, dechreuodd Valentine trwy ddweud mai'r tri pheth a oedd yn ceisio ennill dynion y dyddiau hyn oedd Comiwnyddiaeth, Ffasgaeth a Chenedlaetholdeb. Dros yr olaf yr oedd y Blaid, meddai, "a thros yr agwedd boliticaidd i genedlaetholdeb. Yr ydym yn wleidyddol heb wrid o gywilydd. Y mae ein cenedl heddiw ar drengi, a'i hun troed yn y bedd, ac ni allwn ni fforddio ein cyfyngu ein hunain i genedlaetholdeb diwylliant yn unig".[36] Er bod y Blaid wedi ei sefydlu ers naw mlynedd talcen caled o hyd oedd cael y Cymry Cymraeg i feddwl am eu hunaniaeth mewn ffordd wleidyddol ac nid diwylliannol yn unig.

Ym marn Valentine dwy blaid oedd â dyfodol yn y Gymru gyfoes, sef y Comiwnyddion – "di-dduw, di-Grist a diystyr ac yn hollol groes i draddodiadau Cymru"[37] a'r Blaid Genedlaethol, mudiad oedd yn sefyll dros "fywyd ac aberth ac yn unol â phethau gorau ein traddodiad".[38] Yn ystod ei araith mae'n amddiffyn y Blaid rhag cyhuddiadau'r Chwith "nad cenedlaetholdeb sydd eisiau ar y byd, ond cyd-genedlaetholdeb".[39] Nid oes fawr o amynedd gan Valentine â safbwyntiau o'r fath, ac wrth ateb y cyhuddiad mae'n adleisio ei arwr Emrys ap Iwan: "Gair arall ac esgus yw hyn yng Nghymru am Seisnigrwydd a Saisaddoliaeth. Ni cheir cyd-genedlaetholdeb yn Ewrop tra bo un genedl tan ormes cenedl arall." I Valentine yr oedd ei Gristnogaeth yn wrthglawdd cadarn rhag i'w wladgarwch ddisgyn i fagl hiliaeth neu Ffasgaeth. Fel gweinidog yr Efengyl dywed Valentine mai peth cynnes, ysbrydol a Christnogol oedd cenedlaetholdeb Cymru. Y gwrthwyneb i genedlaetholdeb haerodd, oedd imperialaeth, ac imperialaeth y gwledydd mawr oedd y tu cefn i'r argyfwng cyfoes yn Ewrop.

(Rhoddodd Valentine fwy o gnawd ar esgyrn y syniadau hyn mewn erthygl olygyddol yn *Seren Gomer* yn 1953 pan ddywed ei fod o'r farn mai rhywbeth newydd yw "cenedlaetholdeb" yn hanes diweddar Ewrop, gan fynd ymlaen i wrthgyferbynnu natur "egwyddor ysbrydol" y cysyniad newydd a ddaeth i gystadlu ag egwyddor "sydd yn ddigon tebyg iddi", sef imperialaeth. Egwyddor cwbl groes i genedlaetholdeb yw imperialaeth, gan fod ei phwyslais i'r gwrthwyneb yn hollol i genedlaetholdeb am ei bod yn rhoi bri ar bethau "materol ac anfoesol".[40])

Nid oes fawr o fanylion polisïau nac ystadegau yn ei araith. Mae'n crybwyll addysg gan ddatgan mai "peth salaf Cymru yw ei haddysg a'i hysgolion", ac mae'n mentro cynnig beirniadaeth economaidd o bolisi Llywodraeth Lloegr gan nodi bod diwydiant amaeth Cymru yn dirywio a chefn gwlad yn diboblogi, tra bo hanner can mil o bobl ym Morgannwg heb obaith o gael gwaith. Ond nid manylion polisi a beirniadaeth economaidd oedd ei fyd; cyfrifoldeb moesol oedd ganddo tuag at Gymru ac i'r diben hwnnw cyhuddodd "Loegr a'i chyfundrefn o anfoesoli Cymru". Nid ar sail cymdeithasol neu economaidd yr oedd Valentine yn pledio achos hunanlywodraeth i Gymru, ond yn syml am mai dyna oedd y peth iawn i'w wneud. Nid ar sail hunan-les y seiliai ei apêl i'r Cymry fynnu eu rhyddid, ond ar sail moesol ac ysbrydol. Dyletswydd moesol y Cymry oedd mynnu bod yn genedl gyflawn a rhydd, waeth beth fyddai'r gost economaidd:

> A fedrwn ni fforddio bod yn rhydd? Dyna gwestiwn a ofynnir yn aml. Cwestiwn y taeog yw hwn. Buasai'n well i ni fod yn rhydd pe bai'n costio llawer... Y ffaith yw na allwn ni fforddio dim arall. Yr ydym am ryddid i drefnu ein bywyd, ein haddysg, ein hamaethyddiaeth – ac os bydd rhaid – ein llynges a byddin.[41]

Rhoddir cip arall ar weledigaeth Valentine yn y cyfnod gan erthygl a ymddangosodd yng nghyfnodolyn y Bedyddwyr Cymraeg, *Seren Gomer*, ym Mai 1936 o dan y teitl 'Cymru fel y Carem iddi fod'. Ynddi amlinellir ganddo ddarlun iwtopaidd o'r Gymru Gymraeg Gristnogol. Mae ôl dylanwad Emrys ap Iwan yn gryf iawn ar fyrdwn y dadleuon, ac mae yma adlais o erthyglau Emrys yn *Y Geninen*. O dan bedwar pennawd mae Valentine yn trafod sut le y gallai Cymru fod pe bai ei freuddwydion gwleidyddol a chrefyddol yn cael eu gwireddu. Yn gyntaf, dywed y "byddai gan Gymru rydd a Chymraeg amgenach cyfundrefn addysg nag sydd ganddi yn awr".[42] Yr oedd y system addysg, meddai, yn cymell plant Cymru i wadu eu hawliau a'u cyfrifoldeb, ac i wadu "sancteiddrwydd eu cenedl".[43] Haera Valentine mai cam bychan sydd o hynny i wadu Duw a Christ a chrefydd. Dyletswydd Gristnogol oedd rhyddhau plant Cymru o hualau cyfundrefn addysg estron ac anysbrydol.

Ail bennawd yr erthygl yw'r gosodiad y "byddai Cymru rydd a Chymraeg yn fwy moesol".[44] Dadleuir nad yw gwlad gaeth byth yn uchel ei moesoldeb, oherwydd gwlad ddigyfrifoldeb yw hi, sy'n gadael y penderfyniadau anodd i'r wladwriaeth sy'n ei rheoli: "Yr ydym," meddai, "yn hen gynefin â chlywed mai Cymru ydyw'r wlad fwyaf pwdr ei llywodraeth leol ym Mhrydain… Ac ni wrthbrofwyd eu cyhuddiadau."[45] Mae'r esboniad am y cyflwr adfydus eisoes wedi'i roi gan Emrys ap Iwan – mae tueddiad ymysg rhai Cymry i fod yn gelwyddog am eu bod yn llwfr. Maent yn llwfr am eu bod wedi bod o dan ormes Lloegr ers canrifoedd, ac "mae pob cenedl yn chwanocach i ddywedyd celwydd na chenedl rydd ac annibynnol".[46]

Fel sawl idealydd iwtopaidd o'i flaen mae'n darlunio'r Gymru ddelfrydol fel gwlad *pastoral.* Dywed y "byddai Cymru rydd a Chymraeg yn fwy dedwydd",[47] a'r ateb i broblemau enbyd diweithdra'r cyfnod yw ailorseddu amaethyddiaeth yn brif ddiwydiant y wlad, a thyddynwyr fyddai asgwrn cefn y gymdeithas waraidd hon.

Yn olaf, ond nid yn annisgwyl, haera Valentine y "byddai Cymru rydd a Chymraeg yn fwy crefyddol".[48] Dywed fod problem iaith yn llesteirio llawer ar grefydd yng Nghymru. Thâl hi ddim i'r Cymry fynd i lawr llwybr dwyieithrwydd, "canys ni all cenedl mwy na dyn wasanaethu dau arglwydd – ni all fynegi yr ysbryd sydd ynddi mewn dwy iaith, ni all ymhél â dau ddiwylliant". Dyfynnir Emrys ap Iwan unwaith eto i ategu'r pwynt, gan ddadlau ei bod yn haws i genedl rydd gael hyd i'w Duw na chenedl sy'n gaeth.

Os oedd y tridegau yn gyfnod anodd i'r enwadau Anghydffurfiol yng Nghymru, nid oedd y cyfnod yn cynnig llawer o gysur i'r mudiad cenedlaethol ychwaith. Oherwydd er gwaethaf bwrlwm cymdeithasol a deallusol yr ysgolion haf a chwmnïaeth gynnes aelodau'r Blaid Genedlaethol, hyd yn oed mor gynnar ag 1930 roedd rhwystredigaeth ar gynnydd ymysg yr arweinwyr. Er newid y polisi o foicotio'r Senedd yn San Steffan ni chafwyd unrhyw lwyddiant mawr mewn etholiadau na llawer o gynnydd ar y llwyfan gwleidyddol. Darlunnir y symud ymlaen poenus o araf yma gan bleidlais y Blaid mewn etholiadau cyffredinol yn sedd Sir Gaernarfon. Yn 1929, pan fu Valentine yn ymgeisydd, enillwyd 609 pleidlais (1.6% o'r fôt), a dwy flynedd wedi hynny, yn 1931, pleidleisiodd 1,136 (3.0%) o etholwyr i J E Daniel. Hyd yn oed erbyn 1935, cwta 2,534 (6.9%) o bobl a bleidleisiodd i'r Blaid yn yr etholaeth. Cafwyd gwell llwyddiant pan safodd Saunders Lewis am y tro cyntaf ar gyfer etholiad sedd Prifysgol Cymru yn 1931. Er mai ond 914 o bleidleisiau a gafodd yr oedd y ganran yn cyfateb i 26% o'r bleidlais. Er hynny llwyddodd Ernest Evans y Rhyddfrydwr i ennill y sedd yn hawdd gyda 2,229 o bleidleisiau. Diau ei bod yn ergyd i forâl amryw o'r aelodau i sylweddoli mai wrth odre'r mynydd yr oedd y mudiad o hyd, a bod dringfa serth yn dal o'u blaenau. Er gwaethaf yr asbri a'r gwmnïaeth agos fe sylweddolai rhai o'r selogion nad ar chwarae bach yr oedd cael y maen i'r wal. Mor gynnar ag 1930 ysgrifennodd D J Williams at Valentine yn mynegi ei farn: "Ni wna Ysgol Haf unwaith y flwyddyn boed cystal ag y bo, byth argyhoeddi gwlad."[49]

Wrth i rwystredigaeth gynyddu yn y rhengoedd, penderfynodd Pwyllgor Bangor fod angen i'r Blaid ddangos ei bodolaeth mewn ffordd fwy gweladwy a dramatig. Daeth cyfle i wneud eu marc pan wrthododd y *Ministry of Works* hedfan baner y Ddraig Goch yn gyfochrog – neu'n uwch – â Jac yr Undeb ar Ddydd Gŵyl Ddewi, 1932. Penderfynwyd gweithredu'n uniongyrchol i dynnu sylw at yr anghyfiawnder. Trefnwyd bod pedwar o aelodau'r Blaid (J E Jones, W R P George, E V Stanley Jones a Wil Roberts) yn dringo Tŵr yr Eryr yng Nghastell Caernarfon a thynnu baner Jac yr Undeb i lawr a chodi'r Ddraig Goch yn ei lle, gan staplu'r rhaffau wrth y polyn. Yr oedd y Pwyllgor Bach wedi trafod a pharatoi'n fanwl, ac aeth J E â rycsac a morthwyl a staplau gydag ef. Safodd y pedwarawd ar risiau cul y tŵr er mwyn atal swyddogion y castell rhag dod i fyny i dynnu'r faner i lawr. Ymhen hanner awr cyrhaeddodd yr heddlu, a chymerwyd enwau'r gweithredwyr ac adfeddiannwyd Jac yr Undeb gan swyddogion y Goron. Yn y prynhawn daeth criw o goleg Bangor i'r castell dan arweiniad R E Jones, Llanrwst, a thalwyd tâl mynediad i fynd i mewn i'r castell. Llwyddwyd i gael i mewn i'r tŵr trwy wasgu trwy hollt saethu yn y mur a bachu baner yr undeb. Methwyd â llosgi'r faner, felly penderfynwyd ei rhwygo'n ddarnau mân. Yn 1933 cafwyd seremoni ffurfiol yng nghastell Caernarfon lle codwyd y Ddraig Goch ar bolyn wrth ymyl Jac yr Undeb gan neb llai na Lloyd George ei hun. Dangosodd gweithred Tŵr yr Eryr, o'i threfnu'n iawn, fod modd i ddulliau anghyfansoddiadol lwyddo.

Wedi hyn, daeth yn eglur bod ymdeimlad ymysg aelodau ifanc a rhai o arweinwyr y Blaid fod angen defnyddio dulliau mwy anghonfensiynol. Ymysg y rhai mwyaf brwd i weld symudiad o'r fath tuag at weithredu uniongyrchol gan y Blaid oedd Valentine. Yn ei adroddiad o'r Ysgol Haf yn y *Ddraig Goch* ym Medi 1933, wrth weld ymateb yr aelodau i siaradwr o Iwerddon, dywedodd Valentine mai "gwych oedd gweld ysbryd gwrthryfel ymysg llu o'r aelodau. Nid ysbryd gwrthryfel anystyriol a feddyliwn, ond ymdeimlad fod yn rhaid gwneud rhywbeth mwy na dadlau'n glên â phobl, ac annerch cyfarfodydd a gwerthu'r *Ddraig Goch*. Y mae 'gwych annoethineb' yn dyfod i nodweddu nifer o aelodau'r Blaid, ac awydd i wrthsefyll y dinistrio sydd ar wareiddiad Cymru drwy ddulliau eraill."[50]

Cyn hir deuai cyfle iddo droi'r dyheadau am "wych annoethineb" yn weithredoedd.

Pennod 12

Bedydd Tân

We have talked long enough, the time has come to do something, and if our bodies are broken or our lives forfeit what will it matter if the end is achieved...

"Mr X", dyfynnwyd yn y *Western Mail*, 31 Rhagfyr 1935

Blynyddoedd anodd fu dechrau'r tridegau i'r Blaid Genedlaethol. Yn groes i obeithion yr arweinwyr ni welwyd twf sydyn nac ymchwydd o wladgarwch Cymreig. Yn wahanol i wledydd bach eraill fel Iwerddon a Tsiecoslofacia ni welwyd blodeuo cenedlaetholdeb gwleidyddol. Er bod llawer o ddeallusion Cymraeg mwyaf disglair eu cenhedlaeth wedi eu darbwyllo o gyfiawnder achos hunanlywodraeth i Gymru, a llawer ohonynt wedi ymuno â'r Blaid Genedlaethol, nid oedd fawr o neb arall wedi eu cyffroi gan y pwnc. Yr hyn roedd ei angen ym marn Saunders Lewis a'i ddilynwyr oedd achos ac ymgyrch i hoelio sylw'r genedl.

Yn benodol, yr oedd Saunders Lewis am gael digwyddiad a fyddai'n denu sylw at achos Cymru yn 1936 gan ei bod yn bedwar canmlwyddiant Deddf Uno 1536. Diau bod esiampl Gwrthryfel 1916 yn Nulyn, a'r modd y llwyddodd y weithred honno i danio'r mudiad cenedlaethol yn Iwerddon yng nghefn meddwl rhai o'r aelodau mwyaf tanllyd. Fe wyddai'r mwyaf hirben nad Iwerddon oedd Cymru, ac fe fynegodd Saunders Lewis mor gynnar ag 1927 ei farn fod problemau Cymru ac Iwerddon yn gwbl wahanol. Eto i gyd yr oedd teimlad cyffredinol bod angen rhyw achos i danio'r genedl a rhoi ail wynt yn hwyliau'r Blaid Genedlaethol.

Daeth cyfle ar gyfer ymgyrch o'r fath yn sgil y ffaith bod Cyngor Tref Castell-nedd wedi gwahodd sioe amaethyddol y Bath and West i ymweld â'r ardal. Penderfynodd y Blaid ymgyrchu yn erbyn hyn, gan ddadlau y byddai cynnal Sioe Amaethyddol Seisnig ar dir Cymru yn sarhad cenedlaethol ac yn peryglu dyfodol y Sioe Amaethyddol Frenhinol. Aethpwyd mor bell ag ystyried cynnal gweithred o anufudd-dod sifil ar faes y sioe, ond yn haf 1935 amlygwyd gwrthrych protest fwy ffrwythlon. Ymddangosodd adroddiad yn y *Manchester Guardian* yn amlinellu bwriad y Weinyddiaeth Awyr i godi Ysgol Fomio ar dir Penyberth ar Benrhyn Llŷn er mwyn paratoi at ryfel.

Deilliodd angen Llywodraeth Geidwadol Stanley Baldwin am Ysgol Fomio o ganlyniad i'r symudiad i ailarfogi ynghanol y tridegau ar draws Ewrop. Oes twf a gwrthdaro Ffasgaeth a Chomiwnyddiaeth oedd hon, gyda digwyddiadau megis Rhyfel Cartref Sbaen, penderfyniad Hitler a'r Natsïaid i ailarfogi'r Almaen, ac ymosodiad Mussolini ar Abyssinia yng ngogledd Affrica yn codi'r tymheredd gwleidyddol ac yn cynyddu'r tebygolrwydd o ryfel Ewropeaidd arall. Felly, ym Mehefin 1935, cyhoeddodd Syr Philip Sassoon, Is-Ysgrifennydd yn y Weinyddiaeth Amddiffyn, mewn papur seneddol fod cynigion dan ystyriaeth i sefydlu gwersyll ymarfer a maes awyr i'r Awyrlu ym Mhorth Neigwl yn Sir Gaernarfon. Ar y dechrau ni chynhyrfwyd y dyfroedd rhyw lawer gan y bwriad, er bod Pwyllgor Sir Gaernarfon y Blaid Genedlaethol wedi anfon llythyrau yn protestio yn erbyn y datblygiad at y Prif Weinidog a'r Gweinidog Awyr, ac er bod Cynhadledd Flynyddol y Blaid Genedlaethol yn Rhuthun ym mis Awst 1935 wedi pasio cynnig oedd yn datgan y byddai'r Blaid yn gwrthwynebu sefydlu gwersylloedd rhyfel yng Nghymru.

Felly, er nad oedd hynny'n amlwg ar y pryd, dyma oedd man cychwyn yr ymgyrch fwyaf yn hanes cynnar y Blaid oddi ar y dechrau araf ym Mehefin 1935 hyd at haf 1936. Arweiniodd canghennau'r Blaid wrthwynebiad nifer fawr o gyrff cyhoeddus ac enwadau ymneilltuol yng Nghymru yn erbyn sefydlu'r Ysgol Fomio drwy wrthdystio. Ar ddechrau'r tridegau cipiwyd y penawdau gan ymgyrchoedd anufudd-dod sifil di-drais Mahatma Gandhi a Chyngres Genedlaethol India, ac roedd amryw am weld y Blaid Genedlaethol yn cynnal gweithred debyg yng nghyswllt Ysgol Fomio Porth Neigwl, a Valentine yn eu plith. Ym mis Tachwedd 1935 ysgrifennodd at J E Jones yn datgan y dylent geisio blocio'r ffyrdd oedd yn arwain i'r gwersyll arfaethedig, ac atal loriau a gweithwyr adeiladu.

Daeth y trobwynt allweddol rhwng Nadolig 1935 ac wythnosau cyntaf Ionawr 1936. Yn 'Nodiadau'r Mis' rhifyn Ionawr 1936 o'r *Ddraig Goch*, datgenir yn groch:

> A droir broydd Cymreig Llŷn yn faes ymarfer bomiau uffernol y Sais? A gaiff swyddogion Whitehall laswenu'n oer pan daerwn ni y cam a wna hynny i fywyd Cymreig a thraddodiadau Cymru? Bu'r Blaid Genedlaethol am ddeng mlynedd yn dafodog i Gymru a thros Gymru. Dechreuwn yr ail ddeng mlynedd drwy ddangos nad ein tafodau yn unig a gysegrwn ni i amddiffyn ein gwlad, eithr ein cyrff hefyd.[1]

Gorffen yr erthygl gyda galwad ar fechgyn a genethod Cymru i wynebu "gwawd a chas a dirmyg a chrechwen" gan ddymuno blwyddyn newydd dda a chyfnod newydd yn hanes y Blaid Genedlaethol Gymreig. Saunders Lewis oedd awdur y geiriau hyn, ac fe gafodd y 'Nodiadau'r Mis' arbennig hyn gryn sylw yn y papurau Saesneg. Er y geiriau tanbaid a'r alwad i'r gad, nid yw'n gwbl eglur a oedd Saunders Lewis wedi penderfynu ar yr union bwnc neu'r weithred y byddai'n rhaid ei chyflawni i "ddathlu" 1936.

Nid yng nghyhoeddiadau'r Blaid yn unig yr oedd ei harweinwyr yn siarad am weithredu uniongyrchol. Cyfeiriwyd at gymeriad dirgel o'r enw "Mr X" mewn adroddiadau a ymddangosodd yn y *Guardian,* yr *Allied Dispatch* a'r *Western Mail* rhwng Nadolig 1935 a Blwyddyn Newydd 1936. Mewn penawdau bras cyhoeddodd y *Western Mail* ar 31 Rhagyfr 1935:

> **Welsh Nationalists become passive resisters**
>
> **Policy of Action to Replace Policy of Protest**
>
> Today I met a pseudomartyr. He hopes to be a brilliant scholar, and for his own sake I will call him Mr X.

> "We have talked long enough," he said: "The time has come to do something, and if our bodies are broken or our lives forfeit what will it matter if the end is achieved... All the churches and all the decent people in the country protested to the Government against the introduction of militarism into one of the loveliest spots in the country. The protest went unheard.
>
> "An English community will be formed in one of the main Welsh districts in Wales. The usual evils associated with English towns will follow.
>
> "I am urging Nationalists to go to Porth Neigwl and lay themselves across the road in front of the lorries taking building materials to the Air Station.
>
> "There may be deaths. There will certainly be imprisonment. But it is only by martyring ourselves that we can arouse Wales to a sense of its nationhood.
>
> "The best time for a movement to strike is when it is at its lowest ebb. Ireland cursed Patrick Pearse the day after the rebellion started in 1916... but within six months seventy five per cent of the Irish nation were rebels.
>
> "A few Welshmen might die from English bullets. Their countrymen, however apathetic politically, will never tolerate that. Their sympathy will move them to action. It may be that our generation will call us damned fools. But the next generation will vindicate us. What I want to impress upon English people is that we are in deadly earnest."

Ychwanegodd y gohebydd yn goeglyd: "Apparently the role of the Gandhi of Wales will be filled by Mr Saunders Lewis."[2]

Yn naturiol ddigon, tybiai llawer o'r cyhoedd mai Saunders Lewis ei hun oedd y "Mr X" bondigrybwyll, ond nid dyna oedd y gwir. Gweinidog y Tabernacl Llandudno oedd y dyn dienw, ac o wybod mai Valentine oedd Mr X, daw'n eglur o ailddarllen yr erthygl fod ei rwystredigaeth wedi cyrraedd penllanw. Mae'n debyg mai byrbwylltra ar ei ran oedd hyn, er y gellir dadlau mai ei fwriad oedd sicrhau bod y Blaid yn gweithredu'n uniongyrchol ar y llwyfan cenedlaethol y tro hwn, ac mae'r ffordd orau oedd cyhoeddi hynny'n blwmp ac yn blaen mewn papur newydd. Os hyn oedd y bwriad, fe lwyddodd, oherwydd un o ganlyniadau anuniongyrchol yr erthygl oedd sbarduno'r broses o fynd ati i gynllunio gweithred dorcyfraith yn erbyn yr Ysgol Fomio. Dadlenna'r cyfeiriad at ferthyron Iwerddon yn 1916 hefyd ei fod yn credu'n gryf yn yr angen am weithred hunanaberthol i ddeffro'r genedl o'i thrwmgwsg politicaidd.

Fe gododd yr erthygl dipyn o nyth cacwn, serch hynny. Ysgrifennodd Saunders Lewis at J E Jones yn syth yn datgan ei bod "braidd yn ddrwg gennyf am yr ymddiddan gyda Mr X yn y W.M. [Western Mail] heddiw... Dylai'r siarad ddod ar ôl y gwneud, yn hytrach nag o'i flaen".[3] Efallai iddo fod yn rhy frwd wrth annog ei gyd-aelodau yn ei erthygl yn *Y Ddraig Goch*, ac mae'n cyfaddef iddo fod "ar fai yn sgrifennu cymaint ag a wneuthum yn y Nodiadau, ond meddyliais fy mod wedi bod yn ddigon cwestynol fy arddull a heb addo dim. Ond wele 'Mr X' wedi cyhoeddi bwriad pendant. Mawr obeithiaf y try ei addewid yn ffaith wirioneddol..."[4] Mae'n nodweddiadol o ddiffyg cyfathrebu'r Blaid na wyddai'r Llywydd pwy oedd "Mr X", ac na wyddai ychwaith am unrhyw fwriad gan aelod mor flaenllaw â Valentine i siarad â'r wasg. Er nad yw'n debygol fod Saunders Lewis yn gwybod pwy yn union oedd y dyn anhysbys, mae'n siŵr ei fod yn amau'n gryf mai un o aelodau'r Pwyllgor Bach ydoedd.

Apeliodd Saunders Lewis at yr Ysgrifennydd i geisio dylanwadu ar aelodau pybyr y Blaid yn Arfon "i beidio ag addo na bygwth dim, ond trefnu yn drylwyr a gweithredu – a siarad yn gyhoeddus wedyn".[5] Cyn cloi fe ychwanega nad yw am "geryddu brwdfrydedd 'Mr X' (pwy bynnag yw) o gwbl, ond yr wyf yn bryderus iawn rhag iddo ef ac eraill fethu cyflawni ar ôl bygwth".[6]

Bu'r erthygl yn ddigon i gynhyrfu J E Jones yn arw. Mewn llythyr ar Ddydd Calan at Saunders Lewis haera J E fod y wasg yn gwneud "hafoc" â 'Nodiadau'r Mis', gan gyfaddef ei fod ef ei hun wedi rhoi peth deunydd i ohebydd y *Dispatch*. Dywed J E iddo wneud ei orau i "roddi'r lliw iawn ar y Nodiadau"[7] ond dywed fod hynny'n anodd, yn enwedig gan fod Valentine, ym mherson Mr X, wedi datgelu llawer gormod am fwriadau'r

Blaid. Ar yr un diwrnod ysgrifennodd at Valentine, ac o dôn y llythyr mae'n deg tybio ei fod yn gwybod o'r dechrau mai ef oedd y gŵr dienw. Credai J E fod "Mr X" wedi bod yn rhy wyllt ac wedi agor ei geg yn ormodol, gan beryglu holl gynlluniau'r Blaid ar gyfer ymgyrch yr Ysgol Fomio. Pwysleisiodd yr Ysgrifennydd wrth Valentine, am ei fod wedi siarad am weithredu, ei bod hi'n "eithriadol o bwysig gweithredu ynglŷn â Phorth Neigwl".[8] Dywed felly fod y Pwyllgor Gwaith yn gofyn i Bwyllgor Sir Gaernarfon "weithredu ynglŷn â'r mater. Cyferfydd y Pwyllgor Sir ddydd Sadwrn. O bawb a ddylai fod ynddo chwi yw hwnnw; dyna fy nghred bendant".[9]

Ar yr ail o Ionawr anfonodd y Llywydd lythyr at J E, yn gofyn iddo gyfleu ei safbwynt i Bwyllgor y Blaid yn Sir Gaernarfon. Ynddo pwysleisiodd nad oedd yn feirniadol o eiriau Valentine fel y'u hadroddwyd yn y papurau newydd, a rhoddodd gerbron gynllun manwl ar gyfer y ffordd ymlaen:

> 1. Nid wyf mewn un modd o gwbl yn condemnio dim ar awgrymiadau Mr X yn y *Western Mail.*
>
> 2. Ond fy marn yw mai ar ôl gweithredu y dylid siarad yn gyhoeddus, ac nid cyhoeddi bwriadau cyn bod unrhyw baratoadau mewn llaw.
>
> 3. Ond gan fod cynllun a bwriad wedi eu cyhoeddi mor bendant peidied neb ohonom â thynnu dim yn ôl, eithr gwrthod dweud dim pellach wrth y wasg, a mynd ymlaen yn ofalus a phenderfynol i baratoi.
>
> 4. Dylid gwneud dau beth ar unwaith ddydd Sadwrn
> i) Anfon dau neu dri i ardal Porth Neigwl i gael adroddiad ar gyflwr darpariadau'r llywodraeth er mwyn gwybod yn siŵr pa bryd y bydd ymyrraeth yn bosib ac effeithiol.
> ii)Propaganda o dŷ i dŷ yn Lleyn i ddeffro cydwybod yr ardal... a chynnal cyfarfodydd, nid i brotestio yn erbyn y llywodraeth, ond i aeddfedu'r wlad ar gyfer yr act o ymyrraeth.
>
> 5. Pwysed Valentine ymlaen bellach, a rhowch chwithau bob cymorth trefnu a ddichon fod i'w helpu, apelio am wirfoddolion a chael y gweinidogion sy'n barod i gynorthwyo i gymryd arweiniad.[10]

Awgryma Saunders hefyd y dylid sefydlu is-bwyllgor i drefnu a pharatoi ar gyfer y weithred, a chan rag-weld y bydd y bwriadau hyn yn ormod i rai, dywed: "Ac os bydd rhai aelodau yn ofnus ac am dynnu'n ôl, rhowch wybod i Valentine y gall ef ddweud bod fy nodiadau i yn bennaf yn gyfrifol am y bwriad, a'i bod yn rhy hwyr yn awr i dynnu'n ôl heb ddwyn dirmyg ar y Blaid."[11]

Beth bynnag am ei gefnogaeth i eiriau "Mr X" mae'n amlwg fod yr erthygl a byrdwn ei eiriau wedi gorfodi newid yn y cynlluniau:

> Fy mwriad gwreiddiol i oedd cychwyn gyda gweithred gymharol hawdd ei threfnu a hawdd ei chyflawni yn y Bath & West yng Nghastell Nedd, er mwyn arloesi'r ffordd ar gyfer y gamp anos lawer o ymosod ar Borth Neigwl... ond y mae ymddiddan Mr X yn y WM wedi achub fy mlaen, ac ni ellir yn awr beidio â gwneud Porth Neigwl yn brif wrthrych ymosodiad...[12]

Dyma'r cyfeiriadau cyntaf at weithredu penodol yn erbyn yr Ysgol Fomio yng ngohebiaeth arweinwyr y Blaid, er ei bod yn anodd gwybod yn union a oedd Saunders Lewis eisoes wedi meddwl gwrthwynebu'r Ysgol Fomio trwy gyflawni gweithred dorcyfraith cyn helynt "Mr X". Yn sicr ar ôl y cynnwrf yn y wasg, yr oedd y penderfyniad wedi'i wneud. Ar ôl bygwth cymaint nid oedd dewis bellach ond gweithredu. Mae'n arwyddocaol o'r holl ymwneud a fu rhyngddynt, mai'r dylanwad mwyaf uniongyrchol a gafodd Valentine ar Saunders Lewis oedd hyn. Oni bai am rwystredigaeth a brwdfrydedd Valentine dros weithredu ym Mhorth Neigwl efallai na fyddai Saunders Lewis wedi penderfynu taro yn erbyn yr Ysgol Fomio fel y gwnaeth. Cyn cloi ei lythyr ar yr ail o Ionawr amgaeir ôl-nodyn preifat gan Saunders sy'n mynegi ei gefnogaeth i Valentine:

> Hoffwn i Valentine gael gweld y llythyr hwn cyn i'r Pwyllgor Sir ei glywed – ac wedyn ei ddarllen neu beidio, fel y barnoch chwi ac ef orau. Os ef yw "Mr X" y *Western Mail*, peidio â'i ddarllen a ddylid, oblegid fel y mae'n is-lywydd y Blaid mi fynnwn i bawb ddeall fy mod innau yn cefnogi ei ddatganiadau ac nad af yn groes iddynt heb alw'r Pwyllgor gwaith ynghyd fyth.[13]

Dengys cywair y llythyr ei fod yn fwy na pharod i gefnogi Valentine yn enwedig "os arwydd yw hyn ei fod ef yn cymryd arweiniad pendant y Blaid yn y gogledd". Gorffenna trwy awgrymu geiriad cynnig Pwyllgor Sir Gaernarfon, a ddylai ddatgan "rhywbeth i'r perwyl eich bod yn cymeradwyo symud ymlaen i baratoi ar gyfer llesteirio hyd at eithaf ein gallu adeiladu maes bomio yn Lleyn ac yn galw ar Gymru ac ar arweinwyr crefydd a chymdeithas gynnal ein dwylo yn yr achos a chyffroi barn gyhoeddus y wlad".[14] Ar y trydydd o Ionawr ysgrifennodd J E at Valentine ynglŷn â'r mater:

> Gwyddoch fel y mae'r hanesion yn y papurau yn ystod y dyddiau diwethaf wedi cynhyrfu'r wlad yn fawr – y sôn am ein bwriadau ynglŷn â'r Ysgol Fomio. Deallaf mai chi yw'r Mr X a roddodd ddeunydd ar hyn i rai papurau. Ysgrifennais at SL y dydd o'r blaen... cefais lythyr heddiw; amgaeaf gopi ohono; fel y gwelwch, y mae'n sefyll yn gadarn y tu ôl ichwi ar y mater hwn; fel islywydd, ac yntau'n llywydd, y mae'n hanfodol iddo wneud hynny, wrth gwrs, gan fod cymaint o rym ymron yn yr hyn a ddywedwch chwi yn enw'r Blaid (neu yn eich enw eich hun o ran hynny) ag yn yr hyn a ddywed ef.

Dywed J E ei fod yn bwriadu siarad am y mater cyn cyfarfod Pwyllgor Sir Gaernarfon o'r Blaid, gan siarsio'n daer am gymryd gofal wrth roi i'r wasg "[d]deunydd na thyn ddim oddi wrth nerth yr hyn a ymddangosodd eisoes ar y naill law, ac na 'fygwth' ddim na rhoddi awgrym o gynlluniau pellach ar y llaw arall".[15]

Mewn llythyr pellach at Saunders Lewis ar 5 Ionawr mae J E yn adrodd am hynt y cyfarfod. Dywed fod cynnig Saunders wedi'i dderbyn a bod is-bwyllgor o J P Davies, J E Daniel a J E Jones wedi'i ffurfio i ymchwilio i "fater dulliau gweithredu". Noda hefyd fersiwn Valentine o'r cyfweliad a gafodd gyda'r gohebydd papur newydd:

> Dyma pa fodd y bu meddai [LV]: i gynrychiolydd yr "Allied" ddyfod ato a gofyn am sylwadau; iddo wrthod yn bendant gan na welodd mo'r Ddraig – Ac yna iddynt siarad ar fater Porth Neigwl a Valentine yn rhoi rhai syniadau ar y ddealltwriaeth pendant nad oeddynt i'w defnyddio. Eithr fe'u defnyddiwyd.[16]

Cysylltodd J E Jones â J P Davies a gofyn iddo drefnu i fynd i Lŷn gyda J E Daniel i ymchwilio i'r gwaith a wnaed eisoes ar y safle ym Mhenyberth.

Gohebodd Saunders Lewis eto â J E yn y cyfnod hwn gan ddatgan yn groyw ei farn ynghylch pa ddulliau y dylid eu mabwysiadu i fynegi gwrthwynebiad. Yr oedd yn gam allweddol, nid yn unig yn hanes y Blaid a datblygiad y mudiad cenedlaethol yng Nghymru, ond yn syniadaeth wleidyddol Saunders Lewis hefyd. Bellach, yr oedd y gŵr a daflodd ddŵr oer ar syniadau H R Jones ynghylch gweithredu uniongyrchol yn anwesu'r math yna o dactegau, ac roedd yn awgrymu dulliau llawer mwy dramatig hefyd nag anufudd-dod sifil fel blocio ffyrdd neu feddiannu eiddo: "Am y modd i rwystro PN [Porth Neigwl] ni thâl dull Gandhi yno. Bydd yn rhaid llosgi'r tai awyrblan. Yr wyf yn tueddu i aros i glywed adroddiad eich pwyllgor cyn gwneud dim gyda'r sioe yn Nedd. Y mae PN lawer pwysicach."[17]

Yn dilyn yr holl gynnwrf, yr oedd yn glir erbyn y pumed o Ionawr fod Valentine am ysgwyddo'r cyfrifoldeb o arwain y mater yn y gogledd fel y dymunai'r Llywydd iddo wneud. Ysgrifennodd J E Jones at J E Daniel y diwrnod hwnnw yn nodi bod Valentine wedi mynychu'r pwyllgor gan gyflwyno'r cynnig ac "arwain ynglŷn â'r holl fater".[18] Yn ddiweddarach ysgrifennodd Valentine at J E yn cynnig amryw o bwyntiau y dylid eu rhoi ar waith er mwyn codi'r tymheredd gwleidyddol.

Ymysg y camau a roddwyd gerbron ganddo oedd cael "Pasiffistwyr y Sir" ar ochr ymgyrch y Blaid ac "ystyried gweithredu", gohebu â phob gweinidog ac ysgrifennydd eglwys yn Sir Gaernarfon, a chynnal cyfarfod protest mawr gyda siaradwyr o bob carfan, gyda Heddychwyr, Sosialwyr ac ati yn annerch. Yn ychwanegol, awgrymodd y dylid trefnu diwrnod arbennig gyda chynifer o bobl â phosibl er mwyn "blocio'r ffyrdd fel na allo gerbydau fynd hyd-ddynt i gario deunydd at ei godi" a hynny i ddigwydd un dydd yr wythnos neu'n amlach. Dengys awgrymiadau Valentine yma mai dulliau protestio ar batrwm *satyagraha* Mahatma Gandhi a mudiad y Gyngres oedd ar ei feddwl. Yr oedd ymgyrch annibyniaeth cenedlaetholwyr India yn erbyn yr Ymerodraeth Brydeinig wedi cipio'r penawdau yn y tridegau, a chipio dychymyg cenedlaetholwyr o heddychwyr yng Nghymru. Ond roedd yr hyn yr oedd gan Saunders Lewis mewn golwg yn weithred wahanol iawn. Yr oedd y penderfyniad i losgi'r Ysgol Fomio ac ildio i'r heddlu ar ôl cyflawni'r weithred, yn cynnig cyfuniad Cymreig o egwyddor "physical force" y Gwyddelod a dulliau di-drais dilynwyr Gandhi.

Porth Neigwl oedd y pedwerydd dewis ar gyfer y gwersyll awyr, ac olew ar fflamau'r ymgyrch felly oedd llwyddiant ymgyrchoedd i wrthwynebu gwersylloedd tebyg mewn safleoedd hanesyddol a naturiaethol yn Lloegr. Yn Abbotsbury, Swydd Dorset, roedd yno elyrch yn nythu, yn Friskney, East Anglia, roedd dyfroedd pysgota o bwys ac ar Ynys Lindisfarne, Northumbria, penderfynwyd peidio parhau â'r bwriad i godi Ysgol Fomio oherwydd y perygl i rywogaeth hwyaid prin ac arwyddocâd hanesyddol a chrefyddol y safle. Roedd hynny, wrth gwrs, mewn gwrthgyferbyniad llwyr â'r modd y cafodd safle Penyberth ei drin, gan fod y safle hwnnw hefyd o bwysigrwydd yn hanes Cristnogaeth yn yr Ynysoedd Prydeinig. Roedd safle arfaethedig y maes awyr ynghanol llwybr hanesyddol y Pererinion i Ynys Enlli, ac ar y safle hefyd yr oedd ffermdy hanesyddol Penyberth. Bu'r ffermdy ei hun yn noddfa i feirdd Llŷn ac Eifionydd, ac roedd yno gysylltiad hefyd gyda Reciwsantiaid Catholig yr unfed ganrif ar bymtheg.

Ddiwedd y mis yr oedd gan J E wybodaeth i'w adrodd wrth Valentine am waith ymchwil yr is-bwyllgor ac fe'i hysbysodd hefyd o farn Saunders Lewis am y math o brotest a oedd yn addas yn ei farn ef: "Bu'r Pwyllgor bach o dri yn ymweld â Lleyn wythnos yn ôl, a gweled nad oedd dim wedi ei ddechrau yno, namyn prynu'r tir. Yn wir deallaf nad ydyw'r cynlluniau am adeiladau, etc. wedi eu cwblhau eto. Rhoddodd JPD [J P Davies] adroddiad byr i'r Pwyllgor Sir arbennig ddydd Sadwrn... Dywedodd SL yn ei lythyr un o'r dyddiau diwethaf, nad yw'n meddwl y gellir gweithredu dulliau Gandhi ynglŷn â'r lle hyn, ac y bydd raid gwneuthur rhywbeth megis llosgi'r hangyrs.[19]

Bu dyddiau cyntaf Ionawr 1936 yn dyngedfennol i'r Blaid

Genedlaethol. Dyma pryd y penderfynwyd bod rhyw fath o weithred yn erbyn y bwriad i adeiladu ysgol fomio ar dir Penyberth yn anorfod. Rhoddwyd hwb i'r ewyllys i daro yn erbyn cynlluniau'r Weinyddiaeth gan gyfuniad o rwystredigaeth brwdfrydig a chynllun bwriadus. Felly, o ddechrau 1936 ymlaen, byddai'r Blaid yn dilyn strategaeth gyfochrog o godi stêm a chydlynu ymgyrch gyhoeddus yn erbyn yr Ysgol Fomio, tra byddai paratoadau cyfrinachol ar droed i drefnu ar gyfer llosgi'r adeiladau pren ar y safle. Yna, yn ystod wythnosau cyntaf mis Chwefror, anfonodd Saunders Lewis lythyr ffurfiol at Valentine yn ei hysbysu o'i fwriadau ynghylch gweithredu yn erbyn yr Ysgol Fomio.

9, St Peter's Road
Newton
Mumbles
11.2.36

PREIFAT

Annwyl Val

Yr wyf yn anfon atoch yn awr fel at is-lywydd y Blaid a'r arweinydd yn y Gogledd. Dyma fy nghais: bwriadaf siarad ar Borth Neigwl yn bennaf yn eich cynhadledd yn Sir Gaernarfon, Chwefror 29. Fy mwriad yw dadlau a chymell fel dyletswydd ar y Blaid y priodoldeb o roi tân i awyrlongau, hangars a barics y llynges awyr os codant hwy ym Mhorth Neigwl. Fy ngobaith yw y cymer y plismyn wedyn achos yn fy erbyn gerbron ynadon.

A ydych chwi fel is-lywydd yn fodlon imi ddweud hyn, ac yn barod i dderbyn y canlyniadau – sef fy mod wedyn yn rhoi pob help a allaf i gario'r peth allan?

Cofion cu iawn atoch fel teulu.

SL[20]

Ar fater yr Ysgol Fomio yr oedd y Blaid yn hollol unedig. Llwyddodd yr ymgyrch yn ei herbyn i apelio at ddaliadau creiddiol yr aelodau – gallent ddadlau yn erbyn y Llywodraeth ar dir cenedlaethol, heddychol a Christnogol – ac ar sail amgylcheddol a diwylliannol yn ogystal. I Valentine a'i frodyr a'i chwiorydd yn y ffydd genedlaethol, bu gwanwyn a haf 1936 yn un rhuthr gwyllt o ymgyrchu, deisebu a chanfasio yn erbyn "Lloegr a'i llu yn llygru Llŷn", gyda datblygiadau newydd yn wythnosol.

Ar 19 Chwefror yn San Steffan gofynnodd Major Goronwy Owen, Aelod Seneddol Rhyddfrydol Sir Gaernarfon, i'r Is-Ysgrifennydd Awyr a oedd yn barod i roi addewid y byddai pob gofal yn cael ei gymryd i beidio difwyno harddwch yr ardal a sicrhau cadwraeth adar a hen adeiladau wrth gynnal yr ymarferiadau bomio. Sicrhawyd yr Aelod Seneddol gan yr Is-Ysgrifennydd Syr Philip Sassoon y byddai pob gofal posibl yn cael ei gymryd o harddwch yr ardal, ac nad oedd dim perygl i hen adeiladau gan mai allan yn y môr y byddai'r bomio, ac ar sail profiad mewn meysydd bomio eraill na fyddai dim niwed yn dod i ran adar.

Ar 29 Chwefror cynhaliwyd y cyntaf o ddau gyfarfod cyhoeddus yr ymgyrch yn nhref Pwllheli. Yma cafwyd yr arwydd cyntaf o wrthwynebiad ffyrnig i ymgyrch y Blaid ymysg rhai o drigolion y dref, teimladau a fyddai'n poethi'n sylweddol dros yr wythnosau i ddod. Anerchwyd y cyfarfod yn Festri Capel Penmount gan Saunders Lewis, Moses Griffith a J E Daniel, ond rhwystrwyd y tri rhag siarad gan nifer o bobl y dref. "Cynnyrch y fasnach feddwol a chynffonnau ychydig o bobl llwfr di-asgwrn cefn oeddynt" oedd disgrifiad yr *Herald Gymraeg* ohonynt, ac yn ôl Cynan yn y *North Wales Weekly News* tafarnwyr Pwllheli a oedd yn awyddus i chwyddo eu henillion yn sgil sefydlu gwersyll milwrol parhaol yn y cyffiniau oedd wrth wraidd y tarfu.

Y corff cyhoeddus a oedd gyda'r cyntaf i fynegi gwrthwynebiad yn erbyn y bwriad i godi'r Ysgol Fomio oedd Cymanfa Bedyddwyr Sir Gaernarfon, gyda Valentine yn rhoi'r cynnig gerbron. Dilynwyd hynny dros yr wythnosau a'r misoedd nesaf gan ddatganiadau gan lu o sefydliadau Cymraeg yn mynegi eu gwrthwynebiad i'r Ysgol Fomio, yn eu plith Cyngor Urdd Gobaith Cymru, Plaid Lafur Sir Gaernarfon, Urdd Graddedigion Prifysgol Cymru, a phob un o'r enwadau crefyddol Cymraeg. Adroddwyd hefyd bod y cyfan ond un o gymdeithasau Cymreig a chapeli Cymreig Lerpwl wedi ymuno yn y gwrthdystiad a'r ddeiseb yn erbyn yr Ysgol Fomio. Ddiwedd Mawrth cyhoeddwyd llythyr yn y *Manchester Guardian* yn datgan gwrthwynebiad i'r ysgol fomio gan amryw o Gymry amlwg, yn eu plith George M Ll Davies, yr Archdderwydd J J Williams, a'r Athro J E Daniel.

Ysgrifennodd Saunders Lewis, yn rhinwedd ei swydd fel Llywydd y Blaid Genedlaethol, at Brif Weinidog Lloegr, Stanley Baldwin, yn gofyn iddo ganiatáu ymweliad ag ef ar fater o'r pwysigrwydd mwyaf, oherwydd fod "corff pwysig o Gymry yn ystyried y bwriad yn un y gellir yn briodol aberthu rhyddid, ie roddi bywyd i lawr, er mwyn ei atal".[21] Troi clust fyddar a wnaeth Baldwin, serch hynny, a gwrthod cais am gyfarfod o'r fath. Nid oedd dim rheswm yn y byd i arweinwyr Llywodraeth Prydain Fawr ystyried cyfarfod gydag arweinydd llond dwrn o ddeallusion diwylliannol, a oedd ar y gorau yn fawr ddim mwy na grŵp pwyso aflwyddiannus. Nid oedd arwydd fod angen i neb yn Whitehall gymryd cenedlaetholwyr Cymru o ddifrif. Adlewyrchiad o hynny mae'n debyg oedd y penderfyniad i godi'r Ysgol Fomio yng nghalon y Gymru Gymraeg er gwaethaf gwrthsafiad enwadau crefyddol a sefydliadau diwylliannol. Bernid bod mwy o bwysau y tu cefn i wrthwynebiad diwylliannol ac amgylcheddol mewn ardaloedd eraill yn Lloegr fel Northumbria a'r Wash, a'u bod yn haeddu mwy o ystyriaeth.

Yn gymysg â datganiadau cyhoeddus bu aelodau'r Blaid Genedlaethol yn brysur yn dosbarthu llenyddiaeth a chynnal gwrthdystiadau ar hyd Pen Llŷn, ym Mynytho, Abersoch, y Rhiw a Morfa Nefyn, a thu hwnt hefyd mewn mannau mor bell â Phenmaenmawr a Rhuthun. Llafur cariad oedd yr ymgyrchu i Valentine, ac ef a fu'n arwain ac yn annerch nifer fawr o'r cyfarfodydd hyn. Ganol fis Ebrill dechreuodd y gwaith o lefelu tir, tynnu cloddiau ac adeiladau, a gosod ffordd ar dir Penyberth er mwyn hwyluso'r gwaith o godi'r Ysgol Fomio. Tua'r un adeg cyfarfu Pwyllgor Gwaith y Blaid yn Aberystwyth, pan adroddodd J E Jones ar hynt yr ymgyrch hyd hynny. Dywedodd fod dros 500 o gyrff crefyddol a lleyg wedi gwrthdystio, fod y Major Goronwy Owen AS wedi gwrthod cyfarfod arweinwyr y

Blaid i drafod y mater, ac nad oedd Lloyd George wedi cydnabod llythyr gan y Blaid yn ei wahodd yntau i'w cyfarfod, a bod dros 2,000 eisoes wedi arwyddo'r ddeiseb yn Llŷn. Erbyn mis Mai yr oedd y ffigur hwn wedi cynyddu i 4,000 o bobl.

Fel y gellid disgwyl yr oedd gweinidogion Anghydffurfiol Sir Gaernarfon yn unplyg eu gwrthwynebiad. Cyhoeddwyd llythyr yn *Y Tyst* gan dros ddeugain o weinidogion Annibynnol y sir, ac yn wythnosolyn y Bedyddwyr cyhoeddwyd llythyr cyffelyb oddi wrth holl weinidogion yr enwad yn Sir Gaernarfon, wedi'i ddrafftio gan Ysgrifennydd y Gymanfa Sirol, Lewis Valentine.

Fodd bynnag, os oedd enwadau crefyddol Cymru y tu cefn i ymgyrch y cenedlaetholwyr, nid felly amryw o drigolion Pwllheli. Croesawyd yr Ysgol Fomio gan Gyngor Tref Pwllheli ac, fel y gellid disgwyl, pasiwyd cynnig yng nghangen y dref o'r Lleng Brydeinig yn cefnogi'r bwriad i godio gwersyll bomio. Eisoes yr oedd rhai o bobl y dref wedi dangos eu hochr mewn ffordd ddi-flewyn-ar-dafod yn y cyfarfod a gafwyd yn festri Penmount ym mis Mawrth. Cyfnod o ddirwasgiad oedd y tridegau, ac nid oedd Sir Gaernarfon wedi osgoi effeithiau'r cyni economaidd. I amryw, mae'n siŵr bod datblygiadau milwrol fel ffatrïoedd arfau a meysydd ymarfer i'r lluoedd arfog yn cynnig bywoliaeth a ffordd o ddianc rhag caledi'r cyfnod. Yn 1936 yr oedd dros un ar hugain y cant o ddynion yswiriedig Sir Gaernarfon yn ddi-waith, felly mae'n deg tybio bod canran uchel o drigolion Pwllheli yn gefnogol i'r datblygiad economaidd arfaethedig a'r gobaith am swyddi a ddeuai yn sgil yr Ysgol Fomio, ac yn elyniaethus i ymgyrch y Blaid Genedlaethol.

Trefnwyd cyfarfod arall gan y Blaid ym Mhwllheli ar 23 Mai, cyfarfod a fyddai'n drobwynt yn yr ymgyrch, yn agoriad llygad i lawer ac a fyddai, maes o law, yn dod yn rhan o chwedloniaeth yr ymgyrch. Y bwriad oedd cynnal cyfarfod mawr a defnyddio uchelseinydd i foddi unrhyw ymgais posibl i darfu ar y siaradwyr. Mae'n amlwg bod cryn densiwn cyn y cyfarfod, gan fod Cymdeithas Di-waith Pwllheli a'r Cylch wedi pasio penderfyniad i bwyso ar ei haelodau i beidio aflonyddu o gwbl ar y Cyfarfod Mawr ar y trydydd ar hugain, ac i roi chwarae teg i'r siaradwyr i ddadlau eu hochr.

Ar y diwrnod ei hun, mae'n debyg bod rhwng chwech a saith mil o bobl yn bresennol ar y Maes ynghanol y dref, a chodwyd llwyfan dros dro ar gyfer y siaradwyr. Cadeiriwyd y cyfarfod gan yr Athro W J Gruffydd, ac ymysg y siaradwyr cafwyd croestoriad o gynrychiolwyr, yn cynnwys Moses Griffith, y Parch. Peter Hughes Griffiths, Llundain, yr Athro T A Levi, Aberystwyth, Saunders Lewis, Elwyn Jones, ymgeisydd Llafur Sir Gaernarfon, a'r Parch. Tom Nefyn Williams. Yr oedd y cyfarfod wedi denu cefnogwyr y Blaid o bob rhan o Gymru a thu hwnt – Caerdydd, y Rhondda, Abergwaun, Lerpwl, Llundain, Caerefrog ac Abertawe, er mai o Ben Llŷn, wrth reswm, y daeth y rhan fwyaf o'r gwrthdystwyr.

Cyn dechrau'r cyfarfod canwyd alawon Cymreig gan Fand Nantlle, a cheisiwyd cychwyn y cyfarfod trwy ganu emyn, ond yr oedd yno leiafrif swnllyd ymysg y dorf a oedd yn benderfynol o ddifetha'r cyfarfod, a dechreuodd y rhain ganu caneuon anweddus a bloeddio rhegfeydd a sarhau'r siaradwyr.

Galwodd W J Gruffydd ar Tom Nefyn i annerch, a than ei arweiniad canwyd yr emyn 'Wele'r Dydd yn Gwawrio Draw' dro ar ôl tro er mwyn ceisio tawelu'r dorf. Pan ddaeth tro'r Athro Levi i siarad, fodd bynnag, canfuwyd bod gwifrau'r meicroffon wedi eu torri. Yna, pan alwyd ar Saunders Lewis i draddodi ei anerchiad, aeth y gwrthwynebwyr yn benwan gan godi mwy fyth o dwrw. Mynnu gorffen ei araith a wnaeth y Llywydd er gwaethaf yr anawsterau.

Yn gohebu yno ar ran y *News Chronicle* yr oedd Caradog Prichard, ac mae ei adroddiad yn cyfleu'r cynnwrf a'r gwrthdaro yn fyw iawn:

> **Factions Clash at Bombing School Protest Rally**
> **Battles for loud speaker**
> **Blows struck in struggle**
> **Novelist injured**
>
> Speakers shouting from an improvised platform erected on a circus roundabout in the town square, and a mass of swaying humanity beneath with a few policeman struggling to control the situation; rival

factions singing Welsh hymns and "Rule Britannia".

Such was the scene when a demonstration of some 6,000 people organised by the Welsh Nationalist Party against the erection by the Government of a bombing school at Hell's Mouth, near here, was held up yesterday by a small band of organised interrupters.

Preachers and college professors had come to address the demonstration, which comprised Welsh people from as far as Cardiff and Swansea, and parties from London and York.

At one time an ugly situation developed. The interrupters fought their way to a loud speaker and wrecked it.

Professor mobbed

Three times they put it out of action, after the Nationalists had recaptured it.

Many blows were exchanged and protesting members of the audience were dragged away bodily.

The interrupters took their stand near the platform and as soon as a band began to play a medley of Welsh airs, the shouting started.

A pitched battle followed, in which several women were involved. Professor Ambrose Bebb, who had rushed to remonstrate with the interrupters was set upon by six men. A number of college students rushed to rescue him, but not before he had been roughly handled. Several other Nationalists who joined in the fray bore marks of violence.

Mr D J Williams, schoolmaster at Fishguard, was dragged to the outskirts of the crowd, with the head of one burly interlocutor tightly locked in his arms.

Mr W J Davies, of Talysarn, the Welsh novelist, had several teeth knocked out, while another member of the party, Mr R J Jones, had his hands injured in the melee.[22]

Wedi'r drin, Valentine a gafodd y dasg o gofnodi fersiwn y Blaid Genedlaethol o'r cythrwfl. Mewn erthygl yn *Y Ddraig Goch* ym Mehefin 1936, o dan y pennawd enwog "Bedydd Tân y Blaid Genedlaethol", dywed yr Is-lywydd fod y Blaid wedi dysgu llawer yn sgil y digwyddiadau ym Mhwllheli y diwrnod hwnnw:

> Sonnir weithiau am gyfarfodydd ac areithiau yn creu hanes, ac os bu hyn yn wir am ryw gyfarfod mawr cyhoeddus erioed, y mae'n wir am y cyfarfod aruthrol – nid oes air cymwys arall a'i disgrifia – y cyfarfod aruthrol a gynhaliwyd ar y Maes ym Mhwllheli brynhawn dydd Sadwrn, Mai 23.[23]

Haera Valentine fod y cyfarfod yn cychwyn cyfnod newydd, nid yn unig yn hanes y Blaid Genedlaethol, ond yn hanes y genedl. Synhwyrir ei fod yn tybio i'r cyfarfod fod yn fuddiol ar sawl cyfrif. Yn un peth, datgelodd natur yr elyniaeth a fyddai'n wynebu'r Blaid – nid yn unig wrth ymladd ymgyrch yr Ysgol Fomio ond hefyd wrth geisio ymryddhau Cymru o'i chyflwr. Peth disgwyliedig oedd dioddef atgasedd rhai oedd wedi elwa o'r drefn Brydeinig, ond bellach yr oedd elfennau gwaethaf cymdeithas yn cael eu hannog i ymosod ar y Blaid. Dywedodd:

> Y mae gennym ryw syniad bellach pa fath ar wrthwynebiad a fydd i'n herbyn. Yr ydys yn hen gynefin â dirmyg y gwŷr mawrion, ysweiniaid a ymbesgodd ar wasgu'r genedl, athrawon llugoer a swrth a chynghorwyr digyfrifoldeb – yr oeddym yn hen gynefin â'u brad hwy, ond dyma fath newydd ar wrthwynebiad, sef recriwtio ysgum cymdeithas o dafarnau i lesteirio'n cenadwri a'n brwydr dros werin Cymru.[24]

Cyfeiria yn ôl at y cyfarfod yn Festri Penmount, a dywed unwaith eto, "trech cwrw na chyfiawnder, a threch tafarn na thrafod y gwŷr mwyaf dihunan a gynigiodd eu gwasanaeth i arbed cenedl y Cymry erioed".[25] Gan danlinellu'r gyffelybiaeth rhwng y Blaid a'r Cristnogion cynnar mae'n mynd mor bell â chyffelybu'r dorf "wallgof, â gwawr uffern ar eu hwynebau" i'r dorf a floeddiodd "Croeshoelier Ef, Croeshoelier Ef!" pan ddygwyd Crist ger eu bron. Arwydd o'r cryfder teimladau yn y rhengoedd yw cymhariaeth Valentine hefyd o fileindra wynebau'r dorf ym Mhwllheli ag "ystumiau cythreulig a dieflig" wynebau'r Gurkhas yn y Rhyfel Mawr yn cythru am y gelyn. Cymhariaeth sydd yn fwy ffafriol i'r Gurkhas dideimlad, gan fod y "gwynt aflan"[26] a godai i'r llwyfan o gegau'r gwatwarwyr yn codi cyfog ar amryw a oedd yno.

Er gwaethaf yr ormodiaith, synhwyrir bod Valentine yn gwybod mai buddugoliaeth bropaganda i'r Blaid oedd y ffiasgo. Oherwydd fel y dywed yn ei erthygl, canlyniad anuniongyrchol y cyfarfod oedd rhoi mwy o sylw nag erioed i'r ymgyrch yn erbyn yr Ysgol Fomio: "Bu yn fwy llwyddiannus na'n dychmygion gwylltaf, a'r tro hwn eto bu cynddaredd yr ychydig yn hwb dirfawr i'n hachos ni."[27] Dyna oedd barn *Y Faner* hefyd gan haeru, wrth drafod cyfarfod Pwllheli, "onid ildia'r Llywodraeth, y mae'n debyg y bydd helynt ym Mhorth Neigwl llawer gwaeth nag a fu ym Mhwllheli".[28]

Dywed Valentine hefyd fod swyddogion y Blaid yn ymwybodol o fwriad y rhai y mae'n eu galw'n "ciwethach Pwllheli" i darfu ar y cyfarfod, ond iddynt benderfynu parhau â'r bwriad i gynnal cyfarfod heddychlon. Amcangyfrifir mai tua deugain o bobl a fu wrthi yn torri ar draws y siaradwyr, ac y gallai rhai o'r llanciau ymysg cefnogwyr y Blaid fod wedi rhoi taw ar eu hymyrraeth a rhoi cweir go iawn iddynt yn ddigon hawdd, ond bod y swyddogion wedi dewis peidio mynd i ymrafael corfforol â hwynt. Yn wir yr oedd aelodau'r Blaid i'w canmol am lwyddo i ymatal a throi'r foch arall yn wyneb pryfocio di-baid arnynt. Dirmygir ymddygiad y lleiafrif anghyfrifol, gan wneud hwyl am ben yr haeriad eu bod yn dymuno gwaith gyda'r Ysgol Fomio, "canys fel segurwyr y mae'r mwyafrif ohonynt yn ddihareb". Cyhuddir y wasg Seisnig hefyd ganddo o roi "arlliw cynhyrfus a chelwyddog ar lawer o'r digwyddiadau" ar y diwrnod.

Rhoddwyd canmoliaeth hael gan Valentine i ddyfalbarhad wrth gadeirio'r cyfarfod, a'r ffordd y llwyddodd i gyflwyno cynnig gerbron y gynulleidfa oedd yn datgan:

> Ein bod ni, sydd wedi ymgynnull ynghyd ym Mhwllheli ddydd Sadwrn, Mai 23, ac sydd yn cynrychioli pob rhan o Gymru a'r Cymry sydd ar wasgar, yn uno i ategu'r cannoedd protestiadau a wnaed eisoes yn erbyn yr Ysgol Fomio ym Mhorth Neigwl, ac yn galw ar y Llywodraeth i'w thynnu yn ôl yn ddi-oed ac yn gofyn i'r Prif Weinidog dderbyn dirprwyaeth yn cynrychioli yr holl brotestwyr er mwyn gosod yr apêl hon ger ei fron ef.[29]

Ar lefel bersonol fe arhosodd "Cyfarfod y Bedydd Tân" yn fyw yng nghof Valentine. Ei atgof pennaf oedd y cof am ferched Pwllheli yn poeri arno, a chadwodd "gôt y poeri" fel y'i galwai am flynyddoedd wedyn. Yn wir yr oedd y dilledyn yn fathodyn o anrhydedd iddo, a chafodd le teilwng ganddo yn ei stydi. (Câi sawl ymwelydd â'i stydi yn Penuel, Rhosllannerchrugog, y fraint o weld y gôt yn hongian ar gefn y drws.)

O fewn rhai dyddiau i'r cyfarfod yr oedd Valentine wedi sicrhau bod Cymanfa Bedyddwyr Sir Gaernarfon, gyda dim ond un yn gwrthwynebu, wedi pasio penderfyniad:

> ...yn condemnio yn y modd mwyaf pendant weithredoedd y rhai anghyfrifol hynny a geisiodd ddinistrio cyfarfod mawr Pwllheli a alwyd i wrthdystio yn erbyn ysgol fomio Llŷn; y mae'n cyfrif rhyddid llafar fel hawl gysegredig pob person, a chondemnia'n ddiarbed bob ffurf ar ormes a fydd yn ymyrryd o gwbl â'r hawl hon, ta waeth o ba ffynhonnell y daw'r ormes honno.[30]

Yn Nhŷ'r Cyffredin gofynnodd Robert Richards, Aelod Seneddol Llafur Wrecsam, i'r Is-Ysgrifennydd Awyr a oedd yn barod i ailystyried y penderfyniad i godi Ysgol Fomio? Ateb stoc a gafodd y Llafurwr, gyda Syr Philip Sassoon yn dymuno cyfeirio'r Bonwr Richards at yr ateb a roddodd ychydig ddyddiau ynghynt i Goronwy Owen AS, pan ddatganodd fod y Llywodraeth yn bwriadu mynd ymlaen â'u cynlluniau. Hefyd yn Senedd Llundain bu cryn glochdar am yr helynt ym Mhwllheli gan aelodau seneddol Ceidwadol, yn cynnwys Syr Edward Grigg, yr aelod dros Altrincham.[31] Dywedodd Syr Edward ei fod yn hynod falch o glywed fod pobl wedi gwneud eu gorau i ddinistrio'r cyfarfod, a bod seiniau 'God Save the King' a 'Britons never will be slaves' wedi boddi lleisiau'r gwrthdystwyr.

Roedd sŵn protestio yn y gwynt – gyda hyd yn oed yr Archdderwydd, y Parch. J J Williams, yn annerch Undeb yr Annibynwyr ym Mangor ym mis Mehefin gan sôn am "nerth ewyllys y Genedl Gymreig" i "symud ymaith" y gwersyll awyr "trwy ddulliau eraill" pe methai dulliau cyfreithlon. Parhaodd y lobïo a'r llythyru cyhoeddus, ac ar 12 Mehefin teithiodd Valentine i Lundain i annerch cyfarfod cyhoeddus, ac yn unol â phenderfyniad Cyfarfod Mawr Pwllheli, gwnaed cais i Stanley Baldwin i dderbyn dirprwyaeth. Cefnogwyd yr apêl hon gan amryw o ffigyrau amlwg ym mywyd cyhoeddus Cymru yn cynnwys, ymysg eraill, T Gwynn Jones, Ifor Williams, T H Parry-Williams, Ifan ab Owen Edwards a Dyfnallt. Nododd y cais fod dros fil o gyrff cyhoeddus yn erbyn yr Ysgol Fomio. Nid yn annisgwyl efallai, ymateb swta a gafodd y llythyr a anfonwyd at Baldwin. Yn ei ymateb cofnoda'r Prif Weinidog y dadleuon dros sefydlu gwersyll ymarfer bomio, gan ychwanegu nad oedd yn gweld unrhyw fudd ymarferol mewn derbyn dirprwyaeth i drafod y mater mor hwyr yn y dydd. Ym mis Gorffennaf cyflwynwyd deiseb ar ran dros bum mil o drigolion Llŷn i'r Senedd gan Goronwy Owen, AS Caernarfon. Derbyniodd y Prif Weinidog gopi llawn o Ddeiseb Llŷn a'r 5,300 o enwau; hefyd derbyniodd ddeisebau o ardaloedd eraill a oedd yn cynnwys dros 5,000 yn ychwanegol o enwau.

Erbyn diwedd Awst byddai hen ffermdy hanesyddol Penyberth wedi'i chwalu, ac adeiladau a swyddfeydd pren y Weinyddiaeth Awyr wedi'u codi ar dir Penrhos. I bob pwrpas, yr oedd yr ymgyrchu torfol ar ben, ac annisgwyl o ddistaw fu'r Blaid ar y pwnc dros weddill yr haf. "O hynny allan wedyn," meddai Valentine, "...paratoi ar gyfer ein gwrthwynebiad mawr yna yr oeddan ni."[32] Er mawr syndod, ni chafwyd fawr ddim sôn am yr Ysgol Fomio yn Ysgol Haf Caerfyrddin ganol Awst – er bod Saunders Lewis yn ei anerchiad wedi datgan yr hoffai "weled agor canolfan yn arbennig ym Mhwllheli, i roddi ciniawau maethlon yn rhad i deuluoedd di-waith yno".[33] Yr oedd y rhan fwyaf o'r aelodau, fodd bynnag, yn ymwybodol bod rhywbeth ar fin digwydd. Yr oedd rhyw fath o weithred yn anorfod.

Anorfod hefyd fyddai rhan Valentine mewn unrhyw weithred o'r fath. O'i fagwraeth yn y Llan i frwydro Fflandrys, o'i wrthsafiad ym Mangor i etholiad 1929, o sefydlu'r Blaid Genedlaethol i'w weinidogaeth gyda'r Bedyddwyr, bu holl gyfeiriad ei fywyd a'i ddaliadau yn ei arwain at y foment hon. Felly, pa ddewis arall oedd ganddo ond camu i'r adwy a sefyll gyda'i gymheiriaid?

Pennod 13

Y Llosgi

Rwy'n meddwl ei bod hi'n deg dweud, heb unrhyw ymffrost, y gellir sôn am ein Cymru ni fel y Gymru cyn y weithred yna a'r Gymru wedi'r weithred. Bu yna doriad; fe ddigwyddodd rhywbeth. Ac mae yna rai pethau na allwn ni fyth fynd yn ôl atynt eto.

Lewis Valentine mewn cyfweliad yn *Y Cymro*, 1970

Trwy gydol gwanwyn a haf 1936, yn gyfochrog â'r ymgyrchu a'r deisebu cyhoeddus, yr oedd y paratoadau dirgel ar droed i drefnu gweithred o dorcyfraith yn erbyn safle'r Ysgol Fomio. Yn ganolog i'r gwaith trefnu hwn yr oedd Saunders Lewis ei hun. Ef a wnaeth llawer iawn o'r cynllunio manwl, a'i benderfyniad ef oedd mai gweithred o losgi'r adeiladau ar y safle fyddai'r dull mwyaf effeithiol o ddangos gwrthwynebiad.

Fel y gwelwyd, o'i ran ei hun yr oedd Valentine yn frwd iawn o'r cychwyn dros ryw fath o anufudd-dod sifil yn erbyn safle'r Maes Awyr, gan iddo awgrymu y dylid rhwystro cerbydau rhag teithio yn ôl a blaen i'r safle. Ni ddaeth dim o'i awgrym, serch hynny, gan fod Saunders Lewis wedi penderfynu bod angen gweithred llawer mwy dramatig, ond nid yw'n ymddangos bod penderfyniad y Llywydd i gynnal gweithred fwy ymosodol na blocio'r lôn wedi peri unrhyw dramgwydd o gwbl i Valentine. Gweithredu yn erbyn Gwladwriaeth Lloegr oedd y peth pwysig erbyn hyn, ac roedd yn awyddus iawn – os nad yn hollol benderfynol – i fod yn rhan o'r digwyddiad.

Gwelai hyn fel rhan o gyfrifoldeb ei alwedigaeth. Yn *Y Cymro* ym mis Ebrill, ysgrifennodd am y modd yr oedd yn ddyletswydd ar y Blaid i sefyll yn erbyn yr Ysgol Fomio, ond synhwyrir fod yma gyffes bersonol hefyd ynghylch y ffordd y gwelai'r pregethwr-broffwyd ei rôl ei hun a natur anorfod y brotest oedd ar fin digwydd.

> Soniai'r hen broffwydi Hebreig gynt am "faich yr Arglwydd", a baich ydoedd nad oeddynt yn ei chwennych bob amser. Y mae gwrthwynebu'r Ysgol Fomio hon yn Llŷn yn faich a osodir arnom ninnau yn y Blaid Genedlaethol, a baich ydyw na chwenychwn, ond derbyniwn ef yn ddirwgnach canys credwn ninnau mai "baich yr Arglwydd" ydyw. Nid ystryw wleidyddol i ennill sylw ydyw, ac nid offeryn propaganda hwylus, ond sialens ofnadwy na feiddiwn wrthod ei derbyn. O'i wrthod, byddai'n bywyd yn groes drom, canys uffern ddeublyg a fyddai'n rhan – uffern y neb sy'n ffieiddio ei hunan, ac uffern pob Iwdas fradwrus.[1]

Nid oedd dewis ganddo bellach ond sefyll dros yr hyn a gredai ynddo. Oni wnâi hynny rhethreg wag fyddai popeth a bregethodd erioed.

Mewn llythyr at ei eglwys a gyhoeddwyd yn *Y Deyrnas* yn Awst 1936, trafodir ymyrraeth y pregethwr mewn gwleidyddiaeth unwaith eto, a'r tro hwn yr oedd yna achos penodol yn haeddu sylw gweinidog y Tabernacl. Yr oedd pob hawl gan weinidogion Crist i ymhél â gwleidyddiaeth, a haerllug iawn oedd eu beirniadu am ymyrryd yng nghwestiynau mawr y dydd. Fe ddylai fod gan y gweinidog rywbeth i'w ddywedyd ar faterion politicaidd. Nid dadlau dros gefnogi plaid arbennig oedd byrdwn ei ddadl yma, ond yn hytrach, "fe ddylai pob pregethwr gyhoeddi beth yw meddwl Crist ar broblemau fel Rhyfel a pharatoadau am ryfel, a diffyg gwaith ac anghyflogaeth a phob rhyw ormes sy'n cyfyngu ar ryddid a llawenydd dyn".[2] Gwelir felly nad oedd wedi cefnu'n llwyr ar yr efengyl gymdeithasol; daliai i gredu nad rhywbeth ar wahân i weddill gwaith y Cristion oedd gwleidyddiaeth, a'i bod:

> ...yn rhan o'n huchel alwedigaeth ni i greu barn yn erbyn paratoadau rhyfel erchyll; yn erbyn bradychu egwyddorion heddwch gan ein llywodraeth yng Nghynghrair y Cenhedloedd, yn erbyn defnyddio bro Llŷn i ddodi ynddi Ysgol Fomio – yn erbyn malltod y *Means Test.* Dyweded dynion fel Mr. Duff Cooper a fynnont – nid stiwardiaid

> iddynt hwy ydym ni – nid iddo ef chwaith nac i'n heglwysi nac i'n henwad yr ydym ni yn gyfrifol, ond i'r Hwn a roes i ni yr uchel fraint o bregethu ei Efengyl ogoneddus Ef.[3]

Yn rhifyn Medi o'r *Deyrnas* cyhoeddwyd ateb a dderbyniodd Valentine i lythyr a anfonwyd yn enw'r Tabernacl at David Lloyd George ynglŷn â mater yr Ysgol Fomio. Bu'r Blaid Genedlaethol yn ceisio ennyn ymateb gan y cyn-Brif Weinidog yn erbyn yr Ysgol Fomio ac yn y diwedd mynegodd ei farn, ond safbwynt da-i-ddim yn mynegi gobaith niwlog am heddwch byd-eang ydoedd:

> I have given full weight to all the arguments about the disturbing effect of such a camp intruding upon a peaceful community like that which dwells in the Lleyn peninsula.
>
> I still think the only remedy is to abolish bombing altogether. If there must needs be a bombing school it is better it should be in a sparsely populated part of the country than in an area which is densely populated. Let us unite in abolishing war from amongst the many horrors of this world.[4]

Mae ymateb Valentine yn dangos y graddau yr oedd Lloyd George wedi ymbellhau oddi wrth ei bobl ei hun ym meddyliau'r genhedlaeth newydd o genedlaetholwyr. Mae hefyd yn awgrymu nad sail heddychol oedd gwrthwynebiad pennaf Valentine i'r datblygiad yn Llŷn. Cynddrwg, os nad gwaeth na hynny hyd yn oed, oedd y bygythiad uniongyrchol i ddifodi ffordd arbennig o fyw:

> Nid wyf yn meddwl bod gofyn i mi ychwanegu dim, ond nid wyf yn credu bod Mr. Lloyd George wedi deall ein gwrthwynebiad fel Cristnogion i'r peth hwn yn Llŷn. Ni pheryglir iaith a gwareiddiad Lloegr wrth blannu yno Ysgol Fomio, ond beth debygwch chwi fydd effaith plannu trefedigaeth Seisnig yn y darn Cymreicaf o Gymru? A pheth fydd dylanwad y sefydliad ar dôn foesol yr ardal? Ond i ba beth yr ymhelaethwn? Y mae'n wir ddrwg gennym mai fel hyn y gwêl Mr. D. Lloyd George.[5]

Dywed nad oes diben ymhelaethu gan fod amser siarad yn dirwyn i ben. Nid rhethreg yn unig yw'r frawddeg glo ychwaith, gan fod yma, rhwng y llinellau efallai, ymgais i baratoi aelodau ei eglwys ar gyfer yr hyn yr oedd eu gweinidog am ei wneud, oherwydd "anghenraid a osodir arnom i ddal i ymladd yn erbyn y peth, costied a gostio".

Llanwyd bywydau aelodau'r Blaid â phrysurdeb anghyffredin, ac i'r dethol rai yr oedd mymryn o antur a chyfrinachedd ynghlwm â'r gwaith hefyd. Yn ychwanegol at y cynorthwywyr a fu'n cadw golwg ar ddatblygiadau ar dir Penrhos, yr oedd eraill yn cludo negeseuon yn ôl a blaen ledled y wlad. Gweithredodd Elwyn Roberts, a fu am flynyddoedd wedyn yn Drysorydd Plaid Cymru, fel dolen gyswllt rhwng J E Jones a Valentine. Penderfynwyd yn gynnar iawn nad doeth fyddai anfon llythyrau drwy'r Post Brenhinol rhag ofn i'r ohebiaeth syrthio i ddwylo'r heddlu. Gweithiai Elwyn Roberts yn y Banc yn Llandudno, ac fe arferai fynd â llythyrau oddi wrth J E at Valentine yn bersonol. Canfu Elwyn Roberts nad ef yn unig oedd wrthi: "Cofiaf fod yn dychwelyd o Gaernarfon yn hwyr un nos Sadwrn a phan safodd y trên yng Nghyffordd Llandudno daeth gwraig ifanc ataf a dweud ei bod hithau'n trosglwyddo gwybodaethau i Valentine. Ymestynnai'r rhwydwaith i Lŷn ac i olwg Penyberth."[6]

Wedi barnu mai dull y brotest fyddai llosgi'r adeiladau ar y safle, penderfynwyd wedyn y byddai tri o arweinwyr amlycaf y Blaid Genedlaethol yn cymryd cyfrifoldeb am y weithred ac yn ildio eu hunain i'r awdurdodau. Ni fyddent, serch hynny, yn gweithredu yn enw'r Blaid, ond yn hytrach gweithredu fel unigolion y byddent. Er hynny, tasg rhy fawr i dri unigolyn fyddai tanio'r Ysgol Fomio ar eu pennau eu hunain, a gwnaed trefniadau i gasglu criw o weithredwyr i gynorthwyo gyda'r gwaith ar y noson.

Pan ddaeth hi'n fater o ddewis y tri gweithredwr a fyddai'n ildio eu hunain, yr oedd Saunders Lewis yn wreiddiol yn awyddus i Valentine, fel Is-lywydd y Blaid, aros â'i draed yn rhydd er mwyn gofalu am gyfeiriad a threfniadaeth y Blaid tra byddai ef, y Llywydd, yn y carchar. Bernid y byddai'n fwy gwerthfawr yn trefnu ac yn arwain y Blaid ar y tu allan, ond dadleuai Valentine yn frwd yn erbyn hynny. Fe chwaraeodd ran mor fawr yn y trefnu a'r ymgyrchu, ymresymai, fel ei fod yn teimlo nad oedd yn deg ag ef ei atal rhag gweithredu. Arwain o'r blaen oedd dull Valentine o weithredu p'run bynnag, ac ef a orfu yn y ddadl yn y diwedd. Er bod un cofnod gan Ambrose Bebb yn nodi enw J E Daniel fel un o'r darpar weithredwyr, erbyn diwedd Awst yr oedd y penderfyniad terfynol ynghylch pwy fyddai'n cymryd cyfrifoldeb am y weithred wedi'i wneud ac roedd Valentine yn un o'r tri. Cafodd wybod yn ffurfiol ei fod wedi ei ddewis mewn llythyr ato gan Saunders Lewis ddechrau Medi 1936.

Bryd hynny cynhelid Undeb y Bedyddwyr yn Aberteifi, ac roedd Valentine yn aros gyda'i gyfaill David Lewis, Llandysul, perchennog Gwasg Gomer, cyhoeddwr cyfnodolyn y Bedyddwyr, *Seren Gomer*. (Bu David Lewis a'i frodyr Rhys ac Edward yn gyfeillion agos i Valentine ers blynyddoedd, a maes o law cafodd gyfle i gydweithio'n agos â theulu'r Lewisiaid adeg ei olygyddiaeth o *Seren Gomer* yn y pumdegau a'r chwedegau.) Galwodd Saunders Lewis heibio i Landysul gyda'r llythyr, ond gan fod Valentine yn yr Undeb yn Aberteifi gadawodd amlen dan sêl yng ngofal David Lewis. Cafodd Valentine orchymyn ganddo i ddinistrio'r llythyr ar ôl darllen y cynnwys. Ynddo rhoddwyd gwybod mai D J ac yntau fyddai cymheiriaid Saunders Lewis yn y weithred, ac fe'i cyfarwyddwyd ymhellach i gysylltu â D J, a oedd hefyd yn yr Undeb yn Aberteifi. Dyna, beth bynnag, a ddywedwyd yn gyhoeddus gan Valentine wedi'r digwyddiad, ond mae'n deg tybio fod D J a Valentine yn gwybod eisoes am eu rôl yn y llosgi, ac mai manylion ynglŷn â'r trefniadau terfynol oedd yn y llythyr, manylion megis dyddiadau, amseroedd, mannau cyfarfod ar y nos Lun dyngedfennol a swyddogaeth y tri ar y noson.

Doedd dim dwywaith bod Valentine yn llawen iawn o ddeall y byddai D J wrth ei ochr. Ef yn ôl Valentine oedd "Apostol Paul y Blaid", ac un o'i gyfeillion mwyaf yn y mudiad, a dywedid bod y ddau yn anwahanadwy mewn ysgolion haf a chynadleddau. Nid sentiment yn unig oedd y rheswm dros ymfalchïo yn ei gyd-weithredwr, serch hynny, gan fod yno fwy o galedwch yng nghymeriad D J nag a dybid yn aml. Cyn-baffiwr oedd y gŵr o Rydcymerau ac roedd dogn go dda o ddur y tu ôl i anwyldeb "y wên na phyla amser".

Dychwelodd Valentine i Gaernarfon ar ddydd Gwener 4 Medi, a'r bwriad oedd cyfarfod D J yno ar y prynhawn Sadwrn. Y diwrnod hwnnw cynhaliwyd y cyfarfod olaf cyn y weithred i gadarnhau'r trefniadau ar gyfer y nos Lun ddilynol. Yn bresennol roedd Saunders, Valentine, Bebb, Victor Hampson Jones, Robin Richards, O M Roberts, J E Jones a J P Davies. Yn nodweddiadol, rywsut, collodd D J y bws a bu'n rhaid i Valentine fynd yn ôl i Landudno ar ôl y cyfarfod i baratoi ei oedfaon ar gyfer y Sul. Gadawyd neges yn Swyddfa'r Blaid yn hysbysu D J ei fod i gyfarfod Valentine ym Mangor am bump o'r gloch yr hwyr ar nos Lun y seithfed.

Cyfarfu'r ddau yn ôl y trefniant a chan ei bod yn bwrw glaw mân aeth y ddau i gysgodi ger Gerddi'r Pier ym Mangor er mwyn cael llonydd i siarad. Gorchwyl Valentine oedd dyrannu tasgau a briffio D J ynghylch ei ddyletswyddau ar y noson. Wrth drafod y manylion hyn gwelsant ffigwr cyfarwydd yn mynd am dro ger Siliwen, sef R T Jenkins, yr hanesydd. Mae'n debyg iddynt gael ychydig o drafferth cael gwared ohono, ond ar ôl mân siarad fe lwyddwyd yn y diwedd trwy ddweud celwydd golau bod ganddynt "gyhoeddiad pwysig" yn rhywle arall.

Yn y cyfamser yr oedd Saunders Lewis wedi teithio i fyny i'r gogledd o Abertawe i dŷ ei fam-yng-nghyfraith yng Nghaergybi. Yr oedd Mrs Gilcriest hithau wedi gwau sachau i ddal y deunyddiau chwistrelli tanwydd. Yn unol â'r trefniant cafodd y caniau petrol eu storio ym Mhlasty Garthewin, ac yna ar nos Sul y chweched o Fedi fe'u cludwyd i Gricieth gan R O F Wynne, lle trosglwyddwyd hwynt i ofal Saunders Lewis. Mae'n eironig rywsut fod Wynne, un o etifeddion hen dirfeddianwyr Llanddulas, a'r cyntaf, yn ôl sylw rhamantus J E Jones, "o hen sgweiariaid Cymru i ddyfod yn ôl i'w mudiad rhyddid",[7] yn gweithredu ysgwydd wrth ysgwydd ym Mhenyberth gyda Valentine, mab y chwarelwr.

Ar y nos Lun teithiodd Saunders Lewis o Gaergybi i gyfarfod Valentine a D J ar ochr Ynys Môn o Bont y Borth, am naw o'r gloch y nos, ac yna mynd am swper o gwmpas hanner awr wedi naw yng Ngwesty'r Victoria,

Porthaethwy. Yno llofnododd y tri lythyr i Brif Gwnstabl Sir Gaernarfon yn hawlio cyfrifoldeb am y weithred. Yno hefyd y llofnodwyd llythyr a luniwyd gan Saunders Lewis yn datgan mai fel unigolion y gweithredodd y tri gan ddatgysylltu'r Blaid Genedlaethol yn swyddogol o'r weithred. Diben hyn mae'n debyg oedd pellhau'r Blaid yn ffurfiol o'r llosgi a diogelu Swyddfa'r Blaid rhag cael ei meddiannu gan yr heddlu.

Ni chafodd Valentine na Saunders Lewis achos i betruso o gwbl ynghylch cyfiawnder y weithred yr oeddent ar fin ei chyflawni: "Na, ches i ddim brath cydwybod o gwbl," meddai Valentine, ond cyn gweithredu fe achosodd y mater cryn wewyr meddwl i D J mae'n debyg. Ac yntau'n 51 oed, yr oedd hefyd wyth mlynedd yn hŷn na'i gyd-gynllwynwyr yn y ffydd. "Mi fu D J yn meddwl unwaith petai'r tri ohonom yn ymwadu â'n swyddi ac yn cysegru'n hunain i fynd o amgylch Cymru i genhadu yn erbyn y bwriad, y gallai hynny fod yn effeithiol."[8] Gwrthod y dadleuon hynny a wnaeth yn y pen draw, ond mae'n bosibl i D J fod yn fwy nerfus na'r ddau arall, ac efallai mai hynny a oedd i gyfrif am y troeon trwstan a gysylltir ag ef ar y noson. Tua hanner awr wedi deg y digwyddodd un o chwedlau enwocaf yr hanes pan anafodd D J ei hun. Torrodd ei fys trwy droi rasal rownd a rownd ei fysedd ym mhoced ei wasgod – mewn pwl o nerfusrwydd mae'n debyg – a bu'n rhaid mynd ar ras wyllt at y meddyg, sef Dr J M Thomas, Bryn Rheidiol, Porthaethwy. Yn dilyn y cynnwrf bychan hynny, ac ar ôl rhagor o gelwydd golau yn sgil chwilfrydedd y meddyg, teithiodd y tri yn eu blaenau i Ben Llŷn.

Y pedwar arall a ddewiswyd i gynorthwyo'r tri ar y noson oedd J E Jones, O M Roberts, Robin Richards a Victor Hampson Jones. Yn ei hunangofiant dywed O M Roberts, a oedd yn athro ifanc yn Ysgol Ganol Llandudno ar y pryd, iddo gael cyfarwyddyd i fynd i gyfarfod yn nhŷ'r cyfreithiwr E.V. Stanley Jones yng Nghaernarfon. Yno yr oedd J E Jones ac esboniwyd y cynllun wrtho, a gofynnwyd iddo ef, ynghyd â Robin Richards a Victor Hampson Jones, i gymryd rhan ar y noson.

Athro o Faesteg oedd Victor Hampson Jones a ddaeth maes o law yn Swyddog gydag UCAC; bu Robin Richards yn olygydd y *Welsh*

Nationalist, papur Saesneg y Blaid Genedlaethol, ac adeg y llosgi yr oedd yn ffermio ger Rhosneigr. Cymro Cymraeg o Ynys Môn oedd ei dad a aeth yn offeiriad gydag Eglwys Loegr, ond Pabydd oedd Robin Richards a gafodd fagwraeth Seisnig mewn Ysgol Fonedd yng Nghaergrawnt a Choleg Merton, Rhydychen.

Bu'r paratoadau ar gyfer y weithred yn fanwl a gofalus. Y bwriad oedd gwisgo hen ddillad wrth daenu'r petrol ac yna eu taflu ar ôl cyflawni'r weithred, ond cyn hynny aeth J E Jones ac O M Roberts ati i dynnu'r botymau a'r labeli oddi arnynt rhag ofn i rywun allu eu hadnabod. Yn y cyfamser teithiodd Robin Richards a Victor Hampson Jones i fyny o'r de i gyfarfod â J E ac O M. Y bwriad oedd codi'r ddau ohonynt wrth iddynt gerdded ar hyd y ffordd o Lanwnda i gyfeiriad Plas Glynllifon. Ar ôl cyfarfod aeth y pedwar wedyn ymlaen i Lithfaen nes gweld car Saunders Lewis, ac yna teithiodd y saith yn eu blaenau mewn dau gar ar hyd y cefnffyrdd nes cyrraedd Rhydyclafdy am hanner awr wedi hanner nos. Parciwyd ychydig oddi ar y ffordd mewn eithin ar y mynydd-dir gerllaw'r lôn y tu draw i Rydyclafdy ar ochr Pwllheli, a cherddodd y criw dros y gefnen wedyn i safle'r maes awyr arfaethedig. Gwisgent sanau am eu hesgidiau a menig am eu dwylo. Aeth Robin Richards ac O M Roberts o gwmpas y gwersyll un tro olaf i wneud yn siŵr nad oedd neb yno. Yn eu meddiant yr oedd rhaff rhag ofn y byddai'n rhaid "clymu'r gwyliwr nos a'i fynd ag ef i le diogel".[9] Nid oedd hi'n bwrw glaw ym Mhen Llŷn ar y noson, ond fe chwythai gwynt cryf o gyfeiriad y de-orllewin.

Saunders Lewis a fu yng ngofal y trefniadau o sicrhau deunyddiau pwrpasol ar gyfer y weithred, a'r deunyddiau a oedd ym meddiant y tanwyr ar y noson oedd: 5 can petrol, 10 galwyn o betrol, 6 paced o *firelighters*, 3 tun bisgedi a 3 chwistrellydd. Rhannwyd y safle yn dair: cyfrifoldeb Valentine a J E Jones oedd pen dwyreiniol y safle, gyda Saunders Lewis ac O M Roberts yn gyfrifol am ochr ddeheuol y safle, ac ardal y storfa oedd ar hanner ei adeiladu oedd maes llafur D J a Victor Hampson Jones; tasg Robin Richards oedd cadw golwg. Arllwyswyd y petrol i'r tun bisgedi gan un gweithredwr, tra byddai'r gweithredwr arall yn sugno'r tanwydd i'r chwistrell a'i chwistrellu dros y cytiau fesul un. Mae'n debyg i hyn gymryd rhyw bum munud ar hugain rhwng 1.00 a 1.25 y bore. Yna rhoddwyd pedwar ugain munud i'r pedwar cynorthwyydd hel eu traed am eu car. Y bwriad wedyn oedd defnyddio'r *firelighters* a charpiau i gychwyn y tân.

Tybiodd Valentine iddo glywed rhywun yn agosáu at y safle:

> Yn y cyfamser wrth i ni ymhél â'r gwaith chwistrellu fe dybiais i 'mod i'n clywed rhywun yn dynesu at y gwersyll gyda chi yn cyfarth ac yntau'n ceisio atal y ci – ac fe euthum i at Saunders Lewis a dweud mod i'n credu fod rhywun yn dynesu at y gwersyll a bod gwell i ni ar unwaith ddechrau tanio, ac yntau'n cytuno ac yn peri i mi hysbysu D J o hynny.[10]

Nid hawdd fu tanio'r deunyddiau – er gwaethaf y petrol a chwistrellwyd – oherwydd fod y gwynt yn chwythu mor gryf nes diffodd y matshys. Llwyddodd Valentine a Saunders i danio'r adeiladau ond methodd D J am nad oedd ganddo gyflenwad o fatshys, felly bu'n rhaid iddo rannu rhai Valentine. Yna, "wedi gweld fod y tân wedi cydio, fe aethom ni yn ôl at y car yr oeddem wedi ei chuddio hi rhwng Rhydyclafdy a'r gwersyll ac yn aros yno i roi cyfle i'r tân gydio'n well".[11] Cerddodd y tri yn ôl heb frys at y car, gan adael y deunyddiau i gyd ar y safle. Ar ôl cyrraedd y car ysmygodd Valentine a Saunders un sigarét olaf, a sgwrsio gyda D J am stori fer yr oedd ar ganol ei llunio am Williams Pantycelyn, sef 'Dros y Bryniau Tywyll Niwlog'. Yna, "ar ôl gweld y wawr goch yn yr awyr, a bod y gwaith wedi llwyddo fe aethom yn ôl i Bwllheli ac i stesion y plismyn yno".[12]

Gollyngwyd J E Jones ac O M Roberts yn y Groeslon, a cherddodd y ddau yn ôl ar hyd y lôn i gartref O M yng Nglanrhyd, Llanwnda. Aeth Robin Richards a Victor Hampson Jones yn eu blaenau i gyfeiriad y de, gan gyrraedd Bannau Brycheiniog am chwech y bore. Yno i'w cyfarfod, yn unol â'r trefniant, yr oedd Gwladwen Gwent er mwyn mynd â Victor Hampson Jones adref i Gaerdydd yn ei char.

Codwyd yr Uwch-Arolygydd Moses Hughes o'i wely, gŵr yr oedd

Valentine yn ei adnabod yn dda ers blynyddoedd lawer, ac ar y cychwyn fe'u cyfarchwyd yn siriol ganddo. Cyflwynwyd y llythyr iddo oedd yn manylu ar y weithred, ac agorodd y swyddog yr amlen yn hamddenol a darllen y cynnwys. Wedi gwneud hyn edrychodd yn syn ar y tri a holi:

"Mae hyn yn ddifrifol. Ydi o'n wir?"

"Mae'n wir ein bod ni yno, ac mae'n wir ein bod yn ei ystyried yn ddifrifol," atebodd Valentine.

"Wel, sut ydwyf i wybod ei fod yn wir?" holodd y plismon.

Atebwyd ef trwy ddweud y dylai sefyll ar garreg y drws ac edrych i'r awyr, ac fe welai wawr goch y tanio. "Ac felly y bu a dyma gyffro mawr a ffonio a galw'r plismyn o bob rhyw gwr i fyny a hwythau'n dyfod yn gynhyrfus iawn ac ar fotobeics a beiciau a cheffylau haearn ac ar draed ac ar redeg a chyffro mawr." Penderfynwyd galw'r frigâd dân, gan adael y tri yng ngofal heddwas ifanc. Yn ôl y sôn treuliodd y tri yr amser wedyn yn swyddfa'r heddlu yn y dref yn cyd-drafod barddoniaeth

Parry â'i gilydd, gyda Valentine yn dweud mai 'Y Llwynog' oedd ei hoff soned. Câi drafferth cofio rhai o linellau'r gerdd ond fe'i cynorthwywyd i wneud hynny gan y plismon ifanc, ac felly fe'i gwahoddwyd i'r seiat lenyddol.

Ymhen tipyn, dychwelodd y plismyn o'r safle gyda "rhai yn edrych yn gymeradwyol arnom ni ac yn sibrwd bod yna "gythraul o dân".[13] Dychwelodd yr Uwch-Arolygydd a thywys y drindod i'r celloedd, a'u gorchymyn i ddiosg eu bresys yn unol â'r rheoliadau, a cheisiwyd achub ar ychydig o gwsg, er mae'n debyg i'r tri gael eu rhoi mewn celloedd heb i unrhyw gyhuddiad ffurfiol gael ei ddwyn yn eu herbyn. Y bore wedyn, deffrodd y carcharorion i frecwast o gig moch ac wy. Brecwast a oedd, meddai Valentine, yn well na'r hyn a gynigid fel rheol i droseddwyr Pen Llŷn, ac yn arwydd o'r parch a deimlai amryw o'r heddweision lleol tuag at eu carcharorion nodedig. Rhoddwyd cyfle iddynt hefyd ymolchi a siafio cyn gorfod wynebu'r llys ynadon yn y prynhawn.

Erbyn hyn yr oedd y stori wedi mynd ar led fel tân gwyllt bod yr Ysgol Fomio wedi ei llosgi, ac roedd rhai o drigolion Pwllheli wedi eu cythruddo'n arw. Trefnwyd meichiau ar ran y tri gydag R O F Wynne yn sefyll ar ran Saunders Lewis, W St John Williams ar ran Valentine a'r Parch. J P Davies ar ran D J. Dywedodd Valentine ei fod yn teimlo bod "tref Pwllheli yn un gŵr yn ein herbyn ni", a bu'n rhaid i'r tri adael y llys drwy'r drws cefn a threfnwyd *escort* arbennig i'w hebrwng o'r dref.

Ni fu'r Parch. J P Davies mor ffodus, oherwydd wrth iddo adael y llys tybiodd rhai o'r dorf mai D J Williams oedd ef, a dechreuwyd rhedeg ar ei ôl a cheisio ymosod arno. Yn y sgarmes a ddilynodd torrwyd ei sbectol, ac wrth iddo geisio lloches mewn siop gerllaw caewyd y drws yn glep yn ei wyneb. Llwyddodd yn y diwedd i gael noddfa mewn tŷ cyfagos, ond yn amlwg nid oedd casineb rhai o ddinasyddion Pwllheli tuag at y cenedlaetholwyr wedi lleihau dim.

Er gwaethaf y "cythraul o dân" achoswyd llai na gwerth £3,000 o ddifrod i'r safle. Nid dyna oedd y pwynt, serch hynny. Nid taro ergyd economaidd na chychwyn chwyldro oedd yr amcan, ond cymell y Llywodraeth i ddwyn achos yn erbyn cenedlaetholwyr Cymraeg, "...y peth mawr gan Saunders a finnau oedd bod hwn wedi tyfu yn achos rhwng cenedl a gwladwriaeth",[14] a dyna a gafwyd yn y pen draw, pan ddygwyd achos gan y Brenin yn erbyn John Saunders Lewis, Lewis Edward Valentine a David John Williams a'u cyhuddo o dan Adran 5, Deddf Difrod Maleisus, 1861, "at Penrhos in the County of Carnarvon, maliciously set fire to certain buildings, belonging to His Majesty the King". Pennwyd y byddai'r achos yn dod gerbron Llys y Goron, Caernarfon, ar ddydd Mawrth, y trydydd ar ddeg o Hydref, 1936.

Pennod 14

Rhaid Cydwybod

Nid oedd yn aros, felly, ond dal i brotestio, a chan fod protestio mewn dull bonheddig a chyfreithlon wedi methu, rhaid oedd protestio mewn dull a ystyrid yn anghyfreithlon. A'r RHAID hwnnw ydoedd y mwyaf o bob RHAID – RHAID CYDWYBOD.

Lewis Valentine, Araith i'r Rheithgor, Llys y Goron Caernarfon, Hydref 1936

Ar y nos Sadwrn cyn cychwyn allan i losgi'r Ysgol Fomio fe luniodd Lewis Valentine lythyr at ei dad, Samuel, yn datgan wrtho beth yr oedd am ei wneud, ac yn mynegi ei deimladau ynglŷn â'r cam yr oedd ar fin ei gymryd, a'i gred ddiysgog mai ei ddyletswydd fel Cristion oedd cyflawni'r weithred ym Mhen Llŷn:

Fy annwyl Dad

Yr wyf yn ysgrifennu hwn nos Sadwrn, ac yn gobeithio cael rhywun i'w bostio bore dydd Mawrth, os bydd ein gweithred yn llwyddiannus. Yr ydys wedi penderfynu llosgi hynny o adeiladau sydd ym Mhorth Neigwl – daeth dydd taro, ni thâl taeru mwyach. Y mae gennyf rhyw syniad y buasech chwi yn dymuno bendith Dduw ar ein gwaith, canys yr wyf yn credu yn llwyr bod y taro hwn yn daro dros Y Deyrnas. Y mae'n ddrwg na chefais gyfle i alw heibio i chwi, ond bûm mor brysur yn paratoi. Ni wn beth fydd y gosp a roddir arnaf, ac nid yw'n poeni rhyw lawer arnaf, ond yn unig fel y mae a wnelo a'r teulu bach yma. Mi garwn pe gallasech dalu golwg drostynt o dro i dro. Y mae'n amheus iawn gennyf a fedr yr Eglwys ddeall ystyr y cam a gymeraf, a chytuno i mi aros yn weinidog arni neu i ddychwelyd pan y'm rhyddheir – ni all ddeall fod y weithred hon yn gwneuthur fwy dros yr Efengyl yng Nghymru na phymtheng mlynedd o bregethu. Yr wyf dan ddyled drom i chwi erioed, a'm gweddi yw y cedwir chwi hyd y gwelaf chwi eto. Os gollyngir ni ar 'bail' fe fydd popeth yn iawn – cawn siawns i drafod pethau. Cofiwch fi at Lil – gwelais Elias yn Aberteifi. Nid oes neb ohonoch i boeni dim yn fy nghylch. Gwnaethum a wnaethum a'm dau lygad yn agored – fy hyder yw y deffroir y genedl trwy'r weithred hon i weld ei pherygl. Maddeuwch i mi am ysgrifennu llythyr mor gwta – y mae'r amser yn brin, a gwaith gennyf eto i orffen fy mhregethau erbyn yfory.

Y serch a'r cofion cynhesaf atoch, a diolch i chwi am bopeth a wnaethoch erof erioed.

Lew[1]

Roedd Mary Valentine wedi marw yn 1928, ac ar ôl hynny yr oedd ei dad wedi mynd i fyw at ei chwaer Lil oedd bellach yn byw yn Abergele gyda'i gŵr, Elias Evans, gweinidog gyda'r Bedyddwyr yn y dref. Mewn cyfweliad ynglŷn ag ymateb eu tad i ddigwyddiadau Medi 1936, dywedodd Lil nad oedd y cyfnod wedi bod yn arbennig o anodd i'w tad gan ei fod yn llwyr gefnogol i safiad ei fab, ond ychwanegodd pe byddai eu mam yn fyw y byddai'r sefyllfa wedi bod yn anodd iddi hi ddygymod â hi. Dywedodd y byddai "meddwl am fy mrawd yn y carchar yn torri ei chalon [Mary Valentine] a basa hi ddim gymaint o blaid pethau â 'nhad, ddim yn deall yr un fath ynte".[2] Adroddodd ei chwaer hefyd hanes am un o weinidogion Abergele yn galw heibio i weld ei thad ar y bore wedi i'r newydd am y llosgi dorri. Bwriad y gŵr oedd dod draw i dosturio wrth y tad am gamwri'r mab:

> "Dw i 'di dod yma i gydymdeimlo â chi frawd. Mab yn gorfod mynd i'r carchar."
>
> "Do, dwi wedi fy siomi'n ddirfawr," meddai fy nhad, "fy siomi'n ddirfawr."
>
> "O dw i'n siŵr eich bod chi..."
>
> "Na, na 'dach chi'n fy nghamddeall i," meddai fo. "Ro'n i'n meddwl eich bod chi wedi dod yma i'm llongyfarch i ar yr hyn oedd o wedi'i wneud."[3]

Bu Samuel Valentine yn llwyr gefnogol i'w fab ar hyd yr adeg, a llwyddodd i fynychu'r achos yng Nghaernarfon gyda'i ferch Hannah. Bu farw'r henwr ymhen pedair blynedd ar ddydd Gwener y Groglith, 1940, ar ôl byw i weld ei fab yn cyflawni llawer iawn o'i obeithion.

Cefnogol iawn fel y gellid disgwyl oedd cefnogwyr ac aelodau'r Blaid Genedlaethol hefyd. Ysgrifennodd Kate Roberts at Valentine ar y degfed o Fedi yn datgan yn llawen: "Dyma ddechrau iawn ar bethau, fe wnaethoch gwaith gwych iawn..." Ychwanegodd hefyd fod ei gŵr Morus yn addo gwaith fel trafaeliwr i Valentine pe bai eglwys y Tabernacl yn penderfynu ei ddiswyddo ar ôl achos Llys y Goron.

Yn gyffredinol cafwyd cefnogaeth i'r tri ar draws ffiniau pleidiol yn y Gymru Gymraeg. Gan fod golygyddion *Y Faner* (Proser Rhys), *Y Brython* (Gwilym R Jones) a'r *Herald Cymraeg* (Meuryn) yn gefnogwyr i'r Blaid Genedlaethol yr oedd y wasg Gymraeg at ei gilydd yn frwd eu cefnogaeth i'r gweithredwyr. Ond adwaith ffyrnig a gafwyd yn eu herbyn o du'r wasg Saesneg. Yr oedd y *North Wales Chronicle* o'r farn na allai Cymru, lle roedd troseddwyr yn crwydro'r nos gyda matshys a phetrol, fod yn rhydd, dedwydd na Christnogol. Yn ôl y *Daily Post*, "poisonous and perverted nationalism" oedd wrth wraidd holl wrthdystiadau'r Blaid Genedlaethol.

Bu Valentine yn pregethu i gynulleidfaoedd mawr iawn ledled y wlad yn y cyfnod rhwng y llosgi a'r achosion llys. Nid syndod felly i arweinwyr y Blaid gredu bod cyfnod newydd yn gwawrio yn hanes yr achos cenedlaethol yng Nghymru. Fel hyn y cyfarchodd D J ei gyd-ddiffinydd ar ddiwedd Medi wrth edrych ymlaen at yr achos ddechrau Hydref: "Wel, yr hen gyfaill annwyl hoffus, a'm cyd-garcharor yn yr Achos Mawr, sut yr wyt ti?... Yr wyf i yn dal yn gadarn yn y ffydd ac weithiau bron yn gadarn yn yr ysbryd. Gwnaent a fynnant â ni rwy'n teimlo ein bod wedi ennill buddugoliaeth."[4]

Trosglwyddwyd yr achos gan Ynadon Pwllheli i Lys y Goron, Caernarfon, i'w gynnal ar 13 Hydref. Dewiswyd cwmni cyfreithwyr W H Thompson o Lundain, a oedd yn brofiadol mewn achosion gwleidyddol, i ddarparu cyngor cyfreithiol. Penderfynwyd y byddai Saunders Lewis a Valentine yn eu hamddiffyn eu hunain yn y llys ond sicrhawyd gwasanaeth y bargyfreithiwr Edmund Davies i gynrychioli D J Williams.

Paratôdd Saunders a Valentine eu hareithiau ymhell cyn yr achos er mwyn galluogi'r Blaid i gyhoeddi pamffled oedd yn cynnwys yr areithiau. Argraffwyd wyth mil o gopïau Cymraeg a phedair mil o'r fersiwn Saesneg gyda'r bwriad o'u gwerthu ar y Maes yng Nghaernarfon ar ddiwrnod yr achos am bris o dair ceiniog y copi.

Cymro o dras oedd y Barnwr, Syr Wilfrid Hubert Poyer Lewis, ond nodweddiadol o'r sefydliad Prydeinig. Derbyniodd ei addysg yn Eton a Rhydychen cyn ei alw i'r Bar yn yr *Inner Temple*, a bu'n gwasanaethu fel capten gyda'r *Glamorganshire Yeomanry* yn y Rhyfel Mawr. Yn y Llys uwchben cadair fawr y Barnwr roedd darlun o gyflwyno'r Tywysog Edward yn Dywysog Saesneg cyntaf Cymru yn arwydd symbolaidd o gefndir hanesyddol y drefn gyfreithiol yng Nghymru.

Galwyd y rheithwyr i ymgynnull a gofynnodd clerc y llys i'r tri bledio. Dyma pryd y bu'r gwrthdaro cyntaf rhyngddynt a'r Barnwr. Mynnodd ef y dylai Saunders Lewis bledio i'r cyhuddiadau yn Saesneg, ac yn y diwedd o dan brotest dyna a fu. Yn yr un modd pan ddaeth tro Valentine i bledio, gwnaeth hynny yn Gymraeg hyd nes i'r Barnwr ei orfodi i wneud yn Saesneg.

"Are you the person described as a clergyman?" gofynnodd y Barnwr.

Atebodd Valentine yn Gymraeg fod hynny'n gywir.

"Do you understand and speak English?" holodd y Barnwr.

Atebodd Valentine yn Gymraeg: "Yr wyf yn deall Saesneg ac yn ei siarad weithiau ond Cymraeg yw'r unig iaith y gallaf fy mynegi fy hun yn iawn ynddi."

Gofynnodd y Barnwr y cwestiwn eto: "Do you understand English?"

"Under protest," meddai Valentine. "I admit that I understand

English and do occasionally speak it."

A phan ddaeth mater pledio'n euog ynteu'n ddieuog, unwaith eto dywedodd Valentine, "Under protest like my friend, I plead not guilty."

Dilynwyd Valentine gan D J ac ildiodd ef yn yr un modd dan brotest i bledio'n ddieuog yn Saesneg.

Wedyn daeth mater o ethol rheithgor. Dewisodd y tri arfer eu hawl fel diffynyddion i wrthwynebu rheithwyr. Yn gyffredinol y rheswm a roddwyd oedd bod angen rheithwyr a fedrai'r Gymraeg. Er i'r Barnwr ddisgrifio'r peth fel ffars, fe lwyddwyd i sicrhau rheithgor o siaradwyr Cymraeg, ac nid oes amheuaeth y bu hynny'n allweddol i ganlyniad yr achos.

Esboniodd W N Stable, ar ran yr erlyniad, fod y tri wedi eu cyhuddo o gynnau tân yn anghyfreithlon a llosgi eiddo'r Llywodraeth yn anghyfreithlon mewn maes awyr ym Mhenrhos ger Pwllheli. Fe'u cyhuddwyd hefyd o wneud difrod bwriadol i'r eiddo. Dywedwyd ar y noson dan sylw, yn ogystal, bod dau ddyn wedi ymosod ar y gwyliwr nos, David William Davies o Nefyn, o'r tu ôl, a phan ryddhawyd ef gwelodd fod yno dri dyn a bod cytiau'r maes awyr ar dân. Wrth ymladd y fflamau cafodd y frigâd dân hyd i duniau a chwistrelli y tybir iddynt gael eu defnyddio i gynnau'r tân. Yna amlinellwyd y modd y bu i'r tri ildio eu hunain yng ngorsaf heddlu Pwllheli.

Ar un pwynt yn unig yr oedd Saunders Lewis am gynnig tystiolaeth a hynny ar fater fersiwn y gwyliwr nos. Dywedodd na fu i'r un ohonynt weld y gwyliwr ar y noson ac yn sicr meddai ni wnaeth yr un ohonynt ymosod arno fel yr haerai. Yn dilyn croesholi Saunders dywedodd Valentine hefyd ei fod am roi tystiolaeth i gywiro'r hyn a ddywedodd y gwyliwr. Gwadodd yntau iddo ymosod ar y gwyliwr, gan ategu'r hyn a ddywedodd Saunders, sef na welwyd neb ar gyfyl y safle ar y noson. Yn wir, cymaint fu'r anghysonderau yn stori'r gwyliwr nos, nes i'r Barnwr, wrth grynhoi'r achos ar y diwedd, hysbysu'r rheithgor y caent, pe dymunent, ddiystyru'r dystiolaeth a roddwyd ganddo.

Galwyd amryw o dystion eraill, yn eu plith yr Uwch-Arolygydd

Moses Hughes, swyddogion y frigâd dân ac amryw o weithwyr y safle, Albanwyr gan mwyaf, a nododd iddynt ddod o hyd i duniau petrol gwag ar y safle wedi'r tân. Clywyd hefyd gan gynrychiolydd y Weinyddiaeth Awyr a dystiodd fod gwerth tua £2,671 o eiddo wedi ei ddinistrio gan y fflamau.

Valentine oedd y cyntaf o'r tri i sefyll yn y doc i gyflwyno ei araith, ond ni chafodd ei araith yr effaith a fwriadwyd yn y llys. Tarfwyd ar ei neges oherwydd ei fod yn ei thraddodi yn Gymraeg, a bod yn rhaid cyfieithu'r cwbl gymal wrth gymal gan gyfieithydd y llys, Gwilym T Jones, Pwllheli. Fe rybuddiwyd y diffynyddion gan eu cyfreithwyr ymlaen llaw y byddai'r Barnwr yn ymyrryd yn eu hareithiau ac yn eu cyhuddo o draethu ar bethau nad oeddent yn berthnasol i'r achos, a dyna a ddigwyddodd. Rhwng ymyrraeth y Barnwr a'r cyfieithu tameidiog mae'n debyg i'r profiad o wrando arni fynd yn dreth ar amynedd hyd yn oed y mwyaf pybyr o gefnogwyr y tri. Er hynny, dywedodd Valentine iddo deimlo'n hollol hyderus wrth gamu i'r doc i annerch y llys. "Fûm i erioed mor hunanfeddiannol,"[5] dywedodd wedyn.

"Gweinidog yr Efengyl ydwyf i" meddai ar ddechrau ei araith, "a sylweddolaf fod arnaf gyfrifoldeb arbennig am y rhan a gymerais yn y llosgi a fu ar yr Ysgol Fomio ym Mhorth Neigwl yn nechrau mis Medi. Nid yn ysgafn nac yn fyrbwyll, nac yn ddifeddwl chwaith, y penderfynais bod rhaid anorfod arnaf i wneuthur a wnaethpwyd, ond ar ôl ystyriaeth ddwys a difrifol, ac yn ofn Duw, yr euthum allan y noson honno."

Ei dasg olaf cyn gadael cartref y diwrnod hwnnw, dywedodd, oedd hebrwng ei ferch Gweirrul i'r ysgol am y tro cyntaf. Ei gyfrifoldeb, meddai, oedd sicrhau na fyddai hi'n gorfod dioddef yr hyn a ddioddefodd ei fam, sef gweld ei meibion yn gorfod ymladd mewn rhyfeloedd y "cenhedloedd dreng".[6] Cenedl heddychlon oedd Cymru meddai, a'i bryd ar heddwch "na ddarfu iddi ymladd erioed ond i amddiffyn ei ffiniau". Ei dasg fel Gweinidog yr Efengyl oedd ceisio cyflawni ewyllys ei bobl i atal rhyfyg rhyfel, gan fod rhyfel yn fygythiad i wareiddiad Cristnogol Cymru. Cyn i Valentine gael cyfle i ddyfynnu penderfyniad Undeb y Bedyddwyr ar y mater, torrodd y Barnwr ar ei draws gan ddatgan:

"You will certainly not draw the attention of the jury to the resolution of any body."

Er iddo atal Valentine rhag dyfynnu barn ei enwad, fe ganiataodd i Saunders Lewis ddyfynnu safbwynt yr Eglwys Gatholig ar fater yr Ysgol Fomio yn ei araith yntau. Dywedodd Valentine iddo gael ar ddeall yn ddiweddarach fod gan y Barnwr ragfarn yn erbyn y Bedyddwyr yn gyffredinol ac mai hynny oedd i gyfrif am yr anghysondeb.

Tanlinellir pwysigrwydd gweithredu i Valentine pan bwysleisia wrthwynebiad ei enwad i ryfel, gan ymfalchïo mai "traddodiad o weithredu'n ddewr ydyw traddodiad y Bedyddwyr, ac nid pasio penderfyniadau dof". Ar fore'r wythfed o fis Medi, meddai, gweithredwyd yn ysbryd penderfyniadau enwadau Ymneilltuol Cymru. Nid oedd ychwaith yn difaru dim o'r hyn a wnaeth. Yn wir "braint" oedd "cynorthwyo'n llawen" yn y weithred o losgi'r Ysgol Fomio ym Mhenyberth.

Gwrthodwyd yr hawl i Valentine hefyd ddyfynnu geiriau'r Archdderwydd yng nghyfarfod Undeb yr Annibynwyr. Y tro hwn gofynnodd Valentine am ychydig o ras gan y Barnwr:

"I plead with you in my difficulty."

"I see no difficulty. You describe yourself as a minister of the Gospel and are presumably a man of intelligence. You will address the jury on matters which are relevant to the charge."

"Your Lordship may not know very much about Welsh preachers, but this preamble, which seems irrelevant, is absolutely necessary."

"It is not necessary and it is not permissible in this court."

Trodd Valentine at aelodau'r rheithgor a dweud yn Gymraeg, "Gwelwch fy anhawster foneddigion."

Aeth ymlaen i amlinellu hynt yr ymgyrch gyfansoddiadol yn erbyn y maes awyr, gan nodi'r unfrydedd barn a gafwyd ar y mater. Er gwaethaf y gwrthwynebiad, dywedodd, fe fynnodd Llywodraeth Lloegr fwrw ymlaen â'r cynllun, ac er gwaethaf y "crefu a thaer ymbil" ni wrandawodd y Wladwriaeth ar ddymuniad y genedl. Yn wyneb hyn nid oedd ond dau ddewis ganddo ef a'i gyd-ddiffynyddion: "Un dewis oedd TEWI, a dywedyd, 'Dyna ni wedi gwneuthur ein gorau glas – rhaid i'r drwg bellach ffynnu – nid oes gennym ond edrych yn drist a diymadferth ar y llywodraeth yn codi'r Ysgol Fomio yn groes i ewyllys crefyddwyr y wlad – yn groes i ewyllys y genedl'."

Ni allai, fodd bynnag, fod yn fud a distaw, oherwydd bradychu holl dreftadaeth Cymru fyddai hynny, ac ni fyddai bywyd yn werth ei fyw. Rheidrwydd anorfod felly oedd parhau i wrthdystio:

> ... a chan bod protestio mewn dull bonheddig a chyfreithlon wedi methu, rhaid oedd protestio mewn ffyrdd eraill a ystyrid yn anghyfreithlon. A'r RHAID hwnnw ydoedd y mwyaf o bob RHAID – RHAID CYDWYBOD. Yn enw Cristnogaeth ac yn enw ein cenedl galwai cydwybod arnom yn chwyrn i wneuthur yr hyn a honnir sy'n dorri cyfraith gwlad; ac yn enw ein Cristnogaeth ac yn enw ein cenedl, a'n cydwybod yn ein taer wasgu, gwnaethom hynny er mwyn ufuddhau i gyfraith uwch na chyfraith Lloegr.

"That is the law which prevails in this case and in any other court in this country," ebe'r Barnwr ar ei draws eto. Aeth Valentine ymlaen:

> Yn nhermau cyfrifoldeb y diffiniwn ni ein Cristnogaeth a'n Cenedlgarwch, a maint ein cyfrifoldeb i'r genedl hon ydyw maint ein cyfrifoldeb i Dduw... Dwyn dydd tranc ein cenedl yn agos a fyddai plannu'r Ysgol Fomio hon yn Llŷn, a hyn ni allwn oddef, canys y mae'r genedl yn santaidd ac yn gysegredig, ac yn offeryn Teyrnas Nefoedd, ac am hynny y mae pob brwydr am ei heinioes hi yn frwydr gyfiawn.

Ei gyfrifoldeb, ychwanegodd, am Deyrnas Dduw yng Nghymru a barodd iddo daro dros Gymru yn y weithred hon: "Canys y mae deddf uwch na deddf gwladwriaeth Loegr – y mae'n hymlyniad ni wrth Gristnogaeth yn uwch – yn anhraethol uwch peth na'n hymlyniad ni wrth gyfreithiau Lloegr."

Bellach, yr oedd yn amlwg bod y Barnwr Lewis yn colli amynedd â'r

Jeremeia Cymraeg yma oedd yn herio cyfraith ei frenin. "I have warned you twice, I want to warn you once more for your own sake, that what you are telling the jury is not the law which prevails in this court or a court in any civilised country."

Roedd hyn un ymyrraeth yn ormod i Valentine ac meddai'n rhwystredig: "It is impossible for me to go on and be called to order by your Lordship." Ond roedd yn cyrraedd at derfyn ei araith, a dewisodd barhau:

> Teyrngarwch uchaf dyn yw ei deyrngarwch i Dduw – o flaen hyn nid oes dim, a phan fo gwladwriaeth yn disodli Duw ac yn treisio drwy hynny farn a chydwybod dynion – pan fo'r wladwriaeth yn treisio deddfau Duw, ac yn sarnu hawliau cenedl a orchfygodd, yna nid oes gan ddyn sydd ganddo fymryn o hunan-barch, costied a gostio, ond herio'r wladwriaeth honno.

Ychwanegodd iddo gael derbyniad arbennig wrth bregethu ar hyd a lled Cymru yn dilyn y Tân yn Llŷn. Nid oedd neb wedi gofyn iddo ganslo cyhoeddiad; yn wir yr oedd rhai eglwysi wedi arddel y weithred a'i fendithio. Mewn datganiad, y gellir tybio a oedd yn rhoi cryn foddhad iddo, dywedodd iddo gael derbyniad mwy na chroeso tywysog neu frenin, sef ei dderbyn fel proffwyd. Oherwydd hynny, meddai, "tra bo'r llys hwn yn ystyried fy achos, y mae eu gweddïau yn fur ac yn amddiffyn ac yn galondid i mi..."

Torrodd y Barnwr ar ei draws am y tro olaf: "Other people have said you are a hero, but in this court the law has to be administered. The fact that you burnt down the aerodrome because you were an enthusiast for peace is no defence whatever, and it will be my duty, however unpleasant, to tell the jury so." Cyn i Valentine gael cyfle i ymateb ychwanegodd y Barnwr: "I shall ask you to sit down if you don't address the jury on matters which are relevant."

Atebodd Valentine ei fod yn ildio i orchymyn y Barnwr: "I bow to your Lordship's ruling," meddai cyn eistedd, gan adael hanner brawddeg olaf ei araith heb ei thraddodi. (O ran diddordeb, y cymal olaf hwn oedd:

"y mae eu gweddïau yn fur ac yn amddiffyn ac yn galondid i mi ac am hynny, ni'm dawr beth fydd dedfryd y llys hwn".)

Efallai y dylid nodi yma, er gwaethaf yr elfennau diamheuol o heddychiaeth a chasineb at bob agwedd o filitariaeth yng nghymhellion dau o'r gweithredwyr, nad gweithred ar ran heddychiaeth Gymreig fel y cyfryw oedd y llosgi – hyd yn oed i D J a Valentine. Gweithred ydoedd gan genedlaetholwyr Cristnogol Cymraeg, a thros y dreftadaeth Gristnogol yng Nghymru y gwnaed y safiad. Fel y dywed A O H Jarman: "Gweithred genedlaethol oedd honno [y llosgi], nid gweithred basiffistaidd… ei hamcan oedd amddiffyn y gymdeithas Gymraeg ei hiaith yn Llŷn ac Eifionydd, a thrwy hynny'r gymdeithas Gymraeg oll, rhag ei difrodi yn sgil darpariaethau milwrol y wladwriaeth fawr yr oedd Cymru wedi'i chorffori ynddi."[7]

Yn ei araith yntau ar ddiwedd yr achos, gwnaeth y Barnwr Lewis ffafr fawr ag achos gwleidyddol y diffynyddion trwy bwysleisio drwyddi draw mai gweinyddu cyfraith Lloegr ydoedd. Yn wir, gweinyddu cyfraith Lloegr yr oedd y rheithwyr hefyd wedi tyngu i'w wneud wrth gymryd y llw ar ddechrau'r achos.

Anfonwyd y rheithwyr allan, ac ar ôl llai na thri chwarter awr dychwelodd y deuddeg aelod. Aeth y clerc atynt a gofyn i Harlech Jones o Gricieth, blaenor y rheithgor:

"Members of the jury, are you agreed upon your verdict?" gofynnodd y clerc.

"We are. We have failed to agree."

Holodd y Barnwr wedyn a oedd unrhyw obaith y gallent ddod i gytundeb.

"I am afraid my Lord, there is no chance," atebodd y Bonwr Jones.

"Very well," ebe'r Barnwr, "the case will go over to next assizes."

Am eiliad bu'r llys yn gwbl ddistaw, yna cyn i Edmund Davies gael cyfle i ofyn am ryddhau'r tri ar fechnïaeth, daeth bonllefau'r dorf a bloeddio canu 'Hen Wlad Fy Nhadau' o'r stryd y tu allan.

Ar ôl y ddedfryd cafwyd gorymdaith fuddugoliaethus drwy'r dref i Swyddfa'r Blaid ym Mhendref; y bwriad oedd cario'r tri ar ysgwyddau'r cefnogwyr, ond mae'n debyg bod Valentine yn rhy drwm i'w gario yr holl ffordd!

Rai blynyddoedd wedi'r achos llys adroddodd Valentine am y cysylltiad a fu rhyngddo a chadeirydd y Rheithgor, Harlech Jones o Gricieth: "Yr oedd Cadeirydd y rheithgor... yn wincian arnaf i, neu o leiaf yr oeddwn i'n meddwl ei fod o'n wincian arnaf."[8] Cafodd gyfle i gael esboniad helaethach yn nes ymlaen wrth gael te yng Ngwesty'r Royal ar ddiwedd y prynhawn, pan ddaeth un o staff y gwesty ato yn dweud bod rhywun eisiau gair personol ag ef mewn ystafell breifat. Harlech Jones oedd y gŵr hwnnw. Oedd, meddai, yr oedd yn wincian arno yn y llys. Bwriad hynny oedd ceisio rhoi gwybod i Valentine fod yno un o leiaf o'r rheithgor yn cydymdeimlo â'r tri. Esboniodd Harlech Jones ymhellach fod ei wraig yn arfer byw drws nesaf i Samuel a Mary Valentine pan oeddent yn byw ym Mhenycae, Trefechan, ger Wrecsam. Yn ôl cadeirydd y rheithgor yr oedd ei wraig wedi ei siarsio cyn gadael y tŷ y bore hwnnw gan ddweud: "Cofia, Harlech. Os doi di adra a bachgen Mary yn y jêl, sbïa i byth arnat ti."[9]

Roedd Harlech Jones yn aelod amlwg gydag enwad yr Annibynwyr yn Eifionydd ac yn aelod o Gyngor Tref Cricieth. Yn Ebrill 1936 yr oedd wedi eilio cynnig gan y Parch. O M Lloyd, Rhoslan, yng Nghyfundeb Annibynwyr Llŷn ac Eifionydd yn gwrthwynebu codi'r Ysgol Fomio, er iddo rai dyddiau yn ddiweddarach ddadlau na ddylai Cyngor Tref Cricieth ddatgan gwrthwynebiad i fwriadau'r Llu Awyr, ar y sail mai lle eglwysi a chymdeithasau oedd hynny, a phriod waith Cyngor Tref oedd gweinyddu Deddfau Iechyd Cyhoeddus. Ar ôl i'r awdurdodau benderfynu symud yr ail achos i Lundain, fodd bynnag, ef a roddodd y cynnig gerbron yn Undeb yr Annibynwyr yn protestio yn erbyn trosglwyddo'r prawf o Gymru ac yn erbyn codi'r Ysgol Fomio.

Mae'n debyg bod cefnogaeth Harlech Jones a'i deulu i achos y Blaid Genedlaethol yn mynd yn ôl i'r dyddiau cynnar felly. Yn ôl W S Jones

(Wil Sam) bu gan deulu Harlech Jones gyswllt â'r Blaid ers blynyddoedd. Bu Valentine yn annerch cyfarfod cyhoeddus yn Llanystumdwy yn ystod etholiad cyntaf y Blaid yn 1929, ac wrth i'r dorf wasgaru ar ddiwedd y cyfarfod clywyd rhai o drigolion y pentref, a fu'n gwylio'r digwyddiad ar y cyrion, yn datgan yn groch mai'r "petha Harlech Jones 'na oeddan nhw".[10] Ymhen saith mlynedd byddai Harlech Jones yn chwarae rhan allweddol yn hanes ymgyrch yr Ysgol Fomio. Tro hynod o ffodus, felly, oedd cael cadeirydd i'r Rheithgor a oedd wedi bod yn gefnogol i achos y Blaid Genedlaethol bron o'r cychwyn.

Yn y dyddiau a'r wythnosau wedi'r achos yng Nghaernarfon fe wawriodd ar aelodau'r Blaid Genedlaethol eu bod wedi cael llwyddiant gwleidyddol o'r diwedd, er nad oedd amgylchiadau a natur y llwyddiant hwnnw yn union fel y disgwylient ddegawd ynghynt. Am y tro cyntaf hefyd cafwyd sylw i achos Cymru ar lwyfan rhyngwladol, fel y dengys yr adroddiad isod o'r cylchgrawn Americanaidd *Time Magazine*. O dan y pennawd sylwgar "For God, Not England" mae gohebydd *Time* yn y llys yn dewis canolbwyntio ar eiriau "Pastor Valentine" a'i wrthdaro â'r Barnwr:

> With ardent young Welsh folk singing native songs outside the courtroom at Carnarvon last week, three Welsh Nationalists stood in the dock charged with malicious destruction of King Edward's property. Did or did not a Welsh pastor, a Welsh author and a Welsh schoolmaster burn buildings of the British Royal Air Force bombing school near Pwllheli, Wales, thereby causing $10,000 damage?
>
> Pastor Lewis Valentine, heedless of the judge's frequent warnings that he must not make irrelevant remarks, vehemently justified the burning, thundered with apostolic zeal: "The English Government's behavior in the matter of the bombing school is exactly the behavior of the new Antichrist throughout Europe... The establishment of the bombing field would make imminent the death of our Welsh nation... It is my responsibility for the Kingdom of God in Wales that urged me to strike the blow for Wales. Our allegiance to the laws of Christianity is infinitely higher than our allegiance to the laws of England.
>
> After this passionate outburst the jury found themselves unable to

> agree, and as the three incendiaries walked out of the courtroom to await the next assizes they were shouldered on high by festive Welsh crowds who cheered wildly whenever Pastor Valentine mentioned "governmental iniquity".[11]

Adlewyrchir y teimlad o fuddugoliaeth wleidyddol gan deimladau D J mewn llythyr a ysgrifennodd at Valentine ar ôl achos Caernarfon ar 13 Hydref. "Oni throdd pethau maes yn ardderchog!" meddai, gan ychwanegu nad oedd "fawr bwys beth a wna'r barnwyr nesaf ohonom. Credaf yn sicr y down trwyddi'n fwy na choncwerwyr, gan fod gwŷr Arfon unwaith eto wedi dangos bod hen arwri iaith eu tadau yn parhau i fyw yn rhai ohonynt".[12] Yr oedd effaith ewfforig penderfyniad y rheithgor yn parhau wrth i D J dalu teyrnged i'w gyd-ddiffinydd: "Wel Val, cadarn fal y graig a fuost o flaen gorsedd ei fawrhydi symudliw. Ymennydd, cymeriad, didwylledd a boneddigeiddrwydd yn trechu'r Sais yn deg ar faes ei gyfraith ei hun ydoedd hi ddydd Mawrth."[13]

Roedd Saunders Lewis hefyd yr un mor galonogol, gan broffwydo wrth D J fod yr "effaith ar Gymru eisoes yn fawr – fe dyf fwyfwy gyda hyn".[14] Nid oedd amheuaeth gan Lywydd y Blaid chwaith ynglŷn â chywirdeb y weithred, ond wrth fynd heibio cynigiodd ddadansoddiad proffwydol o ddyfodol y Blaid:

> Hyd yn hyn nid oes gan neb ohonom ddim mewn golwg ond lles Cymru, dyna'n man cryf ni. Pan ddaw llwyddiant fe ddaw gobeithion personol hefyd yn fuan, a llygru ar y mudiad. Dyna hanes mudiadau, ni raid wylo am hynny, ond ei dderbyn yn ddiolchgar fel arwydd o lwyddiant. Ond yr awr hon, yr wyf i a chwithau a phawb ohonom mi dybiaf yn amhersonol ffyddlon i ddelfryd Cymru.[15]

Ymysg y buddugoliaethau a gafodd y Blaid Genedlaethol yn ystod hanes ymgyrch Ysgol Fomio Penyberth, mae'n debyg mai'r pennaf fu penderfyniad yr awdurdodau i symud yr ail achos llys i'r Old Bailey yn Llundain. Yn wir yn dilyn canlyniad achos Llys y Goron Caernarfon, gobaith y Blaid oedd y byddai'r awdurdodau yn penderfynu symud yr achos allan o Gymru. Ddiwedd Hydref ysgrifennodd Valentine at Kate

Roberts yn dweud mai "peth da fyddai mynd â'r achos i Lundain", oherwydd "byddai modd cyffroi'r wlad drwyddi wedyn".[16]

Dyna yn union a ddigwyddodd dros fwrw Sul 22 Tachwedd pryd ymddangosodd hanes yn y papurau newydd fod Syr Donald Somervell, KC, y Twrnai Cyffredinol, yn bwriadu gwneud cais y bore Llun canlynol i symud yr ail achos o Gaernarfon i Lundain. Yn y gwrandawiad gerbron yr Arglwydd Hewart dywedodd y Twrnai Cyffredinol fod y cais i drosglwyddo'r achos yn cael ei gyflwyno o dan Adran 3 Deddf y Llys Troseddol Canolog, 1856, a oedd yn darparu ar gyfer symud prawf i'r Llys Troseddol Canolog lle byddai gwneud hynny'n ymddangos i Adran Mainc y Brenin, sef y *King's Bench Division,* yn "expedient to the ends of justice".[17] Dadleuwyd mai prif ddiben Deddf 1856 oedd symud prawf i'r Central Criminal Court lle roedd teimladau lleol yn golygu y gallai dedfryd euog neu ddieuog arwain at gymell gwrthdystiadau treisiol yn lleol o blaid neu yn erbyn y diffinyddion. Dywedodd Syr Donald fod yr achos wedi ysgogi teimladau cryfion yn erbyn y maes awyr a bod grwpiau mawr o bobl wedi ymgynnull y tu allan i'r llys yng Nghaernarfon a bod peth helynt wedi deillio o hynny. Yn dilyn derbyn affidafidau gan amryw o unigolion a fu ynghlwm â'r achos penderfynodd yr Arglwydd Hewart ganiatáu symud yr achos i'r Old Bailey.

Dyma lwyddiant propaganda mwyaf y Blaid Genedlaethol. Yr oedd yr awdurdodau wedi datgelu agwedd drahaus a gormesol Lloegr tuag at genedl y Cymry, rhywbeth yr oedd y cenedlaetholwyr wedi'i bregethu ers blynyddoedd.

Yn y pythefnos rhwng y gwrandawiad ar ddiwedd Tachwedd a'r apêl yn erbyn y penderfyniad i symud y prawf ar y seithfed o Ragfyr bu gwrthdystio sylweddol gan gefnogwyr y tri. Anfonwyd cannoedd o lythyrau'n gwrthwynebu'r penderfyniad, ac fe aeth dirprwyaeth o Aelodau Seneddol i gwrdd â'r Prif Weinidog, Stanley Baldwin, i geisio ei ddarbwyllo i ymyrryd yn y mater. Gwrthod a wnaeth Baldwin. Yr oedd y mater, meddai, yn *sub judice* ac nid ei le ef fel Prif Weinidog oedd ymyrryd mewn materion Barnwrol.

Cynhaliwyd gwrandawiad yn yr Uchel Lys ddechrau Rhagfyr i ddadlau yn erbyn y penderfyniad i symud yr achos i Lundain. Y tro hwn yr oedd Saunders, D J a Valentine eu hunain yn bresennol yn y gwrandawiad gerbron yr Arglwydd Hewart a'r Barnwyr Swift a Macnaughten.

Dadleuwyd yn erbyn y penderfyniad i symud yr achos o Gymru ar ran y tri gan Norman Birkett, K C, Edmund Davies, a Dudley Collard. Cyfeiriodd Norman Birkett at y pamffled *Paham y Llosgasom yr Ysgol Fomio*, oedd yn cynnwys yr areithiau a baratowyd gan Valentine a Saunders Lewis i'w traddodi yn Llys y Goron, Caernarfon. Dywedodd y bargyfreithiwr ei bod yn amlwg mai ar sail cydwybod a theimladau crefyddol a chenedlaethol yr oedd y tri wedi gweithredu. Byrdwn y ddadl oedd na ddangoswyd y byddai symud yr achos o Gaernarfon yn "expedient to the ends of justice".[18] Os oedd y rheol ynghylch teimladau lleol yn arwain at wrthdystiadau treisiol yn ddilys yna ni fyddai modd cynnal achos teg ynghylch unrhyw bwnc oedd yn ennyn teimladau neu ddiddordeb cenedlaethol. Nid oedd a wnelo Adran Mainc y Brenin ddim byd â barn trigolion lleol o'r prawf, na'r posibilrwydd y gallai achos llys ysgogi teimladau cryfion.

Nid oedd yno gynsail o gwbl, haerodd Norman Birkett, dros symud achos yn dilyn methiant rheithgor i ddod i gytundeb yn absenoldeb amgylchiadau arbennig megis ymgais i ymyrryd â thystion. Nid oedd amgylchiadau o'r fath yn berthnasol i'r achos hwn, a pheryglus fyddai gosod cynsail. Tynnodd yr Arglwydd Brif Ustus sylw at y ffaith fod Valentine yn ei araith wedi datgan:

> Ond mae fy nghenedl eisoes wedi fy marnu – y mae fy nghydgrefyddwyr yng Nghymru eisoes wedi rhoddi eu dedfryd arnaf. Treuliais y tair wythnos ddiwethaf yn teithio o fan i fan yn Neheudir a Gogledd Cymru yn pregethu yn uchel wyliau eglwysi fy enwad... Rhoddasant i mi groeso a derbyniad mwy na chroeso a derbyniad tywysog neu frenin – rhoddasant i mi dderbyniad proffwyd – arddelasant fy ngweithred – rhoddasant eu bendith i mi; a heddiw... y mae eu gweddïau yn fur ac yn amddiffyn i mi.

Dywedodd Norman Birkett nad oedd yn ymddangos bod Valentine wedi pregethu ar destun y prawf; y cyfan a olygai'r geiriau oedd nad oedd yn droseddwr yng ngolwg ei gyd-wladwyr. A oedd cynulleidfa'r gweinidog yn dod o'r un dosbarth â'r rheithgor gofynnodd y Barnwr Swift. Os felly onid oedd yno awgrym o ganfasio'r rheithgor o'r pulpud?

Atebodd Birkett nad oedd mewn sefyllfa i wybod o ba ddosbarth y deuai cynulleidfaoedd y capeli, ac nid oedd ychwaith yn gwybod a fu Mr Valentine yn pregethu yn Sir Gaernarfon. Aeth Birkett yn ei flaen i ddadlau mai'r gwir sail dros symud yr achos i Lundain oedd yr awydd i sicrhau dedfryd euog. Swm a sylwedd dadl y Goron, meddai, oedd mai peth afresymol ar ran rheithgor Caernarfon oedd anghytuno, ac o'r herwydd nad oedd modd cynnal achos teg yng Nghaernarfon. Nid oedd yr ystyriaethau hynny'n berthnasol o dan Adran 3 Deddf 1856, a ph'run bynnag, o ragdybio nad oedd modd cynnal achos teg yng Nghaernarfon, pam symud y prawf i Lundain? Y cam arferol mewn amgylchiadau fel hyn fyddai cynnal y prawf mewn sir gyfagos. Ni symudwyd unrhyw achos o Gymru i Loegr ers canrifoedd. Nid oedd tystiolaeth, meddai, na ellid cynnal achos teg yng Nghaernarfon ac nid oedd sail dros symud yr achos o'r dref. Os tybid bod teimladau cenedlaethol yng Nghymru mor gryf fel nad oedd modd cynnal yr achos yn y wlad yna dylid datgan hynny'n blaen.

Ni alwyd ar y Twrnai Cyffredinol i ymateb i hyn, ond fe ddywedodd nad oedd y cais yn cynnwys y farn nad oedd modd cynnal achos teg yng Nghymru. Pe bai'r llys yn tybio mai priodol fyddai cynnal yr achos yng Nghaerdydd yna ni fyddai'n gwrthwynebu hynny.

Wrth draddodi ei ddyfarniad dywedodd yr Arglwydd Hewart, yn wyneb yr amgylchiadau a ddatgelwyd gan yr *affidavits*, ei fod yn fodlon bod y gorchymyn yn unol â dibenion cyfiawnder. "At that juncture," meddai "it was best not to dwell on the matter." Ymhellach, bu'r Twrnai Cyffredinol yn iawn i beidio ystyried yr awgrym y gellid symud yr achos i Gaerdydd. Fe wnaed yr awgrym hynny mewn ymateb i gŵyn ynghylch symud yr achos i'r Central Criminal Court yn benodol. Nid oedd, fodd bynnag, yn ôl yr Arglwydd Brif Ustus, "the slightest ground for any such complaint."[19] Felly pennwyd yn derfynol mai yn y Central Criminal Court yn Llundain yn Ionawr 1937 y byddai tynged y tri yn cael ei benderfynu.

I raddau helaeth iawn, penderfyniad anorfod oedd hyn, ac wrth weld ymateb rhagfarnllyd yr Arglwydd Brif Ustus nid oedd gobaith gan y diffynyddion i gadw'r achos yng Nghymru. Erbyn hynny, fodd bynnag, nid dyna oedd eu dymuniad, gan fod symud y prawf i'r Old Bailey wedi rhoi cyfle delfrydol i'r Blaid Genedlaethol ddangos trahauster y Sefydliad Prydeinig tuag at Gymru.

Datgelodd Valentine wrth O M Roberts hefyd fod yna "ddadl fach rhwng Saunders a minnau".[20] Dadleuai Valentine mai datganiad yn Gymraeg yn unig y dylai'r tri ei wneud gerbron yr Old Bailey, "ac na ddylem yn Llundain ddywedyd ungair yn Saesneg. Efallai y rhoir dedfryd i ni am 'Contempt of Court' ond pa ods bellach – wedi mynd cyn belled yna mynd i'r eithaf, a gwych o effaith fydd ein dedfrydu am ddefnyddio'r Gymraeg".[21] Ar ddiwedd ei lythyr dywed Valentine wrth ei gyfaill am beidio pryderu, gan ei fod yn mynd i'r Llys "yn berffaith dawel, ac yn falch fy mod yn cael cyfle i fynd".[22]

Ymddangosodd y tri gerbron yr Ustus Charles yn Llundain ar 13 Ionawr 1937 ond gohiriwyd yr achos am wythnos, tan 19 Ionawr. Nid drama hir fu'r ail achos llys, a seliwyd tynged y tri o fewn diwrnod. Dywedir bod y Llys yn orlawn ar y dydd Mawrth hwnnw, gydag amryw wedi teithio yno ar drenau arbennig o Gymru i gefnogi'r diffynyddion. Penderfynwyd ymlaen llaw na fyddai angen cyfreithwyr i'w cynrychioli yn yr ail achos, ac fe blediodd y tri yn ddieuog i'r cyhuddiad.

Dywedodd Mr Stable wrth agor yr achos ar ran yr erlyniad fod y cyhuddiad yn cael ei ddwyn ar ddau gyfrif, ond bod y ffeithiau i gyd yn ymwneud ag un digwyddiad. Amlinellodd gefndir yr achos a arweiniodd at ddigwyddiadau noson y seithfed a'r wythfed o Fedi 1936. Ar y noson honno yr oedd gwyliwr gwersyll yr Awyrlu ym Mhenrhos yn arolygu'r safle pan ymosodwyd arno gan ddau ddyn. Cafodd ei daflu i'r llawr a'i gadw yno. Sylwodd fod yno ddyn arall yn symud o gwmpas y gwersyll ac yna gwelodd gyfres o danau yn cael eu cychwyn hwnt ac yma ar dir y gwersyll. Dywedodd yr erlynydd nad oedd yn awgrymu bod y gwyliwr wedi cael ei daro neu ei anafu mewn unrhyw fodd ac eithrio ei fod wedi ei daflu i'r llawr a'i gadw yno. Ar ôl cael ei ryddhau dywed y gwyliwr iddo seinio rhybudd a bod y frigâd dân a'r heddlu wedi cyrraedd yn fuan wedi hynny. Cyhuddwyd y tri diffinydd o roi cytiau a choed ar y safle ar dân, a bod y tân wedi ei gychwyn yng nghornel ogledd-orllewinol y gwersyll, a'i fod wedi llosgi drwy'r nos. Gwnaed gwerth £2,355 o ddifrod i eiddo'r Goron a gwerth £316 o ddifrod i offer a chyfarpar gweithwyr. Dinistriwyd amryw o swyddfeydd a siediau, yn ogystal â llyfrau cyfrifon a chardiau yswiriant, a daethpwyd o hyd i dri o duniau petrol wedi eu gwasgaru ar draws y safle y bore wedyn. Canfuwyd amryw o *firelighters* a matshys hefyd, yn ogystal â thri chwistrellydd pres a oedd wedi eu defnyddio i chwistrellu petrol. Gyda golwg ar y gwyliwr nos, meddai'r erlynydd, yr oedd yn sylweddoli bod y diffynyddion, er yn cyfaddef iddynt danio'r gwersyll, yn gwadu ymosod ar y gwyliwr nos. Nid ymosod ar y gwyliwr oedd y cyhuddiad a ddygwyd yn eu herbyn fodd bynnag; fe'u cyhuddid o roi'r gwersyll ar dân.

Yna amlinellwyd y modd y bu i'r tri fynd i orsaf heddlu Pwllheli a chyfaddef trwy gyfrwng llythyr a roddwyd i'r Uwch-Arolygydd Moses Hughes eu bod yn cymryd cyfrifoldeb am y difrod a wnaed i'r Gwersyll Bomio ar nos Lun, 7 Medi. Yr oedd hyn, haerodd yr erlynydd, yn gyfaddefiad amlwg gan y tri eu bod yn euog o'r cyhuddiad yn eu herbyn a'u bod wedi gweithredu'n fwriadol gan wybod y byddent yn wynebu cyhuddiad troseddol. Yn wyneb hyn dim ond dyfarniad euog oedd yn gyson â'r dystiolaeth gerbron y rheithgor.

Yna galwyd tystion ar ran yr erlyniad. Yr un rhai oedd y rhain â'r rhai a ymddangosodd yn achos Caernarfon, yn eu plith y gwyliwr David William Davies o Nefyn. Gofynnodd y Barnwr iddo a oedd wedi adnabod unrhyw un o'r dynion a ymosododd arno. Dywedodd Mr Davies ei fod wedi adnabod un ohonynt, ond pan ofynnodd yr erlynydd iddo pwy oedd y gŵr hwnnw, atebodd y gwyliwr nad oedd yr unigolyn hwnnw wedi'i gyhuddo. Cymhellodd hynny bwl o chwerthin gan Saunders Lewis ac amryw o'r gwrandawyr, a bu'n rhaid i'r Barnwr alw am dawelwch yn y llys. Ymysg y tystion eraill yr oedd Andrew Ferris, fforman adeiladu ar y maes awyr a ddaeth o hyd i dun petrol hanner llawn ar y noson tua 30 llath o'r adeiladau oedd yn llosgi. Dywedodd John Wright, oedd yn gyfrifol am gerbydau modur ar y safle, nad oedd yr adeiladwyr wedi gadael unrhyw duniau petrol yno y noson honno.

Wedi i'r erlynydd orffen croesholi'r gwyliwr, trodd y Barnwr at Saunders Lewis a gofyn iddo a oedd am holi'r tyst. Atebodd Saunders yn Gymraeg gan ddweud nad oedd am ei amddiffyn ei hun oherwydd ei fod yn gwadu hawl y llys i'w profi. Ni chafodd gyfle i orffen ei frawddeg, gan fod yr Ustus Charles wedi torri ar ei draws gan ofyn a fedrai siarad Saesneg. Atebodd Saunders Lewis ef yn Gymraeg trwy ddweud nad oedd yn bwriadu siarad Saesneg yn y llys. Cafwyd cadarnhad gan yr Uwch-Arolygydd Hughes o Bwllheli fod Saunders a Valentine yn medru Saesneg (nid oedd yn siŵr am allu'r trydydd diffinydd i gyfathrebu yn yr iaith fain er mai athro Saesneg yn Ysgol Abergwaun oedd D J). Felly gofynnodd y Barnwr i Saunders a Valentine yn eu tro a oeddent am holi'r tyst, "because if you do, you will ask it in English or not at all".[23] Ymateb Valentine i'r gorchymyn swta oedd, "Dim gair, f'Arglwydd".[24] Ymateb cyffelyb a roddodd D J, a dywedodd y tri hefyd nad oeddent am gyflwyno tystiolaeth eu hunain, ac nad oedd bwriad ganddynt i alw unrhyw dystion ar ran yr amddiffyniad, ac nad oeddent ychwaith am annerch y rheithgor. Fe ddywedodd D J, trwy'r cyfieithydd, ei fod yn dymuno dweud gair: "Gyda phob parch i'r rheithwyr Seisnig hyn, nid ystyriaf y gall neb wneud cyfiawnder â'n hachos ni ond rheithwyr o'n cyd-genedl. Dyna'r cyfan."[25]

Wrth grynhoi, tynnodd yr Ustus Charles sylw at y ffaith bod y tri wedi cyfaddef eu cyfrifoldeb am y weithred ym Mhenrhos. Nid mater i'r rheithgor, meddai'r Barnwr, oedd ystyried eu cymhellion. Yr unig gwestiwn perthnasol oedd: A oeddent wedi cyflawni'r weithred dan sylw? Dywedodd y tri eu bod wedi llosgi'r maes awyr, a'u bod wedi bwriadu gwneud hynny oherwydd eu gwrthwynebiad i sefydlu gwersyll yr Awyrlu. Yn ôl y Barnwr, yr oedd D J Williams wedi mynd gam ymhellach gan ddweud nad oedd yn cydnabod cyfansoddiad y Llys na'r rheithgor. Nid oedd sail gyfreithiol i'r ddadl honno, ebe'r Barnwr, gan fod y cyhuddiad gerbron y Llys a gerbron y rheithgor yn yr achos yn briodol ac yn unol â'r gyfraith. Sefyllfa ryfedd oedd yma, meddai'r Ustus. Penderfynodd y Llywodraeth adeiladu maes awyr, ac roedd y cyhuddedig wedi dod i'r casgliad y dylent wneud rhywbeth anghyfreithlon a threisiol i dynnu sylw at eu safbwyntiau, a'u bod wedyn wedi rhoi'r adeiladau ar y safle ar dân gan wneud difrod sylweddol.

Os oedd "the rule of law" i'w dderbyn "in this country and in Wales and Scotland",[26] meddai (mewn ymgais efallai i gywiro pwyslais anghynnil y Barnwr Lewis yng Nghaernarfon ar "the law of England"), yna nid oedd awydd y tri gŵr hyn i dynnu sylw'r Llywodraeth at eu dadl yn amddiffyniad o fath yn y byd. Aeth y Barnwr ymlaen i ddweud: "If it were open to people to say they were not guilty of burning buildings because of calling attention to their point of view, why should not a political party burn the property of the other side? They would not get the rule of law; they would get common anarchy." Dynion dysgedig oedd y rhain, meddai, a ddylai wybod yn well, ac maent wedi dewis troi at y dulliau drygionus ("wicked" oedd union air yr Ustus Charles) i dynnu sylw at eu hunain ac at eu hachos.

Ni fu'n rhaid i'r rheithgor adael y llys cyn dod i'w dyfarniad. Ar ôl ymgynghori'n sydyn â'i gilydd cafwyd y tri diffinydd yn euog. Yna gofynnwyd i'r tri a oedd ganddynt unrhyw beth pellach i'w ddweud cyn eu dedfrydu. Ysgydwodd Saunders a Valentine eu pen i ateb na, a dyna oedd ymateb D J hefyd. Wrth draddodi'r ddedfryd dywedodd y Barnwr:

> You three men – educated men – have resorted to a most dangerous and wicked method of calling attention to what you believe to be the propriety of your views. It is not for me to express any opinion. All I can say is that this is a plain case of arson and malicious damage, not to houses in which people reside, but to empty places, and doing damage to a large amount. I must sentence all of you as it would be in ill

> accord with the legal history of this country if it should be understood for one moment that justice is not administered properly because of some reason put up by an accused person which is not a reason for doing that which he did.[27]

Ar ddiwedd yr achos llys ymgasglodd torf y tu allan i'r Old Bailey gan ganu 'Hen Wlad fy Nhadau' a bloeddio cefnogaeth i'r tri a ddedfrydwyd i dreulio naw mis yn y carchar, y rhai cyntaf i fynd i garchar yn enw Cymru ers dyddiau Gwrthryfel Owain Glyndŵr.

Pennod 15

Blasu'r Wermod

Roeddwn i'n falch o gael bod yna. Ac os ydych chi'n falch o fod yn rhywle fe allwch chi oddef llawer heb ei ystyried o'n ddioddefaint.

Lewis Valentine mewn cyfweliad yn *Y Cymro*, 1970

Dywedodd Valentine na chafodd geiriau'r Barnwr ar ddiwedd yr achos y byddai'r tri yn gorfod treulio naw mis yng ngharchar effaith mor ddychrynllyd â'r disgwyl arno. Bryd hynny, meddai er mawr syndod iddo: "Ni ddychlamodd fy nghalon; ni chrynodd fy ngliniau, ni theimlais fod y byd ar ben, ac ni ddaeth imi funud o banig gwallgof. Adroddodd ugeiniau o garcharorion wrthyf eu profiad pan glywsant y ddedfryd a roes y barnwr arnynt, ond ni theimlais ddim o'u hingoedd hwy."[1]

Ei deimlad pennaf, meddai, oedd ei bod yn dda ganddo fod y ffars ar ben, a chyfaddefodd ei fod yn falch o gael dianc i rywle "rhag edrych ar y golwg ingol oedd ar wyneb yr Athro J E Daniel, a eisteddai wrth fwrdd yn llawr y llys yn union syth o'm blaen".[2] Ynghlwm â'r tosturi a deimlai at Daniel, a'i bryder personol am un a fu mor agos at fod yn un o'r tri gerbron yr Old Bailey, yr oedd pryder hefyd am y cyfrifoldeb a fyddai bellach ar ysgwyddau Daniel fel Dirprwy-lywydd y Blaid Genedlaethol am y flwyddyn y byddai'r tri yn Wormwood Scrubs. "Prun oedd y carchar caethaf?" holodd Valentine wedyn. "Y carchar a ddodai muriau arnom ni, ynteu'r carchar a ddodai cyfrifoldeb Daniel arno ef?"[3] Gyda dau o brif arweinwyr y mudiad ac un o'i ysbrydolwyr pennaf dan glo yn Llundain yr oedd y dasg o gynnal momentwm y mudiad yn un fawr ac nid rhyfedd i Valentine gydymdeimlo â'r Athro Daniel.

Dilynwyd y tri i lawr y grisiau gan y swyddogion a fu'n sefyll ar ddyletswydd yn eu gwylio yn y doc. Yno hefyd, yr oedd Llywodraethwr carchar Brixton, a phe bai'r llys yn methu penderfynu eu tynged y diwrnod hwnnw byddai'r diffinyddion wedi eu trosglwyddo i'w ofal ef am y noson. Cyfarchodd y Llywodraethwr y carcharorion ac atebodd Valentine ef gan ddweud, "Diolch i'r nef fod y ffars hon ar ben". Ateb y Llywodraethwr oedd datgan mai "damned waste of time"[4] fu'r achos yn ei farn ef.

Tywyswyd hwynt gan y swyddogion ar hyd coridor hir tywyll, a rhes o gelloedd ar bob ochr. Er iddynt fod mewn cell o'r blaen yng ngorsaf heddlu Pwllheli, ac wrth aros i'w hachos ddod gerbron y Llys yng Nghaernarfon, i lygaid Valentine yr oedd celloedd yr Old Bailey "yn fwy durol a diobaith a chreulon".[5] Fe'u hebryngwyd i ryw fath o swyddfa lle roedd tri neu bedwar o swyddogion eraill mewn lifrai glas. Chwiliwyd ac archwiliwyd y tri, a rhoddwyd hynny o eiddo a oedd yn eu meddiant mewn cwdyn cynfas. Yna fe'u holwyd yn fanwl am eu tras a'u hachau, eu henwau a'u galwedigaethau. Dyma'r cyntaf o sawl sesiwn croesholi manwl a brofwyd yn ystod yr wythnos gyntaf o fod yn y carchar. Er bod yr wybodaeth eisoes ar y ffurflenni a oedd ym meddiant y swyddogion, roedd yn rhaid mynd drwy'r broses fiwrocrataidd o ddad-ddynoli'r carcharorion. Yn ofer gofynnodd Valentine am sigarét, ond anwybyddwyd ef gan y swyddog, a sylweddolodd bryd hynny ei fod wedi ysmygu ei sigarét olaf am wythnosau.

Arweiniwyd hwynt wedyn i'r celloedd a'u cloi yno, pob un mewn cell ar wahân. Dywed Valentine mai ei unig ofn oedd y byddai'r awdurdodau yn dewis gwahanu'r tri oddi wrth ei gilydd, ac y treulient eu dedfryd mewn carchardai gwahanol.

Er gwaethaf ei falchder o gael bod ym Mhlasau'r Brenin yn enw Cymru, mae'n bosibl bod Valentine wedi dioddef mwy yn y carchar na'r argraff a roddai i'w deulu ar y pryd a'r hyn a gyfaddefodd yn gyhoeddus wedyn. Yn wir mae'n debygol iawn bod y tri wedi cuddio effaith y carchariad arnynt oddi wrth bawb ond ei gilydd. Bu Valentine yn dioddef clawstroffobia ers iddo gael ei gosbi yn yr ysgol yn blentyn am fethu adrodd yr wyddor Saesneg yn gywir, a bu'r ofn hwnnw yn gysgod tywyll dros ei gyfnod yn y carchar. Yn sicr mae'n anodd dychmygu lle gwaeth na charchar i waethygu'r cyflwr, a chyfaddefodd mai "gorchfygu'r ofn yna fu fy mhoen fwyaf yn y Carchar".[6] Cell gyfyng a thywyll oedd honno o dan yr Old Bailey, mae'n debyg. Yr oedd yno stôl a bwrdd a hen gylchgrawn arno a llawer o'r tudalennau wedi'u rhwygo. Ceisiodd Valentine dawelu'r nerfau a darllen y cylchgrawn, ond yr oedd darnau o erthyglau ar goll, a ph'run bynnag roedd yn anodd darllen mewn golau gwan. Cymaint oedd gwasgfa'r ofn o gael ei gau i mewn arno nes iddo gael ei demtio i ganu cloch y gell a gofyn i'r swyddog adael y drws yn gil agored, ond llwyddodd i wrthsefyll yr awydd gan sylweddoli mai arwydd o wendid fyddai mynd ar drugaredd y swyddogion. Dywed Valentine mai o'r funud honno y "dechreuodd brwydr fawr rhwng f'ewyllys a f'ofn, a f'ewyllys a orfu, ond nid heb friwiau".[7]

Ymhen ychydig datglowyd drysau'r celloedd ac arweiniwyd y tri, gyda swyddog wrth ysgwydd pob un ohonynt, ar hyd drysfa o goridorau a grisiau i fuarth. Ni roddwyd gefynnau ar eu harddyrnau, ond fe'u gorchmynnwyd i gerdded yn gyflym i gerbyd du mawr, sef y 'Black Maria'. Dringodd y tri i mewn iddo, dilynwyd hwynt gan dri swyddog a chlowyd y drws. Cychwynnodd y cerbyd ac aed â hwynt i garchar Wormwood Scrubs.

Ar ôl cyrraedd cafodd y tri eu pwyso ac yna eu harwain i gelloedd bychain cyfyng a chael eu gorchymyn i stripio pob cerpyn oddi amdanynt. Yna, gyda dim ond lliain gwely i guddio'u hunain, a lliain sychu bras, tywyswyd hwynt i'r baddonau. Dywedodd Valentine nad oedd y baddonau yn edrych yn lân iawn, ac roedd y dŵr yn oer, "ac er nad oedd ond hanner awr er pan laniasom yn y carchar, ac er i mi gael bath hyfryd yn y gwesty cyn gadael am y llys, y bore hwnnw, yr oeddwn eisoes yn teimlo bod holl fudreddi'r cread arnaf, a dyn a wyddai pryd y ceid y bath nesaf. I mewn â ni, ac allan cyn gynted ag yr aethom i mewn. Nid oedd eisiau swyddog i'n hannog i frysio allan".[8]

Wedi'r ymolchi rhynllyd y cam nesaf oedd dilladu'r carcharorion. Hon oedd y ddefod a ofnai Valentine fwyaf. Bu'n craffu ar y ffordd i mewn i'r carchar ar ddillad y carcharorion a welai. "Sut yn y byd mawr," holodd, "oedd dygymod â dillad oedd wedi eu gwisgo gan garcharorion eraill? Beth oedd safon glendid y tŷ golchi? Pa fath ar garcharorion a wisgodd y dillad o'n blaen ni? Pa ofal a gymerid rhag cymysgu dillad carcharorion heintus â dillad carcharorion eraill?"[9]

Rhoddwyd dillad isaf iddynt o wlanen las drwchus ("o leiaf, buont yn las unwaith"), trowsus llwyd amryliw oedd ond yn ymestyn at ganol y goes. Pa sawl carcharor a wisgodd hwn, holodd Valentine ei hun, a beth fu hynt y creaduriaid hynny ar ôl iddynt adael y carchar? Cafodd y tri gas gobennydd yr un hefyd, ynghyd â lliain sychu, dillad gwely, brws dannedd, a brws gwallt prin ei flew, a thun crwn o bowdr dannedd. Yna, aed â hwynt i adran o'r brif neuadd lle cedwid llyfrau defosiynol y gwahanol gyrff crefyddol. Yr oedd yno adran i Gatholigion, Anglicaniaid ac Iddewon, a dywedwyd wrthynt bod rhyddid iddynt ddewis llyfrau o'r adran Anglicanaidd. Cafodd Valentine Feibl, Llyfr Gweddi Gyffredin, a Llyfr Emynau a llwyddodd hefyd rywsut i fachu copi o Lyfr Gweddi Hebraeg.

Ar ôl hynny gorchmynnwyd hwy i ddilyn swyddog carchar trwy fuarth at neuadd enfawr. Canodd y swyddog y gloch, ac agorwyd pyrth dwbl. Dywed Valentine fod distawrwydd y lle'n frawychus; yr oedd fel tawelwch y bedd. Ar bob ochr yr oedd rhes o gelloedd ar bedwar llawr, a phâr o esgidiau a'u gwadnau i fyny o flaen drws pob cell. Cafodd y tri eu gosod mewn celloedd ar loriau gwahanol. Rhoddwyd D J Williams, neu garcharor rhif 8988 fel y cyfeirid ato bellach, ar y llawr gwaelod, ar yr ail lawr yr oedd cell Valentine, carcharor rhif 8989, ac roedd cell Saunders Lewis, carcharor rhif 8890, ar y trydydd llawr.

Yn eu tro agorwyd drws dur cell pob un o'r tri, ac amneidiwyd arnynt i fynd i mewn, heb gyfarwyddyd na chyfarchiad geiriol. Yna caewyd y drws a throi'r clo dwbl. "A chau erchyll oedd y cau hwnnw."[10]

Gyferbyn â'r drws yr oedd ffenestr fechan uchel wedi'i rhannu'n bymtheg cwarel, ond dim ond dwy o'r rheini oedd yn agor i awyru'r gell. Dodrefn cell Valentine oedd stôl neu gadair, bwrdd bach, dwy silff, jwg ddŵr a dysgl ymolchi ar fwrdd bychan yn y gornel ger y drws, cawg pridd a phlât enamel. Llawr pren oedd i'r gell, ac roedd disgwyl i'r carcharor ei lanhau'n drylwyr o leiaf unwaith yr wythnos. Rhoddwyd dau ddilledyn gwely i bob carcharor ynghyd â dwy gynfas a chlustog fechan. Gwely digon cyntefig oedd yno hefyd – ffrâm bren a matras galed ddigysur.

Adeiladwyd carchar Wormwood Scrubs yn yr 1880au trwy ddefnyddio llafur y carcharorion. Yn 1937 yr oedd yno bedair neuadd fawr o fewn rhyw ddau canllath i'w gilydd, ac fe'u dynodid gan lythrennau, A, B, C a D, ac yno fe gedwid tua deuddeg cant o garcharorion. Rhwng Neuaddau B ac C roedd yna safle crydd a seiri coed, sièd gynfas, baddonau a chegin. Yn gyfochrog â Neuaddau B ac C yr oedd yna adeilad mawr ar ddull Gothig, sef yr Eglwys Anglicanaidd y bu Valentine a D J yn aelodau ohoni yn ystod eu cyfnod yn y carchar. Rhwng Neuaddau C a D wedyn roedd yna safle teilwriaid, gwneuthurwyr ysgubau, storfa ddillad, llyfrgell a chapel Catholig a synagog i'r Iddewon. Disgrifiodd Valentine y neuaddau fel "tyrau Babel" yn codi o ganol yr adeiladau isaf. Cyffelybodd y rhesi hirion o ffenestri'r celloedd yn y gaeaf pan oedd y golau'n llifo trwyddynt i res o benglogau. Cadw trefn ar yr anystywallt oedd diben rhannu'r carchar yn bedair neuadd, er mwyn lleihau'r perygl o wrthdaro rhwng swyddogion a charcharorion a rhwng carcharorion a'i gilydd.

O amgylch yr holl adeiladau hyn yr oedd yna wal fawr bymtheg troedfedd o uchder a thŵr ymhob cornel ohoni. Yn ystod cyfnod y tri yno ceisiodd dau garcharor ifanc ddianc drwy ddringo a neidio dros y wal, ond methodd y cynllun pan syrthiodd un ohonynt a thorri ei asennau. Byddai Valentine a D J yn treulio'r oriau weithiau yn trafod cynlluniau i'w dringo a dianc!

Byddai pob carcharor a gawsai ddedfryd o dri mis neu fwy yn cychwyn ei ddedfryd yn Neuadd C, a dyna lle dechreuodd y tri eu cyfnod. Neuadd y cosbi oedd hon, lle ceisid torri'r carcharorion i mewn, ac roedd amodau bywyd yno yn galed. Ni welodd Valentine unrhyw swyddog yn ymosod ar garcharor, ond yn Neuadd C nid oedd diwedd ar gyfarth di-baid y swyddogion. Byddai pob carcharor yn cael ei wylio'n fanwl, a chyfyngid ar sgwrsio a symudiadau'r dynion. Fel y dywedodd Valentine, "yma gwneir pob ymgais i ddarostwng dyn a dolurio pob mymryn o hunan-barch a fo ganddo".[11]

O amgylch pob llawr, yr oedd rhes o gelloedd, gyda deugain a dwy o gelloedd ar bob ochr, felly roedd yno dros dri chant o gelloedd ym mhob un o'r pedair neuadd. Yn Neuadd C neilltuid rhai celloedd ar y llawr isaf i garcharorion a ddioddefai glefydau rhywiol a heintiau eraill, a nodid hynny ar y drysau lle dodid arwydd y Groes Goch a'r llythrennau 'V.D.' Roedd y dynion hyn dan ofal swyddog arbennig, a fyddai'n ceisio gwneud yn ysgafn ohonynt trwy ei galw'n 'Van Dycks'. Tra oedd yr haint arnynt byddent yn cael eu cadw ar wahân i weddill y carcharorion, a'u prif waith oedd malu cerrig. Yr oedd toiledau pwrpasol ar eu cyfer hefyd, ond mae'n debyg eu bod yn defnyddio'r toiledau arferol yn rheolaidd. Roedd arferion gwrywgydiol yn beth cyffredin yn y carchar hefyd yn ôl Valentine: "Roeddech chi'n sâl weithiau wrth feddwl amdanyn nhw."[12]

Un o'r pethau mwyaf trawiadol am y carchar oedd y drewdod enbyd. Yn Wormwood Scrubs yr oedd yno yr hyn a elwid yn "arllwysfa" ar gyfer pob rhyw ddeugain o gelloedd. Yma byddai'r carcharorion yn anelu bob bore i arllwys carthion y noson flaenorol. Yn ôl Valentine un o ffiaidd bethau'r carchar oedd y parêd pan agorid y celloedd yn y bore, lle byddai degau o garcharorion â'u pot yn eu llaw yn aros eu tro i ddefnyddio'r arllwysfa. Dywedodd mai "drewdod anhraethadwy oedd 'bore da' pob carcharor, a'r neb ni ŵyr am ddrewdod carchar ni ŵyr beth yw drewdodau. Treiddia i bobman – i'r siop a'r gweithdy a'r eglwys. Nid oes ffoi rhagddo".[13] Ar ben y drewdod a'r bwyd gwael yr oedd sŵn y carchar yn gallu bod yn hunllefus hefyd, yn enwedig yn y nos: "Ambell noson roeddech chi'n deffro a chlywed rhai o'r bechgyn yn nadu a chrio a mynd yn hanner gwallgof yn eu celloedd – yn enwedig rhai oedd i mewn ynglŷn â drygiau ac yn methu eu cael."[14] Ond gwaeth na dim oedd yr hiraeth ingol: "Rwy'n cofio mynd i'r llawr uchaf ar ddiwrnod braf ym mis Mehefin ac edrych ar ddail y coed, a bron â thorri 'nghalon gan hiraeth."[15]

Yn fuan ar ôl cyrraedd y "Scrubs" dyrannwyd dyletswyddau i'r tri. Y llyfrgell oedd maes dyletswyddau D J, disgwylid i Saunders Lewis gyflawni gwaith yn y sacristan a glanhau'r capel, tra anfonwyd Valentine i weithio yn y storfa ddillad. Ar nosweithiau Llun byddai'r carcharorion yn mynychu "Nature Study", a byddai D J a Valentine yn canu yng nghôr Eglwys Loegr ar nos Fercher. Rhoddai hynny gyfle iddynt gyfathrebu, er mai canu eu sgwrs ar alaw'r côr a wnaent gan nad cyfle i gymdeithasu rhwng carcharorion oedd yr ymarferiadau cerddorol. Ar nosweithiau Iau byddent yn mynychu gwersi Ffrangeg, ac ynghanol y caledi cafwyd cyfle i'r ddau arall dynnu coes Saunders y byddent yn gallu darllen bwydlenni cyfandirol Soho heb ei gymorth o hynny ymlaen.

Treuliwyd Dydd Gŵyl Ddewi yn y carchar a chyfaddefodd Valentine wrth Saunders mai dyma oedd Dydd Gŵyl Ddewi hapusaf ei fywyd. Ni allai ddymuno gwell na bod yng ngharchar dros wlad y nawddsant. Flwyddyn union yn ôl, meddai Valentine wrth Saunders, yr oedd yn annerch cyfarfod Gŵyl Ddewi yng Nghapel Priory Road Lerpwl, "ac edrychwch arna i rŵan!", ond gan ychwanegu bod hyn yn llawer mwy buddiol i Gymru na holl swperau'r Cymmrodorion.[16]

Adeg Gŵyl Ddewi hefyd, cafodd y tri ganiatâd arbennig i wrando ar ddarllediad o ddrama radio Saunders, *Buchedd Garmon*, ar y BBC yn ystafell y Llywodraethwr. Nid yw'n gwbl glir sut y llwyddodd y tri i gael y fraint hon, ond fe awgrymodd Valentine wedyn fod ei frawd Idwal wedi sicrhau ambell gonsesiwn iddynt.

Cafodd Idwal Valentine yrfa ddisglair gyda'r heddlu ym Manceinion ac roedd yn ymwelydd rheolaidd â charchar Strangeways yn y ddinas: "Y llywodraethwr oedd gennym ni yn Wormwood Scrubs oedd llywodraethwr Strangeways bryd hynny, ac roedd o'n gyfeillgar a'm mrawd."[17]

Ar ôl gadael y fyddin ymunodd Idwal â'r heddlu ym Manceinion yn 1920. Dringodd yn gyflym trwy'r rhengoedd ac yn y diwedd daeth yn

Bennaeth CID y ddinas, ac yn Brif Gwnstabl Cynorthwyol. Yn 1939 bu bron i Idwal golli ei fywyd wrth gymryd rhan mewn cyrch ar yr Erskine Street Club yn ardal Hulme, Manceinion. Digwyddodd y cyrch mewn cysylltiad ag ymgyrch fomio'r IRA yn Lloegr. Achoswyd cryn gyffro gan y digwyddiad gyda channoedd o blismyn yn gosod gwarchae ar y warws, gan ddefnyddio nid yn unig cerbydau heddlu ond tacsis wedi'u comanderio hefyd. Bu saethu ffyrnig rhwng yr heddlu a'r IRA, ac fe laddwyd un Gwyddel ac anafwyd tri phlismon. Un o'r plismyn hynny oedd Idwal, ac yn ôl un adroddiad papur newydd, "[the] Detective had a miraculous escape from death being struck by a bullet which entered his clothing on the right side, and, traversing the front of his body and breaking his watch, emerged on the opposite side without inflicting any physical injuries".[18] Mae'n debyg mai oriawr a roddwyd iddo'n anrheg gan ei dad Samuel Valentine a'i hachubodd.

Roedd gan Idwal enw fel tasgfeistr llym yn yr heddlu. Dywedid bod swyddogion oddi tano yn ei ofni cymaint nes gollwng eu paneidiau te pan glywent ei besychiad crafog yn dod ar hyd y coridor. Yn ei hunangofiant dywed Syr Robert Mark, un o brif heddweision Prydain yn y saithdegau, a gŵr y bu Idwal Valentine yn fentor iddo: "He was a chief superintendent, third man in the Manchester force, honest to the point of hair-shirtedness and a detective of great skill and determination. Unfortunately, his honesty made him some powerful enemies."[19] Fe ellid tybio mai'r rheswm am ei fethiant i sicrhau dyrchafiad oedd cysylltiadau teuluol Idwal, a goblygiadau gweithgaredd gwleidyddol a thorcyfraith ei frawd. Dylid nodi na ddangosodd unrhyw ddrwgdeimlad personol o gwbl tuag at ei frawd, er y byddai wedi bod yn hawdd iddo wneud hynny. Efallai mai ffactor fwy arwyddocaol, fodd bynnag, oedd sefyllfa gwleidyddiaeth leol Manceinion ar y pryd. Ymchwiliodd Idwal yn drylwyr i honiadau o lygredd ymysg cynghorwyr Llafur ar yr awdurdod lleol ac mae'n debyg mai gwrthod chwarae'r gêm wleidyddol a chowtowio i'r carfanau gwleidyddol oedd mewn grym ar gyngor y ddinas oedd yn bennaf cyfrifol am ei fethiant i sicrhau'r dyrchafiad. Meddai Robert Mark: "In 1942, the Home Office insisited on the appointment of a second assistant chief constable who was obviously intended to be the heir apparent. Valentine then an Acting Inspector of Constabulary and incontestably the best candidate was blocked by sufficient members of the Watch Committee to deny him the job."[20] Mae'n debyg y byddai wedi cyrraedd swydd Prif Gwnstabl petai wedi bod yn llai egwyddorol, ond roedd yn rhy gydwybodol yn ei waith, er iddo dderbyn y King's Police Medal a'r OBE fel cydnabyddiaeth o'i waith gyda'r heddlu.

Er bod Idwal a Lewis wedi dilyn gyrfaoedd cwbl groes i'w gilydd ar lawer cyfrif, roedd gan y ddau feddwl mawr o'i gilydd ar hyd eu bywydau. Fel y dengys trylwyredd cydwybodol gyrfa Idwal yn yr heddlu, yr oedd rhuddin Piwritanaidd y tad yn rhan o gymeriad dau fab Samuel Valentine.

Amser clwydo carcharorion Wormwood Scrubs oedd naw o'r gloch yr hwyr, ac amser codi oedd chwech y bore. Byddai amodau caeth ar ohebiaeth y carcharorion hefyd. Roedd hawl ganddynt i anfon llythyr ddwywaith mewn tair wythnos, a derbyn un llythyr bob deng niwrnod. Ddiwedd Mawrth ysgrifennodd Valentine at ei dad o'i gell yn Llundain:

> F'annwyl Dad
>
> Ddaru chi erioed feddwl y buasai un o'ch plant yn eich cyfarch o garchar, ond rhyfedd yw troeon bywyd. Diolch yn fawr i Lil am ei llythyr – rhoddais ef yn slei bach i D J i'w ddarllen a'i farn ef, sy'n llenor gwych, ydyw bod gan Lil ddawn sgwennu. Yr ydych yn henwr ifanc mentrus iawn yn mynnu mynd i Gynhadledd y Blaid yng Nghaernarfon. Byddaf yn meddwl weithiau eich bod yn blysio i'r Blaid eich mabwysiadu fel Ymgeisydd dros Orllewin Dinbych! Cawsom holl helynt Machynlleth, ac mae'n anodd i ni yma wybod beth sy'n cymryd lle. Y mae Lil yn ddigalon oherwydd areithiau Gŵyl Dewi – fy nigalonni i a wnaethant erioed, ond nid beth a ddywed 'Heddiw' sy'n bwysig – am 'Yfory' y gweithiwn, a phe caffom rhyw lygedyn o le i gredu y bydd Cymru yfory yn debyg i'n breuddwydion amdani, dyna ddedwyddwch a fyddai'n ddedwyddwch!

Ond dyna gais i minnau wneud araith Gŵyl Dewi! Bydd yn dda gennyf feddwl, er eich mwyn, pan fyddo'r oerni yma wedi cilio, a dyfod tirionach hin. Am daith Llangernyw yr wyf yn meddwl y funud yma – dyma hyfrydwch hiraethus! Cofiwch fi at John Morris, a'r saint bach syml na wyddant mor agos y maent at realiti? Yr wyf am i chwi fy nghofio at f'ewyrth Lewis a'r teulu yn Rhyd-y-foel – pethau rhyfedd ydyw tras a chystlwn a gwraidd! A chanol dre wrth gwrs – Pitar, Mrs Jones a Hywel a Mels a'r ci! Meddyliaf lawer amdanynt, a chofiwch fi at Dafydd Fôn. Ond waeth heb ddechrau enwi – y gwaith pwysicaf i chwi ydyw mynd ymlaen hefo'r Hunangofiant – a digon o hanes hen gymeriadau a hen ddywediadau! – pryd y disgwyl Lil driniaeth – cofion at Elias – ei holl fryd ar bregethu – dim arall amdani!

Heddwch Duw arnoch a Lil, Elias a'r plant.

Lew[21]

Ganol mis Mawrth symudwyd y tri o gyfundrefn galed Neuadd C i drefn lai caeth Neuadd D. Yn Neuadd D roedd hawl gan y carcharorion i gydgerdded yn ddeuoedd yn ystod awr ymarfer y bore, ac yn nes ymlaen yn y dydd caent loetran yn finteioedd ar yr iard ymarfer.

Prydau bwyd sâl a thoeslyd oedd yr arlwy. Yn eu celloedd y byddai carcharorion Neuadd C yn bwyta eu bwyd, ond yn Neuadd D caent fwyta eu pryd ar fwrdd gyda deuddeg o'u cyd-garcharorion. Braint amheus oedd hynny yn ôl Saunders Lewis, ac roedd y tri yn dal i gael eu cadw ar wahân, er bod cyfle ar ôl cinio rhwng dydd Llun a dydd Gwener i Valentine a Saunders achub hanner awr i eistedd a sgwrsio, ac ar y Sul byddai cyfle gan D J i ymuno â nhw. Un o effeithiau pennaf y bwyd toeslyd oedd codi gwynt. Ond deuai cyfle i rai o'r carcharorion ddial am y ddarpariaeth ddieflig ar yr iard ymarfer. Dywedir i un swyddog a arferai oruchwylio'r ymarferiadau dyddiol gerdded â herc, felly roedd modd i'r carcharorion mwyaf gwyntog amseru rhyddhau'r pwysau ar eu boliau i gyd-fynd â cherddediad cloff y swyddog.

Tra oedd Valentine yn y carchar arweiniodd Parri Roberts symudiad i'w enwebu yn Is-lywydd Undeb Bedyddwyr Cymru. Yn ôl trefn yr enwad, byddai'r Is-lywydd yn codi'n Llywydd yr enwad y flwyddyn ddilynol. Fe gafwyd cryn gefnogaeth gan y Tabernacl, Llandudno, ac eglwysi eraill, ond nid oedd Valentine ei hun yn awyddus o gwbl i'w enw fynd ymlaen. Ysgrifennodd o'r carchar at ei wraig Margaret, yn datgan ei deimladau'n glir:

> Yr wyf yn ddiolchgar iawn i'r Tabernacl am fy enwi am yr Is-lywyddiaeth, ond yr wyf wedi penderfynu peidio â sefyll, ac am ofyn am gennad arbennig gan y Llywodraethwr i yrru gair at R T Evans, Ysgrifennydd yr Undeb. Peth annheg iawn a fyddai i mi fanteisio ar y digwyddiad hwn, ac ar gydymdeimlad pobl â mi i ddringo i gadair yr Undeb, ac nid wyf yn chwennych yr anrhydedd.[22]

Bu'n rhaid disgwyl chwarter canrif arall cyn i Valentine gael yr anrhydedd o fod yn Llywydd Undeb y Bedyddwyr.

Yn yr un llythyr at ei wraig sonia Valentine fod Saunders Lewis yn ysbyty'r carchar, a'i fod ef ei hun wedi cael triniaeth ar ei ddannedd. Er bod Margaret yn anfon llyfrau ato roeddent yn hwyr yn cyrraedd oherwydd fod gofyn sensro popeth oedd yn dod i mewn at y carcharorion. Roedd hyd yn oed *Seren Cymru* yn cael ei ddal yn ôl gan y sensor, ac roedd meddwl bod yr awdurdodau yn tybio bod wythnosolyn y Bedyddwyr yn fygythiad i'r drefn yn rhywbeth a barai gryn ddigrifiwch i Valentine, a châi "hwyl fawr fod neb yn meddwl fod y 'Seren' yn rhy beryglus i ddyn i'w ddarllen". Nid dim ond cylchgrawn y Bedyddwyr oedd yn swrth a diymadferth, ychwaith; sylweddolai hefyd fod "tipyn o waith ysgwyd ar Gymru cyn y bydd hi yn arswyd i neb".[23]

Mae'n cau'r llythyr gyda gair bach i'r plant Hedd a Gweirrul, gan addo amser da "wedi i mi ddŵad o'r fan yma", ac addewid y byddai'n treulio amser yn chwarae gyda Hedd ar ôl dychwelyd i Landudno – "beth am dent i ti a minnau i fyw ynddo yn yr Haf?"[24]

Ym mis Ebrill trawyd Saunders Lewis yn sâl ac oddi ar hynny bu i mewn ac allan o ysbyty'r carchar yn gyson am weddill y carchariad. Bu Valentine hefyd yn dioddef poenau ochr ddiwedd Mehefin, ond yr oedd wedi gwella erbyn ail wythnos Gorffennaf.

Yn yr haf trefnodd Dyfnallt ymweliad â'r tri gyda'i gilydd, ond gwnaeth hynny heb roi gwybod iddynt ymlaen llaw. Nid oedd hynny'n gam poblogaidd, gan fod amser ymweliadau yn ddigon prin beth bynnag. Ar ben hynny nid oedd Dyfnallt ymysg cyfeillion pennaf Saunders Lewis, a chyfaddefodd wrth ei wraig, "he's a man I never wish to see".[25] Siarsiwyd Dyfnallt gan Saunders i beidio cyhoeddi dim am ei ymweliad wrth neb, ond hyd yn oed wedyn bu'n rhaid i Valentine sathru traed Saunders o dan y bwrdd i'w atal rhag dweud rhywbeth mwy blin wrth yr ymwelydd.

Ym mis Mai cafwyd dathliadau ledled yr Ymerodraeth adeg Coroni Siôr VI yn frenin, ac nid oedd Wormwood Scrubs yn eithriad. Gorfodwyd côr yr eglwys i ganu 'God Save the King' fel emyn yn y gwasanaeth. Cabledd oedd hynny i Valentine a D J ac mewn protest eisteddodd y ddau yn hytrach na chodi ar eu traed. Adeg seremoni'r coroni hefyd galwyd y carcharorion i ymgynnull mewn rhes yn y brif neuadd. Cyhoeddodd yr awdurdodau eu bod yn rhoi caniatâd arbennig i'r carcharorion fynd i'r eglwys i wrando ar ddarllediad o rannau o'r seremoni ar y radio. Mewn ffafr hael arall dywedwyd hefyd y byddai pob carcharor yn cael pwdin triog gyda'i fwyd i ddathlu'r achlysur. Dylai unrhyw rai nad oeddent yn fodlon gwneud hynny gamu o'r rhes. Camodd D J, Valentine ac Indiad o'r rhes ac fe'u carcharwyd am weddill y dydd a chael swper di-bwdin.

Erbyn Mehefin yr oedd pethau'n edrych yn fwy golau. Mewn llythyr o'r carchar at O M Roberts ar 14 Mehefin dywedodd Valentine:

> Yr ydym bellach ar y wal – rhaid aros nes dŵad adref i ddehongli'r frawddeg, ond ei hystyr yw bod dydd ymwared yn ymyl. Yr ydym bellach wedi ennill pob gradd y gallo carcharor ei hennill, a chawn rai breintiau gwerth eu cael – cyd gerdded – cyd lefaru a chyfnewid llawer cyfrinach, a thrafod y Blaid a'i dyfodol. Y mae Dafydd wrthi y dyddiau hyn yn beirniadu y storïau byrion – nid rhyfedd ei fod yn galw'r lle yma yn "goleg", ond yn wahanol i bob coleg arall, yr ydys yn dysgu llawer yma![26]

Ceir darlun o'i agwedd meddwl hefyd mewn llythyr a ysgrifennodd ym mis Gorffennaf at ei chwaer Lilian, a oedd newydd gael llawdriniaeth.

Mae'n mynd allan o'i ffordd i dawelu ofnau ei deulu am ei hwyliau a'i iechyd ac yn pwysleisio mai dyfodol Cymru a'r Blaid yw'r poen meddwl mwyaf iddo ef, fel ei ddau gyd-garcharor:

P'nawn Sul Gorff 4: 1937

Annwyl Lilian

Dyma gyfle o'r diwedd i yrru gair bach i ti. Yr oedd yn wir dda gennyf ddeall bod yr operasiwn yn llwyddiannus, ond pryderu yr wyf a gymeri di y gorffwys a ddylit, a dyma grefu ar i ti wneuthur hynny – a wnei di rŵan fydd yn penderfynu dy iechyd am weddill dy oes. Yr wyf yn diolch i 'nhad am ei genadwrïau – ymhle cafodd o'r syniad fy mod yn pryderu, ac felly Margaret yn ei llythyr diwethaf yn rhyw led awgrymu fy mod yn ddigalon – y mae'r tri ohonom mor llawen, mi gredaf, ag y dichon i undyn fod mewn jêl. Aros di, onid oes rhyw englyn yn diweddaru fel hyn? – "Ddoe full of joy, heddiw'n jêl" – Dewi Hafhesp, mi goeliaf! Ni ddigwyddodd dim eto oddi mewn i'n digalonni – pa beth bynnag a ddigwyddodd oddi allan, a dyfodol y Blaid a Chymru yw ein hunig bryder – y mae'n ffiaidd gennym feddwl fel y bydd y Cymry y dyddiau nesaf yma yn ymgreinio o flaen y brenin sydd yn ôl a glywaf yn ddyn 'simpil' ac atal dywedyd arno. Yr wyf newydd orffen darllen 'Josephus' gan Leon Feuchtwanger – darlun ofnadwy yw hwnnw yn Rhufain yn edrych ar ddathlu cwymp ei genedl – sawl Josephus sydd gennym ni? Y mae'n rhamant gwerth ei darllen – y mae'n well gennyf hi na 'Jew Süss'. Y mae llawer o Iddewon yma – yn gyfeillgar tuag atom – plant y cyd-ofid – myfi y cenedl-ddyn cyntaf a glywsant yn siarad eu hiaith – hen bechod Jacob a ddwg y rhan fwyaf ohonynt yma, ond rhaid tewi – rheol chwyrn ydyw honno a omedd sôn ungair am garchar a charcharorion, ac oherwydd hyn collwn siawns i wneud llythyr yn ddiddorol, ond gobeithiaf fedru cofio y pethau na chaf eu hysgrifennu. Y mae'n dda gennyf fod fy nhad yn dal yn lew – clywais am dano mewn cyfarfod yn Llangernyw yn dywedyd gair o blaid yr achos – onid oes gan Langernyw rhyw swyn rhyfedd i'w ddenu. Gallwn gredu bod pobl Llangernyw yn o anodd i'w symud – mi garwn i 'nhad gofio at John Morris – yntau mewn carchar – chwerwach na'm carchar i, druan. Dywed wrth Elias am werthu ei grys a phrynu llyfr Nathaniel

> Micklem, "What is the Faith?" – newydd ei orffen – i fyny bob bore am chwarter i bump yn ei ddarllen – campus o lyfr. Na – dim rhinwedd codi yn fore yma, caledwch prennaidd fy ngwely a'm gwna yn rhinweddol o'm hanfodd. Sut mae modryb Catrin – fy mwynion iddi a f'ewyrth Lew – fy nghofion cynnes iawn i Pilam, Mrs Jones a Hywel, a chyfarch i Dafydd Fychan – dyma'r pwtyn llythyr olaf a sgrifennaf atat – byddaf adref y mis nesaf. Cofion annwyl iawn atoch,
>
> Lew[27]

Profiad annymunol ac anodd fu'r cyfnod yn Wormwood Scrubs i'r tri, ac mae'n ymddangos bod y profiad wedi creithio Valentine i raddau mwy na'r hyn a gyfaddefodd yn gyhoeddus. Gwelodd Valentine ei swyddogaeth bennaf fel cynnal ei ddau gymrawd yn y ffydd, ac yn hynny o beth fe lwyddodd, fel y tystia'r deyrnged a dalodd D J iddo rai wythnosau wedi eu rhyddhau:

> Fe fuost yn ofnadwy o anlwcus yn y gwaith a roed i ti. Ond fe wyddwn i am werth yr adnoddau dirgel hynny a gaet yn dy gell bob bore cyn bod hyll waedd yr allweddi yn dy wneud "yn ddyn rhydd" am y dydd – y pethau nad adnabu'r byd. Yn y nerth hwnnw a'n cylchynodd mor wych drwy'r cyfan, y credwn i y gallet ti ei dal hi hyd y diwedd, ac nid yn nerth dy gorff yn gymaint. Y meddyg yn iachau eraill a fuost ti drwy'r amser heb feddwl dim amdanat dy hun. Cynghoraist Saunders a fi'n gyson am rywbeth neu i gilydd, ond yr oeddet ti fel asyn pan oeddem ni'n dy gynghori di.[28]

Yn ystod ei garchariad tynnai Valentine ysbrydoliaeth a nerth i ddioddef y profiad wrth feddwl am y Piwritaniaid cynnar a chyd-Fedyddiwr iddo, Vavasor Powell, a wynebodd lawer gwaeth carchariad a merthyrdod nag ef:

> Y cyfan fedra i ei ddweud yw bod carchar yn oddefadwy i rai sydd yno dros ei egwyddor. Rwyf wedi bod yn meddwl am bobl fel Bunyan ac yn arbennig am Vavasor Powell. Dyna wron mawr – pedair blynedd ar ddeg yng ngharchar, a'r awdurdodau yn disgwyl amdano wrth borth y carchar yn ôl. A'r dyn yma yn gallu dweud, "Suffering

> is not only a duty but a dignity". Dim ond un sy'n credu fod ei ddioddefaint yn greadigol allai ddweud peth fel yna.[29]

Er na chafodd unrhyw ffafrau oherwydd ei fod yn weinidog, fe ddeuai llawer o'r carcharorion ato i fwrw baich neu gyffesu eu beiau neu geisio eu cyfiawnhau eu hunain. Haerodd mai un o'r pethau mwyaf a ddysgodd yn Wormwood Scrubs oedd tosturi tuag at droseddwyr: "Fe welais ddynion oedd yna am droseddau go fawr, a darganfod bod yna haen go dda ynddyn nhw, a dod i hoffi rhai ohonyn nhw." Ar ben hynny dywedodd iddo ddysgu yn Llundain fod cosb carchar yn aneffeithiol, er mae'n deg tybio ei fod yn credu hynny eisoes, ac nad oedd angen iddo dreulio naw mis yn uffern i'w ddarbwyllo o hynny. Nid oedd dim adferol yn y gyfundrefn trosedd a chosb, meddai; dadleuai mai effaith carchar oedd:

> ... dirywio'r sawl sy'n gweinyddu'r ddeddf yn ogystal â'r carcharor. Pe bawn i'n dewis fe fyddai'n llawer gwell gen i fod yn garcharor na swyddog mewn carchar. Na, fedra i ddim gweld sut y mae gorfodi dyn i fygu pob greddf sydd ganddo, sut mae gwenwyno'i awyr o, sut ma'i hanner lwgu fo, yn mynd i wneud dinesydd drwg yn ddinesydd da. Mae yna ffordd fwy Cristnogol na hynna, rwy'n siŵr o hynny.[30]

Gwnaed trefniadau manwl gan y tri ar gyfer diwrnod eu rhyddhau. Anfonwyd neges ganddynt o'r carchar at y Blaid yn dweud eu bod yn awyddus i'r Is-lywydd a'r Trefnydd ddod i Lundain i drafod y sefyllfa yng Nghymru cyn iddynt ddychwelyd. Sicrhawyd £10 o gronfa arbennig y Blaid Genedlaethol er mwyn i'r tri brynu dillad newydd. Dywedodd Saunders Lewis wrth ei wraig mai'r bwriad oedd dewis gwesty lle na byddai newyddiadurwyr yn aros amdanynt, a cheisio osgoi unrhyw dynwyr lluniau neu dyrfa wrth byrth y carchar. Adeg y rhyddhau, felly, yr oedd disgwyl i J E Jones, J E Daniel, R Williams Parry a Griffith John Williams ddod i Lundain i'w cyfarfod ar yr amod nad oedd neb arall i wybod am hynny, ac nad oedd neb i aros amdanynt ger giatiau'r Scrubs.

Trwy drefniant gyda'r Llywodraethwr cawsant eu rhyddhau yn gynt na'r disgwyl. Roeddent wedi gofyn am gael eu rhyddhau yn y bore er mwyn osgoi'r wasg, ond trefnodd yr awdurdodau eu bod yn cael eu gollwng am wyth o'r gloch y nos ar 26 Awst, ac aeth y tri yn eu blaen i dreulio'r noson yng ngwesty'r Great Cadogan yn Sloane Street. Felly pan gyrhaeddodd y fintai o Gymry ar ôl bod allan yn gweld drama yn y theatr cawsant dipyn o syndod i weld y tri yno eisoes. Wedi hynny cafwyd "cinio gorfoleddus"[31] yn Soho gydag R Williams Parry yn ei hwyliau. Parhaodd afiaith y bardd dros y dyddiau wedyn, wrth yrru Valentine yn ôl i Gymru yng nghwmni J E Jones gan ganu hen ganeuon gwerin ac emynau Pantycelyn yr holl ffordd. "Diangof"[32] oedd disgrifiad Valentine o'r daith honno.

Un sgil effaith digwyddiadau 1936 ac 1937 oedd dyfnhau cyfeillgarwch y tri, yn enwedig ymlyniad Saunders Lewis a Valentine i'w gilydd. Cyn 1936, ni ellir dweud fod yno gyfeillgarwch agos yn bodoli rhwng Valentine a Saunders, yn wahanol dyweder i'r berthynas glòs oedd rhwng y ddau a D J Williams. Caed parch amlwg ar y ddwy ochr, ac edmygedd sylweddol o du Valentine yn arbennig, ond at ei gilydd ffurfiol a chwrtais oedd naws yr ohebiaeth rhwng y Llywydd a'r Is-lywydd. Wedi'r llosgi a'r profiadau a ddilynodd hynny, yn enwedig cyd-ddioddef carchar Wormwood Scrubs, mae yno hynawsedd o'r newydd. Fel y nododd Saunders Lewis mewn llythyr teimladwy at Valentine yn 1975: "Clymodd profiad Wormwood Scrubs ni wrth ein gilydd ac fe erys hynny tra byddwn."[33]

Pennod 16

Y Ddaeargryn Fawr

Dyna pryd y digwyddodd y ddaeargryn fawr, y chwyldro ofnadwy a sydyn a orfododd arnaf gyfraith newydd ac anorfod o ddehongli pob ffenomen a ffaith.

Søren Kierkegaard yn ei Ddyddlyfr, 1835

Ar ôl ei ryddhau o Wormwood Scrubs ysgrifennodd Valentine at Lilian ei chwaer. Yr oedd wedi llwyr ymlâdd, ac yn ei chael yn anodd setlo i fywyd bob dydd wedi rhigolau'r carchar:

> Yr wyf fi'n iawn – tipyn o nerfau drwg a blinder mawr, a lliaws o ymwelwyr yma yn gwrthod yn lân a gadael llonydd i mi – mor drafferthus y gall caredigrwydd pobl fod weithiau. Waeth i mi heb drio dweud dim wrthyt o'r hanes ar hyn o bryd – y mae pawb yn synnu fy ngweld yn edrych mor dda – nid ar gorff dyn yr effeithia carchar fwyaf. Yr oedd pawb, yn ôl fel y ma nhw'n siarad yn disgwyl fy ngweld yn dyfod oddi yno ar ffyn baglau. Nid oes gennyf fawr o awydd ar hyn o bryd i ddim ond i dorheulo – nid wyf yn gwneud dim ond smocio fy hun yn sâl.[1]

Cyfaddefodd wrth D J hefyd ei fod yn "methu yn lân a setlo i lawr i ddim – yn methu a diogi'n llwyddiannus".[2] Blinder arall oedd y poendod o orfod wynebu'r newyddiadurwyr oedd yn ei blagio'n barhaus ers iddo ddychwelyd adref: "Nid wyf wedi cael munud o lonydd na mynd allan ddim – byddin o wŷr y wasg yn gwarchae arnom, a gwaedgwn digydwybod ddigon ydynt – y maent yn trio pwmpio'r plant wrth fynd a dwad i'r ysgol."[3] Ond yn amlwg yr oedd yn braf bod yn ôl ynghanol ei deulu unwaith eto. Roedd Gweirrul, ei ferch, meddai, "yn deud ar ei llw mawr y daw hi i'r carchar hefo D J a Dad y tro nesaf a golchi'r lloriau".[4]

Bu peth trafodaeth ymysg y tri ynghylch pwy ohonynt ddylai ysgrifennu eu hargraffiadau o'r carchar. Nid oedd Saunders yn awyddus i wneud y gwaith, felly roedd angen dewis rhwng D J a Valentine. Ysgrifennodd Saunders at D J yn awgrymu y byddai'n well ganddo weld Valentine yn ymgymryd â'r dasg oherwydd y byddai Valentine yn fwy tebygol o lunio cofnod gwrthrychol: "Fy unig ofn i yw nad oes gennych chwi [DJ] lygaid i weld y drwg mewn dynion – y mae eich atgofion yn debyg o fod yn orgaredig, a'r digrif diniwed yn y carcharorion yn eich hudo i anghofio gymaint oedd y cas a'r cenfigen tuag atom ni'n tri yn weddol unfryd-gyffredinol."[5] Felly, Valentine aeth ati i adrodd eu profiadau ar bapur, gydag anogaeth barod D J: "Wada di bant â'th erthyglau i'r Ddraig ar bob cyfri. Y mae eisiau rhywbeth ar unwaith cyn i'r cawl ddechrau oeri."[6] Ymddangosodd yr ysgrifau *Beddau'r Byw* dros gyfnod o ddwy flynedd yn *Y Ddraig Goch* rhwng 1937 ac 1939.

Ar ddiwedd y mis cafodd gyfle i ymweld â'i hen gyfaill Parri Roberts pan fu'n pregethu ym Mynachlog Ddu. Tua chanol Medi aeth Valentine am wyliau byr i Iwerddon gyda J E Jones. Ymwelwyd â llefydd o bwys i genedlaetholwyr y wlad, megis y Swyddfa Bost Gyffredinol – man canolog Gwrthryfel 1916, Mynwent Weriniaethol Glasnevin – lle yr ymwelwyd â bedd Arthur Griffith, sylfaenydd Sinn Fein; Amgueddfa Genedlaethol Iwerddon i weld creiriau o wrthryfel y Pasg, a Chastell Dulyn lle crogwyd Kevin Barry. Adnewyddu corff ac enaid ar ôl y carchariad oedd y bwriad, ac roedd angen y gorffwys arno yn ôl ei gyd-garcharorion. Pryderai Saunders Lewis am gyflwr corfforol Valentine, oherwydd dywedodd mewn llythyr at D J: "Aeth Val a J E i Iwerddon ddydd Sadwrn am wyliau, ofnaf i'w iechyd ef dorri yn awr wedi'r cwbl, mewn adwaith ar ôl y straen."[7]

Dioddefodd gyrfa Saunders Lewis ergyd drom oherwydd ei garchariad. Mewn penderfyniad a ddatgelodd natur y carfanau gwrth-Gymreig o fewn rhengoedd Prifysgol Cymru, cafodd Saunders Lewis ei ddiswyddo gan Goleg Prifysgol Cymru Abertawe yn sgil ei garchariad am losgi'r Ysgol Fomio. Bu'n rhaid i D J Williams hefyd wynebu'r *School Board* i amddiffyn ei hawl i barhau yn ei swydd fel athro Saesneg yn Ysgol

Abergwaun. Ni chafodd Valentine ddim byd ond cefnogaeth gadarn gan gapel y Tabernacl, Llandudno, ac un teulu yn unig a adawodd yr eglwys oherwydd gweithred y gweinidog. Dywed O M Roberts mai teulu o Ryddfrydwyr oedd y rhain, a bod y gŵr wedi digio gyda Valentine ychydig cyn y llosgi am i'r gweinidog wrthod newid ei gyhoeddiadau pregethu er mwyn caniatáu i Lloyd George ddod i wrando arno. Mae'r ffaith bod ei eglwys yn unfrydol yn ei chefnogaeth yn deyrnged aruthrol i Valentine ei hun, ond hefyd i deyrngarwch yr aelodau i'w gweinidog. Datgelir y ffyddlondeb a'r parch rhwng y pregethwr a'i gynulleidfa yng nghofnodion y Tabernacl am y cyfnod.

Ar ddydd Sul, 7 Chwefror 1937, ymgasglodd cynulleidfa gref yn y Tabernacl ar noson stormus o aeaf i ddangos teyrngarwch i'w gweinidog. Mewn cwrdd eglwys pasiwyd cynnig oedd yn datgan y canlynol:

> Nad yw'r eglwys hon yn gwneuthur unrhyw gyfnewid yn ei dull o ddwyn ymlaen ei gwaith tra y bydd ein Gweinidog oddi cartref, a'n bod yn cyflawni'n dyletswyddau fel arfer hyd eithaf ein gallu; hefyd ein bod fel eglwys yn gwneuthur ein dyletswydd tuag at Mrs Valentine a'r plant hyd ddychweliad ei hannwyl Briod.[8]

Fisoedd yn ddiweddarach, ar y trydydd o Awst, 1937, pan oedd Valentine yn dal yn y carchar, adroddwyd y canlynol yn Llyfr Cofnodion y Tabernacl:

> **Llythyr y Gweinidog**
>
> Darllenwyd llythyr y Gweinidog y Parch. L.E.Valentine M.A. parthed ei ryddhad, a'r gofyniad pryd y disgwylir iddo ail-afael yn ei swydd.
>
> Gofynnwyd oedd sicrwydd y rhyddheir ef yn fuan, atebodd yr Ysgrifennydd mai y dyddiad sicr oedd y Sadwrn diwethaf yn y mis sef yr 28ain. Cynigiodd y Br A H Hughes fod yr Eglwys yn caniatáu pedwar Sul yn seibiant iddo i ad-gyfnerthu, a disgwylir iddo lanw y Pwlpud ar y Sul olaf ym Medi. Eiliwyd gan y Br Ernest Thomas a pasiwyd yn unfrydol.
>
> Yr Ysgrifennydd i drefnu i lanw y Suliau eraill.[9]

Yna, rai wythnosau ar ôl ei ryddhau, yr oedd Valentine yn barod i ddychwelyd i'r pulpud, a chofnodwyd yr achlysur ar ffurf Cofnod Arbennig yn y Llyfr Cofnodion:

> Dydd Sul 26ain Medi 1937
>
> Dydd a edrychwyd ymlaen ato, ac a gofir fel un o ddyddiau mawr y Tabernacl sef dydd Sul dyfodiad yn ôl y Gweinidog y Parch. L.E.Valentine M.A.
>
> Daeth cynhylliad da ynghyd yn y Bore a treuliwyd y Bore mewn defosiwn a diolchgarwch i'r Bod Mawr am ei drugareddau. Cymerwyd rhan o dan arweiniad y Gweinidog gan y Brodyr Robert Edwards, William Rowlands, R.W. Jones a'r Ysgrifennydd a chafwyd solos swynol gan y merched bach Margaret E. Jones a Mair Eluned Jones. Yn yr hwyr pregethodd y gweinidog yn nerthol i lond yr addoldy rhai wedi dyfod o bellder o ffordd. Cafwyd solos gan y Chwiorydd Florence Williams a Blanche Jones.[10]

Peth uchel iawn fu teyrngarwch personol i Valentine erioed, ac roedd yn gwerthfawrogi'n fawr ymlyniad ei eglwys wrtho mewn dyddiau anodd. Cafodd gyfle i fynegi hynny'n ffurfiol mewn cwrdd eglwys ym mis Tachwedd:

> Llywydd, y Parch. L.E.Valentine M.A.
>
> Dechreuwyd trwy weddi gan y Br Robert Edwards. Cyflwynodd y Llywydd yr hyn a ganlyn gan mai hwn oedd y Cwrdd Eglwysig cyntaf ar ôl ei ddychweliad.
>
> "Dymunaf roddi ar gadw yng nghofnodion yr Eglwys hon ddatganiad diffuant o'm diolchgarwch iddi am ei theyrngarwch i mi yn ystod yr amser y bûm yn y carchar o fis Ionawr hyd fis Awst 1937.
>
> "Gwerthfawrogaf yn fwy nag a allaf ei draethu ffyddlondeb brodyr a chwiorydd a ymdrechodd yn fwyfwy ynglŷn â'r Eglwys oherwydd fy rhwymau i. A gwerthfawr gennyf hefyd y sirioldeb a ddangoswyd pan ddychwelais i ailafael yn fy ngweinidogaeth yn eu mysg.
>
> Arwyddwyd
> L.E.Valentine[11]

Yn yr un modd cefnogwyd safiad Valentine i'r carn gan ei gyd-Fedyddwyr, yn enwedig y to ifanc o weinidogion. Yn dilyn y carchariad mynegodd myfyrwyr y Coleg Gwyn ym Mangor eu dymuniad i'w gynorthwyo ef a'i eglwys trwy ddatgan:

> Ein bod yn mynd yn gyfrifol am lanw pulpud Tabernacl, Llandudno ddau Sul yn absenoldeb y Parch. L Valentine, M.A.; fod y ddau Sul i fynd ar y rhestr fel cyhoeddiadau cyffredin, ac fod yr Ystafell [h.y. Ystafell Gyffredin y myfyrwyr] i dalu £1 a'r treuliau, a'r arian i'w wneud i fynny o gyfraniadau o 1/- yr aelod bob cyhoeddiad.[12]

Yn dilyn yr holl sylw a'r gefnogaeth a ddenwyd at achos y Blaid Genedlaethol yn sgil yr achosion llys a charchariad y tri, yr oedd yn ymddangos ei bod ar drothwy cyfnod llewyrchus. Wedi blynyddoedd o ymlafnio'n ofer, o'r diwedd yr oedd posibilrwydd bod y Cymry'n troi at y mudiad cenedlaethol. Ond nid felly y bu. Dywedodd Saunders Lewis mai'r siom fwyaf i'r tri oedd dychwelyd o'r carchar a gweld eu cyd-aelodau'n hollti blew ynghylch dadleuon economaidd yn lle manteisio ar y cyfle a roddodd y Tân yn Llŷn i'r Blaid.

Er hynny, o weld y dyrfa a ymgasglodd yn y Cyfarfod i Groesawu'r Tri a gynhaliwyd yn y Pafiliwn, Caernarfon, ar 11 Medi, gallai rhywun feddwl bod cyfnod newydd wedi cychwyn yng ngwleidyddiaeth Cymru. Dywedir bod pymtheg mil yn bresennol, yn eu plith Ambrose Bebb, a gofnododd ei argraffiadau yn ei ddyddiadur: "I dde ac i chwith, ac yn ôl i'r pellter yr oedd y miloedd yn disgwyl ac yn disgwyl. Toc wedi chwech daeth y tri i mewn, a chododd pawb ar ei draed. Croeso mawreddog, yn saethu o galonnau gwerin a gwirion."[13]

Disgrifiodd y *Daily Post* y digwyddiad fel "Scenes of enthusiasm almost without parallel in Welsh political history".[14] Nid oedd y *Western Mail* mor raslon, gan ddweud nad oedd Cymru erioed wedi gweld "such an orgy of crazy sentiments and absurd self-adulation. Never have we heard it more blatantly proclaimed that crime is a passport to political fame..."[15] Rhywbeth tebyg oedd agwedd y papur tuag at araith Saunders Lewis, a oedd meddid yn "farrago of pacifism, neo-medievalism and racial hatred which would not be tolerated in any country outside the British Empire".[16]

Dangosodd maint y dyrfa fod y tri yn destun edmygedd i lawer, ond edmygedd o hirbell ydoedd, hyd yn oed ymysg aelodau'r Blaid. Sentiment gwladgarol oedd y Cyfarfod Croeso ac, fel y gwyddai Valentine o'i atgofion am ddiwygiadau crefyddol, nid rhywbeth hirhoedlog yw emosiwn y dorf, boed grefyddol neu wleidyddol.

Fe gafwyd, serch hynny, ddadeni llenyddol, wrth i genhedlaeth o feirdd a llenorion adweithio yn erbyn yr hyn a welid fel dirmyg Llywodraeth Lloegr tuag at Gymru a'r diwylliant Cymraeg, ac ymateb i hynny yn eu gwaith. Ni welwyd dim byd cyfatebol mewn gwleidyddiaeth, fodd bynnag.

Un rheswm am y methiant i fanteisio ar yr hinsawdd ffafriol, a'r rheswm pennaf o bosib, oedd diymadferthedd yr aelodau ar lawr gwlad. Gohebodd J E Daniel ac Ambrose Bebb â changhennau'r Blaid gan annog aelodau i sefyll mewn etholiadau llywodraeth leol. Haerwyd bod y tri yn y carchar am nad oedd aelodau'r Blaid wedi mentro sefyll ac ennill seddi ar y cynghorau. Roedd yna elfen o wir yn hyn, gan mai ychydig iawn o godi llais a fu o du'r awdurdodau lleol yn erbyn adeiladu'r Ysgol Fomio. Dyletswydd yr aelodau yn awr oedd gwneud iawn am hynny.

Llwyddodd Morris Williams, gŵr Kate Roberts, i ennill sedd ar gyngor Bwrdeistref Dinbych. Rhoddodd wybod i'r tri tra oeddent yn y carchar trwy gynnwys yr hanes mewn stori fer a anfonodd i gystadleuaeth yn Eisteddfod Genedlaethol Machynlleth. D J oedd beirniad y gystadleuaeth a chafodd ganiatâd i wneud hynny o Wormwood Scrubs. Eithriad oedd hynny, fodd bynnag, a dim ond naw ymgeisydd oedd gan y Blaid yn etholiadau'r cynghorau sir ym Mai 1937. Rhybuddiodd Kate Roberts yn erbyn y difrawder gan ddadlau y byddai'r Blaid yn destun gwawd cyn hir os na fyddai mwy o'r aelodau'n barod i ddod ymlaen fel ymgeiswyr mewn etholiadau. Rai misoedd wedi rhyddhau'r tri digon pigog oedd sylw Saunders Lewis am weithredwyr cadair freichiau – neu sêt fawr – y Blaid, pan ddywedodd ei bod yn ddigon hawdd edmygu Niemöller, anoddach oedd dilyn Valentine. Yn yr un modd, er gwaethaf bygythiadau i wrthod

Samuel Valentine

Mary Valentine

Clip Terfyn, Llanddulas. Y stryd lle magwyd Lewis Valentine

Craig y Forwyn uwchben Llanddulas yn y 1920au

Lewis Valentine y myfyriwr ifanc, yn 1913

Robert Roberts a Marged Roberts, Caellin, sylfaenwyr achos Wesleaidd capel Salem, Rhyd y Foel – hen daid a hen nain Lewis Valentine

Cludwyr stretsier ym mrwydr Passchendaele, Hydref 1917

Eglwys Gadeiriol Albert ar ôl iddi gael ei bomio yn 1916. Dywed Valentine yn Dyddiadur Milwr: "Yr oedd yr eglwys fawr yn sefyll, ond yr oedd y ddelw fawr o Fair Forwyn, a oedd ar ben y tŵr ar osgo mam gynt yn cyflwyno ei baban i'r nef, bellach, rhag iddi fod yn fantais i'r gelyn i leoli ei dargedau, wedi ei bwrw ar lorwedd nes ei bod yn debyg i fam yn bwrw ei phlentyn i'r llawr. Arswydus o ddameg!" (Llun trwy ganiatâd yr IWM)

Cyngor Myfyrwyr Coleg Bangor 1921, gyda Valentine y Llywydd, a Rhiannon Morris-Jones yr Is-lywydd yn y rhes ganol.

Gweinidog y Tabernacl, Llandudno yn 1923

Pwyllgor Gwaith Plaid Genedlaethol Cymru yn Ysgol Haf Llangollen 1926. O'r chwith i'r dde: Lewis Valentine, Ambrose Bebb, D J Williams, Mai Roberts, Saunders Lewis, Kate Roberts, H R Jones, Proser Rhys.

Eglwys y Bedyddwyr Cymraeg, Llandudno

TABERNACL, HOREB a SALEM.

YSGRIFENNYDD:
PRYCE M. WILLIAMS,
FRONDEG,
CAROLINE ROAD.

GWEINIDOG:
PARCH. LEWIS VALENTINE, M.A.

TRYSORYDD:
R. W. JONES,
THE ROWANS,
ST. ANDREW'S PLACE.

Fy annwyl Dad.

Yr wyf yn ysgrifennu hwn nos Sadwrn,ac yn gobeithio cael rhywun i'w bostio bore dydd Mawrth,os bydd ein gweithred yn llwyddiannus.Yr ydys wedi penderfynu llosgi hynny o adeiladau sydd ym Mhorth Neigwl,--daeth dydd taro,ni thâl taeru mwyach. Y mae gennyf rhyw syniad y buasech chwi yn dymuno bendith Dduw ar ein gwaith,canys yr wyf yn credu yn llwyr bod y taro hwn yn daro dros y Deyrnas. Y mae'n ddrwg na chefais gyfle i alw heibio i chwi,ond bûm mor brysur yn paratoi.Ni wn beth fydd y gosp a roddir arnaf,ac nid yw'n poeni rhyw lawer arnaf,ond yn unig fel y mae a wnelo a'r teulu bach yma.Mi garwn pe gallasech dalu golwg drostynt o dro i dro.Y mae'n amheus iawn gennyf a fedr yr Eglwys ddeall ystyr y cam a gymeraf,a chytuno i mi aros yn weinidog arni neu i ddychwelyd iddi pan y'm rhyddheir,--ni all ddeall fod y weithred hon yn gwneuthur fwy dros yr Efengyl yng Nghymru na phymtheng mlynedd o bregethu. Yr wyf dan ddyled drom i chwi erioed,a'm gweddi yw y cedwir chwi hyd y gwelaf chwi eto.Os gollyngir ni ar 'bail' fe fydd popeth yn iawn,-cawn siawns i drafod pethau. Cofiwch fi at Lil--gwelais Elias yn Aberteifi. Nid oes neb ohonoch i boeni dim yn fy nghylch.Gwnaethum a wnaethum a'm dau lygad yn agored,-fy hyder yw y deffroir y genedl trwy'r weithred hon i weld ei pherygl. Maddeuwch i mi am ysgrifennu llythyr mor gwta,--y mae'r amser yn brin,a gwaith gennyf eto i orffen fy nhregethau erbyn yfory.

Y serch a'r cofion cynhesaf atoch,a diolch i chwi am bopeth a wneaethoch erof erioed.

Lew.

Llythyr Lewis Valentine at ei dad, postiwyd ar y noson cyn y llosgi

Y Tri, 1936

Penyberth y bore wedyn

Gweinidog yr Efengyl ydwyf fi (a sylweddolaf bod arnaf gyfrifoldeb arbennig am y rhan a gymerais yn y llosgi a fu ar yr Ysgol Fomio ym Mherth Neigwl yn nechreu mis Medi) Nid yn ysgafn nac yn fyrbwyll nac yn ddifeddwl chwaith y penderfynais bod rhaid anorfod arnaf i wneuthur a wnaethpwyd,ond ar ôl ystyriaeth ddwys a difrifol,ac yn ofn Duw yr euthum allan y noson honno.

Fy nhasc olaf cyn gadael cartref y diwrnod hwnnw oedd hebrwng fy ngeneth fach bedair mlwydd oed i'r ysgol bob dydd am y tro cyntaf erioed, a rhyw ddyfalu yr oeddwn beth fyddai ei hynt a'i helynt hi yn ystod ei hoes,a gweddio na fyddai raid iddi gario beichiau rhy drymion na cherdded llwybrau rhy eirwon,ac yn arbennig na fyddai ei rhan hi mor ofidus a chwerw a rhan mamau fy oes i.Gobeithiwn na chai hi byth ofid fy mam fy hun,sef gweld ei phlant,—dri ohonom,—yn gadael holl fwynder a llawenydd ein bywyd yng Nghymru a'n dwyn i ryfeloedd y cenhedloedd dreng. Gwnawn unrhyw beth i gadw rhagddi hi y gofid a'r galar a gafodd mamau Cymru yn ystod blynyddoedd y rhyfel diwethaf.

Yr wyf yn falch fy mod yn perthyn i genedl sydd a'i bryd ar heddwch, a chenedl na ddarfu iddi ymladd erioed ond i amddiffyn ei ffiniau.Cenedl yw hi sydd ganddi ewyllys,ond ysywaeth,nid oes ganddi mo'r gallu,i fyw mewn heddwch â'i chymdogion yn Iwrop,canys nid ein rhyfeloedd ni yng Nghymru oedd y rhyfeloedd a fu,a chethin a fu tynged Cymru ar ôl pob un ohonynt.

Yr wyf yn ei hystyried yn rhan tra phwysig o'm huchel swydd fel Gweinidog yr Efengyl yng Nghymru i fynnu gallu i ewyllys fy mhobl,a gwneuthur bopeth a fedraf i atal rhyfig rhyfel.Nid oes unrhyw aberth yn rhy ddrud i atal hynny,canys nid oes dim gelyn peryclach i wareiddiad Cymru,a'r gwareiddiad hwnnw yn wareiddiad cynnes Cristnogol.

A. Hyn yw fy argyhoeddiad personol i.Fe euthum yn wirfoddol i'r rhyfel diwethaf,ac yn fy niniweidrwydd credais y bregliach mai rhyfel ydoedd i derfynu rhyfel.Credais fod gwleidyddwyr Lloegr o ddifrif yn eu haddewidion, ac na chawsai ysbryd durol militariaeth le mwyach ym mywyd a pholisi'r wlad.

Teipysgrif wreiddiol araith Lewis Valentine a ddefnyddiwyd ganddo yn Llys y Goron, Caernarfon

Margaret Valentine (canol), ei chwaer Lena Jones (ar y chwith) a Hannah Hunt, chwaer Lewis Valentine (ar y dde) y tu allan i'r Old Bailey, 19 Ionawr 1937

Saumel Valentine, ei wyres Nia, a'i ferch Lilian, chwaer iau Valentine, yn gwrando ar y radio ar ddedfryd achos llys Llundain

3 Heddwch Duw arnoch, a'r Lil, Elias a'r plant. Lewis

F'annwyl Dad,

Ddaru'ch chi erioed feddwl y buasai un o'ch plant yn eich cyfarch o garchar, ond rhyfedd yw troeon bywyd. Diolch yn fawr i Lil am ei llythyr — rhoddais ef yn slei bach i D.J. i'w ddarllen a'i farn ef, sy'n llenor gwych, ydyw bod gan Lil ddawn sgwennu. Yr ydych yn [illegible] ifanc [illegible] yn mynnu myned i Gynhadledd y Blaid yng Nghaernarfon. Byddaf yn meddwl weithiau eich bod yn blysio i'r Blaid eich mabwysiadu fel ymgeisydd dros Orllewin Dinbych! Cawsom holl helynt Machynlleth, ac y mae'n anodd i ni yma wybod beth sy'n cymryd lle. Y mae Lil yn ddigalon drwyddo [illegible] llwyr Dewi — fy nigalonni i a wnaethant erioed, ond nid beth a ddywed 'Heddiw' sy'n bwysig, — am 'Yfory' y gweithiwn, a phe caffom [illegible] bregethu [illegible] i greu y byd Cymraeg Yfory yn debyg i'n breuddwydion am dano, dyna ddedwyddwch a fydda i'n dedwyddwch!

Ond dyna gais i minnau wneud araith llwyr Dewi! Bydd yn dda gennyf feddwl, er eich mwyn, pan fyddo'r oerni yma wedi cilio, a dyfod tirionach hin. Am daith Llangrannog yr wyf yn meddwl y funud yma — dyna hyfrydwch hiraethus! Cofiwch fi at John Morris, ar saint bach syml na wyddant mor agos y maent at realiti. Yr wyf am i chwi fy nghofio at [illegible] modryb a'r [illegible] yn Rhydyfoel — pethau rhyfedd ydyw tras a chyfathrach a gwaed! A chanol D.e. wrth gwrs — Pitar — Mrs Jones a Hywel a hefo a'i co'! Meddyliaf lawer am danynt, a chofiwch fi at Dafydd Fôn. Ond waeth heb ddechrau enwi — y gwaith pwysicaf i chwi ydyw myned ymlaen hefo'r Hanes Cofiant — digon o hanes hen gymeriadau a hen ddywediadau! Pryd y disgwyl Lil [illegible] — cofion at Elias — ei holl fryd ar bregethu — dim arall am dano!

Llythyr Lewis Valentine at ei dad o'r carchar

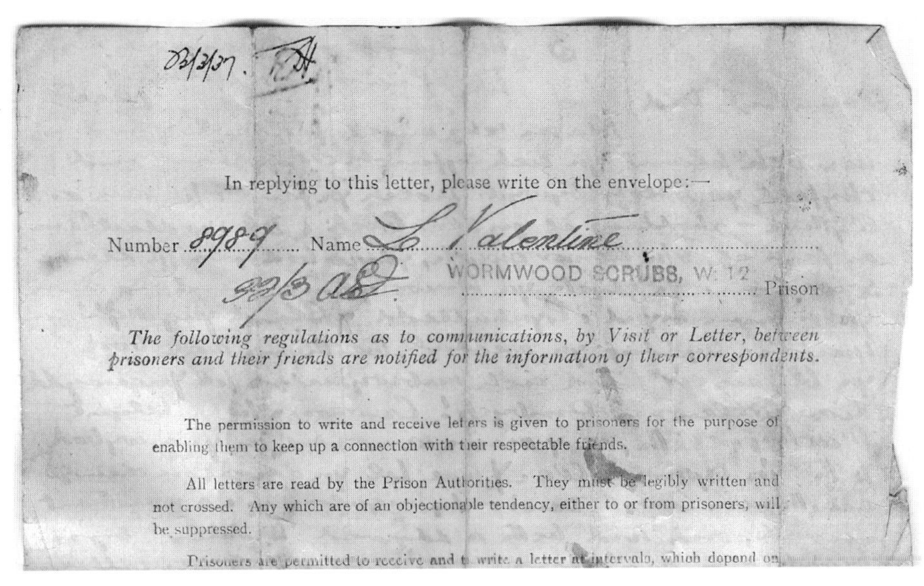

03/3/37. [illegible]

In replying to this letter, please write on the envelope:—

Number 8989 Name L. Valentine

99/3 [illegible] WORMWOOD SCRUBS, W. 12 Prison

The following regulations as to communications, by Visit or Letter, between prisoners and their friends are notified for the information of their correspondents.

The permission to write and receive letters is given to prisoners for the purpose of enabling them to keep up a connection with their respectable friends.

All letters are read by the Prison Authorities. They must be legibly written and not crossed. Any which are of an objectionable tendency, either to or from prisoners, will be suppressed.

Prisoners are permitted to receive and to write a letter at intervals, which depend on

Rhan o gefn llythyr Valentine o Wormwood Scrubs yn nodi'r amodau gohebu caeth a osodwyd ar y carcharorion

Idwal Valentine yn lifrai Heddlu Manceinion

Llywydd y Dydd, Eisteddfod Genedlaethol Llandudno 1963

Ffotograff enwog aduniad 1968. Llun "da iawn" yn ôl D J Williams, "o ystyried mai tri sgrwbyn oedd o flaen y camera."

J E Jones, Lewis Valentine a D J Williams y tu allan i babell Plaid Cymru yn Eisteddfod Genedlaethol y Fflint 1970

Cefnogi ymgyrch Cymdeithas yr Iaith dros Sianel Gymraeg yn Llanelwy, 1971. Valentine gyda Ffred Ffransis, Y Parch. Islwyn Davies (ar y chwith), y Parch. Robert Ellis, Gwilym R Jones, a John L Williams

llenwi ffurflenni swyddogol Saesneg a gwrthod talu'r dreth incwm ni ddeilliodd unrhyw ymgyrch o fygythiadau o'r fath.

Yn dilyn ymadawiad Edward VIII o'r orsedd, bwriodd y wladwriaeth Brydeinig ati i drefnu coroni ei frawd Sior VI yn frenin yn 1937. Mewn penderfyniad a ystyrid fel camgymeriad tactegol wrth edrych yn ôl, cylchlythyrodd Pwyllgor Gwaith y Blaid ag awdurdodau lleol Cymru yn gofyn iddynt foicotio dathliadau'r coroni. Ar amrantiad cyplyswyd y Blaid â gwrth-frenhiniaeth, gan fynd yn groes i holl ddatganiadau gofalus Saunders Lewis ar y pwnc cyn hynny. Yr un a gafodd y bai am y camgymeriad tactegol hwn oedd y Llywydd dros dro, W J Gruffydd, er bod Saunders yn ymwybodol o benderfyniad y Pwyllgor Gwaith a heb wrthwynebu'r bwriad fe ymddengys. Priodolwyd iddo gan lawer y methiant i fanteisio ar yr amgylchiadau ffafriol yn dilyn llosgi Penyberth. Ond tybed ai bwch dihangol oedd Gruffydd i ddifrawder yr aelodau? Erbyn 1943 yr oedd W J Gruffydd wedi cilio'n llwyr oddi wrth y Blaid, ac yn dilyn ei ymgeisyddiaeth yn erbyn Saunders Lewis yn etholiad sedd seneddol Prifysgol Cymru yr oedd cadeirydd glew cyfarfod y Bedydd Tân wedi troi'n un o'i gelynion pennaf. Wedi dweud hynny, fe wyddai Valentine cyn mynd i'r carchar nad oedd yr argoelion yn dda ar gyfer llywyddiaeth Gruffydd.

Cyn yr achos yn Llundain cynhaliwyd cyfarfod o'r Pwyllgor Gwaith Cenedlaethol yn Aberystwyth, ac yno i'w cyfarfod yr oedd W J Gruffydd, gan mai ef fyddai'n gweithredu fel Llywydd dros dro pe bai Saunders a Valentine yn cael eu dedfrydu i garchar. Mewn llythyr at O M Roberts yn adrodd hanes y Pwyllgor Gwaith cafwyd rhagflas gan Valentine o'r rhwystredigaeth a oedd i ddod. Bu Gruffydd yn eu diddanu gyda chyfres o straeon digrif a masweddus, ond er gwaethaf y straeon doniol yr oedd yna ychydig o anesmwythyd ynghylch ei benodiad yn Llywydd dros dro. Er bod Gruffydd yn gymeriad hynaws, yr oedd gan Valentine amheuon ynghylch ei grebwyll politicaidd a'i allu i roi'r arweiniad priodol i'r Blaid. "Tipyn o niwsans," meddai wrth O M Roberts, "oedd yr hen frawd [Gruffydd] yn y Pwyllgor, ac yn siarad yn union yr un fath ag yr oeddem ni yn siarad rhyw ddeng mlynedd yn ôl. Ond y mae ar dân gwyllt, a chredaf fod yr hen frawd wedi ei gynhyrfu fel nas cynhyrfwyd erioed."[17] Roedd yna elfennau ecsentrig i gymeriad Gruffydd, ac roedd yn anffodus, efallai, mai ef fyddai'n ymgymryd â swydd arweinydd mewn cyfnod mor dyngedfennol i ddyfodol y mudiad.

Cafwyd cyfres o gamsyniadau, felly, ond efallai mai'r camgymeriad mwyaf oedd i Valentine a Saunders ill dau fynd i'r carchar. Y ddau yma oedd pennaf arweinwyr ac ysgogwyr gweddill yr aelodaeth. Pe bai un ohonynt wedi aros â'i draed yn rhydd a rhoi cyfeiriad miniocach i ymgyrchu'r Blaid, mae'n bosibl y byddai'r canlyniadau wedi bod yn wahanol. Ond Saunders oedd pensaer y llosgi, ac fel y gwelwyd yr oedd Valentine yn benderfynol o weithredu. Bu'n dyheu am gyfle o'r fath i daro dros Gymru ers degawd neu fwy ac nid oedd am golli'r cyfle.

Yn y pen draw, serch hynny, efallai na fyddai hyd yn oed hynny wedi achub y Blaid rhag y blynyddoedd anodd oedd i ddod. Roedd yr Ail Ryfel Byd ar y gorwel a byddai wedi bod yn anodd parhau ag unrhyw gynnydd yn wyneb hinsawdd gwleidyddol rhyfelgar a'r llifeiriant o bropaganda Prydeinig a ddaeth yn ei sgil. Er gwaethaf hynny, credai Valentine y byddai pethau wedi bod yn waeth ar y Blaid heb weithred yr Ysgol Fomio. Yn wir Penyberth a roddodd y nerth a'r hyder yng ngwythiennau'r Blaid i oroesi'r pedwardegau anodd, ac yn sicr bu'n ysbrydoliaeth i'r rhai a wynebodd y llysoedd yn ystod yr Ail Ryfel Byd fel gwrthwynebwyr cydwybodol. "Y brwdfrydedd yna, a'r dylanwad a grëwyd gan y weithred," meddai Valentine yn 1970, "a roddodd ysbrydiaeth i'r Blaid drwy'r rhyfel. Fu'r peth ddim yn wastraff o gwbl. Rwy'n credu ei fod o'n wyrth i Gymru a'r Blaid oroesi'r cyfnod yna. Roedd trai, dros dro, yn anochel."[18]

Agorwyd yr Ysgol Fomio yn 1938, ond ar ôl yr holl gythrwfl ni fu'r safle'n gymorth mawr i beilotiaid y Llu Awyr wrth baratoi am ryfel, gan fod niwl môr Llŷn yn amharu'n sylweddol ar eu gallu i hedfan ac ymarfer eu hymosodiadau o'r awyr. Felly, rhwng hynny a methiant y Blaid i wneud yn fawr o'i chyfle yn sgil y llosgi, yr achosion llys, a'r carchariad, byddai'n ddigon teg i'r rhai a gymerodd ran gwestiynu gwerth eu safiad a holi beth yn union a gyflawnwyd?

Un ergyd a daflwyd at y tri oedd eu bod yn dioddef o gymhlethdod merthyrdod. Mae'n debyg bod cyhuddiad o *Imitatio Christi* i'w ddisgwyl pan fo egwyddorion Cristnogol yn cymell gweithredu gwleidyddol, fel y gwnaeth yn yr achos hwn. A phan oedd Valentine yn llefaru fel y "Mr X" bondigrybwyll gan sôn am ymgyrchwyr yn fforffedu eu bywydau, yr oedd yn sicr yn defnyddio rhethreg merthyrdod. Wrth edrych ar fywyd Valentine hyd 1936, gwelir mai'r argraff bennaf yw awydd ysol i wneud rhywbeth. Nid merthyrdod oedd y nod, ond yn hytrach cael rhywbeth i ddigwydd a fyddai'n trawsnewid cyflwr Cymru. Gweithredu oedd y peth pwysig, a thrwy hynny darfu ar syrthni taeog gwlad y menig gwynion.

Yn aml iawn yn ei bregethau a'i areithiau yr oedd Valentine yn hoff iawn o gyfeirio at ddelwedd Kierkegaard o newid dirfodol yn holl agwedd meddwl a chredo unigolyn fel daeargryn. Natur bersonol oedd profiad yr athronydd, ond fe allai digwyddiadau mawr fod o arwyddocâd dirfodol i bobloedd hefyd, a dod yn drobwyntiau seicolegol a hanesyddol. Dywedodd Valentine flynyddoedd yn ddiweddarach mai "daeargryn" yn ystyr Kierkegaard o'r gair, oedd digwyddiadau fel darlith 'Tynged yr Iaith' Saunders Lewis yn 1962 ac ethol Gwynfor Evans fel Aelod Seneddol cyntaf Plaid Cymru yn 1966. Ond fe ellid dadlau'n gryf mai'r "ddaeargryn fawr" i syniad y Cymry o'u hunain fel cenedl yn yr ugeinfed ganrif oedd gweithred Penyberth.

Er nad cychwyn chwyldro cymdeithasol neu ymgyrch o ymosodiadau tebyg oedd y bwriad, eto roedd yr hyn a wnaeth y tri yn weithred chwyldroadol. Nid oedd dim byd cyffelyb wedi digwydd ers canrifoedd. Er bod gweithredu torcyfraith, digon treisiol yn wir, wedi digwydd yn rheolaidd yng Nghymru o gyfnod ymosodiadau Merched Beca hyd at Ryfel y Degwm, nid oedd neb wedi cyflawni gweithred o dorcyfraith bwriadol yn enw Cymru ers cyfnod gwrthryfel Glyndŵr. Gwlad saff, "Cymru lân Cymru lonydd", oedd Cymru cyn Penyberth, ac roedd ymgais i darfu ar y llonyddwch hwnnw yn rhan ganolog o fwriad y weithred. Yn y termau hynny yr oedd Valentine yn fwy na bodlon gyda chanlyniadau'r weithred:

> Yr wyf yn gwbl ddiysgog – yr oedd yn rhaid wrth y weithred hon, nid wyf wedi cael achos i newid dim ar fy meddwl. Erbyn heddiw gwelwn yn gliriach fyth mor sicr oedd Saunders Lewis o'i bethau, ac mor ddibŵl oedd ei weledigaeth wrth gynllunio hyn. Lladdodd y weithred hon y sentimentaleiddiwch a'r meddalwch oedd yn eiddilo'r genedl, a dechreuodd cyfnod newydd o weithredu yn hytrach na siarad.[19]

Teimlai Valentine eu bod wedi dysgu'r genedl nad ar chwarae bach y gallai hi ennill ei rhyddid, ac er iddo gyfaddef y byddai wedi hoffi pe bai'r canlyniadau tymor byr yn well, eto i gyd, gan wybod sut wlad oedd Cymru, ymresymai fel hyn: "… mor hir yr oedd hi wedi bod yn dawedog ac yn gaeth, rwy'n meddwl ein bod ni wedi llwyddo yn rhyfeddol".[20]

Pennod 17

Marwor y Tân

Fûm i ddim ar unrhyw gyfnod yn anobeithiol ynglŷn ag achos cenedlaetholdeb – er inni bryderu tipyn adeg y rhyfel.... 'Dawn ni byth yn ôl i'r hen ddyddiau taeogaidd cyn y Blaid, ac yn yr ystyr hwnnw mae'r wyrth eisoes wedi digwydd.

Lewis Valentine mewn sgwrs gyda Ioan Roberts yn *Y Cymro*, 1970

Yn Ysgol Haf Bangor yn 1939, ildiodd Saunders Lewis awenau llywyddiaeth y Blaid Genedlaethol i J E Daniel. Mewn llythyr at D J Williams yn rhagfynegi'r stormydd oedd i ddod, mynegodd Saunders mai gwrth-Babyddiaeth oedd un o'i brif resymau dros roi'r gorau i'r swydd: "Y mae gennyf dri rheswm dros wneud: ni allaf fforddio aros yn y swydd ar ôl y flwyddyn hon; nid yw fy nhin i'n hoffi'r swydd; ac o dan yr ymosod ar Ffasgiaeth y Blaid yr hyn sydd yno mewn gwirionedd yw drwgdybiaeth, sydd ar gynnydd mawr, o'm Pabyddiaeth." Wrth adael ei swydd fel arweinydd swyddogol y Blaid, roedd y newid yn ei syniadaeth ers iddo gychwyn fel Llywydd yn drawiadol, wrth iddo ddatgan ei gred bendant bellach fod llwybr rhyddid yn arwain trwy garchardai Lloegr.

Arhosodd J E Daniel yn Llywydd tan 1943. Abi Williams fu'n cyflawni'r swydd o 1943 tan 1945, ac yna etholwyd Gwynfor Evans yn Llywydd y Blaid yn 1945, ac ef a ddaliodd y swydd honno hyd at 1979.

Gyda dyfodiad yr Ail Ryfel Byd fe wynebai'r Blaid sefyllfa anodd. Cyn y rhyfel pwnc Deiseb yr Iaith oedd yn mynd ag egni gweithwyr y Blaid. Yn ystod Eisteddfod Genedlaethol 1938, dan arweiniad Undeb y Cymdeithasau Cymraeg, dechreuwyd casglu enwau ar gyfer Deiseb

Genedlaethol. Diben y ddeiseb oedd hawlio statws i'r iaith Gymraeg "a fyddai'n unfraint â'r Saesneg ym mhob agwedd ar weinyddiad y gyfraith a'r Gwasanaethau Cyhoeddus yng Nghymru". Arwyddwyd y ddeiseb gan dros chwarter miliwn o bobl a chafwyd cefnogaeth 30 allan o'r 36 Aelod Seneddol Cymreig. Arweiniodd hyn maes o law at Ddeddf Llysoedd Cymru 1942 a ganiataodd y defnydd o'r Gymraeg mewn llysoedd barn ond methwyd â sicrhau hawliau ehangach.

Wedi 1939 cyfyngwyd ar y gweithgarwch yn sylweddol gan amgylchiadau'r cyfnod. Er enghraifft, ni chynhaliwyd ysgolion haf tan 1942 oherwydd y rhyfel. Ar ben hynny yr oedd yr hinsawdd gwleidyddol yn elyniaethus i safbwyntiau'r cenedlaetholwyr. Dadleuai'r Blaid nad oedd achos i Brydain dros fynd i ryfel yn erbyn yr Almaen, ac yn hynny o beth nid oedd dim anarferol mewn pledio dadl o'r fath. Roedd unigolion uchel iawn yn y sefydliad Seisnig am ddod i delerau â Hitler; yn wir yr oedd Lloyd George ei hun yn un o edmygwyr pennaf Canghellor yr Almaen. Dilyn polisi o niwtraliaeth a wnaeth y Blaid yn y diwedd, a phenderfynwyd peidio cefnogi gelynion Lloegr gan efelychu'r hen slogan Wyddelig mai "anhawster Lloegr oedd cyfle'r Iwerddon". Yn hytrach, bernid mai gwlad fach oedd Cymru wedi ei dal ynghanol ymgiprys y pwerau mawr am oruchafiaeth yn y byd, er mai tasg bron yn amhosibl yn hinsawdd y cyfnod oedd bod yn wirioneddol niwtral yn yr argyfwng byd-eang.

Ers y tridegau yr oedd heddychiaeth wedi dod yn fwyfwy canolog i lawer o aelodau amlwg y Blaid. Yn fras, gellid dweud bod yno ddwy garfan o fewn y Blaid, gyda rhai yn genedlaetholwyr yn gyntaf ac eraill yn rhoi'r lle blaenaf i'w heddychiaeth. Aeth amryw o'r aelodau yn yr ail garfan hon gerbron y llysoedd fel gwrthwynebwyr cydwybodol ar sail eu heddychiaeth neu eu cenedlaetholdeb. Bu'r Blaid yn weithgar yn trefnu gwrthwynebiad i orfodaeth filwrol, a chafwyd ymgyrch o anufudd-dod sifil a chyfarfodydd torfol i wrthwynebu gorfodaeth. Carcharwyd deuddeg o aelodau am wrthod ymrestru yn y lluoedd arfog yn ystod y rhyfel, a thaflwyd bwgan-eiriau mawr yr oes at y Blaid, megis "Ffasgaeth", "Natsïaeth", "Pabyddiaeth".

Er i'r Blaid ddioddef llawer o bropaganda du yr awdurdodau mae'n wir dweud iddi gymryd safbwynt amhoblogaidd tu hwnt. Nid oedd trwch y boblogaeth yn rhannu'r un farn â'r arweinyddiaeth ynghylch niwtraliaeth ac roedd y mwyafrif llethol yn gefnogol i'r ymdrech filwrol i drechu Hitler. Profodd Valentine yr amhoblogrwydd hynny drosto'i hun mewn ffordd uniongyrchol iawn:

> Gwelais fynd i gyfarfod pregethu unwaith mewn tref yn y De. Roeddwn i wedi gwasanaethu bechgyn o'r dref honno oedd mewn 'billets' yn Llandudno, ac wedi gadael pob gwaith oedd gen i i sicrhau eu bod nhw'n gyfforddus. Yn y cyrddau doedd yr un diacon yn siarad gair efo fi – roeddwn i'n esgymun ganddyn nhw. Ac nid fi oedd wedi gofyn am gael mynd yno, cael fy ngwahodd wnes i. Yr hyn a wnaeth y Sul yn oddefadwy oedd bod rhai o weithwyr yr Urdd wedi dod i'r cyrddau o un o'u gwersylloedd, ac felly roedd gen i rywfaint o glustiau i wrando. Roeddwn i'n deall yr agwedd, i raddau, oherwydd mae pobl yn ddifeddwl yn ystod rhyfel.[1]

Ar ben hynny yr oedd llawer am gadw'n dawel. Ysgrifennodd Valentine at D J yn dweud ei fod yn ceisio "codi brwdfrydedd yn sir Ddinbych, ond ow, ddofed ydyw pawb – pob un am gadw ei groen yn iach a chadw ei dipyn swydd, neu'n dadlau na thâl iddo fod yn rhy amlwg yn y Blaid".[2]

Cafwyd tensiynau mewnol hefyd, gyda rhai aelodau'n anhapus â'r polisi o niwtraliaeth, Ambrose Bebb yn eu plith. Roedd Bebb am weld dinistrio Natsïaeth ac nid oedd yn barod i gefnogi polisi'r Blaid. Ni allai Valentine ddirnad agwedd Bebb o gwbl. Un peth oedd aros yn niwtral mewn rhyfel rhwng yr ymerodraethau mawr, ond ni allai ddeall sut y gallai cenedlaetholwr Cymraeg argyhoeddedig gefnogi Lloegr mewn rhyfel. Damcanodd Valentine mai penllanw ymbellhau a dieithrio a fu ar droed ers blynyddoedd ydoedd hyn ar ran Bebb:

> Mae rhywbeth wedi digwydd i'r Bebbyn – ni ddaeth i Gaernarfon y Sadwrn – a chlywais iddo fod yn siarad fel ynfytyn yng nghyfarfod Y Gangen ym Mangor – o blaid rhoddi pob cefnogaeth i Loegr a Ffrainc yn y rhyfel etc... Ni wn beth arall sydd yn ei gorn – ond y mae'n ddigon rhynllyd ers spel o amser – ond cadw hyn yn gwbl gyfrinachol.[3]

Ond er i Bebb ddieithrio oddi wrth y Blaid Genedlaethol ym mlynyddoedd y rhyfel, dychwelodd wedyn i ymladd ac ennill sedd ar Gyngor Dinas Bangor ar ei rhan.

Aeth Valentine gyda J E Jones i'w gefnogi mewn tribiwnlys yng Nghaernarfon. Fel trefnydd y Blaid yn y cyfnod bu J E o dan chwyddwydr yr awdurdodau a'r heddlu, ond roedd ganddo wybodaeth drylwyr o'r rheoliadau cofrestru yn y lluoedd arfog, ac er iddo gael ei roi ar y Gofrestr Filwrol yn 1940, bu'n llwyddiannus wrth ddadlau ei achos gerbron Ynadon Caernarfon gan osgoi gorfod ymuno â'r fyddin ac osgoi hefyd garchar neu ddirwy. Heb amheuaeth bu llwyddiant J E i gadw ei draed yn rhydd o'r lluoedd arfog neu'r carchar yn hanfodol i oroesiad trefniadaeth y Blaid drwy'r Ail Ryfel Byd.

Ysgrifennodd Valentine at Morris Williams a Kate Roberts ar ddiwedd Ebrill 1944, yn adrodd sut y llwyddodd i osgoi gorfod rhoi llety i griw o filwyr Americanaidd yn nhŷ'r gweinidog yn Llandudno: "Daeth swyddog milwrol heibio a dywedwyd fod yn rhaid i mi gymryd pump [o Americanwyr] – gwrthodais roddi cennad iddo archwilio'r tŷ, a daeth yma drannoeth hefo plismon, a gwrthodiad wedyn."[4] Aeth Valentine at un o arolygwyr lleol yr heddlu i ddadlau fod angen tŷ tawel arno ac ystafell benodol ar gyfer ei fab Hedd, ond mai ei brif wrthwynebiad oedd ei fod yn aelod o'r Blaid Genedlaethol, "ac wedi cymryd safiad arbennig yn erbyn y rhyfel hwn, a hefyd yn Heddychwr ac na wnawn unrhyw beth i hybu'r rhyfel".[5] Er bod y swyddogion milwrol yn gyndyn o ildio, fe lwyddodd yn y pen draw, gyda chymorth y plismon lleol ar ôl i hwnnw roi llythyr iddo yn sicrhau na fyddai'n ofynnol iddo roi llety i'r milwyr.

Yn rhifyn Gorffennaf 1942 o'r *Traethodydd* cafwyd ymosodiad ffyrnig ar Saunders Lewis gan Gwilym Davies. Bedyddiwr a heddychwr amlwg oedd Gwilym Davies; bu'n weinidog gyda'r Bedyddwyr tan 1922, gan bregethu syniadau'r efengyl gymdeithasol, ond ei brif weithgaredd oedd ymgyrchu dros heddwch rhyngwladol a bu'n flaenllaw iawn gydag Undeb Cynghrair y Cenhedloedd yng Nghymru ac ef oedd sylfaenydd y Neges Ewyllys Da o Gymru i'r Byd. Roedd Dr Thomas Jones, cyn-Ysgrifennydd y Cabinet a sylfaenydd Coleg Harlech, wedi mynegi cyhuddiadau tebyg ar y radio yn 1941 a 1942, a dywedir iddo ddwyn perswâd ar Gwilym Davies i lunio'r ymosodiad yn *Y Traethodydd*. Yn yr erthygl cafwyd rhes o gyhuddiadau yn pardduo arweinyddiaeth y Blaid am fod yn gyd-deithwyr gyda mudiadau asgell dde y cyfandir. Haerwyd hefyd mai "Yn y Gymru annibynnol, dotalitaraidd, ffasgaidd a Phabyddol, ni fydd ond un blaid, un eglwys ac un iaith",[6] a chlustnodwyd y Blaid Genedlaethol ganddo fel "y Blaid Ffasgaidd yng Nghymru".[7]

Gor-ddweud yn ymylu ar baranoia oedd ensyniadau Gwilym Davies mai pumed golofn y Fatican yng Nghymru oedd y Blaid Genedlaethol, ond yr oedd wedi taro nerf ac fe gyhoeddwyd ymateb Saunders Lewis i'r cyhuddiadau yn *Y Faner*. Dadleuodd mai cyfeiliornus oedd cyhuddo'r Blaid o fod yn ffrynt Pabyddol; ef oedd yr unig Gatholig ar y Pwyllgor Gwaith, a dim ond naw Pabydd oedd yn y Blaid i gyd. Gan wrthymosod yn erbyn haeriadau Gwilym Davies cynigiodd Saunders Lewis ddadansoddiad pigog o gyflwr Anghydffurfiaeth yng Nghymru. Nid Pabyddiaeth, meddai, oedd y perygl ond, yn hytrach, "na wyddoch chwi, weinidogion llawer o eglwysi Cymraeg, ddim i ba beth nac i bwy y credwch. Ac na ŵyr eich aelodau. Y mae ysbryd y 'bourgeois' wedi meddiannu eneidiau'r Cymry. Ein nod fel cenedl ydyw goddef pob dim er mwyn aros bob un mor gysurus a di-helbul ag y gallo".[8]

Nid cyd-ddigwyddiad oedd ymosodiad Gwilym Davies mae'n debyg gan ei bod yn hysbys bod etholiad y Brifysgol ar droed, ac y byddai'n debygol mai Saunders fyddai ymgeisydd y Blaid. Er gwaethaf, ac efallai oherwydd, mileindra'r ymosodiadau, nid pwyso yn ôl ar y rhaffau a derbyn cael ei llabyddio'n ddistaw a wnaeth y Blaid. Yn groes i fwriad yr erthygl fe esgorodd ar benderfyniad ymysg y Pleidwyr i daro 'nôl.

Yn ôl y disgwyl, ym mis Tachwedd 1942, ymddiswyddodd yr Aelod Seneddol Rhyddfrydol Ernest Evans o sedd Prifysgol Cymru er mwyn mynd yn Farnwr. Sedd Ryddfrydol oedd y sedd ond oherwydd amgylchiadau gwleidyddol y rhyfel Llywodraeth Glymblaid oedd yn rheoli yn Llundain a byddai gofyn i'r Blaid Ryddfrydol ddewis ymgeisydd a fyddai'n cael cefnogaeth gweddill y pleidiau a oedd yn rhan o'r Glymblaid. Dewis y Glymblaid fel ymgeisydd oedd W J Gruffydd. Dewis rhyfedd ar un olwg, gan ei fod yn gyn Is-lywydd y Blaid Genedlaethol, yn olygydd *Y Llenor*, yn ysgolhaig uchel ei barch, ac yn ŵr a feddai ddull ecsentrig ac ysgubol o fynegi safbwyntiau croes ar amryw o bynciau. Croesodd gleddyfau eisoes gyda Saunders Lewis ar fater Catholigiaeth trwy ddadlau bod Pabyddiaeth yn ei hanfod yn athrawiaeth dotalitaraidd ac felly'n ymdebygu i Natsïaeth neu Ffasgaeth.

Ofnai'r Sefydliad yng Nghymru y gallai Saunders gipio'r sedd. Roedd cydymdeimlad iddo yn sgil ei ddiswyddo gan Goleg Prifysgol Abertawe, ac oherwydd bod cynifer o ddeallusion yn y Blaid, naturiol oedd credu mai hon oedd y sedd fwyaf enilladwy iddi o holl seddi seneddol Cymru. Dyma'r sedd a roddai gyfle i'r Blaid dorri trwodd. Roedd yr ymosodiadau personol ar Saunders Lewis hefyd yn datgelu ei apêl bosibl i bleidleiswyr ymysg y genhedlaeth iau o raddedigion. Mewn ymgais i atal hynny aed ati i sicrhau cefnogaeth academyddion o sylwedd i ymgyrch Gruffydd, yn eu plith Syr J E Lloyd, R T Jenkins, yr Arglwydd Davies o Landinam, Elfed yr emynydd, Ifor Williams a Iorwerth Peate, cyn-aelod amlwg o'r Blaid.

Dywedwyd eisoes mai peth mawr gan Valentine oedd teyrngarwch, a thristwch iddo oedd gweld rhai a fu'n gefnogol i'r achos fel Iorwerth Peate yn troi eu cefn, neu'n cadw hyd braich fel Ambrose Bebb.

Ymysg yr "enwau mawr" o blaid Saunders Lewis oedd rhai disgwyliedig fel Valentine ei hun, D J Williams, Gwenallt, R Williams Parry a Thomas Parry. Barn J E Jones mewn llythyr at Valentine am hyn oedd "mai tros Gruffydd y mae Old Brigade Cymru ond y Comandos tros Saunders".[9] Digon tebyg oedd asesiad D J Williams, ac mewn llythyr at Valentine dywedodd fod Gruffydd wedi mynd "yn druenus mewn gwirionedd – y proffwyd tua diwedd ei oes yn llusgo ei fantell yn y llaid. Samson yn malu ŷd i'r Philistiaid".[10]

Yn ystod yr ymgyrch etholiadol hon cafwyd cyfnod o ganfasio ac ymgyrchu brwd na welwyd ei debyg ers yr ymgyrch yn erbyn yr Ysgol Fomio. Bu Valentine ei hun yn canfasio am gefnogaeth i Saunders Lewis ymysg ysgolheigion fel R T Jenkins ac Ifor Williams, er mai ofer fu hynny, gan mai ymateb gwawdlyd a gafodd ganddynt tuag at Saunders Lewis.

Cynhaliwyd y cyfrif ar 30 Ionawr gyda W J Gruffydd yn fuddugol gan ennill 3,098 o bleidleisiau, gyda Saunders Lewis yn ail gyda 1,330 yn pleidleisio iddo. Yn naturiol ddigon, wedi'r holl waith canfasio caled, siomedigaeth oedd y teimlad pennaf i selogion y Blaid. Yn fuan wedi'r ymgyrch ysgrifennodd Valentine at D J i fynegi ei deimladau: "Wel, aeth yr etholiad heibio. Yr oeddwn i bron crio gan siom pan ddaeth y newydd, ond wedi ymbwyllo beth ac ystyried nid oeddwn mor siomedig, neu o leiaf medrais ddygymod ag ef."[11] Wedi dweud hynny, ychwanegodd efallai y dylai lawenhau bod cynifer wedi pleidleisio i Saunders Lewis ar adeg fel hon, ac roedd ganddo ryw fath o gydymdeimlad â Gruffydd "yn ennill ar gefnogaeth gwŷr a gasaodd trwy gydol ei oes".[12] Yr oedd un peth yn fwy na dim arall na fedrai Valentine ei amgyffred, fodd bynnag, a hynny oedd "pam gebystr y mae dynion yn ein casáu ni mor chwerw".[13]

Beth bynnag am siom Valentine ar y pryd, bu'r ymgyrch yn drobwynt yn hanes y Blaid Genedlaethol er iddi golli, gan iddi gael profiad o ymgyrchu caled, ac am unwaith roedd y "Blaid bach" yn gweithio fel un yn canfasio, llythyru, gohebu ac ati. Cadarnhawyd ei bod yn rym gwleidyddol yng Nghymru gan y ffaith amlwg bod y Sefydliad yn ei chymryd o ddifrif fel bygythiad. Bu'r frwydr yn un ffyrnig, ond cafodd y Blaid fwy o sylw nag ers helynt yr Ysgol Fomio, a gellir dadlau bod etholiad y Brifysgol wedi troi mudiad oedd yn wynebu dyfodol du yn 1939 yn un a allai edrych ymlaen yn gymharol obeithiol i'r dyfodol yn 1945.

Credai Saunders Lewis ei hun mai Pabyddiaeth yr ymgeisydd oedd y tu cefn i'r cyhuddiadau o Ffasgaeth, ac mai ei ffydd grefyddol oedd testun pryder y gwrthwynebiadau. Diau ei fod yn destun rhwystredigaeth i Valentine bod rhywbeth felly yn llesteirio twf ei blaid. Cyfaddefodd yn breifat fod Catholigiaeth Saunders yn "niwsans", ond yn rhyfedd ddigon ni thrafododd hynny gyda Saunders erioed. Cynigiodd Saunders ymddiswyddo fel Llywydd yn 1932 ar ôl dod yn Babydd, ond ar gynnig gan Valentine gyda J P Davies yn eilio gwrthodwyd ei gynnig. Y syndod mawr, o gofio'r trafferthion a greodd Pabyddiaeth Saunders Lewis i'r Blaid Genedlaethol ymysg Anghydffurfwyr Cymru, yw mai dim ond unwaith y gwnaeth Valentine ymgais i drafod mater ei grefydd gyda Saunders a hynny yn Wormwood Scrubs adeg egwyl dros baned yn y brif neuadd yng nghwmni D J. Dechreuodd Valentine ei holi ynghylch sut y daeth yn aelod o Eglwys Rufain, ond canodd cloch y carchar a bu'n rhaid i'r tri ddychwelyd at eu tasgau. Wrth reswm, byddai bywyd wedi bod yn haws i Valentine, a gweddill arweinyddiaeth y Blaid Genedlaethol, pe na bai Saunders yn Babydd, ond nid oedd Saunders Lewis wedi ei eni i wneud bywyd yn hawdd i neb.

Holltwyd deallusion y Gymry Gymraeg gan etholiad sedd y Brifysgol, ac fe gafwyd dadleuon o blaid ac yn erbyn ymgeisyddiaeth Saunders Lewis mewn sawl cyfnodolyn a chylchgrawn, yn eu plith *Seren Cymru*. Mae gan sawl oes a chymdeithas ryw syniad hygoelus mewn gelynion mewnol sydd am danseilio a difa gwerthoedd pwysicaf y gymdeithas honno. Tuedd syniadau fel hyn yw esgor ar elfen o baranoia a rhagfarn, ac wrth i geyrydd y Gymru Anghydffurfiol wegian ynghanol y ganrif, daeth Pabyddiaeth unwaith eto yn fygythiad mawr i lawer o'r hen do. Yn wir, gwelwyd un o'r ymosodiadau hiraf os nad ffyrnicaf ar grefydd Saunders Lewis a'i gyd-deithwyr yn y Blaid Genedlaethol yn *Seren Cymru* ar ddechrau 1943 gan y Dr E K Jones, Wrecsam. Yn wreiddiol o Sir Forgannwg, treuliasai E K Jones lawer o'i oes yn ardal y ffin ger Wrecsam. Heddychwr mawr ydoedd ac, fel cyn-Lywydd Undeb y Bedyddwyr, yr oedd yn un o hoelion wyth yr enwad. Bu hefyd yn gefn mawr i wrthwynebwyr cydwybodol wrth iddynt wynebu'r llysoedd yn ystod y Rhyfel Byd Cyntaf.

Yn yr erthygl yn *Seren Cymru* mae'n lladd ar Babyddiaeth Saunders Lewis. Fel Gwilym Davies, ei gyd-Fedyddiwr a'i gyd-heddychwr o'i flaen, mae arddull a chynnwys yr erthygl yn syndod o anoddefgar. Dywed fod y Babaeth wedi cael Cymru i'w dwylo "am ganrifoedd lawer, a gadawodd hi yn anwybodus, yn ofergoelus ac yn feddw".[14] Cymharer hyn, meddai, â dylanwad "gogoneddus" Anghydffurfiaeth ar Gymru: capeli wedi'u britho dros y bryniau gwyrdd, lleihad mewn troseddau "Gwlad y Menig

Gwynion", a sefydlu Prifysgol ac ysgolion i'r werin bobl. Dywed mai "gwrthun i'r eithaf" fyddai meddwl am ethol Pabydd i gynrychioli Cymru, meddai. Efallai fod hynny'n iawn i wledydd fel Iwerddon, Sbaen, Yr Eidal neu rywle fel Lerpwl, ond nid i Gymru. Roedd "Crist gwaedlyd Eglwys Rhufain"[15] yn arswydo'r Doctor E K Jones.

Yn y rhifynnau dilynol camodd Bedyddwyr a chenedlaetholwyr amlwg i'r frwydr i achub cam Saunders Lewis, yn eu plith Parri Roberts, Mynachlog Ddu, J Gwyn Griffiths o'r Rhondda a Valentine. Ymatebodd Valentine drwy gyfeirio at lyfrau hanes, at ladd John Penri gan lywodraeth Elisabeth 1, ac at ddienyddio Michael Servetus gan John Calfin yng Ngenefa yn yr un cyfnod, gan ddod i'r casgliad mai "enbyd o record sydd gan Eglwys Rufain ac enbyd o record sydd gan yr Eglwys Brotestannaidd hefyd".[16] Yn wir, os oedd y Gwyddelod yn gallu dewis Protestaniaid i arwain eu mudiad cenedlaethol, a oedd y Cymry'n salach pobl na hynny holodd? Dadleua Valentine wedyn fod y Pabyddion yn gwrthwynebu gormes Hitler lawn cymaint â'r Protestaniaid yn yr Almaen: "Oni cynhesa eich ymysgaroedd chwithau, Doctor, o glywed am safiad durol Pabyddion yr Almaen,[17] ystlys wrth ystlys, â'r Cristionogion o'r Eglwys Gyffesiadol, yn erbyn paganiaeth erchyll Natsïaeth?"[18]

Anelwyd rhai o brif ergydion E K Jones at ffydd bersonol Saunders Lewis, ac mewn ymateb mae Valentine yn talu teyrnged i Saunders, gan addef nad yw byth yn gorfodi ei Babyddiaeth ar neb arall: "Clywch Doctor: Bûm cyn glosied at Saunders Lewis â neb erioed – bûm yn cydweithio'n ddedwydd ag ef – bûm am fisoedd dan yr unto carchar ag ef – ni chlywais ef erioed yn pledio achos ei enwad ei hun, ond clywais ef yn aml yn dannod i mi f'anwybodaeth o'm henwad fy hun."[19] At hynny mae Valentine yn dyfynnu ateb Saunders Lewis i erthygl Gwilym Davies yn *Y Traethodydd* gan ddweud: "Na Doctor, nid Pabyddiaeth ydyw perygl mwyaf Cymru heddiw. 'Y perygl yw bod y grefydd Gristionogol yn marw o nychdod" – y niwlogrwydd meddwl â'r parlysu ar egni crefyddol ydyw dagrau pethau yng Nghymru heddiw.'[20] Gorffen Valentine ei amddiffyniad o Saunders Lewis gyda chyhoeddiad croyw o deyrngarwch personol a gwleidyddol:

> Bydded hysbys i chwi, Doctor, fy mod i, ac eraill o weinidogion y Bedyddwyr yng Nghymru sydd cyn bybred Bedyddiwr a chwithau, yn cefnogi "y dyn bychan tawel, crychwallt hwnnw", nid am ei fod yn Babydd, ond am fy mod yn credu y ceir ganddo arweiniad dewr ac arwrol i Gymru.[21]

Nid dyn i dderbyn pregeth gan rywun iau nag ef ydoedd E K Jones, ac o fewn wythnos yr oedd wedi llunio ymateb hir i lythyr Valentine yn *Seren Cymru*. Ynddo edliwia'r Doctor y defnydd o'r gair "dannod" yng nghyswllt anwybodaeth Valentine o hanes ei enwad: "Drwg gennyf ddeall hyn; ac eto nid wyf yn synnu nac yn amau… Gellwch ddiolch iddo [SL] a manteisio ar ei 'ddannod' caredig. Nid wyf yn amau dim ychwaith ar eich haeriad eich bod 'cyn bybred Bedyddiwr' a minnau. Y gamp yw cael pybyrwch a gwybodaeth yn yr un person."[22] Canmolir "calon wlatgar" Valentine, ond dywed E K Jones wrtho y dylai fel Bedyddiwr fod yn llai agored i "ddannod" Saunders Lewis. Wrth i'r ateb fynd yn ei flaen mae'r tôn yn mynd yn gynyddol bersonol, nawddoglyd ac anghymodlon: "Credaf fod ynoch ddeunydd arweinydd cryf yn ein henwad pe rhoddech eich calon iddo yn fwy nag i neb na dim arall, ac eithrio'r Crist yr hwn a wasanaetha."[23] Yn amlwg roedd nyth cacwn wedi'i godi, a chan gyfeirio at haeriad Valentine am Babyddion yr Almaen yn gwrthsefyll Natsïaeth, dywed y Doctor y dylai edrych ar yr Eglwys Babyddol "yn ymdrechu am ei hoedl ei hun yn yr Almaen, ac ar ei gwaith hefyd yn Sbaen ac Ethiopia, yr un pryd".[24] Haera'r Doctor ei bod yn brysur yn cefnogi Franco a Mussolini ac, iddo ef, nid oedd yr Eglwys Babyddol yn dangos unrhyw edifeirwch o gwbl am ei chamweddau ddoe na heddiw. Yn wir bu Eglwys Rufain yn elyn i heddwch erioed. Yr oedd, meddai, wedi rhyfela trwy ei hoes.

Yn ôl E K Jones yr oedd Saunders Lewis yn anghymwys i fod yn Aelod Seneddol oherwydd na allai ymladd brwydrau Eglwysi a Gwerin Cymru yn erbyn gallu Rhufain. Gallu ofnadwy oedd y Babaeth, yn symud ac yn gweithio ddydd a nos i ennill Cymru i'w chrafangau unwaith eto, a chwithig oedd gweld Bedyddiwr pybyr fel Valentine "yn sefyll fel *apologist* y Babaeth o fewn Bedyddwyr Cymru".[25]

Atebodd Valentine yn rhifyn y pumed o Chwefror gan achwyn fod y Doctor yn delio ag ef "fel y delia ysgolfeistr â phlentyn na fynno ddysgu ei wersi",[26] ond mae'n gofyn i'w gyd-Fedyddiwr ddangos "y gras mawr o ODDEFGARWCH"[27] tuag at gyd-Gristnogion.

Dywed Valentine ei fod wedi cael bendith fawr o ddarllen gweithiau awduron Catholig fel Thomas à Kempis, y "bu ei *Batrwm y Gwir Gristion* yn gordial lawer tro i'm henaid blin".[28] Mewn cwestiwn rhethregol hola a ddylai, felly, roi clo ar ei gopi o *Batrwm y Gwir Gristion* am ei fod yn Fedyddiwr? Noda Valentine hefyd iddo dderbyn tomen o lythyrau gwrth-Babyddol dienw ond iddo dderbyn llawer mwy o ohebiaeth gefnogol. Dywed iddo gael ei gorddi gan y cyhuddiad ei fod yn "apologist" i'r Babaeth, gan fynd yn ei flaen i herio E K Jones i ganfod tystiolaeth i gyfiawnhau'r cyhuddiad. Mewn ymgais i wrthbrofi'r amheuaeth a daflwyd ar ei hygrededd Brotestannaidd mae Valentine yn dyfynnu cerdd a ysgrifennodd yn canmol ei gefndir fel Bedyddiwr:

> Gwell gennyf foelni'r capel llwm
> Na gorthrwm gwychder Rhufain
> A gwell na thipyn ffydd heb rin
> Yw meithrin ffydd ein hunain.[29]

Atebwyd ef gan E K Jones mewn llythyrau chwyrn, digyfaddawd a hirfaith yn rhifynnau dilynol *Seren Cymru*[30] ac er bod achos yr holl ddadl, sef etholiad sedd y Brifysgol, drosodd ers wythnosau, yr oedd yn ymddangos nad oedd pall ar ddicter gwrth-Babyddol y Doctor. Dywed ei fod am brofi gwirionedd ei haeriadau: "Yr wyf yn mynd i'w brofi hyd y carn, a'i brofi yn y fath fodd fel y bydd i chwithau gyfaddef fy mod yn fy lle..."[31]

Ateb coeglyd a roddir i gwestiwn Valentine ynghylch rhoi clo ar lyfr Thomas à Kempis: "Na – dim ond gan yr Eglwys Babyddol y mae *Index Librorum Prohibitorum,* nid y Bedyddwyr."[32]

Erbyn canol mis Mawrth yr oedd Valentine wedi blino ar yr ymryson a dywed wrth y Doctor: "Gan mai gŵr ydych na ddaw i'r rhyd neu'r bont, dyma derfyn o'm rhan i o'r ddadl..."[33] gan fynd ymlaen i gyflwyno cyfres o englynion i'w wrthwynebydd:

Ar edau ysgawn gwan – y rhoisoch
Eich aml reswm egwan
Gŵyr nifer mewn llawer llan
Y gwegi sy'n eich gogan.[34]

Yr hyn sy'n taro rhywun am y ddadl hon yw mai amddiffynnol yw tôn ymateb Valentine at ei gilydd. Teimlir rywsut ei fod ar y droed ôl yn ei atebion, efallai am ei fod yn dadlau gydag un o 'hen stejars' yr enwad neu o bosibl am nad oedd mewn gwirionedd yn gallu dirnad sail gwrthwynebiad dynion fel E K Jones i'r Babyddiaeth na'u casineb tuag at y Blaid Genedlaethol. Ychydig ar ôl y bleidlais fe ysgrifennodd at D J yn gofyn ei farn: "Mi garwn pe bai gennyt awr segur rhywdro i draethu dy farn wrthyf ar gwestiwn y Babaeth yma – ni fedraf yn fy myw weld y perygl, a gwylltiaf wrth y bobl yma a gyfyd y bwgan hwn, a dywedyd dim am y paganiaeth rhonc sydd ym mhentrefi Cymru heddiw."[35]

Tybir yn gyffredinol na ddioddefodd gyrfa Valentine oherwydd ei weithred yn llosgi'r Ysgol Fomio ond tybed a yw hynny'n hollol gywir? Er iddo, fel y nodwyd eisoes, gael cefnogaeth ei eglwys yn Llandudno nid oedd agwedd pawb mor ddiragfarn tuag ato. Cafwyd tystiolaeth o hynny yn ddiweddarach yn 1943, pan ddaeth swydd Athro Llenyddiaeth Feiblaidd Coleg y Bedyddwyr ym Mangor yn wag yn dilyn ymadawiad y Prifathro J T E Evans.

Erbyn canol y pedwardegau teimlai Valentine fod awydd her newydd arno yn ei waith beunyddiol, a phan ddaeth y swydd yn wag yn y Coleg Gwyn bu mewn gwewyr meddwl ynghylch ymgeisio amdani neu beidio. Mae'n bosibl mai un o'r rhesymau a barodd iddo oedi oedd na allai fod yn siŵr faint o gefnogwyr oedd ganddo yng Ngholeg Bangor. Bu pobl fel D Emrys Evans, y Clasurydd a Phrifathro Coleg y Brifysgol Bangor, er enghraifft, yn gefnogol i'r Blaid yn eu hieuenctid, ond bellach yr oeddent wedi dilyn llwybr arall a chyrraedd brig yr ysgol academaidd. Cyfrannodd Emrys Evans at gyfres Dr Tom Jones, *Pamffledi Harlech*, ac eisoes yr oedd wedi croesi cleddyfau gyda Saunders Lewis mewn erthygl yn *Y Llenor* yn 1941 lle dadleuai fod y cenedlaetholwyr yn rhoi'r argraff eu bod yn "glymblaid gwrthnysig". Dadleuodd yn erbyn y polisi o niwtraliaeth, gan ddweud y dylai caredigion Cymreictod ochri gyda'r byd Saesneg ei iaith yn erbyn yr Almaen, yn wir os na wnâi caredigion y Gymraeg hynny, meddai: "Gofynnir gan lawer, a Chymry yn eu mysg, paham y dylai gael byw." Yn ei ateb i erthygl Emrys Evans cyffelybodd Saunders Lewis sefyllfa cenhedloedd bach yn byw dan fygythiadau ymerodraethau'r pwerau mawr gan ddyfynnu neges a anfonwyd gan Goebbels at y Tsieciaid, yn eu hannog i ysgwyddo mwy o faich ymgyrch rhyfel y Natsïaid, gan fygwth yn garedig nad llesol fyddai iddynt beidio gwneud hynny.

Nid oedd gwrthgilwyr fel hyn wrth fodd Valentine, ond nid oedd pobl fel Valentine a J E Daniel yn ffefrynnau mawr yn eu mysg hwythau chwaith.

Ar ben hynny nid oedd helynt etholiad sedd y brifysgol, ynghyd â'i ddadl agored yn *Seren Cymru*, gydag un o hoelion wyth yr enwad yn ei gyhuddo o fod yn "apologist" i'r Babaeth, wedi gwneud lles i achos Valentine wrth geisio am y swydd wag.

Ras dau geffyl oedd hi rhwng Valentine a'r Parch. Tom Ellis Jones, Llwynhendy, ac mewn llythyr at D J Williams yn gofyn am eirda gan ei hen gyfaill, dywedodd iddo gael sgwrs â Tom Ellis Jones, gan fynegi ei deimladau pesimistaidd am y sefyllfa: "Euthum i weld T Ellis Jones, Llwynhendy nos Fercher – nid yw ef eto wedi penderfynu ceisio am y swydd ym Mangor. Os gwna – ef fydd piau hi – a dim mymryn o obaith gennyf fi."[36] Teimlai ym mêr ei esgyrn fod yna symudiadau ar droed i'w rwystro rhag cael y swydd, ac fe gadarnhawyd hynny gan y sibrydion a glywsai yn y de: "Clywais hefyd yn Llanelli bod y gelynion eisoes ar waith yn codi bwgan – dyma un ohonynt – 'bod un cenedlaetholwr (sef Jac Daniel) yn ddigon ar staff y colegau diwinyddol, heb fod un arall eto yn mynd yno'."[37] Roedd J E Daniel yn feddyliwr disglair ac roedd ganddo arddull ddysgu ddihafal, ond nid oedd mor boblogaidd â hynny ymysg athrawon y Coleg ar y Bryn. Roedd hynny'n rhannol oherwydd cenfigen tuag ato o ran ei allu cynhenid ac yn rhannol oherwydd ei wleidyddiaeth a'i genedlaetholdeb.

Bu bron i awydd cryf Valentine am newid byd a throi yn ôl at yrfa academaidd drechu ei ofnau, a dywedodd wrth D J ei fod am gyflwyno cais, er nad oedd yn obeithiol o fod yn llwyddiannus: "Yr wyf am drio yn bendant am dani, ond nid wyf yn disgwyl ei chael bellach."[38]

Atebodd D J ef gyda throad y post a chyflwyno tystlythyr caredig gan ewyllysio pob dymuniad da i'w gyfaill, ond gan ategu ei gred fod yna unigolion gelyniaethus tuag ato yn y Brifysgol: "Pob hwyl i ti Fal, gan fawr ddymuno o galon y llwyddi di yn dy gais. Gobeithio yr wyf na fydd i TEJ gynnig gan y byddai ei ymgeisyddiaeth ef yn sicr yn beryglus i ti, oherwydd y rhagfarn a fynnai rhai pobl ddiwerth ei chodi yn dy erbyn."[39]

Mae llythyr cefnogol D J yn dystiolaeth nid yn unig o'i barch tuag at Valentine, ond hefyd o'r cyfle mawr y byddai ei benodi i swydd Bangor yn ei gynnig:

> Wedi tua ugain mlynedd o adnabyddiaeth agos o'r Parch. L E Valentine, yr wyf o'r farn bersonol bendant nad oes yr un swydd yng Nghymru lle y gallai ef gyflawni gwasanaeth gwerthfawrocach a mwy pwysig i'w oes na'r swydd y mae ef yn ei cheisio ar hyn o bryd... [40]

Gorffen y llythyr yn nodweddiadol drwy dynnu coes am yr hen ddyddiau: "It was sweet of you, Mr V, so reminiscent of old days when we enjoyed the luxury of a flat each in the same block of buildings in the Metropolis and were constantly dining out."[41]

Fodd bynnag, nid oedd darogan negyddol Valentine ymhell o'i le, gan mai Tom Ellis Jones a benodwyd yn Athro Llenyddiaeth Feiblaidd Coleg y Bedyddwyr. Mae'n debyg i Valentine betruso llawer cyn penderfynu ymgeisio neu beidio. Yn y diwedd, gan weld efallai nad oedd yr argoelion yn ffafriol, ysgrifennodd ar 5 Mai at Bwyllgor y Tŷ a'r Cyllid yng Ngholeg y Bedyddwyr yn datgan ei fod yn dymuno tynnu ei enw yn ôl. I Valentine yn bersonol yr oedd peidio mynd am swydd Bangor yn drobwynt yn ei yrfa, ond yr oedd hefyd yn gyfle wedi'i golli i'r enwadau Anghydffurfiol. Pe bai Valentine wedi cael y swydd, byddai, fel aelod o Gyfadran Diwinyddiaeth Prifysgol Cymru, wedi cael cyfle i ddilyn ei dueddfryd academaidd a dylanwadu ar genhedlaeth o weinidogion o bob un o'r enwadau Anghydffurfiol.

Er gwaethaf y siom fawr a brofodd nid oedd dim drwgdeimlad personol ganddo tuag at yr ymgeisydd llwyddiannus ac ymhen rhai blynyddoedd byddai'n cydweithio'n aml ac yn hwylus gyda Tom Ellis Jones ar bwyllgorau'r Bedyddwyr. Ond gwyddai fod cyfle wedi'i golli iddo ef yn bersonol ac i'r enwad yn gyffredinol, ac edliwiodd ei rwystredigaeth yn breifat fod y gŵr o Lwynhendy yn barod i sefyll dros bob achos "yr oedd hi'n ddiogel bod yn ddewr drosto"[42] gan ddannod ar yr un pryd y cyfle a gollwyd i gychwyn "traddodiad newydd yn addysg gweinidogion".[43]

Rai misoedd yn ddiweddarach, yn Hydref 1943, cafodd alwad i fynd yn weinidog ar Sïon, Ponciau, ger Wrecsam, ac er iddo feddwl yn ddwys am y peth penderfynu gwrthod a wnaeth bryd hynny. Flynyddoedd wedyn yn 1947, daeth cais oddi wrth Penuel, Rhosllannerchrugog. Bellach roedd Valentine yn 54 oed, ac roedd awydd ynddo am newid byd a wynebu her gofalaeth newydd, felly derbyn y gwahoddiad a wnaeth y tro hwn.

Dichon bod ei resymau dros symud yn amrywiol. Yn sicr wedi cyfnod hir yn Llandudno yr oedd yn barod am newid. Efallai fod llai o fwrlwm yn ei eglwys bellach, oherwydd pan ddechreuodd yn Llandudno yn 1921, yr oedd 335 o aelodau yn y Tabernacl, ond erbyn 1940 cwympodd y niferoedd i 280. At hynny, bu newid hefyd ym mywyd diwylliannol y dref. Yr oedd y criw Cymraeg bywiog oedd yno yn y dauddegau a'r tridegau – unigolion fel John Gwilym Jones, Elwyn Roberts ac O M Roberts – bellach wedi dilyn trywydd gwahanol, ac efallai fod Valentine yn synhwyro fod yr amser wedi dod iddo yntau symud ymlaen.

Bu newid yn y gwynt yn rhengoedd y Blaid Genedlaethol ynghanol y pedwardegau. Ymbellhaodd Saunders Lewis fwyfwy o'r blaid y bu'n rhan mor ganolog ohoni yn ei datblygiad cynnar. Derbyniodd J E Daniel swydd fel Arolygwr Ysgolion Ei Mawrhydi, rhywbeth a barodd gryn syndod i Valentine. Byddai gwagle crefyddol a gwleidyddol yn dilyn penodiad rhywun fel Daniel i fyd addysg. "Ond Jac yn INSPECTOR

– yr argian fawr! Y mae'n ddrwg iawn gennyf am y peth – Jac oedd diwinydd disgleiriaf Cymru o ddigon, ac y mae'n diwinyddion ni'n brin iawn." Roedd Ambrose Bebb eisoes wedi cilio o'r criw dethol yn ystod yr Ail Ryfel Byd (er iddo ddychwelyd yn 1945 ac ennill sedd ar Gyngor Dinas Bangor yn enw'r Blaid). Yn 1946 symudodd J E Jones i Gaerdydd yn dilyn y penderfyniad i leoli Swyddfa Ganolog y Blaid yno. Daeth dyddiau hen Bwyllgor Bangor i ben; yr oedd cenhedlaeth newydd o genedlaetholwyr dan arweiniad Gwynfor Evans yn aros i gymryd yr awenau a chyfnod newydd ar gychwyn yn hanes y Blaid.

Yn 1946 bu farw Morris Williams. Ysgrifennodd Valentine at Kate Roberts i gydymdeimlo â hi yn ei phrofedigaeth, gan ddweud mai prin y medrai gredu'r peth. Bu gan Valentine feddwl mawr o'r ddau ers dyddiau cynnar y Blaid a pharhaodd Valentine i gadw mewn cyswllt cyson â Kate Roberts ar ôl marwolaeth ei gŵr. Yr oedd ganddo feddwl mawr o wydnwch ei chymeriad ac roedd ganddo barch o'r mwyaf i'w barn ar faterion mawr a mân y dydd. Mae'r Parch. Cynwil Williams, gweinidog Kate Roberts yn y Capel Mawr, Dinbych, ar y pryd yn cofio Valentine yn ei gyfarch fel gweinidog "Kate":

> Dechreuodd ei chlodfori – a dweud mai ffodus yr oeddwn o'i chael hi yn aelod yn y Capel Mawr yn Ninbych. Roedd yn rhyfedd ei glywed yn sôn amdani fel petai'n groten ysgol! "Hogan arbennig yw Kate. Gwnewch yn fawr ohoni, ac fe fyddwch ar eich ennill. Mae'n ferch gywir, ac unplyg, dewr a galluog; ac fe fydd yn ffyddlon i chwi! Fe roddai Kate ei bywyd dros Gymru, petai'n rhaid iddi wneud hynny. Fe fyddai'n fodlon wynebu'r gwn, a chymryd ei saethu![44]

Ar yr ochr gadarnhaol, mae'n bosibl i Valentine ddewis mynd i'r Rhos am fod ganddo ryw atyniad at ardal y ffin, ac am mai yno yr oedd gwreiddiau ei deulu. Er hynny, tipyn o newid byd i'r teulu fyddai cymdeithas lofaol y Rhos ar ôl bywyd trefol Llandudno, yn enwedig i'w wraig Margaret, gan fod ei gwreiddiau hi ym mhalmentydd trefol Llandudno.

Gofynnodd Valentine i'r Tabernacl ei ryddhau o'i swydd ar ddiwedd

Chwefror er mwyn gallu cychwyn yn Rhosllannerchrugog ym mis Mawrth. Efallai ei fod wedi blino ar Seisnigrwydd Llandudno ond byddai gan eglwys y Tabernacl, a'i theyrngarwch i'w gweinidog mewn dyddiau anodd, le agos iawn i'w galon am byth. Teimladau cyffelyb oedd gan yr aelodau tuag at eu gweinidog, ac fe roddwyd hynny ar gof a chadw yng nghofnodion Cwrdd Eglwysig y Tabernacl a gynhaliwyd ganol Ionawr. Dymunwyd "rhoddi ar gofnodion yr Eglwys ein gwerthfawrogiad o hir wasanaeth o Chwech Blynedd ar Hugain y Parch. L E Valentine M.A. fel Gweinidog yr Eglwys hon. Bu'n llwyddiannus nodedig fel Pregethwr a bugail gofalus. Pasiwyd hyn yn unfrydol a diweddwyd y cwrdd gyda Gweddi y Llywydd".[45]

Pennod 18

Bugeilio'r Ffin

Y lleindir hwn yw erwlan y cewri
A fu'n llathru hanes â gwrhydri.
Gwegian mae meini'r gogoneddus lu
A fu'n ddiysgog yn y ddrycin ddu.

'Ym Mynwent Rhos-Ddu'

Cyn ffarwelio â Llandudno mynegodd ei deimladau dros ymadael wrth D·J Williams, gan gyfaddef ei fod "wedi hen ddiflasu ar y dref hon a'i Chymry-Eingl a'i Heingl tordynion",[1] gan ychwanegu ei fod yn dyheu am gael byw mewn awyrgylch Gymreig a Chymraeg, "a chyn fy marw yr wyf am brofi blas byw yng Nghymru Gymraeg – y mae'r chwe blynedd diwethaf wedi llwyr dorri fy nghalon, ac y mae cyfle gwych yn y Rhos".[2]

Lle cwbl wahanol oedd pentref glofaol Rhosllannerchrugog i dref glan y môr Llandudno, ac er gwaethaf y dyheu am her newydd mae'n bosibl bod y newid byd wedi profi'n dipyn o sioc i'r system. Ar ddiwedd ei yrfa cyfaddefodd Valentine fod "tipyn o wahaniaeth rhwng tref sy'n ennill ei bywoliaeth wrth groesawu ymwelwyr, neu 'gadw byddigions', a phentref mawr diwydiannol".[3] Ardal Gymraeg ddosbarth gweithiol oedd ardal y Rhos, ac roedd ei theyrngarwch gwleidyddol bron yn llwyr i'r Blaid Lafur. Ac wrth drafod y gwahaniaeth rhwng pobl Llandudno a phobl y Rhos barnai fod pobl y Rhos wedi etifeddu "goddefgarwch yr hen Ryddfrydiaeth oedd yn fwy goddefgar na Sosialaeth".[4]

Felly, nid cyfnod cwbl ddidrafferth fu blynyddoedd y Rhos i Valentine, a hynny am sawl rheswm. Achosodd y gwahaniaeth trawiadol rhwng Llandudno a'r Rhos rywfaint o chwithdod i'r teulu. Mae'n debyg bod Margaret, ei wraig, yn gweld colli tref ei magwraeth ac wedi ei chael yn anodd setlo yn y Rhos ar y cychwyn.[5] Gellir tybio bod y gwahaniaeth cymdeithasol wedi bod yn agoriad llygad i Valentine ei hun hefyd, ac efallai ei fod wedi disgwyl mwy o ymlyniad agored wrth Gymreictod yn y Rhos. Ni fu'n hir cyn gweld, fodd bynnag, "mewn rhai pethau yr oedd pobl Llandudno yn Gymreicach na'r Rhos, e.e. yn llwyrach eu cefnogaeth i Gymdeithasau a Dosbarthiadau Cymraeg, ac yn prynu mwy o lyfrau Cymraeg".[6]

Penuel, Capel y Bedyddwyr yn y pentref, oedd y fwyaf o eglwysi'r enwad yng Nghymanfa Dinbych, Fflint a Meirion, ac ar ddechrau cyfnod Valentine fel gweinidog yr oedd yno dros 350 o aelodau. Gweinidog Penuel cyn Valentine oedd Dr Wyre Lewis. Ac yntau'n heddychwr mawr, bu Wyre Lewis ymysg y rhai a ddaeth ynghyd gyda'r Athro Thomas Rees i gynhyrchu cylchgrawn *Y Deyrnas* yn 1916. Un o bledwyr mawr yr efengyl gymdeithasol ydoedd, ac enillodd barch y mudiad Llafur yn lleol yn sgil ei weithgarwch yn pledio achos coliers gweithfeydd glo yr ardal. Act anodd oedd dilyn Wyre Lewis, oherwydd iddo fod mor uchel ei barch ac mor boblogaidd ymysg y pentrefwyr.

Anian gwahanol oedd i Valentine. Yn un peth yr oedd natur ei bregethu yn wahanol. Roedd yn bregethwr cyfoethog, academaidd a chanddo arddull ysgolheigaidd ond weithiau byddai hynny'n golygu ei fod mewn perygl o bregethu dros bennau ei gynulleidfa. Hawdd credu sut y gallai pregethu ar destunau fel Niebuhr a'i "Peril of Meaninglessness" a Gweinidogaeth yr Holl Saint ar brydiau'n gallu bod yn rhy astrus i aelodau gwerinol Penuel. O ganlyniad, parch hyd braich fel parch tuag at athro a roddwyd i Valentine gan sawl un o'i aelodau, ac roedd pellter rhyngddo a'i gynulleidfa ar adegau. Diau fod yr ysgolheictod yma yn deillio o'i rwystredigaeth – gallai fod ym Mangor yn Athro Prifysgol ond yn lle hynny yr oedd wedi glanio'n weinidog mewn pentref diwydiannol ar y ffin.

Achos arall o bellter rhwng y gweinidog a'i gynulleidfa oedd gwleidyddiaeth. Yn ôl y Parch. Derwyn Morris Jones, un o fechgyn y Rhos a ddaeth i adnabod Valentine yn dda yn y cyfnod hwn: "Yr oedd eglwys Penuel pan gyrhaeddodd ef yno, yn un o eglwysi bywiocaf yr ardal, ond fel gweddill capeli'r Rhos yn llawn cefnogwyr y Blaid Lafur ynghyd â rhai hen Liberals."[7] Cododd tensiwn oherwydd cefnogaeth amlwg Valentine i'r mudiad cenedlaethol ac i Blaid Cymru (fel y gelwid y Blaid Genedlaethol bellach) yn benodol. Nid un i guddio ei farn oedd Valentine ac nid oedd ei gefnogaeth agored i'r Blaid yn boblogaidd. Cadarnle'r Blaid Lafur oedd ardal y Rhos; rhywbeth estron oedd Plaid Cymru i'r Llafurwyr brwd, ac roedd yna deimlad ymysg rhai bod gan Valentine ei bobl ei hun yn y Rhos, ac mai pobl y Blaid oedd y bobl hynny. Yn wir, aeth rhai mor bell â'i gyhuddo o esgeuluso'r aelodau nad oeddent yn rhannu'r un safbwynt gwleidyddol ag ef. Y cyhuddiad mawr yn erbyn y gweinidog oedd mai "bugeilio pobl y Blaid oedd o". Beth bynnag am wirionedd cyhuddiad o'r fath, yn sicr ni wnaeth cyfnod Valentine yn y Rhos gynyddu ei hoffter o'r Blaid Lafur Brydeinig na'i chefnogwyr, yn enwedig ei thueddiadau gwrth-Gymraeg. Dieithriwyd Valentine oddi wrth y mudiad llafur i raddau helaeth am mai Saesneg oedd prif gyfrwng y gweithgareddau cymdeithasol a gwleidyddol, ac yr oedd yno elfen ddylanwadol yn eu rhengoedd hefyd oedd yn ffyrnig o elyniaethus i'r Gymraeg a gwladgarwch Cymreig yn gyffredinol.

Er gwaethaf ei atgasedd o'r elfen hon yn y Blaid Lafur, yr oedd Valentine ar delerau da gyda Llafurwyr lleol fel Arglwydd Maelor (T W Jones, cyn-aelod Seneddol Llafur Meirionnydd), a Tom Jones (Twm Sbaen), yr undebwr llafur o'r Rhos a fu'n ymladd yn erbyn y Ffasgwyr yn Rhyfel Cartref Sbaen, ac a garcharwyd gan Franco. Gallai Tom Jones uniaethu â Valentine; yr oedd y ddau, er mewn amgylchiadau pur wahanol, wedi bod mewn carchar ac fe wyddai'r Sosialydd fod profiadau fel hynny'n gadael eu hôl, "roeddwn i'n gweld arno fo fod y graith yn dal i fod..."[8]

Enw tŷ'r gweinidog bryd hynny oedd *Penuel Villa* ac un o'r pethau cyntaf a wnaeth Valentine ar ôl symud yno oedd newid yr enw i Tŷ

Penuel. Dywedir gan gyfeillion Valentine fod Cymreigio enw hanesyddol cartref y gweinidog wedi achosi rhai selogion i "rhygnu dannedd".[9] Roedd gan gapel Penuel festri eang yn y cefn, gyda galeri crwn a balconi yn mynd y tu ôl i'r pulpud, gan wneud y capel yn lle addas iawn ar gyfer perfformiadau gan gorau mawr. O dan y galeri y tu ôl i'r pulpud ac yng nghefn y capel, roedd yna dair ystafell lle cynhelid yr Ysgol Sul, ac fe gymerodd Valentine un o'r ystafelloedd hynny fel stydi iddo ef ei hun.

Lleolwyd Tŷ Penuel drws nesaf i'r capel ac nid oedd llawer o le i droi yn y stydi yn y Mans ac nid oedd nemor ddim golygfa oddi yno. Ystafell fechan oedd ei stydi yng nghefn y capel hefyd, yn llawn llyfrau a chylchgronau, ac ar y wal y tu ôl i'r bwrdd lle gosodwyd teipiadur y gweinidog, roedd darlun o'i gyfaill R Williams Parry. Yno hefyd yn hongian ar ddrws yr ystafell yr oedd "cot y poeri" er parchus goffadwriaeth am gyfarfod helbulus y "Bedydd Tân" ym Mhwllheli yn 1936. Arferai smocio pib bryd hynny, ac roedd y waliau'n felyn ac arogl chwerw-felys y baco yn gymysg ag oglau inc y teipiadur. O'r ffenest gallai Valentine weld golygfa braf wrth i'r tir gerllaw'r capel ymestyn am Fynydd Rhiwabon. Stydi'r capel oedd noddfa Valentine yn y blynyddoedd hyn – yma câi lonydd i baratoi ei bregethau a chyfansoddi ei 'Nodiadau Golygyddol' i *Seren Gomer*. Arferai Valentine wahodd ymwelwyr i stydi'r capel, yn Fedyddwyr ac yn weinidogion enwadau eraill, am sgwrs a seiat.

Er gwaethaf yr amgylchiadau anodd, camargraff fyddai darlunio'r blynyddoedd hyn fel rhai tywyll a digalon. Rhwng 1956 a 1958 gwelwyd y cynnydd mwyaf yn aelodaeth Penuel er 1904. Dywed Derwyn Morris Jones iddo, fel Annibynnwr, ddod i sylweddoli'n fuan wedi i Valentine gychwyn fel gweinidog yn y Rhos "fod llewyrch ymhlith y Bedyddwyr ar oedfaon y Sul a chyrddau'r wythnos, gyda nifer dda yn llanw'r festri ar noson waith i Gwrdd Gweddi a Seiat".[10] Mae'n anodd barnu'n union faint o ran a chwaraeodd gweinidogaeth Valentine yn y twf hwn, gan fod cynnydd cyffelyb i'w weld yn amryw o gapeli eraill y Bedyddwyr yn yr ardal yn y blynyddoedd hynny. Roedd bywyd cymdeithasol yr eglwys yn fyrlymus, serch hynny, gyda rhywbeth yn cael ei gynnal yno bron bob nos, yn cynnwys cymanfa ddiwylliannol ar nos Iau a chyfarfodydd y Gobeithlu ar nosweithiau Gwener. Ynghanol y pumdegau hefyd adeiladwyd bedyddfaen newydd ym Mhenuel ar batrwm yr hen un, gan leihau'r pulpud ac ehangu'r sêt fawr.

Gwnaeth Valentine gyfeillion da yn y Rhos hefyd. Un a fu'n organydd ym Mhenuel yn ystod ei gyfnod oedd y cerddor ac arweinydd Côr Meibion y Rhos, John Tudor Davies, a bu'r ddau'n cydweithio ar osod cywair cerddorol gwasanaethau'r capel. Valentine oedd yn dewis yr emynau a John Tudor Davies y tonau. Y patrwm arferol ar y Sul oedd:

> Emyn 1 – Galwad i Addoli – emyn o fawl
> Emyn 2 – i fod yn weddigar, yn arwain i weddi Valentine oedd yn dilyn.
> Emyn 3 – yn arwain i'r bregeth
> Emyn 4 – diolch am yr Efengyl, ac yn rhoi clo ar y bregeth.[11]

Mae John Tudor yn cofio Valentine fel dyn diymhongar a gredai mai braint oedd cael pregethu, ond yn ogystal â'r ymdeimlad o ddifrifoldeb a chyfrifoldeb ei alwedigaeth roedd wastad â "winc ddireidus yn ei lygaid".[12]

Adroddodd John Tudor un hanesyn am Valentine sy'n dangos mor ddwys oedd ei ymdeimlad o'i gyfrifoldeb fel pregethwr. Wrth sgwrsio gydag ef un tro fe holodd Valentine sut yr oedd Cymanfa Ganu "fawr" gyntaf yr arweinydd, a gynhaliwyd yn Abergele, wedi mynd. Atebodd John Tudor fod pethau wedi mynd yn eithaf da, ond nad oedd yn teimlo ei fod yn ddigon cymwys i esgyn i'r pulpud. Cyngor Valentine iddo oedd: "Peidiwch byth â cholli'r teimlad hwnnw."[13]

Dro arall fe'i cofir yn cyfarch pawb yn serchog wrth fynd am dro yn y pentref, gyda "gwên ar ei wyneb a'i ffon yn ei law yn dweud 'Bore da' wrth y bobl 'barchus' a chwsmeriaid y Dafarn Geiniog fel ei gilydd". Dywedodd John Tudor wrtho un tro fod ei fab pedair oed wedi dysgu rhai geiriau anweddus. Pan ddaeth ar draws y tad a'r mab un bore, holodd Valentine: "Dyma'r un sy'n rhegi?"

"Ie."

"Hwn fydd y gweinidog felly," meddai a rhoi chwe cheiniog iddo.[14]

Roedd gan Valentine hoffter mawr o blant a phobl ifanc, ac nid oedd dim mawrdra ynddo wrth siarad â hwynt. Adroddir amdano yn ei gyfnod prawf ym Mhenuel yn gorfod mynd at ddosbarth o fechgyn anystywallt ar y galeri rhyw brynhawn Sul. Wrth weld y dyn tal yn agosáu tuag atynt, dywedodd un o'r llanciau: "Wouldn't he make a bloody good goalie." Atebodd Valentine, "Mi rydw i yn bloody good goalie," a dyma drafod pêl-droed gyda'r llanciau am y deng munud nesaf a dechrau cyfeillgarwch a barodd tra bu ym Mhenuel.[15]

Un o'r pethau atyniadol am yr ardal i Valentine oedd iaith lafar pobl y Rhos, gyda'u tafodiaith arbennig a'u hidiomau unigryw. Er hynny, mewn ardaloedd diwydiannol fel hyn cyfnod o drai oedd hi i'r ddeubeth a oedd yn gonglfeini bywyd Valentine, Cymreictod a Christnogaeth. Fel y nododd Gareth Hughes mewn ysgrif goffa iddo yn *Nene,* papur bro'r Rhos: "Yr oedd y pryf yn y pren... A rhannodd ofid y gweddill ohonom wrth weld newid ym mywyd y Rhos a'r 'pethe' gore'n cael eu diystyru."[16]

Eto i gyd, wrth ymrafael â'r newidiadau cymdeithasol a chrefyddol a ddaeth i ran bro Rhosllannerchrugog nid oedd Valentine yn credu bod 'dirywiad' yn addas i ddisgrifio'r hyn a ddigwyddai: "Wn i ddim ai 'dirywiad' ydyw'r gair iawn – y mae 'dadfeiliad' neu 'ddarfodedigaeth' yn amgenach... sylweddolais yn fuan mai pentref yn dechrau dadfeilio ydoedd, a phentref yn marw, ac enbyd o brofiad ydyw gorfod aros wrth wely marw pentref."[17]

Er bod Valentine ymhell o fod yn ddall i wendidau'r eglwysi Anghydffurfiol, nid oedd yn barod i dderbyn mai arnynt hwy yr oedd y bai am y 'dadfeiliad' hwn. I'r gwrthwyneb, yr oeddent wedi lliniaru rhywfaint ar boen y chwalfa – chwalfa gymdeithasol a achoswyd gan y byd modern diwreiddiau:

> Ni fuaswn yn hoffi dweud eu bod yn gwbl ddieuog, ond, hyd y gwelaf, hwynt-hwy sydd wedi arafu dipyn ar y farwolaeth hon. Os

> oes rhaid beio – beier y gyfundrefn addysg a beier y llywodraeth leol a ganiataodd chwalu'r bobl a'u symud o'u cynefin i'r maestrefi, ac effaith y diwreiddio hwn oedd Seisnigeiddio'r bobl a'u hestroni o'r capelau. Erbyn hyn, caeodd Pwll yr Hafod a fu trwy gydol y blynyddoedd yn llawforwyn i grefydd a Chymreictod, ond wedi ei gau mewn modd digon didosturi, cyflymu a wna'r dadfeiliad, y mae gennym ofn.[18]

Er gwaethaf y cynnydd a gafwyd pan welwyd twf yn yr aelodaeth o 350 yn 1947 i 389 yn 1955, erbyn diwedd ei arhosiad yn Penuel 297 o aelodau oedd yno. I Valentine 'dadfeiliad' yn hytrach na dirywiad fu hanes y capeli. Mae dewis y gair hwn yn awgrymu rhywbeth mwy dramatig ac ingol na dirywiad araf, ac efallai fod hynny'n adleisio ei deimladau ei hun yn y weinidogaeth wrth geisio gwasanaethu cynulleidfaoedd oedd yn crebachu ac aelodau oedd yn heneiddio gyda'r blynyddoedd. Arafu ac eiddilo a wnaeth egni'r eglwysi ac yn waeth na dim gwelwyd "gwrthgiliad cyfan ac enbyd y bobl ieuainc"[19] a'r canlyniad anorfod o golli gafael ar hanfodion fel "gweddi ac Ysgrythur, ac addoli".[20]

Fel sawl dalgylch arall yng Nghymru, arferai gweinidogion eglwysi Anghydffurfiol ardal y ffin gyfarfod mewn cymdeithas anffurfiol, sef "Fraternal". ("Y Froderfa" oedd bathiad Cymraeg Valentine o'r "Frat".) Ar gychwyn cyfnod Valentine yn y Rhos yr oedd yno gymdeithas gref o weinidogion – llawer ohonynt yn ddynion sylweddol yn eu hamrywiol ffyrdd. Yn eu plith yr oedd cyn-weinidog Penuel, Wyre Lewis, a'i hen wrthwynebydd, Dr E K Jones, Wrecsam. Hefyd, wrth dderbyn gweinidogaeth yn y Rhos yr oedd Valentine yn dychwelyd i'r Gymanfa lle'i ganwyd, sef Cymanfa Dinbych, Fflint a Meirion. Bu Valentine yn weithgar iawn gyda materion y Gymanfa, ac roedd o'r farn fod ganddi le canolog a phwysig yng nghenhadaeth y Bedyddwyr.

O'r cychwyn cyntaf, cyn sefydlu Undeb Bedyddwyr Cymru, roedd Cymanfa'r Bedyddwyr yn rhan annatod o drefniadaeth yr enwad. Cynrychiolaeth o gapeli mewn ardal benodol oedd y Gymanfa, ac er bod pob capel yn cael ei redeg yn annibynnol, drwy eu haelodaeth o'r Gymanfa roedd yna ddolen gydiol rhyngddynt a'i gilydd. Unedau daearyddol fu Cymanfaoedd y Bedyddwyr erioed, gyda rhai yn cynnwys sir gyfan, eraill yn rhan o sir, tra bod siroedd Dinbych, Fflint a Meirion yn uno i ffurfio un Gymanfa. I raddau yr oedd yr adrannau daearyddol hyn yn dibynnu ar nifer aelodaeth yr eglwysi yn y gwahanol ardaloedd. Byddai pynciau trafod cyfarfodydd y Gymanfa'n cynnwys materion a godwyd gan yr eglwysi eu hunain, gan ei bod yn arferiad i bob capel, yn enwedig yn nyddiau cynnar yr enwad, gyflwyno adroddiad i'r Gymanfa.

Un o brif gyfrifoldebau Cymanfa fyddai diogelu gweinidogaeth yn yr eglwysi a cheisio sicrhau bod pregethu cyson ym mhob eglwys, a byddent hefyd yn cyfweld ymgeiswyr am y weinidogaeth. Drwy hyn byddid yn sicrhau ansawdd y weinidogaeth yn yr eglwysi, rhywbeth oedd yn agos iawn at galon Valentine. Bu gan bob Cymanfa bwyllgorau i drafod amrywiol weddau ar weithgaredd yr eglwysi, a hefyd sefydlwyd pwyllgor i gyflwyno penderfyniadau ar faterion cyhoeddus – cymdeithasol a gwleidyddol – maes arall y teimlai Valentine yn gryf yn ei gylch.

Dywedir bod Valentine yn aml ar ei draed yng nghynadleddau'r Gymanfa, yn addasu cynigion neu'n cynnig barn ar bynciau'r enwad (nid oedd ar ei draed mor aml â Dr E K Jones, serch hynny, a gafodd ei fedyddio yn 'Jac yn y Bocs' ganddo, oherwydd ei hoffter o godi i annerch y Gymanfa). At Valentine y byddai'r Gymanfa'n troi wrth eirio cynigion i'w hanfon mewn gohebiaeth swyddogol at Aelodau Seneddol neu'r Tŷ Cyffredin ynghylch materion crefyddol a gwleidyddol y dydd: "Fe wnaiff y Parch. Lewis Valentine wneud hynny dros ginio fyddai'r gri." Bu'n Llywydd ar y Gymanfa yn 1968, a dywedir gan ei gyfeillion ei fod bob amser yn deg wrth lywyddu, hyd yn oed gyda safbwyntiau nad oedd ef ei hun yn eu harddel. Ffordd dawel yn hytrach nag agored ymwthgar oedd ganddo o fynegi safbwynt mewn fforwm cyhoeddus. Anaml y byddai'n arwain trafodaeth, a'i dueddiad oedd naill ai codi a siarad yn ddethol ar bynciau oedd yn bwysig iddo ef, neu ymyrryd ar adegau lle gwyddai y gallai ei gyfraniad wneud gwahaniaeth i basio neu wrthod cynnig. Ef hefyd fyddai'n amlach na heb yn cael y dasg o goffáu gweinidog neu aelod o'r Gymanfa ac yn geirio'r coffhad hwnnw yn Adroddiad y Gymanfa. Gallai hefyd fod yn ddiamynedd gyda thindroi a malu awyr mewn cyfarfodydd, ac os nad oedd rhywbeth wrth ei fodd mewn cynhadledd, arferai basio nodiadau at ei gyfeillion yn crynhoi ei farn am y Gymanfa. Un tro addasodd byrfodd Dinbych, Fflint a Meirion yn "D.Ff.M. – dynion ffuantus, meddal" ac ar achlysur arall barnodd fod D.Ff.M. yn "damned funny movement!"

Cafodd gydnabyddiaeth maes o law am ei waith gyda'r Gymanfa pan wnaed ef yn aelod anrhydeddus ohoni. Meddai am yr achlysur, a'i dafod yn ei foch: "Mi gefais BA ac MA gan Brifysgol Cymru ac y mae gennyf yr hawl i ychwanegu A.A. At hyn bydd ychwanegu y graddau AACDFfM yn peri i bobl ddal eu hanadl. Os byth y daw cyfyngder arnaf a gorfod ceisio swydd, fydd arswyd y llythrennau hyn yn ei sicrhau imi."[21]

Yr hyn sy'n ei amlygu ei hun wrth drafod dull Valentine o lywyddu ac arwain cyfarfodydd gyda'r rhai oedd yn ei adnabod oedd bod yno elfen gref o swildod yn ei gymeriad. Yn aml iawn dywedir bod angen dwyn perswâd arno i arwain cyfarfodydd mawr ac, yn groes i'r disgwyl efallai i rywun a chwaraeodd ran mor amlwg a chyhoeddus ar lwyfan gwleidyddol a chrefyddol Cymru, cynyddu a wnâi'r swildod wrth i'r blynyddoedd fynd heibio. Cyfaddefodd wrth Saunders Lewis "fy mod wedi tyfu'n swil, ac yn gas gennyf annerch tyrfa fawr o bobl".[22]

Yr oedd dau o'i gyfeillion pennaf, Saunders Lewis a Kate Roberts, yn unfryd eu barn bod cariad Valentine dros ei grefydd a'i lafur dros ei wlad wedi mygu ei ysgolheictod. Fel y gellid disgwyl yr oedd Saunders Lewis yn hael ei ganmoliaeth i goethder iaith pregethau Valentine (er yn nodweddiadol ni allai osgoi'r demtasiwn i anelu ergyd at safon y rhelyw o bregethwyr Cymru): "O ran eich Cymraeg [rydych] yn nhraddodiad meistri clasurol y pulpud Cymraeg, traddodiad John Williams, Brynsiencyn, a Puleston Jones, ie a Dyfnallt hefyd, yn goeth a chyfoethog mewn geirfa ac idiom – pethau erchyll o brin yn y pulpud heddiw."[23]

Mewn erthygl yn *Seren Cymru* yn 1971 dywed Saunders Lewis mai rhinweddau mawr Valentine fel pregethwr oedd nad pregethwr a wnâi ei holl ddarllen yn Saesneg ydoedd. Ar ben hynny yr oedd Valentine yn trin ei gynulleidfa â pharch a chwrteisi, "hynny yw, y mae'n bwrw fod gan ei wrandawyr ddiwylliant ac urddas ac nad y papurau beunyddiol Saesneg yw cyfanswm eu darllen".[24] Er nad oes tystiolaeth o hynny ar bapur, mae ail gymal y frawddeg hon gan Saunders yn gwneud i rywun feddwl ei fod yn ymwybodol o anhawster cyfathrebu Valentine â rhai elfennau o'i gynulleidfa yn Penuel. Gellir maentumio ei fod hefyd yn gwybod am rwystredigaeth academaidd y gweinidog pan ddywed mai anian ysgolhaig sydd gan Valentine:

> Ni chollodd o gwbl – hyd yn oed yn Llundain – ei hoffter o'r Hebraeg. Petai cyflog gweinidog yr hyn a ddylai fod, buasai ei lyfrgell breifat ef yn cynnwys y cyfrolau a ddylai fod wrth ei benelin ef yn awr, wedi iddo ymddeol, er mwyn iddo ysgrifennu'r astudiaeth o'r Salmau sy wedi bod drwy'r hanner canrif yma yn brif faes ei arbenigo.[25]

Yn ogystal â'i reddf ysgolheigaidd, bu gan Valentine hefyd ddiddordeb mewn llenyddiaeth a barddoniaeth Gymraeg, fyth ers iddo fod wrth draed Eilydd Elwy yn Llanddulas a chael blas ar ddarlithoedd Syr John Morris-Jones ym Mangor. Dywedodd Kate Roberts mai colled i fywyd llenyddol Cymru oedd iddo gysegru cymaint o'i fywyd i weithio gyda'i eglwys a'i enwad, ac iddo esgeuluso ei ddawn, er iddo gyhoeddi amryw o gerddi ac emynau cofiadwy. Yn 1949, rai blynyddoedd wedi cyrraedd ardal y Rhos, cyhoeddodd Valentine gerdd yn *Seren Gomer* a oedd yn crisialu ei deimladau am effaith ddifaol y byd cyfoes ar yr hen werthoedd, a'r dadfeiliad cymdeithasol a welai o'i gwmpas. Ysgrifennodd 'Ym Mynwent Rhos-Ddu' adeg ail-leoli rhai o feddau mynwent hanesyddol Rhos-ddu ger Wrecsam (a thafliad carreg o'r Rhos), er mwyn gwneud lle i ddatblygiad adeiladu. Claddwyd nifer o ffigyrau amlycaf Anghydffurfiaeth ardal y ffin yn Rhos-ddu, yn cynnwys Morgan Llwyd, un o arwyr cwmwl tystion Valentine. Mae'r llecyn yn un nodedig oherwydd:

> Y lleindir hwn yw erwlan y cewri
> A fu'n llathru hanes â gwrhydri.

Ond daeth tro ar fyd, ac fe wawriodd oes nad oedd yn sylweddoli gwerth ei threftadaeth ysbrydol:

Gwegian mae meini'r gogoneddus lu
A fu'n ddiysgog yn y ddrycin ddu.

Lluniwyd y gerdd mewn ymateb i stori newyddion am lanciau yn cicio penglog fel pêl-droed wrth symud y cyrff. Yma mae byd modern yr "hen dun samon", sy'n taflu pethau gwerthfawr ar y domen sbwriel heb feddwl ddwywaith, yn colli gafael ar werthoedd a thystiolaeth cewri fel Morgan Llwyd. Law yn llaw â'r agwedd ddifater hon y mae dirywiad moesol cymdeithas. Aeth mynwent "cynheiliaid rhyddid" yn gornel medd-dod a maswedd pobl ifanc cwrs, a chrisialir hynny gan y "merchetos coch eu min/Yn bregliach eu concwest gwedi dawns a gwin". Meddylfryd yr oes yw i bawb wneud fel y mynnont heddiw ac anghofio am ddoe, meddylfryd a alwyd gan Valentine yn cyfleu'r agwedd "bwytawn ac yfwn canys yfory meirw fyddwn" ac anghofio eu hetifeddiaeth. Rhith yw'r rhyddid ymddangosiadol fodd bynnag; mae'r meirwon yn ddifaich ac yn fwy rhydd na ni – "arnom ni mae'r hualau geirwon".

Erbyn hyn yr oedd Valentine ymysg sêr ei enwad ac yn eilun i nifer o weinidogion iau oedd yn cychwyn yn y weinidogaeth. Ymhlith y rhai y bu Valentine yn drwm ei ddylanwad arnynt, ac a ddaeth yn gyfeillion agos iddo, oedd Bedyddwyr a chenedlaetholwyr amlwg fel J Gwyn Griffiths a Wynne Samuel a gweinidogion ifanc fel Eirwyn Morgan, Rhydwen Williams, John Rice Rowlands, Emlyn John a John Young. Ac ni chyfyngwyd ei ddylanwad i'w enwad ef ei hun yn unig. Un arall y gwnaeth Valentine argraff arno yn y Rhos oedd Derwyn Morris Jones, a ddaeth wedyn yn weinidog gyda'r Annibynwyr.

Ar lwyfan Eisteddfod Gobeithlu Penuel, Rhosllannerchrugog, yn 1947 y gwelodd y Derwyn Morris Jones, deuddeg oed, weinidog newydd Penuel am y tro cyntaf, a gwnaeth Cymraeg coeth y gweinidog newydd argraff arno'n syth.

Cofia sut yr arferai criw o bobl ifanc y Rhos, oedd yn helpu ymgyrch y Blaid adeg ymgyrchoedd etholiadol, gyfarfod yng nghefn Siop Gymraeg Edward Jones yn ysgrifennu cyfeiriadau ar amlenni i'r etholwyr a gosod maniffesto'r Blaid i'w ddosbarthu iddynt. Roedd Edward Jones yn un o aelodau Valentine ym Mhenuel ac yn genedlaetholwr brwd, ac roedd Valentine hefyd yn hoff o daro heibio'r siop am sgwrs, ac adeg lecsiwn byddai'n gwneud pwynt o gyfarch yr ymgyrchwyr ifanc yn wresog.

Yng nghapeli Anghydffurfiol mwyaf y Rhos yn y cyfnod yr oedd tri gweinidog – J Edryd Jones a fu'n weinidog Bethlehem oddi ar 1922, James Humphreys yn y Capel Mawr, a Valentine ym Mhenuel. Dywed Derwyn Morris Jones nad oes ganddo gof i J Edryd Jones, yr hynaf o'r tri, ddefnyddio ffon erioed, ond bod y ddau weinidog iau, James Humphreys a Valentine, er nad oeddent yn gloff o gwbl, yn defnyddio ffon fel *fashion accessory*. Yn ôl Derwyn Morris Jones:

> A doedd coliars rhadlon y Rhos, hyd y gwn i, yn gweld dim o'i le fod eu gweinidogion yn ymddwyn felly. Yr oedd parch mawr i'r tri oedd yn wahanol iawn i'w gilydd ar sawl cownt, ymhlith trigolion y pentref, fel yn wir i nifer o weinidogion eraill y Rhos a'r Ponciau oedd yn amlwg ym mywyd y gymuned bryd hynny.[26]

Daeth Derwyn Morris Jones i adnabod Valentine yn dda ar ôl iddo fethu arholiad Hebraeg ar ddiwedd ei flwyddyn gyntaf ym Mangor. Dywed mai'r "gwir yw ei bod yn dipyn o ffasiwn i fyfyrwyr diwinyddol fethu naill ai Roeg y Testament Newydd neu'r Hebraeg yn eu blwyddyn gyntaf!"[27] Cafodd gyfle i ailsefyll yr arholiad yn ystod yr haf dilynol a mentrodd ofyn i weinidog Penuel am gymorth ieithyddol. Cydsyniodd Valentine yn barod iawn, a chafodd y myfyriwr wahoddiad i'r stydi fach yng nghefn y galeri ym Mhenuel am ddau fore bob wythnos am rai misoedd i loywi ei Hebraeg:

> Byddwn yn cyrraedd am unarddeg i ystafell yn llawn oglau tobaco, a'r gweinidog wedi bod yno'n darllen neu ysgrifennu am rai oriau cyn i mi ymddangos. Cawn fy nhrwytho ganddo yn elfennau elfennol gramadeg Hebraeg. Yr oedd y cyfan, a beth wmbredd mwy o iaith yr Hen Destament ar flaenau ei fysedd wrth reswm, a'i ddiléit a'i frwdfrydedd yn amlwg wrth ymwneud â iaith y salmau a'r proffwydi. Y fendith fwyaf i mi oedd ei amynedd di-ball â'i fyfyriwr araf iawn i ddysgu. Hawdd yw i mi ategu geiriau Rhydwen Williams yn ei

> deyrnged yn rhifyn coffa *Barn* (Ebrill 1986) pan ddywed amdano: "Cawr, ond plygai'n ddigon isel i fynd dan gapan drws y symlaf; ysgolhaig, ond ni wnâi'r mwyaf ara' yn anesmwyth yn ei gwmni."[28]

(Canlyniad y gwersi ychwanegol hyn oedd i Derwyn Morris Jones lwyddo yn ei arholiad Hebraeg ar yr ail gynnig. Cafodd Valentine "owns neu ddau o'r baco gorau i fynegi'n gwerthfawrogiad iddo".[29])

Nid Hebraeg oedd unig destun y sesiynau boreol. Dywedir y byddai Valentine ar ddiwedd pob gwers yn tanio ei bibell ac yn mwynhau mygyn; dyna fyddai'r arwydd wedyn am seiat anffurfiol yn ei gwmni. Dywed Derwyn Morris Jones mai "braint amhrisiadwy" oedd cael treulio oriau yng nghwmni Valentine – ac fe adawodd y sesiynau hynny argraff ddofn a pharhaol arno:

> Siaradai yn y seiadau hynny wrth gyw o ddarpar weinidog am y fraint o fod yn y fath waith, am bwysigrwydd pregethu, ac am dasgau amrywiol bugail eneidiau... cefais wrando arno'n sôn am y pethau hyn gyda dwyster, a dogn helaeth o hiwmor yn aml wrth gyfeirio at ambell brofiad trwstan, yn yr ystafell fach llawn mwg ddigon melys yng nghefn capel Penuel, cyn fy mod i yn troi adref am ginio, ac yntau'n ymestyn ei goesau trwy fynd am dro i'r pentref bob amser cyn mynd i'r mans oedd drws nesaf i'r capel.[30]

Drwy R Parri Roberts, gweinidog Bethel, Mynachlog Ddu, ffrind mynwesol Valentine, y clywodd Emlyn John gyntaf sôn amdano. Ddwy flynedd cyn cychwyn ar yrfa golegol ym Mhrifysgol Bangor y cyfarfu Emlyn John â'i eilun, a gwnaeth argraff yn syth arno. Fe drefnodd Parri Roberts mai Valentine oedd pregethwr gwadd Gŵyl Bregethu Cymdeithas Pobl Ifanc Bethel, Mynachlog Ddu, ar 31 Hydref 1937. "Dewis cyffrous"[31] ydoedd yn ôl Emlyn John.

Cafodd Valentine ddylanwad deublyg ar lawer o'r to hwn o weinidogion, yn grefyddol ac yn wleidyddol. Fel arfer gyda Valentine yr oedd y ddeubeth ynghlwm. Darlunnir hyn gan yr atgof sydd gan Emlyn John o gynnwys testunau trafod ac anerchiadau Valentine yn Hydref 1937: "Cafwyd trafodaeth fuddiol iawn yn y bore ar y Diarhebion. Y prynhawn rhoes lwyfan i ddawn Iesu Grist yn lambastio rhagrith y Grefydd Iddewig, ac yn yr hwyr fe'n cyfareddodd drwy sôn am y bywyd sy'n fywyd yn wir. O gael pregethwr mor nodedig ac o gryn bellter ffordd yr oedd yn bwysig manteisio'n llawn arno."[32] Cyflawnwyd ail elfen dylanwad Valentine ar y genhedlaeth iau y nos Lun ddilynol pryd y traddodwyd darlith ddwy awr ganddo yn sôn am ei brofiadau yn y carchar yn Llundain.

Argraff negyddol o Valentine a roddwyd i John Young ar y cychwyn gan ei dad, Glasnant Young, ond ni fu'r pregethwr chwedlonol hwnnw yn hir cyn newid ei feddwl: "Nid oedd fy nhad yn cytuno â'r llosgi nes mynd i Landudno – ar ôl i Val ddod mas o'r carchar."[33] Gwelodd "welwder carchar" ar wyneb gweinidog Llandudno a sylweddolodd wrth wrando arno'n traethu ar ei ddaliadau a'i brofiadau fod rhyw ruddin arbennig ynddo.

Ar sawl adeg bu Valentine yn ffigwr tadol i'r dynion ifanc hyn, fel y dengys yr hanesyn canlynol. Ar ddechrau'r pumdegau yr oedd John Young yn cyd-bregethu gyda Valentine yng Ngharmel, Pontrhydfendigaid, a hynny am y tro cyntaf. Yr oedd y capel a'r festri dan eu sang, ac roedd bysys James Llangeitho wedi bod wrthi'n brysur yn cludo pobl o bell ac agos i wrando ar Valentine. Digon ffwdanllyd fu hynt taith John Young i'r cwrdd gan iddo gael pynctjar ar y ffordd gan gyrraedd Pontrhydfendigaid yn y diwedd yn llawn ffwdan a chwys. Yn oes y ddau bregethwr, yr arfer oedd i'r pregethwr hynaf bregethu olaf, gyda'r un ifancaf yn dechrau'r oedfa, sef darllen a gweddïo, ac yna'n cymryd ei dro i bregethu. Cyn codi i'r pulpud sibrydodd Valentine yng nghlust ei gyd-bregethwr mai ef ei hun fyddai'n dechrau'r oedfa. Cytunodd John Young gan gymryd yn ganiataol mai ef wedyn fyddai'n pregethu gyntaf yn ôl y drefn arferol. Yn ystod canu'r emyn cyn y bregeth anelodd John Young am y pulpud gan ddisgwyl i Valentine ddod i lawr. Er mawr syndod i'r dyn ifanc, arhosodd Valentine yn y pulpud a gorchymyn i Young ddychwelyd i'w sedd. Eglurodd y rheswm am hynny wrth ei gyd-weinidog a'r gynulleidfa: "Yn fy nghyrddau mawr cyntaf, dair blynedd wedi f'ordeinio, fy nghyd-bregethwr oedd tad fy nghyd-bregethwr heno, y Parch. Glasnant Young, a mynnodd yntau fel 'senior' roi hyder i hogyn ifanc a phregethu gyntaf," gan ychwanegu'n gellweirus, "ac rwyf wedi aros blynyddoedd i dalu'r pwyth yn ôl".[34] Anrhydedd fawr oedd hyn i'r dyn ifanc ac yr oedd, meddai John Young, yn gam mawrfrydig iawn ar ran Valentine i ildio ei le fel pregethwr blaenaf y cyrddau.

Yn ôl John Young, tasg y pregethwr yw bod yn gyfrwng i "Ogoniant sy'n fwy na ni'n hunain, er bod rhai am ogoneddu eu hunain – fel sy'n digwydd ym mhob galwedigaeth. Ond roedd Val yn ogoneddus o bartner, yn fawrfrydig ac roedd ganddo gynfas fawr fel pregethwr."[35]

Un o gas bethau Valentine oedd sentimentaleiddiwch wrth bregethu. Un tro wrth i apêl ddagreuol gan un gweinidog am arian i'r genhadaeth dramor ddenu fflyd o bapurau punt a phum punt o'r gynulleidfa, mynnodd Valentine sefyll ar ei draed i fynegi ei wrthwynebiad i seilio ffydd ar sentimentaleiddiwch meddal. Gellir tybio mai rhyw wedd Biwritanaidd o'i gymeriad oedd y pwyslais hwn ar beidio gosod emosiwn fel sail i ffydd y Cristion. Hanesyn arall sy'n dangos yr elfen draddodiadol a Phiwritanaidd yn ei natur yw'r atgof amdano yn dod i mewn i lolfa mewn gwesty lle roedd dau neu dri o weinidogion yn aros dros gyfnod Cyfarfod Pregethu. Yr oedd hi'n hwyr ar nos Sul ac roedd dau o'r gweinidogion ifanc yn ymlacio ar ôl diwrnod hir o gynnal tair oedfa ar ôl ei gilydd trwy wylio gornest focsio ar y teledu. Pan welodd Valentine beth roeddent yn ei wylio, fe fflamiodd a chamu at y set deledu a diffodd y rhaglen, a datgan "rhag eich cywilydd frodyr yn mwynhau gweld dau ddyn a wnaed ar lun a delw Duw yn ymladd ei gilydd!"[36] Diau y byddai'r hen Biwritan Samuel Valentine wedi cymeradwyo safiad ei fab yn fawr bryd hynny!

Dywed Emlyn John mai rhan fawr o apêl Valentine oedd natur ei genadwri: "Yn ei bulpud ac ar lwyfan yr oedd bob amser yn broffwydol ei neges. Dengys ei ysgrifau golygyddol yn *Seren Gomer* graffter ei welediad a dawn arbennig ei fynegiant." [37] Yn yr un cywair dywed John Young amdano mai rhan o'r atyniad oedd y modd y clymwyd hanfodion ei ffydd Gristnogol gyda'i Gymreictod gwleidyddol, "ei grefydd oedd ei wleidyddiaeth a'i wleidyddiaeth oedd ei grefydd".[38]

Yn fwy na dim (ac yn eironig ddigon o gofio'r pwyslais mawr a roddid gan Valentine ei hun ar y bregeth fel canolbwynt addoliad), sylfaen ei ddylanwad, nid yn unig ar weinidogion eraill ond ar ei holl edmygwyr, oedd y ffaith iddo fod mor barod i weithredu a dioddef dros ei egwyddorion. Fel y dywed John Young: "Ar ôl i'r siarad orffen, y cyfan sydd ar ôl i'w wneud yw sefyll. Ac fe safodd Val."[39]

Pennod 19

Pregethwr y Crindir Cras

Proffwyd yw'r gweinidog, ac onid yw'n broffwyd nid yw'n ddim.
Lewis Valentine, *Seren Gomer* 1952

Ychydig flynyddoedd wedi'r Ail Ryfel Byd fe wynebodd *Seren Gomer* ddyddiau anodd yn dilyn marwolaeth y ddau gyd-olygydd W R Watkin a David Hopkin o fewn ychydig wythnosau i'w gilydd ar ddiwedd 1947 a dechrau 1948. Bu cryn gwyno ers tro bod safon yr erthyglau yn bur wan ac nad oedd cyfranddalwyr y cylchgrawn wedi'u galw i gyfarfod blynyddol ers tro byd. Er gwanwyn 1948 yr oedd y cyfrifoldeb am olygu'r cylchgrawn wedi syrthio ar ysgwyddau Eirwyn Morgan a James Thomas, Caerfyrddin. Yna, yng Nghynhadledd Undeb y Bedyddwyr yng Nghorwen yn 1950, dewiswyd Bwrdd Golygyddol ffurfiol pryd y llwyddwyd i ddarbwyllo Valentine i ymuno â James Thomas, Eirwyn Morgan a J Gwyn Griffiths yn y gwaith o adfer *Seren Gomer* i'w safon blaenorol.

Bu Eirwyn Morgan yn fyfyriwr i Saunders Lewis yn Abertawe ac roedd gan Saunders feddwl mawr ohono. Felly hefyd Valentine. Roedd yn Fedyddiwr o argyhoeddiad ac yn genedlaetholwr i'r carn – bu'n ymgeisydd dros Blaid Cymru yn sedd seneddol Llanelli, cadarnle plaid Lafur Jim Griffiths, mewn sawl etholiad yn y pumdegau gan gynyddu ei bleidlais bob tro. Pan benodwyd ef yn Brifathro Coleg y Bedyddwyr Bangor yn 1971, yr oedd yn destun cryn foddhad i Valentine weld gweinidog o'r un anian ag ef yn etifeddu swydd y gallai ef ei hun fod wedi'i llenwi pe bai amgylchiadau wedi bod yn fwy caredig yn 1943.

Mewn llythyr at D J Williams yn 1950 mae Valentine yn crybwyll ei fod wedi ymgymryd â'r dasg o osod cyfeiriad golygyddol newydd i'r cylchgrawn enwadol, ond gan ychwanegu fod gwaith mawr o'i flaen, "yr wyf eisoes wedi dechrau ysgrifennu'r nodiadau golygyddol eleni [1950] – aeth yn beth gwael iawn, a bydd gwaith ei godi a rhoi sclein arni".[1]

Mae'n deg tybio, fel y gwna B G Owens yn ei ymdriniaeth drylwyr o olygyddiaeth Valentine o *Seren Gomer,* nad oedd Valentine yn gwbl sicr o'i swyddogaeth ar y bwrdd golygyddol, ond dechreuodd osod ei stamp ar y cylchgrawn yn rhifyn Mai-Mehefin 1951 gyda'i 'Nodiadau Golygyddol' cyntaf ac ni fu'n hir wedi hynny cyn ymgymryd yn llwyr â dyletswyddau'r golygydd. Erbyn diwedd 1953 medrai Valentine ddatgan fod "yr hen gyhoeddiad annwyl" wedi goroesi'r dyddiau du yn weddol ddianaf.

Yn ei 'Nodiadau Golygyddol' cyntaf dywed Valentine:

> Gyda'r rhifyn hwn gelwir arnom i ymuno â'r Parchedigion James Thomas a D Eirwyn Morgan yn y gwaith o olygu *Seren Gomer*, a hyfrydwch fydd cydweithio â hwynt. Rhoesant arnaf y cyfrifoldeb o sgrifennu'r nodiadau golygyddol, ac er taeru ohonof wrthynt nad oedd gennyf unrhyw gymhwyster i hynny, llwyddodd eu perswâd arnaf, er na fedraf yn fy myw gredu y gall unrhyw beth a ddewisaf ei ddywedyd yn y nodiadau hyn fod o ddiddordeb i neb o'm cyd-Fedyddwyr, namyn i myfi fy hunan yn unig.[2]

Felly, yn 1951, ac yntau yn 58 oed, dyma gychwyn ar chwarter canrif o eistedd yng nghadair y golygydd, a thrwy hynny droi cyfnodolyn oedd yn marw ar ei draed yn gylchgrawn bywiog ac amlweddog. Llwyddodd i wneud *Seren Gomer* yn rhywbeth yr oedd yn werth ei ddarllen unwaith eto. Fel y sylwodd Kate Roberts mewn llythyr at Saunders Lewis yn 1964: "Mae'n syn fel y mae Val yn troi chwarterolyn enwad yn gylchgrawn o bwys a gwerth."[3]

Ehangwyd cwmpas erthyglau *Seren Gomer* i drafod mwy na materion enwadol yn unig. Yn ogystal â'r 'Nodiadau Golygyddol' graenus, a chyhoeddi ei argraffiadau o'i gyfnod yn ffosydd y Rhyfel Mawr yn *Dyddiadur Milwr*, fe adolygwyd cannoedd o lyfrau yn y golofn 'Blas ar

Lyfrau', a Valentine ei hun oedd yn darllen y llyfrau ac yn llunio'r rhan fwyaf o'r adolygiadau er ei fod, ar adegau, yn ôl B G Owens, yn "arllwys ei fawl yn rhy hael ar gyfrolau braidd yn dila eu sylwedd".[4] Bob hyn a hyn câi Valentine gyfle i ymdrin â gweithiau ysgolheigaidd, yn enwedig ym maes astudiaethau Hebreig. Nid llythrenolwr Beiblaidd mohono o gwbl, ac ar dudalennau *Seren Gomer* mae'n amlwg ei fod yn cael mwynhad mawr wrth ymdrin â'r esboniadau a'r dadansoddiadau diweddaraf ar lyfrau Hebraeg yr Hen Destament a thrafod dyddiadau cyfansoddi Efengylau ac Epistolau'r Testament Newydd. Yn ei erthygl fyrlymus yn trafod astudiaethau Bleddyn Jones Roberts a Tom Ellis Jones yn 1957 ar Sgroliau'r Môr Marw, mae'n anodd peidio clywed tinc hiraethus am yr yrfa academaidd na fu, pan ddywed ei fod yn eiddigeddus o efrydwyr Beiblaidd cyfoes: "Gwyn fyd y myfyrwyr hynny sydd yn awr yn dechrau ar eu gyrfa," meddai. Un arall o ddoniau Valentine a ddaw i'r wyneb o dro i dro yn *Seren Gomer* yw ei allu fel cyfieithydd Beiblaidd. Lluniodd gyfieithiad deheuig o 'Molawd Seion' (1966), sef salm na chafodd ei chynnwys yn y Beibl ac a ddarganfuwyd ymhlith Sgroliau'r Môr Marw, a throsiad arbennig o dan y teitl 'Clodydd y Gwŷr Duwiol' (1967), sef trosiad o'r Hebraeg o 'Ddoethineb Iesu Ben Sira' neu 'Ecclesiasticus' a ddaeth i'r golwg ym Masada, "caer olaf gwrthsafiad yr Iddewon yn erbyn lluoedd Rhufain".

Roedd Valentine wrth ei fodd yn trin a thrafod geiriau a cheir enghreifftiau o'r hoffter hynny yn ei erthyglau. O ran arddull iaith ceir sawl ymadrodd cofiadwy a thrawiadol gan y golygydd yn ei nodiadau a'i adolygiadau, megis disgrifio dathliadau Gŵyl Ddewi fel "hafod unnos o wlatgarwch, a sterics undydd dros iaith a diwylliant". Fel y dywed B G Owens, fodd bynnag, efallai mai "gorfeddwdod" ar yr iaith yw sôn am "isgell" ac "ysgrubliaid", pan fo geiriau cyfystyr mwy cyfarwydd a chyfoes ar gael. Ar adegau eraill mae angen i'r darllenydd cyffredin astudio gweddill yr erthygl (weithiau gyda chymorth geiriadur) er mwyn ceisio deall ystyr cymalau fel "criwlyn o awgrym", "ewach piglas" neu ymadroddion fel "cistiau a chloerau", "ufuddhau yn ddiymannerch" neu "disgyn fel ceilys ar betryal y baracs". Weithiau mae'r arddull yn gallu bod yn rhwystr i'r mynegiant ac yn gallu bod yn orflodeuog gan wanhau'r ergyd, yn enwedig mewn rhannau o *Dyddiadur Milwr* pan sonnir am "wledd ddiamdlawd o fwyd" neu "ddodi cyfarchwel i ymgeleddu'r clwyfedigion".

Eto i gyd, mân frychau yw'r rhain mewn gwirionedd pan edrychir ar gamp a chynhyrchiant Valentine yn y cyfnod hwn. Yn wir tanlinellu cariad angerddol Valentine at y Gymraeg y mae'r defnydd o eiriau ac ymadroddion gwreiddiol a thafodieithol. Pwysleisir hyn yn ei 'Nodiadau Golygyddol' cyntaf lle dyfynnir tri o'i arwyr pennaf, sef Emrys ap Iwan, Saunders Lewis a Kierkegaard. Gallai Valentine uniaethu'n llwyr â'r hyn a ddywedodd Kierkegaard am yr iaith Ddaneg:

> Y mae rhai o'm cyd-wladwyr o'r farn mai rhy dlodaidd a llesg yw eu mamiaith i fynegi drwyddi feddyliau anodd. Rhyfedd o farn yw hon, ac un anniolchgar iawn hefyd, canys y mae bron cyn rhyfedded â gorsêl gŵr dros ei famiaith, ac yntau yr un pryd yn methu â llawenychu ynddi... Dedwydd yn wir ydwyf fi oherwydd fy nghlymu wrth fy mamiaith, ac ar ychydig yn wir y dodwyd y fath gwlwm â hwn, cwlwm ydyw fel hwnnw gynt a rwymodd Adda wrth Efa am nad oedd gwraig arall gerllaw, a chwlwm a'm hanalluogodd i ddysgu un iaith arall, ac oherwydd hynny fy atal rhag dirmygu yn drahaus yr iaith y'm ganed iddi...[5]

Fel y dywedodd Eirwyn Morgan, gallai'r geiriau hyn fod "yn gyffes ffydd lenyddol Mr. Valentine [dros] y pedair blynedd ar hugain y bu'n golygu'r cylchgrawn".[6]

Corff ac enaid ynghlwm yw Dyn, a ffrwyth unigryw yr ymglymiad hwn i ddynoliaeth yw iaith, ac os rhoddodd y dyfyniad gan Kierkegaard ddiffiniad cryno o gyffes ffydd lenyddol Valentine, mae dyfynnu geiriau Saunders Lewis yn *Y Faner* yn diffinio'n gryno y ffordd y clymwyd crefydd ac iaith yn nheithi meddwl Valentine:

> Ond, wrth gwrs, hanner gwirionedd twyllodrus yw bod crefydd yn bwysicach nag iaith. Y mae crefydd hefyd ynghlwm wrth iaith. Nid enaid yw dyn, ond corff ac enaid yn gymhleth gytûn. Bodloni i golledion ysbrydol anhraethadwy yw bodloni i newid iaith.

> Buddiannau materol nid buddiannau ysbrydol, a elwa oddi wrth hynny.[7]

Gan barhau â thema pwysigrwydd iaith safonol, yn ei erthygl olygyddol gyntaf cyfyd Valentine y cwestiwn "A ydyw Cymraeg y pulpud yn dirywio?" Dywed fod y pwnc wedi ei daro o'r newydd am iddo gael cyfle'n ddiweddar i wrando ar nifer o bregethwyr o bob enwad mewn cyfarfodydd pregethu ac ar y radio. Nid oedd yr hyn a glywodd yn argoeli'n dda i'r dyfodol. Meddai:

> Trist yw ein cyffes nad yw sglein eu Cymraeg ddim yr hyn a fu, a bu'r dirywiad yn fawr a chyflym. Brithid pregethau rhai ohonynt gan ddyfyniadau Saesneg heb fod unrhyw ymgais i'w cyfieithu, a ninnau ar y pryd yn medru meddwl am swrn o ddyfyniadau o Forgan Llwyd a Charles Edwards a'r clasuron Cymraeg eraill, ac ugeiniau o gypledau o'r cywyddau a fuasai'n taro yn well i'w hamcan, ac yn gymeradwyach gan y cynulleidfaoedd.

Daeth tro ar fyd, a hynny er gwaeth, a bellach y mae'r alwedigaeth a fu mor deyrngar i'r Gymraeg bellach yn dilyn tuedd yr oes "i yrru'r iaith eto yn fratiaith ddifonedd". Gwelir ôl dylanwad amlwg ei athro coleg, Syr John Morris-Jones, yn y pwyslais hwn gan Valentine, ac yn ei deyrnged i'w hen athro yn *Seren Gomer* yn 1965 fe ddywed fod "noddi a hybu'r iaith Gymraeg yn un o bennaf amcanion y cylchgrawn hwn o'r cychwyn".[8] Y rheswm am ddatgan hynny, medd y golygydd, yw bod gelynion y Gymraeg yn amlach na pheidio yn elynion i'r Efengyl hefyd.

Nid yn unig ar fater safon ac ansawdd iaith y gwelir bod Valentine yn gosod cywair ei gyfnod fel golygydd o'r cychwyn cyntaf. Neges 'Nodiadau Golygyddol' Mai-Mehefin 1951 oedd galw am gefnogaeth i'r Ddeiseb Genedlaethol dros Ymreolaeth i Gymru. Ymgyrch drawsbleidiol oedd hon gyda chefnogaeth ffigyrau amlwg fel S O Davies, AS Merthyr Tudful, Rhyddfrydwyr a Llafurwyr blaenllaw fel Megan Lloyd George a Goronwy Roberts, a Gwynfor Evans o Blaid Cymru. Seithug fu ymgyrchu'r deisebwyr ac er casglu bron i chwarter miliwn o enwau, troi clust fyddar a wnaeth y Llywodraeth Geidwadol. I Valentine, fodd bynnag, yr oedd yn bwysig dangos nad oedd *Seren Gomer* am osgoi mynegi barn ar faterion y dydd:

> Y mae'n dda gennym alw sylw yr Enwad yn y rhifyn hwn at y Ddeiseb Genedlaethol dros Ymreolaeth i Gymru, a gefnogir gan yr oll enwadau Ymneilltuol ac Anghydffurfiol, a galw ar ein Cyd-Fedyddwyr i wneuthur popeth a allont i lwyddo'r Ddeiseb, a'u hannog i wasanaethu ar y pwyllgorau lleol, a chanfasio o'i phlaid o dŷ i dŷ.[9]

Ehangir y drafodaeth o fater bara menyn gwleidyddol y Ddeiseb i ddwyster argyfwng Cristnogaeth Anghydffurfiol yng Nghymru, argyfwng sydd yn edrych yn bur dywyll ac anobeithiol: "Nid oes neb am a wyddom ni, yn maentumio y bydd llwyddiant y Ddeiseb yn dwyn haf arnom, nid oes neb o'n cenhedlaeth ni yn disgwyl haf mwyach..."[10]

Y mae'n amharod i ddefnyddio termau fel "enaid cenedl" ond, er hynny, brwydr yw hon dros "enaid pobl Cymru"; brwydr dros wareiddiad sydd yn cael ei ddifetha'n feunyddiol gan filitariaeth drachwantus. Rhan o'r un frwydr yw brwydro dros achos Cymru a'r Gymraeg a pharhad Cristnogaeth yn y rhan hon o'r byd, ac unwaith eto mae'n uniaethu'r rhai sy'n gwrthwynebu hawliau gwleidyddol y genedl gyda'r rhai sy'n elyniaethus i'r Efengyl:

> Mewn gair, brwydr yw hi dros y ffordd Gymreig Gristnogol o fyw, ac i'r frwydr hon y traddododd Anghydffurfiaeth Cymru ei hun. Cristnogion gwael yn unig a wrthwyneba'r Ddeiseb, nid gelynion y genedl yn unig a fyddant ond gelynion yr Efengyl, a rhaid magu asgwrn cefn i ddywedyd hynny o lwyfan a phulpud.[11]

Yn unol â'i gefndir Piwritanaidd, roedd gan Valentine amheuaeth o grefydda ar sail emosiwn a sentiment, ac, yn wahanol i lawer o'i gyfoedion, nid oedd ganddo lawer o ffydd mewn diwygiad crefyddol torfol tebyg i'r hyn a gafwyd yn 1904. Blynyddoedd ysbrydol hesb a ddilynodd 1904, rhybuddiodd.

Gofyn Valentine y cwestiwn felly: "Pan ddêl diwygiad, sut a pha le y dechreua?"[12] Mae'n ateb ei gwestiwn rhethregol trwy ddweud: "Gwyddom nad gyda'r dyrfa. Nid oes dim un o ddigwyddiadau mawr y gorffennol wedi dechrau gyda'r dyrfa. Nid tyrfaoedd sydd yn gwneud diwygiadau, er mai dyna'r farn gyffredin – mai rhyw fath o hysteria tyrfaol ydyw ei ddeunydd."[13] Pan ddigwydd diwygiad heb dyrfa, gall fod yn ddiwygiad effeithiol iawn. Cyfeiliornus, yn ôl Valentine, yw barnu llwyddiant unrhyw fudiad trwy ofyn a yw'r dyrfa o'i blaid. Chwiliwch drwy hanes, dadleua, ac fe welwch "na ddefnyddiodd Duw erioed mo'r dyrfa i ddim byd mawr".[14] I Valentine y diwygiadau effeithiol hirhoedlog eu canlyniad oedd y rhai a gychwynnodd gydag un dyn yn dylanwadu'n rhinweddol ar eraill, neu nifer fechan yn dod at ei gilydd i wneud rhywbeth mor syml â gweddïo a hynny'n esgor yn ei dro ar ddylanwad ysbrydol arhosol: "Rhyw nifer fechan o ddynion – rhyw weddill gwiw, yn dyfod wyneb yn wyneb â methiant mawr, ac yn eu bwrw eu hunain ar Dduw."[15]

Dyddiau dreng oedd y rhain i Anghydffurfwyr Cymru, wrth iddynt wynebu siom ar ôl siom a gweld yr holl werthoedd a fu'n gysegredig yn cael eu tanseilio. Cystwyir gwacter arwynebol athroniaeth y byd cyfoes – "bwytawn ac yfwn canys yfory meirw fyddwn". Ateb Valentine oedd aros yn driw i ddaliadau crefyddol ei dad a chynulleidfa'r Capel Bach yn Llanddulas a galw am "biwritaniaeth newydd". Byddai'r "biwritaniaeth newydd" hon yn seiliedig ar "adfer ofn Duw a aeth yn beth mor ddieithr i ddynion, a'u hargyhoeddi o'r cyfrifoldeb sydd arnynt am dynged cymdeithas a galw arnynt i ddodi disgyblaeth lem arnynt eu hunain".[16] Cynigiodd dri gair yn arwyddair i'r Biwritaniaeth newydd hon, sef – Ofn, Cyfrifoldeb, Disgyblaeth. Eto i gyd, mae'n cyfaddef nad yw'n gwbl siŵr o ble y daw ymwared ysbrydol; y cyfan a ŵyr i sicrwydd yw na ddaw adfywiad crefyddol ar batrwm diwygiadau'r gorffennol: "Y mae'r amseroedd yn wahanol, ac i amseroedd gwahanol ddulliau gwahanol. Ein drwg ni yw cynnig i Dduw gostrelau diwygiadau ddoe..."[17]

Nid oedd am weld machlud crefydd gyfundrefnol chwaith. Er mai sgaffaldiau Teyrnas Nefoedd yn unig ydoedd yr eglwys a chyfrwng i gyrraedd at wirionedd yr Efengyl, ac er bod "perygl mawr mewn cyfundrefnu Cristnogaeth a'r Efengyl, y mae perygl mwy mewn peidio gwneud hynny".[18]

Dirywio i fod yn ddim amgen na chlwb cymdeithasol fyddai capel ac eglwys heb gyfundrefn ac athrawiaethau crefyddol cryf i'w cynnal.

Ymfalchïai Valentine yn nhraddodiad y Bedyddwyr yn enwedig cyfraniad hanesyddol yr enwad i ryddid a'r parodrwydd i arloesi wrth gydweithredu gydag enwadau eraill, ond yr oedd yn bell o fod yn ddall i'r diffygion. Dywedodd unwaith fod y Bedyddwyr yn "enwad godidog mewn erlid a gormes, ond llipryn a llac mewn llonyddwch".

Un ymateb i'r argyfwng crefyddol oedd ceisio symud ymlaen i uno'r enwadau Anghydffurfiol yng Nghymru. Neilltuwyd rhifyn cyfan *Seren Gomer* yn 1964 i ysgrifau o blaid ac yn erbyn Cynllun Uno'r Enwadau, ond fel y sylwodd B G Owens, ar faterion eciwmenaidd ac uno'r enwadau "cymharol ychydig a ddatguddiwyd o safbwynt personol y Golygydd, ar wahân i'r dyb mai camgymeriad oedd cyhoeddi'r bras gyfansoddiad o'r Eglwys Unedig, am ei fod yn rhy gymhleth i fwyafrif ein pobl a hwythau heb fod yn frwd eu diddordeb yn y pwnc".[19] Dadleuai Valentine fod angen sicrhau urddas y Gymraeg o fewn yr enwad, a bod hynny'n bwysicach peth na'r pwyllgorau Eciwmenaidd parhaus, oherwydd ofnai pe gwawriai dydd Eglwys Unedig mai Eglwys Saesneg fyddai hi.

Wedi dweud hynny, credodd yn gyson fod dirfawr angen i'r Annibynwyr a'r Bedyddwyr Cymraeg glosio. Hyd yn oed mor gynnar â 1934 roedd yn dadlau mewn llythyr yn *Y Brython* i'r perwyl hwn: "Ni chredaf fod Undeb â'r Annibynwyr yn beth amhosibl. Yn wir, credaf ei fod yn beth i'w fawr chwennych."[20] Dros chwarter canrif yn ddiweddarach yr un oedd ei gri yn rhifyn gwanwyn 1972 o *Seren Gomer*:

> Wrth fyfyrio ar bwnc Uno'r Enwadau yng Nghymru yr wyf drachefn a thrachefn yn cael achos i ofidio i'r Bedyddwyr a'r Annibynwyr ymbellhau oddi wrth ei gilydd, ni welaf i'r naill enwad na'r llall elwa o'r pellhau hwnnw. Pe nas digwyddasai buasai gennym weledigaeth amgenach nag sydd gennym i chwalu peth o'r mwrllwch sydd, ysywaeth, yn ymgordeddu am y mudiad eciwmenaidd yng Nghymru.[21]

Os oedd Valentine yn dawedog ar faterion eciwmenaidd, gwahanol iawn oedd yr hyn a welai fel ei ddyletswydd i amddiffyn swydd y gweinidog rhag rhai a fynnai ei beirniadu. Mewn un anerchiad yn trafod y gydberthynas rhwng yr eglwys a'r gweinidog, pwysleisiodd Valentine nad rhywun wedi ei ethol fel Aelod Seneddol oedd gweinidog, ond yn hytrach unigolyn a alwyd i barhau gweinidogaeth Crist a bod dyletswydd felly ar yr eglwys i'w pharchu ei hun drwy barchu'r weinidogaeth. Mewn ysgrif ganddo yn llyfr Ambrose Bebb, *Yr Argyfwng*, yn ymateb i sylwadau Bebb ei hun, cyflwynodd Valentine amddiffyniad egnïol o'r weinidogaeth a gweinidogion yn benodol:

> Y mae'r rhan fwyaf ohonynt yn llunio pedwar ugain o bregethau bob blwyddyn, ac yn ychwanegol at hynny yn llunio rhaglenni i'w Gobeithluoedd a Chyfarfodydd y Bobl Ieuainc, yn ymweld â chlaf, ac yn diddanu'r anghysurus, a beunydd yn codi rhyw gi cloff dros y gamfa… Ac mae'r gydnabyddiaeth a roddir i weinidogion yn warth gwlad bellach – y mae'n syndod i mi, ac ystyried y cyni a'r pryder a'r tlodi sydd yn eu cartrefi, eu bod yn medru gwneud degwm y gwaith a wnânt.[22]

Mae angerdd y dweud yma yn cyfleu'n eglur gryfder ei deimlad bod angen gwarchod y weinidogaeth a rhoi chwarae teg i weinidogion.

Ar ben hynny, nid oedd Valentine yn hoffi'r tueddiad at bregethu fel "adloniant" mewn ymateb i'r cynnydd mewn seddi gwag yn y capeli gwag. Yn 1953 barnodd Valentine na fyddai ystwytho iaith y Beibl yn debyg o ddenu'r gwrthgilwyr yn ôl, a'r un oedd ei farn am drefn gwasanaethau. Nid oedd angen newid patrwm y moddion. O dro i dro yn ystod y chwedegau fe ildiodd y 'Nodiadau Golygyddol' eu lle mewn sawl rhifyn i gyfres o gyfweliadau rhwng Valentine a ffigyrau amlwg yr enwad a'r tu hwnt, yn eu plith R Parri Roberts, Kate Roberts, a D Wyre Lewis. Yn un o'r sgyrsiau hynny rhwng y golygydd a Wyre Lewis yn *Seren Gomer* yn 1961, cytunwyd na fyddai diwygio trefn y gwasanaeth ynddo'i hun yn denu yn ôl neb o'r rhai a giliodd o'r capeli, nac yn troi difaterwch yn ddiddordeb unwaith eto: "A phwy sydd eisiau meddwl yna trafod 'dulliau addoli' yn y tensiwn dwyfol hwn?" meddai wrth un o'i gyfeillion. "Y mae hynny fel pe bai dyn ar foddi, wedi dyfod i'r wyneb am y trydydd waith, yn petruso pa ddull a fyddai orau iddo nofio am y lan a diogelwch, nofio ar ei wyneb, ynte nofio ar ei gefn."[23]

Credodd erioed fod y bregeth yn ganolog i'r addoliad, ac ni ddylid cyfaddawdu ar ei chynnwys: "A oes perygl i orsymleiddio'r neges a'i gwaghau o'i hystyr? A ydyw'n angenrheidiol i'r gwrandawyr DDEALL popeth? Onid oes mewn pregeth 'ddirgelwch' rhyw 'numinous quality'... Mewn ad-fyfyrdod y daw'r ystyr i'r dyn difrifol."[24] Yn 1954, mewn anerchiad pwysig yn Undeb y Bedyddwyr, Amlwch, a gyhoeddwyd wedyn yn *Seren Gomer*, dywed Valentine fod angen gweld y darlun mwy: "Aethom i gynnig atebion bach i gwestiynau bach, ac yn ôl un feirniadaeth ddeifiol 'yr ydym yn ceisio ateb cwestiynau nad oes neb yn eu gofyn'." Canlyniad anorfod oedd hyn i grebachu gorwelion pan fo'r "pulpud yn gadael priffordd fawr athrawiaeth iachus a diwinyddiaeth gadarn. Pregethu athrawiaethau yw'r pregethu mawr".[25] Yn hyn o beth yr oedd yn adlewyrchu'r tueddiad ymysg dilynwyr diwinyddion Protestannaidd fel Karl Barth i ailbwysleisio pwysigrwydd ffydd a oedd yn seiliedig ar athrawiaeth uniongred gadarn yn hytrach na thröedigaeth ddramatig – ond heb ddiystyru profiadau o'r fath yn llwyr, serch hynny. At hyn, gan gyfeirio'n gymeradwyol at ddylanwad Barth, cynigiodd Valentine ei ddiffiniad ei hun o ddiwinyddiaeth, a'r angen i ddiwinyddiaeth braff dreiddio trwy holl eiriau a ieithwedd y bregeth: "Ymgais ddisgybledig," oedd diwinyddiaeth meddai, "i chwilio'n llawnach a mynegi'n effeithiolach neges yr Efengyl y gelwir arnom i'w chyhoeddi, ac ni allwn byth hepgor cymorth y llawforwyn deg hon."[26]

Wrth edrych yn ôl daw i'r casgliad mai camgymeriad oedd i bregethwyr dechrau'r ganrif yng Nghymru ddilyn pregethwyr Lloegr a rhoi cymaint o bwyslais ar yr Efengyl Gymdeithasol. Er gwaethaf degawd neu fwy o bregethu felly cafwyd rhyfel erchyll, ac o fewn cenhedlaeth arall cafwyd rhyfel arall llawn mor ddychrynllyd. Bellach daeth Valentine i'r casgliad mai "un math o bregethu sydd – pregethu Crist. Pregethu Gwaredwr a'i waredigaeth ydyw ein harswydus swydd – nid mewn tosturi wrth anghenion dynion, ond mewn cur dros bechodau dynion, ac mewn ing am eu colledigaeth".[27]

Nid oedd yn cymeradwyo'r tueddiad a welai ymysg pregethwyr

dawnus ifanc ei enwad i lastwreiddio cynnwys y pregethau. Mewn llythyr at ei chwaer Lilian, dywedodd fod "Cymru wedi ei damnio gan y pregethu doniog yma, a rhwng y blaid Lafur yn ei llygru a'i phregethwyr yn ei diddori y mae'n enbyd arni – hen grachen o genedl ydyw heb rym i ddim, y bits feddal!"[28]

Dadansoddiadau a disgrifiadau proffwydol o gyflwr ysbrydol y genedl mewn cyfnod o erydu di-baid oedd cynnwys llawer o'i erthyglau yn *Seren Gomer*. Fyth ers cychwyn yn y weinidogaeth yn 1921 yr oedd Valentine wedi ei weld ei hun yn llinach proffwydi'r Hen Destament. Ceir adleisiau proffwydol yn gyson yn ei bregethau a'i areithiau gwleidyddol. Yn ystod ei flwyddyn gyntaf fel golygydd *Seren Gomer*, dywedodd Valentine yn blaen mai proffwyd oedd y pregethwr uwchlaw popeth arall: "Proffwyd yw'r gweinidog," meddai bryd hynny, "ac onid yw'n broffwyd nid yw'n ddim."[29] Dyma'n ddiau sut y gwelai Valentine ei alwedigaeth.

Yn rhyfedd ddigon nid o'r Hebraeg y daw'r gair "proffwyd" yn wreiddiol ond o'r gair Groeg *prophetes*, sef "rhywun sy'n siarad ar ran ei dduw". Dyna oedd Valentine, rhywun yn llefaru ar ran ei Dduw, yn llinach proffwydi'r Hen Destament, gan fflangellu'r genedl am eu hanfoesoldeb ac yn ei galw i edifarhau ac adennill ei hunan-barch a dychwelyd at ffyrdd Duw.

Rhoddodd gnawd ar esgyrn ei gred allweddol ym mhwysigrwydd rôl broffwydol y gweinidog mewn erthygl olygyddol greiddiol yn rhifyn gwanwyn 1953. Mae'n cychwyn trwy gyfaddef nad yw'r argoelion yn obeithiol iawn i Gymru nac i'r Efengyl: "A dyma ninnau heno mewn gwendid ffydd dan drawiad o'r falan yn gorfod cydnabod bod Tŷ Cymru yn mynd yn freuach, freuach, a'r hen forgloddiau yn anabl i gadw'r llifogydd estron dinistriol draw..."[30]

Mae'n ailadrodd ei farn fod cadarnhau amddiffynfeydd yr iaith a diogelu cenedligrwydd Cymru "yn rhan o'n teyrngarwch i'n Harglwydd".[31] At hynny ni all gweinidogion Cymru wrthod eu cyfrifoldeb i ymyrryd mewn gwleidyddiaeth. Nid bod hynny'n fater hawdd iddynt, oherwydd y mae sawl carfan o bobl yn elyniaethus i hynny. Dywed fod rhai yn ofni i'r gweinidog hyrwyddo athroniaeth wleidyddol sy'n groes i'w daliadau politicaidd hwy, tra bo eraill am "gyfyngu ar hawl y proffwyd i'w swydd broffwydol".[32]

Daw hyn â Valentine at graidd y mater. Rhaid gwahaniaethu rhwng dau fath o ymyrryd â gwleidyddiaeth gan grefyddwyr. Ymyrryd gan y "proffwyd" ac ymyrryd gan "offeiriad". Mae'n cyfaddef na fu ymyrraeth "offeiriaid" â gwleidyddiaeth erioed yn llwyddiannus iawn, oherwydd, medd Valentine, iddynt yn aml uniaethu â pholisïau adweithiol: "Gŵr digon ceidwadol fu'r offeiriad erioed ac ar du rhwystro cynnydd y bu ei ymyrraeth."[33]

Yn groes i'r hyn a dybir yn gyffredinol, nid gêm yw gwleidyddiaeth ond rhywbeth sydd â nod mwy aruchel a rhan annatod ym mywyd cymdeithas. Yn fwy na hynny hyd yn oed mae gwleidyddiaeth yn "lawforwyn crefydd a'i amcan ydyw diogelu gwareiddiad". Yng Nghymru, meddai, codwyd gwareiddiad ar seiliau Cristnogol, felly dyletswydd y Cristion yw ymhél â gwleidyddiaeth, yn un peth er mwyn ei atal rhag "mynd i ddwylo'r di-dduw ac i ddwylo'r bobl hynny nad oes ganddynt falchder yn yr etifeddiaeth Gristnogol Gymreig".

Gan droi yn ôl at y gwahaniaeth rhwng yr "offeiriad" a'r "proffwyd", dywed mai eithriadau fu gweinidogion o'r duedd "offeiriadol" yng Nghymru, ac mai tueddu at roddi dehongliad "proffwydol" o'u galwedigaeth a wnaeth pregethwyr Cymru. Yn hynny o beth maent yn dilyn traddodiad anrhydeddus y proffwydi Hebreig. Dywed Valentine na chlywyd yr un o'r hen broffwydi yn dadlau'n llipa na ddylai proffwyd ymyrryd mewn gwleidyddiaeth. Maentumia mai proffwydi gwleidyddol oedd proffwydi'r Hen Destament, a pheth dieithr iddynt fyddai dadlau bod modd proffwydo heb ystyried pynciau llosg y dydd: "Digwyddiadau cyfoes eu dydd oedd llwyfan Duw i'w amlygu a'i ddatguddio ei hun."[34] Ac yn llinach y proffwydi hyn y daeth Iesu, gan ddod i "gyflawni y gyfraith a'r proffwydi".[35]

Wedi gosod cefndir hanesyddol ymhél y proffwyd â gwleidyddiaeth, amlinellir addasrwydd hynny i Gymru ac, yn benodol, gyfrifoldeb gwleidyddol y proffwyd-bregethwr am ddyfodol y genedl.

Nid yw Valentine am droi ei gefn yn llwyr ar yr angen i'r Cristion ymwneud â gwella amodau cymdeithasol, er cyfaddef mai "honni gormod a wnaeth selogion yr 'Efengyl Gymdeithasol' yn y genhedlaeth a aeth heibio" ac er iddo yntau fel llawer tebyg iddo droi yn ôl at ddiwinyddiaeth fwy uniongred, "nid oes gennym hawl i wadu bod i'r Efengyl neges gymdeithasol fawr".[36] Dywed fod yr Efengyl yn fwy na'i nodweddion cymdeithasol, ond maent yn rhan bwysig o'r Efengyl ac ni ddylai'r gweinidog eu hosgoi os yw am fod yn offeryn effeithiol i Deyrnas Nefoedd. At hynny mae gan Grist hawl i bob rhan o fywyd dyn, ac nid yw Cymru'n ddim gwahanol. Tasg uniongyrchol y proffwyd-bregethwr yw plannu baner Crist ar ddaear Cymru.

"Nid tasg hawdd mo honno," meddai. Llethir pobl Cymru gan ddrygau lleng y byd modern – o ddifrod cymdeithasol gamblo, adloniant clybiau dienaid, ymrestru dynion ifanc ym myddin Lloegr, y dinistrio cymdogaethau gan y wladwriaeth Brydeinig, disodli'r hen ddiwylliant Cymraeg gan werthoedd mwy bas, a'r rhyddid dilyffethair a roddir "i bob arferion dieithr ac estron"[37] ar dir Cymru.

Er gwaethaf yr angen i ymhél â phroblemau politicaidd dywed Valentine na ddylai eglwys na phregethwr anghofio'r "bywyd mewnol". Gan ddefnyddio Morgan Llwyd o Wynedd fel esiampl dywed y bydd rhoi sylw dyledus i'r ysbrydol mewnol yn rhoi'r nerth a'r gras i wynebu a herio'r byd allanol. Nid yw Valentine, fodd bynnag, yn dadlau y dylai pregethwyr a gweinidogion siarad ag awdurdod ar bob pwnc gwleidyddol. Ni all gweinidog lefaru, meddai, "ar holl gyfrinion y dreth incwm, ond hwynt-hwy ydyw'r gwylwyr ar y mur a ddylai wylio tuedd mudiadau'r dydd a bod yn effro i'r cynyrfiadau sydd o'u cwmpas mewn gwlad a llywodraeth, a phriodi'r wyliadwriaeth hon â mewnwelediad moesol".[38] Yn hytrach, dywed y dylent lefaru ar bob pwnc "sydd o bwys moesol", a mynegi eu barn yn groyw ar y materion hynny.

Y mae'n rhaid i'r gweinidog ymyrryd mewn gwleidyddiaeth oherwydd os na wna hynny, bydd yr Eglwys yn cydnabod "bod un darn o fywyd na ddylai Crist fod yn Arglwydd arno", ac os oes un rhan o fywyd mewn dirfawr angen ei ennill i Grist, yna bywyd gwleidyddol y genedl yw'r rhan honno.

Mae'n cloi'r 'Nodiadau Golygyddol' drwy dderbyn y peryglon o ddilyn llwybr fel hyn. Gallai ymyrraeth wleidyddol gan weinidog rwygo ei eglwys a chreu drwgdeimlad, ond mae Valentine yn sicr ei farn wrth ateb ei gwestiwn rhethregol ei hun, sef: "Oes perygl mewn rhywbeth o'r fath?" Mae ei ateb yn ddiamwys: *"Oes yn ddiau, ond y mae'n werth y risc."*[39] Nid i fod yn ddefaid y galwyd y proffwyd-bregethwyr, ond i fod yn "eples yr Efengyl", ac at hynny, lle bo gweinidog yn meddu ar argyhoeddiadau cywir, anhunanol, gellir grymuso eglwys yn hytrach na'i niweidio trwy weithredoedd politicaidd:

> Gweddïwn rhag i farn gweinidogaeth feddal ddisgyn arnom – gweinidogaeth ddi-asgwrn-cefn – yn ofnog ac oherwydd hynny'n daeog – gweinidogaeth sydd yn ofni traethu ei hargyhoeddiadau, ac oherwydd na cheiff argyhoeddiad leferydd yn y diwedd gadewir dyn yn druan a'i hanner credoau yn ei faglu a'r eglwys hithau yn ddiddylanwad yn rhygnu pasio penderfyniadau o gynhadledd i gynhadledd yn ddi-benderfyniad "heb rym i ddim sy dda".[40]

Er bod amryw o bregethwyr a lleygwyr a oedd o'r un tueddfryd ag ef yn ategu ei farn am ymyrraeth wleidyddol gan weinidogion, wrth ofyn am "biwritaniaeth newydd", a phwysleisio rhan ganolog y bregeth mewn gwasanaeth crefyddol, serch hynny, yr oedd yn mynd yn gwbl groes i lif meddwl yr oes. Yn wir, ar y mater yma yr oedd yn mynd yn groes i dueddiadau crefyddol ei gyfeillion pennaf, a oedd yn bell o fod yn baganiaid materol.

Anghytunai Saunders Lewis yn llwyr ag ef pan ddywed mai "Pennaf act addoli ydyw pregethu'r Gair". Meddai:

> "Dyna'r pam yr wyf yn rhyw fath o anfuddiol Gatholig neu Babydd. Yn union yr hyn a yrrodd Luther a Chalfin allan o'r Eglwys Gatholig yw'r hyn a'm tynnodd i i mewn iddi. Dyneiddwyr oeddynt hwy; dyneiddiaeth y Dadeni yn ail-lunio'r Ffydd a welaf i yn eu dysgeidiaeth. I mi ail beth yw cenhadaeth achub y Ceidwad. Y peth

> cyntaf yw rhoi dros ddynion i Dduw addoliad na fedrid ei roi ond yn unig drwy Galfaria. Hynny i mi sy'n gwneud Cristnogaeth rhywbeth sy'n bosibl yn ail hanner yr ugeinfed ganrif."[41]

Nid oedd Kate Roberts ychwaith yn rhannu teimladau Valentine ynglŷn â phwysigrwydd pregethu. Llwyddodd Valentine i'w pherswadio i gyhoeddi cyfweliad rhyngddynt ar dudalennau *Seren Gomer*, ond mewn llythyr at Saunders Lewis dywedodd: "Yr oeddwn yn bur nerfus wrth ddweud fy meddyliau, a gwyddwn fy mod ar rai pethau yn brifo Val, oblegid y mae ef yn credu mewn pregethu, ac nid wyf fi fawr erbyn hyn. Yn wir y mae holl drefn yr Anghydffurfwyr wedi mynd yn gas gennyf."[42]

Mae Valentine ar ei orau wrth ddadansoddi gwewyr Anghydffurfiaeth ynghanol yr ugeinfed ganrif. Ond wedi'r dadansoddi, pa atebion a gynigir ganddo i'r argyfwng? Mae'n sôn am gostrelau newydd, ond annelwig yw hynny braidd gan nad yw'n manylu arnynt, ac nid yw'n gweld diben diwygio ffurf yr addoliad (yn wir fe allai rhywun dybio erbyn i'r chwedegau gyrraedd mai gweithgareddau aelodau Cymdeithas yr Iaith oedd y 'costrelau newydd' iddo). Mynegi safbwyntiau Piwritanaidd traddodiadol a wnâi yn ei bwyslais ar bwysigrwydd canolog y gweinidog a'r bregeth yn yr act o addoliad. Pregethu proffwydol oedd y rhinwedd fawr i Valentine – pregethu'r athrawiaethau mawr, nid pregethu fel adloniant i ddifyrru ac esmwytháu'r gynulleidfa. Wrth beidio symleiddio pregethu na ieithwedd y bregeth byddai Valentine weithiau yn wynebu'r perygl y byddai neges y gweinidog yn mynd dros ben ei gynulleidfa.

Un peth oedd dadansoddi llym, mater arall oedd ymateb i'r dadfeiliad. Er hynny erys ei 'Nodiadau Golygyddol' fel sylwebaeth werthfawr a threiddgar ar gyfyngder Cristnogaeth Anghydffurfiol Cymru wedi'r Ail Ryfel Byd. Fel y dywed Dafydd Densil Morgan, gan Valentine "yn enwedig yn ystod y 50au, y cafwyd y disgrifiadau mwyaf sobreiddiol o ing ysbrydol y genedl".[43]

Pennod 20

Proffwyd y Winllan Wen

Yn ein tyb ni, ni all dim bellach lesteirio ymdrech y genedl am ryddid a hunan-lywodraeth (ond rhyfel), a thrychineb a fyddai ceisio codi y Gymru newydd heb air Duw yn rowndwal iddi. Mynnwn ninnau roddi iddi'r grwndwal hwnnw.

Lewis Valentine, *Seren Gomer* 1951

Yn ei gyfraniad i gyfrol Ambrose Bebb, *Yr Argyfwng*, cyfaddefodd Valentine fod rhywbeth gwrthnysig mewn trafod a bogelrythu byth a beunydd, a bod perygl o gael rhyw fwynhad cysurlon mewn ymdrybaeddu yn y dirywiad crefyddol: "Onid oes perygl inni ddioddef oddi wrth ryw fath o *hypochondria* crefyddol? Aros gydag arwyddion y dolur a'r clefyd, a chael hwyl wrth eu trin a'u trafod? Buom am genhedlaeth gyfan wrth y dasg hon."[1]

Efallai mai meddyliau fel hyn, ar ben ei faich fel gweinidog Penuel, a barodd i Valentine ystyried rhoi'r gorau i olygyddiaeth *Seren Gomer* yn 1955. Ysgrifennodd at ei chwaer Lilian ym mis Mehefin yn dweud ei fod "wedi sgwennu at DB [D B Jones, un o ymddiriedolwyr *Seren Gomer*] heddiw yn deud bod gennyf awydd rhoi'r gorau i olygyddiaeth *Seren Gomer*".[2] Fe'i darbwyllwyd i aros, fodd bynnag, a pharhaodd i olygu'r cyfnodolyn am bron i ugain mlynedd arall.

Lluniodd yr erthygl yn *Yr Argyfwng* ar wahoddiad Bebb, ac ymateb ydoedd i gyfres o ysgrifau gan Bebb ei hun yn trafod cyfyngder Cristnogaeth Anghydffurfiol ynghanol y pumdegau. Ynddi mae'n rhestru symptomau dirywiad moesol yr oes gyda chynnydd mewn ariangarwch a llygredd, moesau rhywiol llac, gamblo ac alcoholiaeth. Y rhain oedd duwiau'r baganiaeth newydd y taranai Valentine mor fynych yn eu herbyn. Un peth trawiadol am yr erthygl yw'r gwahaniaeth barn rhyngddo a Bebb ynglŷn â'r argyfwng bondigrybwyll. Rhoddai Valentine lawer iawn o'r bai ar y gyfundrefn addysg Seisnig, ac iddo ef gwrthglawdd yn erbyn y gorlif materol fu'r eglwysi Ymneilltuol. Ar ben hynny ni ellid osgoi'r agweddau gwleidyddol ynghlwm wrth gyflwr crefyddol a chymdeithasol Cymru. Dywed Valentine ei fod yn syn ganddo i Bebb yn ei ddadansoddiad o argyfwng crefyddol Cymru "osgoi gwedd boliticaidd y dirywiad".[3]

Fel erioed, yr oedd crefydd a gwleidyddiaeth Valentine yn ddrych o'i gilydd, ac adlewyrchid hynny yn y cyfeiriadau mynych yn *Seren Gomer* at faterion y dydd, ac ni chyfyngwyd hynny ychwaith i faterion Cymreig a Chymraeg yn unig.

Yn rhifyn gwanwyn 1958 neilltuwyd y gofod golygyddol yn llwyr i ddatganiad Plaid Cymru yn erbyn arfau niwclear. Penderfyniad dadleuol oedd hwn, ac fe gorddwyd rhai darllenwyr yn arw, ac aeth rhai mor bell – nid am y tro cyntaf na'r tro olaf – i fygwth dileu eu tanysgrifiad oherwydd cynnwys gwleidyddol y cylchgrawn. Yr oedd Valentine yn credu'n gryf mewn diarfogi a heddwch byd-eang, ac roedd ef ei hun yn dystiolaeth o wirionedd yr ystrydeb mai'r heddychwyr mwyaf cadarn yn aml yw'r rhai sydd wedi gwasanaethu ar faes y gad, ac a welodd drostynt eu hunain effeithiau difaol rhyfel.

Bu Valentine yn Llywydd Cymdeithas Heddwch y Bedyddwyr o'r 1940au tan ddiwedd y chwedegau ac roedd yn blediwr cyson dros ddiarfogi yng ngholofnau *Seren Gomer*. Er hynny, fel y noda Pryderi Llwyd Jones, mae'n rhyfedd o gofio mai anterth y Rhyfel Oer oedd y cyfnod, gydag ymgyrchoedd cynnar CND yn dod i'r berw a chyfarfodydd hanesyddol rhwng arweinwyr yr Unol Daleithiau a'r Undeb Sofietaidd ar y gweill, na chyfeiriodd Valentine yn ei areithiau enwocaf "at gyfrifoldeb a pharhad y dystiolaeth heddychlon yn yr enwad".[4] Y rheswm am hyn mae'n debyg yw bod Valentine, er ei fod yn cefnogi achos heddwch a diarfogi byd-eang, yn ystyried mai ei ddyletswydd a'i gyfrifoldeb pennaf fel Cristion oedd gofalu am les ysbrydol Cymru, a'r ffordd orau o sicrhau heddwch drwy'r byd oedd ymgyrchu dros sefydlu gwladwriaeth Gymreig oedd yn coleddu gwerthoedd ei threftadaeth Gristnogol. Nid bod Valentine yn gweld gwrthdaro yn yr egwyddorion hyn. Fel y dywed Pryderi Llwyd Jones: "I Lewis Valentine nid cwestiwn o 'naill ai neu' yw Crist, cenedl, iaith, rhyddid, heddwch, ond rowndwal y bywyd Cristnogol."[5]

Yn ail wythnos Mai 1956 cynhaliwyd Undeb y Bedyddwyr yn Hermon, Abergwaun, ac mae'n debyg mai D J Williams oedd i draddodi'r anerchiad yng nghyfarfod Cymdeithas Heddwch yr Undeb ar y testun 'Cymru a'r Trydydd Gwersyll'. Cafodd D J ei daro'n wael, fodd bynnag, ond fe lwyddodd i sicrhau siaradwr i annerch yn ei le, sef Waldo Williams. Bu D J yn canmol Waldo i'r cymylau ers blynyddoedd. Mewn llythyr at Valentine yn 1946 dywedodd wrtho fod y bardd yn "'genius' gymaint â Saunders, ond o natur hollol wahanol".[6] Yn y cyfarfod yn Abergwaun traddododd Waldo ei anerchiad enwog ar 'Brenhiniaeth a Brawdoliaeth', a oedd yn fynegiant croyw o'i syniadau a'i deimladau ac yn un o'r datganiadau gloywaf ar heddychiaeth a glywyd erioed yn y Gymraeg. Edmygedd hefyd oedd ymateb Valentine i wrthdystiad Waldo yn gwrthod talu'r dreth incwm mewn protest yn erbyn y rhyfel yng Nghorea.

Byddai 1956 yn flwyddyn fawr i Waldo: ym mis Chwefror meddiannwyd llawer o'i eiddo gan y bwmbeili oherwydd ei safiad dros heddwch. Yn dilyn traddodi 'Brenhiniaeth a Brawdoliaeth' ym mis Mai byddai ymhen ychydig wythnosau yn cyhoeddi ei lythyr enwog i'r *Faner* yn egluro ei resymau dros wrthod talu'r dreth, ac yna ar ddiwedd y flwyddyn byddai'n gweld cyhoeddi *Dail Pren*.

Ar ddiwedd y cyfarfod heddwch, cyfaddefodd Valentine wrth James Nicholas ar ôl i Waldo derfynu ei araith, ei fod yn teimlo awydd dianc o Abergwaun a mynd allan i unigeddau'r Preseli ar ei ben ei hun i feddwl am gynnwys yr anerchiad.[7] Wedi'r cyfarfod cysylltodd â D J gan ddweud mai "anrhydedd fawr oedd cael cyfle i gyfarfod â Waldo eto – nid wyf wedi dyfod ataf fy hun yn iawn ar ôl ysgytwad ei anerchiad mawr yn y Cyfarfod Heddwch".[8] Ychwanegodd ei fod yn bwriadu cyhoeddi'r araith yn y rhifyn nesaf o *Seren Gomer* a gofynnodd i D J sicrhau copi ohoni ar gyfer y wasg.

Yn anffodus mae'n debyg nad araith gyflawn a gafwyd gan Waldo i'w chyhoeddi ond nodiadau ar wasgar blith draphlith. Traethu o'r frest yn ei ddull nodweddiadol ei hun a wnaeth Waldo yn Abergwaun, gan gerdded yn ôl ac ymlaen yn y sêt fawr gydag ond ychydig nodiadau o'i flaen, ac i'r rhai oedd yn bresennol yr oedd yn ymddangos fel pe bai'n llunio'r ddarlith wrth fynd yn ei flaen. Yn ôl James Nicholas, "er bod y Golygydd yn dweud mai Nodiadau ydynt, rhoddodd lun a chynhwysiad a ffurf lenyddol gain iddynt",[9] ac mae'n dra thebygol mai Valentine a roddodd drefn ar yr araith er mwyn gwneud yn siŵr ei bod yn ddarllenadwy. Yn wir cred James Nicholas na fyddai araith Waldo wedi gweld golau ddydd oni bai am Valentine. Os felly, yr hyn a geir yn fersiwn gyhoeddedig 'Brenhiniaeth a Brawdoliaeth' yw syniadau creiddiol Waldo, wedi eu cymhennu gan Valentine. Wrth gyflwyno'r anerchiad yn *Seren Gomer* mae Valentine yn esbonio ychydig o gefndir yr achlysur:

> Nodiadau yn unig o araith Mr Waldo Williams a roir yma, ni ellir byth atgynhyrchu awyrgylch y cyfarfod rhyfedd hwnnw. Yr oedd si ar led yn Abergwaun y cyhoeddir yn fuan gyfrol o farddoniaeth Waldo, a bydd hynny yn ddigwyddiad o bwys mawr i Gymru. Ni bu dim dewrach yn ein cenhedlaeth ni na safiad Waldo Williams yn erbyn rhyfel – os gwn i faint ohonom a ddeallodd ystyr y gwrthwynebiad hwnnw? Bydd myfyrio'r ysgrif yma yn help i ddeall hynny, gobeithio.[10]

Rhan hanfodol o gadw'r "mur rhag y bwystfil a'r ffynnon rhag y baw" oedd diogelu'r Gymraeg. Yn 'Nodiadau'r Golygydd', rhifyn haf 1952, mae Valentine yn cyffelybu adfywio'r Gymraeg yng Nghwm Rhondda i ymdrechion yr Iddewon i adfer yr Hebraeg. Mae'n cychwyn drwy dalu teyrnged ramantus i'r "hen gwm annwyl hwn" gan ddweud bod Cymreictod yn gwrthod marw, ac mai gwyrth yw goroesiad y Gymraeg yno. Dyfynnir o lyfr un o'i hoff awduron Saesneg, sef *Daniel Deronda* gan George Eliot. Mae'r nofel yn nodedig am fynegi cydymdeimlad â'r Iddewon ac am ei beirniadaeth o agweddau gwrth-Semitig Prydain yn y bedwaredd ganrif ar bymtheg. Dywed Valentine fod y llyfr hwn a ysgrifennodd George Eliot – "oedd a'i gwreiddiau yn Llaneurgain, Sir Fflint" – wedi bod yn ysbrydoliaeth i Ben Iehwda yn ei ymdrechion i adfer yr Hebraeg fel iaith fyw ym Mhalesteina. Yn naturiol, i rywun a ymserchodd yn yr iaith fel maes astudiaeth Feiblaidd, yr oedd yn llawn edmygedd o'r arloeswyr Hebreig a'u hymdrechion, gan gyffelybu marweidd-dra'r Cymry tuag at eu hiaith i'r sefyllfa ymysg yr Iddewon ar ddiwedd y bedwaredd ganrif ar bymtheg.

Yn stori George Eliot mae'r hen ŵr, Mordecai, sy'n wladgarwr Iddewig, yn galaru wrth feddwl am dynged ei bobl. Nid oes angen i Valentine ymhelaethu rhyw lawer, oherwydd mae'r gyffelybiaeth rhwng Cymru a'r Iddewon yn eglur iawn. Yng ngeiriau Mordecai:

> Tyfu a wna bywyd pobl, y mae wedi ei ludio ynghyd, ac mewn llawenydd ac mewn tristwch fe ymleda ac fe ymestyn, mewn meddwl ac mewn gwaith. Fe sugna iddo'i hun feddyliau cenhedloedd eraill, a'u rhoddi drachefn i'r byd yn drysor newydd sbon... daw iddynt rwystr ac atalfa, fe ddichon, a mygu atgofion, a pheri bod serch yn llewygu o eisiau'r atgofion hyn, a daw marwoldeb i'w henaid oherwydd diffyg cydgofio a chyd-wybod a chydegnïo... Ond pwy a ddywed, "Aeth ffynnon eu bywyd yn hysb, a derfydd amdanynt yn llwyr." Pwy a ddywed hyn? Nid y gŵr a glywo fywyd ei bobl yn byrlymu yn ei wythiennau.

Yna mae Mordecai yn ceisio dysgu Hebraeg i'r plentyn Jacob, nad yw yn deall gair o'r iaith. "Ond," meddai Mordecai, "efallai y daw y geiriau hyn i lywio ei fywyd ryw ddiwrnod, a bydd eu hystyr yn fflachio i'w galon."

Gobaith, felly, sydd gan Valentine ar gyfer ardaloedd Seisnigedig Cymru. Er bod yr iaith wedi cilio nid yw'n farw gorn:

> Yr argraff a gawson ni oedd bod rhyw ruddin rhyfedd yn y gweddill Cymraeg Cristnogol sydd yn y cwm, a chyda Duw o'u plaid, fe ddichon iddynt hwythau ddwyn yn ôl ffydd a ffyniant ysbrydol i'r hen gwm. Da chwi, diorseddwch eich arweinwyr gwacsaw presennol, a rhowch i'r werin yna arweiniad dewr Cristnogol unwaith eto.[11]

Gellir maentumio bod y teimlad o ddicter a ddatgelir yn y frawddeg olaf tuag at "arweinwyr gwacsaw" yn adlewyrchu ei rwystredigaeth gyda diffyg cynnydd Plaid Cymru mewn etholiadau lleol a chyffredinol ac agwedd gwrth-Gymraeg cynghorwyr Llafur, nid yn unig yn y Rhondda ond hefyd yn agosach adref iddo yn ardal y Rhos.

Fel y nodwyd eisoes, cythruddwyd rhai o danysgrifwyr *Seren Gomer* droeon gan safbwyntiau gwleidyddol digyfaddawd Valentine, megis ei feirniadaeth yn 1955 o ynadon Abertawe yn carcharu'r gwrthwynebydd cydwybodol Chris Rees. Ar adegau felly ceisiodd Valentine dynnu'r colyn o ddadl ei wrthwynebwyr drwy ddadlau nad taflen bropaganda Plaid Cymru oedd *Seren Gomer*, ac "na chefnogir unrhyw blaid wleidyddol fel plaid"[12] gan y cylchgrawn ond, er hynny, meddai, "pan fo plaid wleidyddol yn rhoddi arweiniad moesol dewr i'r genedl"[13] y byddai *Seren Gomer* yn cyhoeddi hynny heb ystyried bod angen ymddiheuro i'r darllenwyr.

Cafwyd y cyfiawnhad mwyaf tanbaid dros gynnwys erthyglau a safbwyntiau politicaidd yn y cylchgrawn ganddo yn ei adolygiad o gyfrol Gwynfor Evans, *Rhagom i Ryddid* (1964). Gwyddai y byddai adolygiad yn canmol i'r cymylau lyfr gan Lywydd Plaid Cymru yn siŵr o gythruddo rhai. Hon, yn ôl B G Owens, oedd "yr apologia danbeitaf a'r her fwyaf ymosodol i'w griticyddion".[14] Yng ngeiriau'r adolygiad:

> Ni ddylid, meddwch chwi, gymeradwyo cyfrol wleidyddol mewn cylchgrawn enwadol, a chyfrol felly ydyw *Rhagom i Ryddid* … Ond beth os yw'r gyfrol hon yn dywedyd y gwir byw wrth genedl a dwyllwyd gan addewidion ffuantus? Beth os ydyw yn dadlennu fychander pechadurus ein bywyd cyhoeddus? Beth os ydyw yn ysgafnu mwrllwch afiach yr oes ag awelon yr Efengyl? Crwydrodd y Bedyddwyr ymhell o'u gwreiddiau os ydynt yn ofni wynebu'n onest gyflwr gwleidyddol Cymru heddiw. A ddarfu eu sêl dros Ryddid…?[15]

Yn haf 1955 cafodd Valentine gyfle annisgwyl i gyfarfod ag un o'i arwyr pennaf pan ddaeth yr Almaenwr Martin Niemöller[16] ar ymweliad â Wrecsam.

Cyn-gapten llongau *U-boat* yr Almaen yn y Rhyfel Mawr oedd

Niemöller. Ar y cychwyn bu'n gefnogol i'r Blaid Natsïaidd ond, maes o law, trodd i fod yn un o feirniaid llymaf Hitler. Bu ef, ynghyd â dynion fel Karl Barth a Dietrich Bonhoeffer, ymysg sylfaenwyr yr Eglwys Gyffesiadol yn yr Almaen, gan wrthwynebu bwriadau'r Natsïaid i ddod â holl eglwysi'r Almaen dan reolaeth Hitler. Mynegwyd y gwrthsafiad hwn yn gwbl agored yn Natganiad Barmen yn 1934. Carcharwyd Niemöller yn 1937 am feiddio beirniadu Hitler, a bu dan glo yng ngwersyll Sachsenhausen tan fis Ebrill 1945 fel "carcharor personol y Fuhrer". Bu Niemöller yn flaenllaw gyda Chyngor Eglwysi'r Byd, yn weithgar yn yr ymgyrch ddiarfogi, yn gweithredu o blaid cymod rhwng y Gorllewin a'r Undeb Sofietaidd ac yn ymgyrchu yn erbyn rhyfel Fietnam. Oherwydd ei safbwyntiau heddychol, ac yn enwedig ei wrthwynebiad taer i gynghrair Gorllewin yr Almaen â gwledydd NATO cafodd Niemöller cryn drafferth cael mynediad i Brydain yn y flwyddyn honno. Adroddodd Valentine yr hanes mewn llythyr at ei chwaer Lil:

> Wythnos i'r Llun diwethaf cefais fraint fawr, gwrando ar Niemöller yn Wrecsam – yr oedd yn fendigedig o wych, a chefais sgwrs hir ag ef cyn y cyfarfod hefyd, ac â'i wraig. Dim byd arbennig yn ei bersonoliaeth – dim huodledd na dawn dweud ychwaith. Cododd destun, "Cofia gyfodi Iesu Grist o feirw... yn ôl fy efengyl i". Nid oedd ganddo ddim byd gwreiddiol na newydd – dim ond yn syml a dirodres siarad am ei bwnc a'i glensio trwy droi yn gynnil i'w brofiad ei hun, ond medrodd wneud y Crist byw yn realiti mawr.[17]

Yn y llythyr mae Valentine yn gwrthgyferbynnu agwedd dawel a chadarn yr Almaenwr â dulliau cynhyrfus trystfawr efengylwyr Americanaidd fel Billy Graham oedd hefyd ar ymweliad â Phrydain ar y pryd:

> Wedi gwrando arno y mae dirfawr gywilydd arnaf am fy mhregethu – ac nid yw brygawthian yr Americanwr Graham ond twrw mawr a dadwrdd ofer yn ei ymyl. Ni chafodd Niemöller ddim croeso swyddogol na'r wasg i chwythu utgyrn – nid yw yn gymeradwy yn yr Almaen na Lloegr na'r America oherwydd ei fod yn gwrthwynebu ail-arfogi'r Almaen.[18]

Nid oedd gan Valentine gydymdeimlad o fath yn y byd â dulliau efengylu Cristnogion ailanedig Americanaidd. Ar ôl gweld darn yn y papur oedd yn adrodd bod rhai o eglwysi Bedyddwyr America yn edrych ar Gymru fel cylch cenhadol, ac yn barod i anfon cenhadon yma i efengylu, dywedodd Valentine wrth Einwen Jones, er bod rhai o'i gyd-Fedyddwyr yn cofleidio'r syniad o gael goleuni a chymorth ganddynt, mai gwrthun y byddai rhywbeth felly iddo ef. Un peth oedd cael ein Seisnigeiddio, meddai, "ond arbeded rhyw ragluniaeth dirion ni rhag ein hamericaneiddio hefyd".[19]

Eto i gyd, yr oedd goddefgarwch yn un o nodweddion pennaf Cristnogaeth Valentine; ymhen blynyddoedd, pan ymwelodd y Pab Ioan Pawl II â Chaerdydd yn 1982, yr oedd yn llym ei farn ar y Protestaniaid eithafol hynny oedd yn lladd ar yr ymweliad. Yn ei lythyr at Lil ar y pryd y mae'n holi: "Pwy a ddistawa gyfarth y corgwn Protestannaidd a ffyndamental. Pwy a etyl y Paisley-wyr chwerwon?"[20]

Un o ddaliadau creiddiol Niemöller yn ei wrthwynebiad tuag at y Natsïaid oedd na allai pwerau gwleidyddol a militaraidd bydol ddwyn y cyfrifoldeb oddi ar Gristnogion a'r Eglwys yn yr Almaen am les ysbrydol y genedl, gan mai cyfrifoldeb a osodwyd arnynt gan Dduw ydoedd. Cred gyffelyb yng nghyswllt Cymru a arddelid gan Valentine hefyd, a diau mai'r mynegiant mwyaf cofiadwy o'r gred honno yw ei emyn enwog 'Gweddi Dros Gymru'.

Ymddangosodd emyn Cymraeg Valentine mewn print am y tro cyntaf yn *Seren Gomer* yn haf 1962, ond yr oedd wedi ei ysgrifennu rai blynyddoedd cyn hynny. Yn ôl ei gyfaill o ddyddiau'r Rhos, John Tudor Davies, ar ddechrau'r pumdegau gofynnodd Pwyllgor Cymanfa Ganu Bedyddwyr Dyffryn Maelor i Valentine ysgrifennu emyn ar dôn 'Finlandia' gan y cyfansoddwr Sibelius o'r Ffindir. Roedd Valentine yn ymwybodol o hanes cyfansoddi 'Finlandia', a theimlai mai emyn gwladgarol fyddai fwyaf addas ar gyfer y gerddoriaeth; fel y dywedodd John Tudor Davies, y mae'r "dôn a'r emyn yn clymu at ei gilydd ddau wladgarwr mawr".[21]

Prif gerddor y Ffindir oedd Jean Sibelius, gydag ymdeimlad o genedligrwydd a gwladgarwch yn britho ei waith. Ganwyd ef yn 1865 ac o ddyddiau cynnar daeth yn ymwybodol o draddodiad llenyddol gwych ei wlad, yn enwedig y gerdd epig enwog y *Kalevala* ac yn ddiweddarach daeth yn wrthwynebydd mawr i ymdrechion Llywodraeth y Tsar i "Rwseiddio" y wlad. Talaith o Rwsia oedd y Ffindir ar ddiwedd y bedwaredd ganrif ar bymtheg, a disgwylid i'r bobl siarad Rwsieg neu Swedeg, ac ystyrid mai rhywbeth eilradd oedd iaith a diwylliant cynhenid y Ffindir. Yn 1899 cyhoeddwyd bwriad gan weinyddiaeth byped Rwsia yn y wlad, Llywodraeth Ymerodrol Archddugaeth y Ffindir, i integreiddio'n llwyr â Rwsia. Dilynwyd y cyhoeddiad gan gyfnod o sensoriaeth caeth a arweiniodd at gau dau bapur newydd yn Helsinki. Mewn ymateb i hynny ym mis Tachwedd 1899 cynhaliodd gwladgarwyr y Ffindir basiant cenedlaethol i godi arian i'r gweithwyr papur newydd a gollodd eu gwaith ac i wrthsefyll dylanwad Rwsia ar eu gwlad. Cyfansoddodd Sibelius gyfres o ddarnau cerddorol gwladgarol yn arbennig i'r ŵyl, a 'Finlandia' yn eu plith. Ni phlesiwyd yr awdurdodau Rwsiaidd gan hyn a chafodd y darn 'Finlandia' ei wahardd rhag cael ei berfformio'n gyhoeddus yn y Ffindir tan 1917.

Gwyddai Valentine am hanes brwydr y Ffindir am ryddid ar ddechrau'r ugeinfed ganrif ac, yn naturiol, yr oedd yn edmygu llwyddiant y mudiad cenedlaethol yno yn adfer eu treftadaeth, a hwyrach yn eiddigeddus o'r llwyddiant hwnnw:

> Yr oedd y Diwygwyr gynt yn Finlandia – a gwyn fyd na fuasai Cymru yn gydstad â'r wlad wiw honno – yn dyfod at ei gilydd i ryw fath o eisteddfodau llên gwerin, pan oedd eu hiaith yn fwy truan arni na'r Gymraeg heddiw, a'i phobl yn ansicrach ohonynt eu hunain, er mwyn atgoffa'i gilydd mai Ffiniaid oeddent – "nid Swediaid mohonom, nid Rwsiaid ychwaith, ond Ffiniaid".[22]

Mae cerdd symffonig 'Finlandia' yn cyfleu cyffro gwladgarol, gan gychwyn yn ddistaw ac yn ansicr, gydag islais bygythiol sy'n cyfleu'r tywyllwch Rwsiaidd a oedd am foddi hunaniaeth y Ffindir. Yna try'r gerddoriaeth i gyfleu gobaith, dicter a gorfoledd gan gyrraedd uchafbwynt yn yr emyn-dôn enwog, ac mae Valentine yn llwyddo yn yr un modd i gyplysu alaw a geiriau, wrth i'w emyn yntau adlewyrchu emosiwn y gerddoriaeth.

Cyn 'Gweddi Dros Gymru' mae'n debyg mai emyn Elfed, 'Cofia'n Gwlad Benllywydd Tirion' oedd yn cael ei ystyried fel emyn gwladgarol y Cymry. Ond mae yna ansicrwydd at ba wlad yn union yr oedd Elfed yn cyfeirio ati yn yr emyn, gan iddo lunio cerdd unwaith oedd yn sôn am "Brydain fy ngwlad". Yn emyn Valentine, fodd bynnag, o'r llinellau agoriadol ymlaen nid oes amheuaeth pa wlad sydd dan sylw:

> Dros Gymru'n gwlad, O Dad, dyrchafwn gri,
> Y winllan wen a roed i'n gofal ni;

Yn unol â'r ffordd y gwelai Valentine ei alwedigaeth fel gweinidog, nodyn proffwydol sy'n cael ei daro ganddo yn yr emyn. Yr un yw ei ing a'i bryder ef ag ing Amos, Jeremeia ac Eseia – mae'r proffwyd yn gweld bod gwinllan ei genedl yn dirywio a rhaid seinio neges o rybudd cyn iddi fynd yn rhy hwyr. Yn ei ddrama radio *Buchedd Garmon*, defnyddiodd Saunders Lewis bumed bennod llyfr Eseia fel sail i'r araith enwog sy'n sôn am Gymru fel "Gwinllan a roddwyd i'm gofal". Felly, mae'n ddiogel tybio bod y ffynonellau hyn ym meddwl Valentine wrth iddo ysgrifennu'r emyn. Valentine ei hun, serch hynny, sy'n defnyddio'r ansoddair "wen" i ddisgrifio'r winllan. Yna sonnir am yr "erwau gwyw" a'r "crindir cras". Traddodwyd y winllan wen i ofal y Cymry, ond maent wedi gadael iddi fynd yn wywedig a hesb. Yr unig beth a wnaiff droi'r tir diffaith yma'n ffrwythlon unwaith eto yw newid hinsawdd a dim ond "awelon Duw" a "chawodydd nef" sydd yn abl i drawsnewid bro'r winllan wen yn "erddi Crist". Fel y dywedodd y Parch. T R Jones, dyma'r unig beth sydd yn abl i'w "hadfywio a'i gwareiddio, a'i dwyn yn ôl i'w chyflwr cynhenid".[23]

Mae'n ddiddorol sylwi ar broses greadigol Valentine wrth lunio'r emyn, oherwydd trwy bori yn nhudalennau *Seren Gomer* gwelwn fod ffurf rhai o linellau 'Gweddi Dros Gymru' wedi bod yn ymdroelli yn ei feddwl ers tro. Yn rhifyn gaeaf 1953, ar ddiwedd 'Nodiadau'r Golygydd' sy'n trafod ymddieithrio o'r capeli a'r modd yr aeth iaith y pregethwr yn ddieithr i'r genhedlaeth ifanc, ceir y frawddeg hon:

> Pe deuai awelon Duw i chwythu eto dros erwau gwyw ein gwlad, a chael ein heniaith fwyn â gorfoleddus hoen i seinio fry haeddiannau'r addfwyn Oen, diflannai tripharth y sôn am fethu â deall a dilyn ein geiriau a'n hymadroddion. Y mae iaith gweision Crist yn ddieithr i'n pobl heddiw am fod Crist yr Arglwydd yn estron iddynt.[24]

Ychydig flynyddoedd wedyn mewn cyd-destun gwahanol cafodd yr union eiriau hyn eu hailgylchu gan Valentine, a'u defnyddio mewn dull llawer mwy effeithiol yn ail bennill 'Gweddi Dros Gymru':

> O deued dydd pan fo awelon Duw
> yn chwythu eto dros ein herwau gwyw,
> a'r crindir cras dan ras cawodydd nef
> yn erddi Crist, yn ffrwythlon iddo ef,
> a'n heniaith fwyn â gorfoleddus hoen
> yn seinio fry haeddiannau'r addfwyn Oen.

Wrth gyfeirio at "yr heniaith fwyn", yr hyn sy'n taro'r darllenydd yw diffuantrwydd teimlad yr emynydd. Mae anwyldeb yr iaith i Valentine yn amlwg yn y llinellau. Er iddi gael ei sathru a'i difenwi mae ei hurddas yn parhau, ac mae modd ei hadfer i'w chyflwr cynt, er mwyn iddi ganu mawl a gwirionedd Efengyl Crist unwaith eto.

Un stori ddifyr am gydymdeimlad Valentine ag achos cenedlaethol y gwledydd bach a'i hoffter mawr o dynnu coes yw'r hanes amdano yn mynychu cyfarfod o bobl bwysig Llandudno yn 1950. Dros gyfnod y Nadolig torrodd criw o genedlaetholwyr yr Alban i mewn i Abaty Westminster yn Llundain a chipio Maen Scone, carreg hanesyddol a oedd yn symbol o sofraniaeth yr Alban. Yn 1296 yr oedd Edward I wedi dwyn y garreg yn ei gais i goncro'r Alban, ac erbyn hyn yr oedd y garreg hynafol wedi'i gosod o dan Gadair y Coroni yn Abaty Westminster i'w defnyddio adeg seremonïau coroni brenhiniaeth Lloegr. Cafodd yr hanes gryn sylw yn y wasg a bu'r heddlu'n chwilio'n ddyfal ar hyd yr ynysoedd am y Maen. Yn naturiol yr oedd Valentine yn fawr ei edmygedd o gamp y cenedlaetholwyr, ac ni allodd ymwrthod â'r demtasiwn i dynnu coes ynglŷn â'r mater. Adroddodd yr hanes mewn llythyr at D J:

> Digwyddais fod yn Llandudno – amryw o Saeson yn y cwmni – un o uchel swyddogion y Llywodraeth yn eu plith, a ditectif o safle go uchel, a daeth y Maen i'r bwrdd – hyn wythnos cyn adfer y Maen. Mewn cellwair taerais mai yng Nghymru yr oedd y Maen, ac mai'r Blaid oedd ei gwarcheidwad hi, a'i bod i'w hadfer yr wythnos ddilynol i Genedlaetholwyr Ysgotland. Cyd-ddigwyddiad go od oedd yr hyn a ddigwyddodd yr wythnos wedyn [daeth y Maen i'r fei yn yr Alban ac fe'i dychwelwyd i'r awdurdodau Prydeinig], a chyhoeddwyd cellwair Llandudno fel gwir yn y *Daily Post*, a chred llu mawr bod gennym ni ran yn yr helynt.[25]

Erbyn diwedd y pumdegau yr oedd y tymheredd gwleidyddol yng Nghymru yn dechrau codi, ac fel y gellid disgwyl adlewyrchid hynny ar dudalennau *Seren Gomer* gan y golygydd. Cafwyd tystiolaeth i gadarnhau barn Valentine mai bwriad gwirioneddol Llywodraeth Llundain oedd difa hunaniaeth Cymru pan gyhoeddwyd y bwriad i foddi Cwm Celyn. Cynddrwg â'r penderfyniad hwnnw i foddi'r cwm oedd ymateb llipa gwleidyddion proffesiynol y genedl. Cyfeiriodd at y diffyg democrataidd hwn wrth drafod pwnc Tryweryn yn rhifyn gwanwyn 1957 gan ddweud, "fe'n dwys dristawyd gan agwedd gwleidyddion swyddogol Cymru yn y mater hwn, ac y mae'n gwbl eglur bellach nad oes gan Gymru 'Gynrychiolwyr' yn San Steffan – yn ôl addefiad rhai ohonynt 'Dirprwywyr' pleidiau ydynt ac nid cynrychiolwyr".[26] Aeth ymlaen i ddatgan ei bryder bod rhai o ieuenctid Cymru yn teimlo mor ingol am y mater fel y gallai arwain at beryglu bywydau: "Y mae'r sefyllfa yn wir ddifrifol, ac ofnwn fod rhai o oreugwyr Cymru yn paratoi aberthu popeth, hyd yn oed eu heinioes er mwyn cadw i'r oesoedd y darn hwn o'r glendid a fu."[27]

Wrth adolygu'r gyfrol *Triwyr Penllyn* yn olrhain bywyd Michael D Jones, O M Edwards a T E Ellis dywed Valentine am y llyfr ei fod:

> … [yn un] i roddi tipyn o haearn yn ein gwaed a thipyn o ddur yn ein hasgwrn cefn ar gyfer y frwydr fawr sydd ymlaen yn erbyn Corfforaeth Lerpwl a'i bwriad ffel i gronni dyfroedd Trywervn a boddi un o'r darnau gwlad Cymreiciaf yng Ngogledd Cymru. Y mae gorfod ar bob dyn dewr i wrthsefyll y traha hwn, ac eisoes fe apeliodd Cymanfa Bedyddwyr Dinbych, Fflint a Meirion, at arweinwyr crefyddol dinas

> Lerpwl, yn Babyddion, Anglicaniaid a Phrotestaniaid, yn enw ein Cristnogaeth gyffredin, i ddwyn perswâd ar Gorfforaeth Lerpwl i beidio â'r camwaith hwn.[28]

Does dim angen dyfalu pwy fu'n un o brif symudwyr cynnig y Gymanfa honno.

Yn Chwefror 1960 ymddangosodd Saunders Lewis ar y teledu mewn cyfweliad gydag Aneirin Talfan Davies, yn addef iddo gael ei wrthod fel gwleidydd. Yn dilyn y darllediad ysgrifennodd Valentine at D J yn mynegi ei dristwch ond yn ailddatgan ei deyrngarwch i weledigaeth ei gyd-garcharor:

> … go drist oedd [SL] yn cyffesu ei fod wedi methu'n druenus ym mhopeth – gresyn na fedrai rhywun gyfieithu i Saunders y parch sydd iddo gan filoedd ar filoedd o Gymry da, y Cymry y mae'n werth cael eu parch, ac "ni waeth beth a ddywed ffyliaid", chwedl Morgan Llwyd, "nid eu gair hwy a saif".[29]

Hyd yn oed os oedd cyd-garcharor Valentine yn ei ystyried ei hun yn fethiant politicaidd, nid oedd am roi'r gorau i anelu ergydion at arweinyddiaeth Plaid Cymru ar y pryd a datgan ei farn ar ddyfodol y genedl a'r "heniaith fwyn". Nid oedd Saunders Lewis wedi gorffen â Chymru eto, ac nid oedd ei ddylanwad ar fywyd Valentine wedi darfod ychwaith.

Pennod 21

Tynged Heniaith Fwyn

Ar y trydydd dydd ar ddeg o Chwefror eleni digwyddodd daeargryn yng Nghymru a'r daeargryn hwnnw oedd darllediad Saunders Lewis ar 'Dynged yr Iaith', ac ynghlwm wrth hynny dynged y genedl hefyd.

Lewis Valentine, Araith Llywydd Undeb y Bedyddwyr, Clydach 1962

Yr oedd yn argoeli y byddai 1962 yn flwyddyn gofiadwy i Lewis Valentine, oherwydd yr oedd i dderbyn un o anrhydeddau pennaf ei enwad a dod yn Llywydd Undeb y Bedyddwyr yng Nghlydach y flwyddyn honno. Yn ogystal â hynny, cyn i'r flwyddyn newydd gael ei thraed odani yr oedd Saunders Lewis eisoes wedi hysbysu D J Williams y byddai "[ar] Chwefror 13 yr wyf i draddodi darlith radio flynyddol y BBC... araith boliticaidd i Blaid Genedlaethol Cymru fydd hi dan y teitl Tynged yr Iaith".[1]

Ar ddechrau'r flwyddyn bu farw Richard William, brawd hynaf Valentine; bu'n ddiacon ers blynyddoedd yn y Tabernacl, eglwys y Bedyddwyr yn y Rhyl. Yn Chwefror 1962 hefyd daeth y newydd am farwolaeth annhymig J E Daniel; mynychodd Valentine ei angladd gan gyfarfod â Saunders Lewis a'i wraig yno, ond ymddengys na chafodd ragrybudd o gynnwys y ddarlith enwog, oherwydd ysgrifennodd at D J ar ôl ei chlywed ar y radio, gan ddatgan "ysgydwyd fi gan ei ddarllediad a'r dinoethi ynddi o sefyllfa'r iaith..."[2] Yn wir cymaint fu effaith y ddarlith arno, cyfaddefodd mewn llythyr at J E Jones, nes iddo benderfynu newid testun ei araith gerbron Undeb y Bedyddwyr:

Fel y gwyddoch yr wyf yn Llywydd Undeb Bedyddwyr Cymru eleni,

> neu o leiaf byddaf yn dyfod i'r Gadair ym mis Ebrill yng Nghlydach, ac yn traddodi araith. Yr oeddwn ar hyd yr wythnosau wedi bod yn ymgodymu â phroblemau diwinyddol go fawr sef "Offeiriadaeth yr Holl Saint", ond wedi clywed Saunders yn traddodi ar 'Dynged yr Iaith' yr wyf wedi newid fy meddwl, ac yn ystyried y dylwn ddal ar bob cyfle i wthio y pwnc hwn i feddwl a chydwybod fy enwad.[3]

Ond nid oedd J E Jones yn rhannu'r un brwdfrydedd ynghylch datganiadau gwleidyddol Saunders Lewis. Adlewyrchai hynny ymlyniad J E at Gwynfor Evans, a'i amheuaeth o fwriadau Saunders yn tanseilio arweinyddiaeth y Blaid ar y pryd. Yn ei ateb at Valentine, nid yw J E Jones yn enwi Saunders yn benodol ond, yng nghyd-destun y ddarlith, fe ddywed ei fod yn gweld "perygl mewn rhoi'r argraff mai trwy godi gwrychyn yr ochr arall, ac yna trwy sefyll yn gadarn, y mae gweithredu'n unig".[4]

Yr oedd D J Williams hefyd yn deyrngar iawn i arweinyddiaeth Gwynfor Evans o'r Blaid, ond roedd D J yn unfarn â Valentine ynghylch effaith *Tynged yr Iaith* gan ddweud wrth ei hen gyfaill fod Saunders wedi rhoi "bomsiel fendigedig i ysgwyd Cymru yn ei neges Gŵyl Dewi".[5]

Cynhaliwyd Undeb 1962, ond yng Nghalfaria, Clydach. Nid yw'r rheswm am hyn yn gwbl eglur, ond yr oedd Valentine yn ffrindiau da gyda Granville George, Ysgrifennydd Calfaria a Thrysorydd *Seren Gomer*, ac mae'n debyg mai trwyddo ef y trefnwyd mai yng Nghwm Tawe y cynhelid yr Undeb y flwyddyn honno.

Bu *Tynged yr Iaith*, felly, yn ysgogiad i Valentine addasu ei anerchiad gwreiddiol. Byddai araith Clydach yn crisialu ei syniadau a'r dylanwadau a fu arno a'u dwyn ynghyd i greu datganiad grymus o'i gyffes ffydd, gyda'r cyfeiriadau a'r dyfyniadau o weithiau rhai o'i arwyr a'r athronwyr a ddylanwadodd fwyaf arno, megis Kierkegaard, Niemöller, Simone Weil, Thomas Rees, Emrys ap Iwan ac, wrth reswm, y dylanwad mwyaf uniongyrchol a phersonol ar ei fywyd, Saunders Lewis.

Ar y cychwyn mae'n talu teyrnged i'w rieni a chymuned capel Bethesda Llanddulas, gan gyfeirio at rin y *koinōnia* a deimlodd yno. Yno, meddai, y cafodd pob cyffro mawr crefyddol, "yno y cefais ymglywed â'm cyfrifoldeb i Dduw a'm creodd, i Grist fy Mhryniawdwr, i'm cyd-ddyn ac i'm cenedl".[6] Yno hefyd, dywedodd, yr ymdeimlodd â'r alwad gan Dduw iddo bregethu'r Efengyl a mynd i'r weinidogaeth. Gwnaeth bwynt hefyd o dalu gwrogaeth i D J Williams y "dyngarwr mawr Cristnogol" a Saunders Lewis, "y gŵr a geisiodd roddi dur yn asgwrn cefn meddal y genedl". Ychwanegodd y buasai ef yn "salach Cristion ac yn salach Bedyddiwr oni bai amdanynt hwy ill dau".[7]

Mae craidd yr anerchiad yn ymdrin â'r tair galwad fawr yr oedd gofyn i enwad y Bedyddwyr eu hateb. Nid oes dim newydd yn yr hyn a ddywed Valentine, ond mae'r anerchiad yn dwyn ynghyd a chrynhoi themâu y bu'n pregethu yn eu cylch ers cychwyn yn y weinidogaeth yn 1921.

Y mae'r alwad gyntaf yn ymwneud â diogelu ac amddiffyn safle'r gweinidog. Mae'n tristáu wrth weld dirywiad yn y syniad o Weinidogaeth, a hynny meddai oherwydd dirywio'r syniad o'r Eglwys. Amddiffynnir gwerth y bregeth fel rhan ganolog o'r addoliad gan bwysleisio drachefn: "Ni all dim byd, ac ni ddylai dim byd ddisodli pregethu'r Gair – dyma ddull a dyma ddeunydd ein haddoli."[8] Pennaf nodwedd y rhan hon o'r anerchiad yw ei wrogaeth i'w gyd-weinidogion – "fy mrodyr, cynheiliaid pennaf bywyd gwâr ein cenedl, plaid gadarn i'n diwylliant Cymraeg Cristnogol".[9] Nid rhethreg ramantus am ei frodyr yn y pulpud sydd yma ychwaith; mae'n cyfeirio at gyflogau isel gweinidogion ac "amodau cynhaliaeth na fuasai dim un Undeb Llafur yn y wlad yn goddef i weithwyr eu derbyn". Er bod yn y weinidogaeth "ambell aderyn brith", eithriadau ydynt; mae'r rhelyw yn weithwyr diymffrost a dirwgnach dros eu cyd-ddyn.

Galw ar aelodau'r capeli i ymaflyd ym mywyd yr eglwysi yw byrdwn ail ran anerchiad Valentine. Unwaith eto mae yma gysondeb rhwng y gweinidog deg a thrigain a'r pregethwr ifanc wyth ar hugain oed. Mewn adlais o'r ysgogiadau a gafwyd gan olygydd *Y Deyrnas* yn nyddiau ei weinidogaeth yn Llandudno, gofynnir i'r gynulleidfa ymgymryd â'u cyfrifoldeb am ddyfodol yr eglwys, ac i chwarae llawer mwy o ran ym mywyd yr eglwys yn hytrach na gadael i'r baich i gyd syrthio ar ysgwyddau'r gweinidog. Gelwir arnynt i fynychu oedfaon yn fwy selog, gan nad oes diben i'r pregethwr gyflwyno neges fywiol os yw cyfran o'r aelodau'n absennol. Gofynnir hefyd i'r gynulleidfa hefyd ymwneud yn fwy â bugeilio a gofalu am eu cyd-aelodau, ac yn olaf pwysleisia Valentine y rôl a chwaraeir gan y diaconiaid mewn eglwys effeithiol. Diau fod llawer o'r apeliadau hyn yn adlewyrchiad o rwystredigaeth Valentine. Nid oedd tueddiadau'r oes o'i blaid, serch hynny, ac efallai mai cri ofer i droi'r cloc yn ôl oedd yr erfyniadau taer hyn.

Y drydedd alwad, fodd bynnag, yw'r un fwyaf angerddol. Yma mae Valentine yn edrych y tu hwnt i'r capel unigol tuag at ddyfodol yr eglwys Gristnogol yng Nghymru, ac yn benodol at yr alwad "i ymdrechu'n daer dros ddiogelu maes a chyfrwng ein cenhadaeth a'n tystiolaeth".[10]

Y maes arbennig a roddwyd i'r Bedyddwyr, a gweddill yr enwadau Cristnogol yn y darn hwn o'r Ddaear yw Cymru, a'r cyfrwng a roddwyd i ledaenu'r Efengyl ydyw'r iaith Gymraeg. Mae'n dyfynnu geiriau enwog Niemöller wrth Hitler, ac yn addasu geiriau'r Almaenwr i gyd-destun Cymru:

> "Ni ellwch chwi, nac un gallu arall yn y byd hwn, ddwyn oddi arnom ni, Gristnogion a'r Eglwys, ein cyfrifoldeb am y genedl Almaenaidd, cyfrifoldeb a osodwyd arnom gan Dduw." Cyfrifoldeb a osodwyd arnom gan Dduw ydyw gwlad Cymru, cyfrifoldeb a osodwyd arnom gan Dduw ydyw cenedl Cymru, cyfrifoldeb a osodwyd arnom gan Dduw ydyw iaith Cymru.[11]

Mae rhan olaf yr anerchiad yn gosod patrwm o bregethu cenedlaetholdeb Cristnogol a ddilynwyd gan ddegau o weinidogion Anghydffurfiol eraill trwy gydol protestiadau iaith y chwedegau. Dyfynnir Gwenallt a Waldo i ategu ei ddadl dros amddiffyn y Gymraeg fel cyfrwng treftadaeth ddiwylliannol a chrefyddol Cymru. Dywed Valentine, gan gyfeirio'n fwriadol at ddefnydd Kierkegaard o'r gair, fod daeargryn wedi digwydd yng Nghymru adeg darllediad darlith Saunders Lewis a bod tynged yr iaith a thynged y genedl ynghlwm.

Cynigir braslun gan Valentine o hanes y Gymru Gristnogol:

> Y mae gwlad Cymru yn sanctaidd, tir hanesyddol Cymru! Ac y mae'r genedl a drigodd o fewn ei ffiniau ers pymtheg canrif yn genedl sanctaidd. Dyma'r theatr y gwelwyd ynddo nerthol weithredoedd Duw. Dyma faes y genhadaeth Gristnogol yn y canrifoedd cyntaf, cenhadaeth a welodd y llwythau'n un genedl, ac a hyrwyddodd y trosi o'r Frythoneg i'r iaith Gymraeg. Ar engan y ffydd Gristnogol y lluniwyd moddau'r iaith, a geneuau y pregethwyr a'i hystwythodd hi, a rhyfedd fel y mae'r pregethwr a Chymru mor glwm wrth ei gilydd o'r bore bach, ac nid damwain ydyw fod Cymru yn ei dirywiad yn cilio oddi wrth y pregethwr a chrefydd.[12]

Gan ddyfynnu Emrys ap Iwan dywed mai'r "Duw a wnaeth ddynion a ordeiniodd genhedloedd hefyd, ac y mae difodi cenedl y trychineb nesaf i ddifodi dynolryw, a difodi iaith cenedl y trychineb nesaf i ddifodi'r genedl".[13] Wedi mynnu byw y mae'r genedl. Llwyddodd i oroesi'r Rhufeiniaid, a gwrthsefyll Sacsoniaid a Normaniaid, a methodd y 'peiriant llofruddio' cyfreithiol ac addysgol â'i difodi. Dywed Valentine ei bod yn ymddangos "fel pe bai bwriad Rhagluniaethol yn hanes y genedl i'w chadw rhag diddymiad".[14]

Ni all y Bedyddwyr o bawb, meddai, osgoi'r dasg o amddiffyn y dreftadaeth Gymraeg. Haera fod pob gwir Fedyddiwr yn rhwym o hawlio rhyddid i'w genedl, a chan adleisio safbwynt Saunders Lewis yn *Egwyddorion Cenedlaetholdeb*, dywed nad annibyniaeth yw'r nod, gan nad yw annibyniaeth "yn bosibl i neb cenedl bellach, nac yn ddymunol".[15]

Ym meddwl Valentine clymwyd dyfodol yr Efengyl yng Nghymru â thynged y Gymraeg, oherwydd "iaith ydyw cof cenedl, a phan gyll ei hiaith cyll ei chof, a gwallgof fydd".[16] Os collir y Gymraeg ni bydd gan y genedl gof am ddim a wnaeth Duw iddi, trwy broffwydi ac efengylwyr Cristnogol ar hyd y canrifoedd, nac am ddim a ddatguddiwyd iddi yn emynau a phregethau mawr y gorffennol. Canlyniad y golled hon fyddai cymdeithas o bobl heb gof, ac yn sgil hynny "pobl wallgof, ac felly'n bobl anghyfrifol; yn bobl ar chwâl ac wedi eu diwreiddio".[17] Er dued y darlun, nid yw'r sefyllfa'n anobeithiol. Fe welodd y Gymraeg gyfnodau cynddrwg os nad gwaeth. Bryd hynny, meddai Valentine, bedair canrif yn ôl, fe gyfieithwyd y Beibl i'r Gymraeg a daeth diwygiadau crefyddol i ddiwyllio ac adfywio'r genedl.

Wrth dynnu at derfyn ei anerchiad mae Valentine yn addasu her a gyflwynwyd gan Saunders Lewis pan ddywedodd mai achub y Gymraeg oedd yr unig fater politicaidd y dylai'r Cymry ymboeni ag ef. Yn ôl Valentine: "A gadael gwleidyddiaeth o'r neilltu, dywedwn mai achub y Gymraeg fel cyfrwng hybu'r Deyrnas, ac fel cyfrwng pregethu'r Gair, yw'r alwad fawr at Gristnogion Cymraeg Cymru heddiw, a rhaid i bopeth bellach fynd o'r neilltu er mwyn hyn."[18]

Roedd Saunders Lewis yn hoff o gyfeirio at ddadl enwog Blaise Pascal dros gredu mewn Duw, ac mae'r *wager* dirfodol dros fodolaeth Duw yn britho ei waith llenyddol. Dadl Pascal yw ei bod yn fwy rhesymegol mentro popeth ar gredu mewn Duw, oherwydd fod popeth i'w ennill a dim i'w golli o wneud hynny. Mae'r gwerth disgwyliedig a ddaw o gredu mewn Duw lawer yn fwy na pheidio credu. Defnyddia Valentine ffurf ar y ddadl honno yn araith Clydach – rhyw fersiwn o *pari de Pascal* i'r genedl – pan ddywed: "Yr Arglwydd Iesu Grist biau Cymru mewn ystyr arbennig, ac ni chollodd Cymru erioed ddim wrth fod yn ffyddlon i Iesu Grist, ond fe gyll bopeth wrth gefnu arno Ef. Yng ngwasanaeth Crist, ac wrth ymroi'n daer a dygn iddo, y cawn ni ail einioes i'n hiaith a'n cenedl."[19]

Stori'r Iesu'n iacháu merch Jairus o Efengyl Marc sy'n cloi anerchiad y Llywydd. Yn yr hanes a gofnodwyd gan Marc y mae'r Iesu'n gafael yn llaw'r eneth glaf ac yn sibrwd "Talitha Cwmi" wrthi ac yn ei hiacháu. Cyffelybir yr eneth ifanc ar ei gwely angau gan Valentine i gyflwr Cymru heddiw, yn union fel yr iachawyd y ferch fach trwy ei ffydd felly hefyd y gall Cymru ddod o lan y bedd trwy ailddarganfod ei hetifeddiaeth Gristnogol: "Y mae'r forwynig Cymru wedi marw, meddant, ac y mae'r ffug alarwyr o gwmpas ei chorff, yn ddigon digydymdeimlad a didosturi, yn dyfalu pa elw a gânt o'r farwolaeth hon. Gall Talitha Cwmi yr Iesu roddi ail einioes i'r forwyn hon hefyd."[20]

Yn ei araith yng Nghlydach yr unig gyfrifoldeb cymdeithasol a nodir gan Valentine yw'r alwad fawr i "Achub y Gymraeg fel cyfrwng pregethu'r Gair"[21] – rhaid i bopeth fynd o'r neilltu er mwyn hyn. I Saunders Lewis sicrhau dyfodol y Gymraeg oedd yr unig fater politicaidd o bwys. Yn yr un modd i Valentine, yr unig fater crefyddol o bwys bellach oedd achub y Gymraeg.

Y flwyddyn ganlynol roedd yr Eisteddfod Genedlaethol yn ymweld â Llandudno, ac fe wahoddwyd Valentine, ac yntau wedi cyrraedd oed yr addewid, i draddodi Araith Llywydd y Dydd ar ddydd Iau yr wythfed o Awst.

Efallai fod hyn wedi peri ychydig o syndod iddo, gan nad oedd erioed wedi bod yn eisteddfodwr o fri. Mewn llythyr at O M Roberts un tro dywedodd ei fod yn cyffesu ei "heresi rhonc nad wyf yn hoffi Eisteddfod nac Eisteddfota, ar wahân i rhyw Eisteddfod fach leol pan fyddaf yn adnabod y cystadleuwyr".[22] Nid oedd ychwaith yn un o edmygwyr pennaf Gorsedd y Beirdd. Yn ôl yn 1926 dywedodd mai Gweddi'r Orsedd oedd "peth prydferthaf ffwlbri Gorsedd y Beirdd",[23] ac yna rai misoedd cyn hynny, "y fath ffwlbri" oedd ei ddisgrifiad o'r bwriad i urddo Tywysog Cymru yn aelod o'r Orsedd. Ategodd hynny yn ddiweddarach drwy wrthod derbyn ei urddo yn Dderwydd yn yr Orsedd. Roedd ganddo sawl rheswm dros wrthod, yn un peth nid oedd yn hoffi'r syniad, meddai, o "anrhydeddu am 'wasanaethu ei wlad a'i genedl a'i eglwys'". I Valentine "y gwasanaethu yw'r wobr".[24] Yn ail, roedd hi'n hwyr yn y dydd ar yr awdurdodau Gorseddol yn estyn y gwahoddiad "nes bod dyn am y pared â'r bedd cyn ei chynnig".[25] Yr oedd yr Orsedd yn rhoi tipyn o lewyrch a lliw i'r Ŵyl, cyfaddefodd, ond roedd yna "griw go frith yn yr Orsedd",[26] rhai ohonynt yn "elynion taer i'r Genedl".[27] O leiaf, ychwanegodd yn gellweirus, "os na chaf gynnig gwisg wen yr ochr draw, fy mod wedi cael siawns i'w gwisgo yr ochr yma".[28]

Beth bynnag oedd ei farn am Orsedd y Beirdd, mater arall oedd derbyn y gwahoddiad gan Bwyllgor Lleol yr Eisteddfod i fod yn Llywydd y Dydd, ac yr oedd yn rhy fawrfrydig i wrthod y fraint honno, yn enwedig o gofio bod y Brifwyl yn dychwelyd i fro ei febyd.

Yn ôl Isaac Jones yn ei bortread ohono yn y gyfrol *Adnabod Deg*, yr oedd Valentine yn aros ym Mae Colwyn gyda'i ferch Gweirrul a'i theulu dros gyfnod yr Eisteddfod. Penderfynodd gadw draw o'r Maes ar y dydd Mercher gan dreulio'r diwrnod yn hamddena. Fe'i perswadiwyd gan un o'i wyrion i fynd i'r ffair ym mharc Eirias, ond tra oedd y bachgen ar un o'r reidiau ceffylau bach eisteddai Valentine ar un o'r seddau yn mynd dros araith y diwrnod canlynol. Yna, aeth i nôl y plentyn a gosod yr araith ar y sedd. "Pan ddychwelodd yr oedd yr araith wedi mynd gyda'r gwynt, ac ni welwyd mohoni mwy. Nid oedd dim amdani wedyn ond cofio beth fedrai a bwrw araith arall at ei gilydd."[29]

Thema'r araith ar y dydd Iau hwnnw oedd ceisio canfod ateb i'r cwestiwn beth yw cyfrinach gafael yr Eisteddfod ar y Cymry, ond o fewn y thema gyffredinol yr un oedd y neges a bregethwyd ganddo ers bron i ddeugain mlynedd. Cyn cychwyn, pwysleisiodd nad dyn politicaidd mohono – rhoddodd amod wrth gynffon datganiad o'r fath, serch hynny, gan ddweud nad oedd yn wleidydd "ond i'r graddau y gorfodir heddiw bob dyn sy'n malio'r mymryn lleiaf am dynged Cymru i ymhel â gwleidyddiaeth..."[30] Dyna, wrth gwrs, fu ei safbwynt erioed.

Yna symudodd ymlaen i brif fyrdwn ei anerchiad. Yn gyntaf, meddai, yr oedd yr Eisteddfod yn rhoi cyfle i'r Cymry eu hatgoffa eu hunain mai Cymry oeddent, ac na allent fyth fod yn ddim amgen. Modd oedd yr Eisteddfod i'r Cymry gyffesu: "Nid Saeson mohonom, nid Prydeinwyr ychwaith, ond Cymry, a Chymry a fynnwn fod am byth."[31] Yn gysylltiedig â hynny hefyd oedd y cyfle i'r Cymry eu hatgoffa eu hunain o wrhydri a gorchestion y genedl yn y gorffennol, "ac y dichon hynny eto, pan fo'r ewyllys ganddi".[32]

Rhan o geisio meithrin yr ewyllys yma oedd diben cymdeithasu dros gyfnod y Brifwyl, a rhoi dur yn yr asgwrn cefn a chael yr argyhoeddiad nad ffolineb yw brwdfrydedd tros Gymru. Er bod dyfodol yr iaith a phopeth sydd ynghlwm wrthi yn ansicr, dywed Valentine fod "rhaid i ni fod yn angerddol frwdfrydig, ac yn hurt o danbaid, ac yn wallgo amddiffynnol dros ein tipyn treftadaeth".[33]

Cafwyd cyfeiriad at y syniad mai dyletswydd oedd gwasanaethu Cymru yn araith Valentine. Fel y gwelwyd eisoes, y gwasanaeth oedd y wobr a'r anrhydedd iddo. Ar ben hynny yr oedd yn wrthglawdd rhag byw bywyd diamcan a rhag gwacter ystyr; dywed mai gwasanaeth o'r fath "sydd yn rhoddi nod a chyflawniad i fywyd, yn lle'r dimystyrdod sy'n bla arnom". Dyddiau tywyll oedd y rhain i Gymru, ac o'r herwydd nid oedd ond un dewis yn wynebu pob Cymro a Chymraes, sef dewis gwasanaethu'r genedl. Roedd amser siarad wedi peidio; bellach y gri oedd "nid areithio drosti, ond gweithredu drosti".[34] Roedd hynny, yn ôl Valentine, yn ymestyn i weithgarwch diwylliannol yn ogystal â gwleidyddol. Galwodd ar artistiaid Cymru i ddefnyddio eu hawen i wrthsefyll y grymoedd oedd am ddifodi'r genedl. Dyna'r unig fath o weithgarwch diwylliannol yr oedd ei angen bellach:

> Y mae'n rhaid i bob cân a gano cerddor, pob pennill a nyddo'r bardd, pob cerflun a naddo'r cerflunydd, pob drama a stori a ddychmyga llenor fod yn alwad i atal marwoldeb ein cenedl, y mae'n rhaid i holl waith ein dwylo, a holl ddychmygion ein calon fod yn wrthglawdd yn erbyn marw-haint...[35]

Anelodd ergyd hefyd at y Cymry ar Wasgar, gan apelio arnynt i ddychwelyd i'w mamwlad i ymuno yn y frwydr gan ychwanegu, gyda'r un pwyslais ar wasanaeth heb gyfrif y gost, "nad arian ac anrhydedd a safleoedd mewn gwlad estron ydyw popeth".[36]

Adeg traddodi'r araith yr oedd Emyr Llewelyn ac Owain Williams yn y carchar am eu rhan mewn gosod ffrwydron ar safle argae Tryweryn mewn protest yn erbyn boddi Cwm Celyn. Nid oedd Valentine am adael i hynny fynd heb gyfeirio ato. Yr oedd hyn ymysg y troeon cyntaf i lwyfan yr Eisteddfod gael ei defnyddio fel platfform i ddangos cefnogaeth i genedlaetholwyr a oedd yn y carchar am dorri'r gyfraith, er iddo fod yn ofalus i gymeradwyo'r gweithredwyr yn hytrach na'r weithred ei hun: "Dim ond gwasanaeth hyd aberth a sicrha barhad y genedl hon, ac na ato Duw inni anghofio yr Emyr Llewelyn hawddgar a'r Owain bybyr sydd mewn celloedd llwm yng ngharcharau ei Mawrhydi heddiw."[37]

Sylw bwriadol oedd y cyfeiriad hwn at "garchar ei Mawrhydi" gan fod y Frenhines wedi ymweld â Maes yr Eisteddfod Genedlaethol yn ystod yr wythnos honno.

Wedi dweud hyn i gyd, ac wedi cefnogi'r gwrthdystwyr a'r rhai oedd yn dioddef ar ran y genedl, diweddodd ei araith drwy bwysleisio eto mai argyfwng ysbrydol a oedd yn wynebu'r genedl: "Problem fawr Cymru heddiw, problem grefyddol yw hi, a dim ond crefydd a ddichon roddi awydd ynom i gadw y glendid a'r dyndod sy'n llithro o'n gafael."[38] Er hynny, digon tywyll oedd y rhagolygon yn y cyswllt hwnnw hefyd; roedd yr eglwysi fel pe baent yn ddiymadferth yn wyneb yr argyfwng: "Ni welwn ysywaeth griwlyn o arwydd fod diwygiad crefyddol ar y gorwel, a daeth rhyw barlys durol arnom."[39] Awgryma mai'r unig ateb mewn sefyllfa ddirdynnol fel hon oedd gweddïo ac ymbil ar Dduw i ollwng y genedl o'i gwewyr: "Nid y lleiaf o'r cymwynasau a ellir i'r genedl hon ydyw i Gristnogion eiriol yn ddwys ar Dduw am ei drugaredd eto i'n cenedl ni, a phwy a ŵyr nad o'r eiriolaeth honno y daw undod crefyddol i Gymru."[40]

Ar ddechrau'r chwedegau yr oedd yn anobeithiol iawn ynghylch y genhedlaeth ifanc: "Beth yn y byd mawr sy'n digwydd yng ngholegau Cymru ac i fyfyrwyr Cymru?"[41] gofynnodd yn *Seren Gomer* yn 1965. Ac yna, ymhellach:

> Mewn gwledydd eraill, yn arbennig y gwledydd bychain, y mae'r myfyrwyr yn dwyn baich y frwydr i ryddhau eu gwlad o ormes, ond rhyddid a chyfle i ddiota sy'n cynhyrfu myfyrwyr Cymru. Dyna'r brwdfrydedd mawr yn Aberystwyth lle methwyd a chael bar, ond ym Mangor cafwyd bar i ffreutur y coleg. Paham y mae'r "gwacter ystyr" hwn ym mywyd ein myfyrwyr?[42]

Beio'r "llif estronol i'n colegau" a wnaeth Valentine am y diddymdra difaol, gan nodi'r ystadegau diweddaraf a gyhoeddwyd gan Gofrestrfa Prifysgol Cymru. Dywed mai yn ei hen Goleg ym Mangor y gwelwyd y mewnlifiad gwaethaf o fyfyrwyr estron. Yn ystod 1963–64, meddai, yr oedd ym Mangor 497 o fyfyrwyr o Gymru, a 1,046 o'r tu allan, ac nid oedd colegau eraill Prifysgol Cymru fawr gwell. Eleni, meddai, y disgwyl oedd mai ond 90 o'r 570 o fyfyrwyr newydd yng Ngholeg Prifysgol Bangor fyddai'n hanu o Gymru, a dim ond 35 ohonynt yn siarad Cymraeg. Dywed fod yno geyrydd newydd wedi eu codi i gadw'r Cymry yn eu lle, sef y "cestyll anghymreictod sydd yn ein colegau, a'r swcwrfeydd Seisnig sydd yn ein sefydliadau addysgol".[43] Er hynny yr oedd gobaith yn y gwynt; yr oedd rhai o blith y myfyrwyr Cymraeg yn dechrau codi llais:

> Clod i'r tri myfyriwr ar ddeg a yrrodd lythyr i'r Wasg yn erbyn "llygru traddodiadau ein cenedl oddi mewn i'r Brifysgol", gan honni mai Saeson a Sais-garwyr sydd bellach yn rheoli'r Coleg, a chan erfyn ar "ein gwŷr amlwg a'n cynghorwyr a'n pregethwyr i siarad yn amlach am draddodiadau Cristnogol Cymru". Garw o beth i'r dydd ddyfod y bydd arnom ni, raddedigion Prifysgol Cymru, gywilydd ein bod yn gwisgo eu graddau hi.[44]

Daeth mwy o bobl ifanc i'r adwy maes o law, ac wrth i'r ddegawd fynd rhagddi cynyddodd y berw gwleidyddol yn sgil protestiadau Cymdeithas yr Iaith ac ymosodiadau mwy treisiol Mudiad Amddiffyn Cymru a champau theatrig yr FWA. Er ei deyrngarwch i Blaid Cymru, yr hyn a roddodd fwyaf o foddhad iddo oedd gweld gwrthsafiad pobl ifanc Cymru dros y Gymraeg, ac yn arbennig felly Cymdeithas yr Iaith. Yn 1967 gofynnodd cylchgrawn y mudiad, *Tafod y Ddraig*, i nifer o Gymry amlwg fynegi eu barn am y Gymdeithas. Roedd Valentine yn fwy na pharod i ddangos ei gymeradwyaeth:

> Y mae'n bleser gennyf ymateb i'ch cais, ac y mae brawddeg yn ddigon i roddi fy marn ar amcanion a dulliau Cymdeithas yr Iaith Gymraeg. YR WYF YN LLWYR GEFNOGI AMCANION Y GYMDEITHAS A'I DULLIAU, ac y mae ymarweddiadau y Gymdeithas hon yn codi fwy ar fy nghalon na dim sy'n digwydd yng Nghymru heddiw.[45]

Gweithredwr wrth reddf oedd Valentine, a gallai uniaethu'n llwyr â rhwystredigaeth diamynedd yr ifanc gyda malu awyr a thindroi y to hŷn, a'u dymuniad i weld pethau'n digwydd i darfu ar lonyddwch taeog y genedl. Fel hynny yn union yr oedd ef yn teimlo yn ôl yn y dauddegau a'r tridegau, ac roedd yn galondid mawr iddo weld to yn codi a oedd yn edrych fel pe baent yn barod i fynd â'r maen i'r wal. Credai fod y protestwyr iaith yn "llawer gwell na 'nghenhedlaeth i: dydyn nhw ddim yn ofni cael eu brifo, nag yn credu mai swydd barchus yw'r peth mawr mewn bywyd. Maen nhw'n rhyfygus; maen nhw'n gableddus. Ond dyna un ffordd o gael gwenwyn taeogrwydd allan o'u cyfansoddiad".[46] Ac yntau dros ei saith deg oed dyma oedd ei obaith mawr bellach, sef bod yna "genhedlaeth yng Nghymru sy'n mynd i ddwyn ein hachos cenedlaethol i fuddugoliaeth".[47]

Yr oedd Saunders Lewis o'r unfarn ag ef ynglŷn â phwysigrwydd rhan y Gymdeithas yn nyfodol popeth y gweithiodd y ddau drosto trwy eu bywyd. Mewn llythyr at Valentine ar ddechrau'r saithdegau dywed Saunders am Gymdeithas yr Iaith: "Fe'i cefnogwn petai gennyf sicrwydd y methai yn ei holl amcanion cyn pen pum mlynedd – ei gefnogi'n syml am mai hynny sy'n iawn."[48] Os oedd ieuenctid eofn Cymdeithas yr Iaith yn cael canmoliaeth gan Saunders, nid felly arweinwyr Plaid Cymru: "Mae rhai o arweinwyr P.C. yn y gogledd megis Dafydd Elis Tomos yn peri imi feddwl o ddifri am ymddeol yn gyhoeddus o'r Blaid. Ar y llaw arall, y mae bechgyn Cymdeithas yr Iaith ac Adfer yn codi 'nghalon i'n arw."[49]

Eto i gyd, credai Valentine nad oedd rhyfyg a hyfdra yn ddigon ar eu pennau eu hunain i gario'r dydd, oherwydd roedd y "frwydr yn mynd i fod yn un chwyrn, rwy'n siŵr o hynny".[50] Yr un oedd ei gri, fodd bynnag, wrth bwysleisio'r angen am arfogaeth ysbrydol i wynebu'r frwydr hon. Roedd gofyn cael rhywbeth amgenach na "ffilosoffi esmwyth i roi dur yn eich asgwrn cefn, a'r ffordd o gael hwnnw, yn fy marn i, yw trwy argyhoeddiad crefyddol".[51]

Trwy gydol y cyfnod hwn bu Valentine yn barod iawn ei gefnogaeth i'r ymgyrchwyr ifanc, yn "cynnal eu breichiau"[52] fel y dywedodd Saunders Lewis amdano, gan anfon gair o gefnogaeth a mynychu ambell brotest neu achos llys. Nid oedd yn betrusgar ychwaith o ddefnyddio tudalennau *Seren*

Gomer at ddibenion rhoi cefnogaeth wleidyddol i agweddau amrywiol o'r mudiad cenedlaethol.

Yn rhifyn gaeaf 1964 o *Seren Gomer* dywed Valentine fod penodi Jim Griffiths, Aelod Seneddol Llanelli, fel Ysgrifennydd Gwladol cyntaf Cymru yn "ddigwyddiad o bwys".[53] O'r diwedd, meddai, dyma ddechrau cydnabod gerbron y byd fod Cymru yn genedl ar wahân i genhedloedd eraill yr ynysoedd Prydeinig. Mae'n edliw diffyg grym gwleidyddol y swydd ac er mor bitw yw'r swydd mewn gwirionedd "mae hi mor enbyd arnom yng Nghymru fel mae'n rhaid inni groesawu pob briwsionyn a ddichon ein helpu i gadw yn fyw".[54] Mae'n cynnig amryw o gynghorion i'r Ysgrifennydd Gwladol newydd, ac mae'n ei annog i ddefnyddio'i swydd fel cyfrwng i gyfeirio'r genedl at ryddid, oherwydd fe fyddai hynny yn "gymwynas fawr grefyddol â'r genedl". Mae'n werth nodi, a hynny yn sgil *Tynged yr Iaith* mae'n debyg, y pwyslais o'r newydd sydd yn y nodiadau golygyddol ar ddyfodol y Gymraeg fel y peth pwysicaf. Dywedir mai'r pennaf o gyfrifoldebau Jim Griffiths ddylai fod ceisio "yn gyntaf statws swyddogol a chenedlaethol i'r iaith Gymraeg".[55]

Yn yr un modd yn rhifyn Gaeaf 1965 o *Seren Gomer* wrth adolygu Adroddiad Syr David Hughes Parry ar Statws Cyfreithiol yr Iaith Gymraeg, dywed Valentine fod rhaid codi llais a bwrw i'r frwydr: "Arnom ni'r Cymry y mae'r cyfrifoldeb i argyhoeddi'r Llywodraeth nad ydym yn ystyried yr Adroddiad hwn ond brechdan i aros pryd."[56] Yr unig ffordd i gael deddf yn senedd San Steffan sy'n rhoi statws cyflawn i'r iaith o fewn Cymru oedd trwy godi llais a gweithredu uniongyrchol, oherwydd "nid oes neb yn meddwl cynnig dim ond brechdanau felly i Gymry gan mor ddof ydym".[57] Ond wrth sefyll yn gadarn dros hawliau'r Gymraeg fe fydd gwrthwynebiad ffyrnig gan y gwrth-Gymraeg a'r diogel eu byd: "Dinoethodd rhai eu dannedd eisoes, a thrwy hynny ddangos eu bod yn elynion i'r Gymraeg neu eu bod yn rhy dwp i'w dysgu hi, ac os yr olaf sydd wir y maent yn cyhoeddi eu hunain yn gwbl anghymwys i ddal y swyddi a roed iddynt."[58] Er gwaethaf yr adwaith o du'r bobl yma mae gobaith yn fyw:

> ...y mae yr un mor amlwg fod llu o Gymry ieuainc yn eu bwrw eu hunain i'r frwydr, ac yn newid dulliau'r brwydro ac yn ymwrthod â'r hen ddofeiddiwch – praw o hynny yw Tryweryn, Dolgellau a Llanbedr Pont Steffan... y mae'r bobl ieuainc yn iawn – ar ddaear Cymru a chan Gymry y diogelir iaith Cymru a hawl y genedl i fyw. Cefnogwn eu hymdrech, bydd digon o lechgwn yn eu difrïo a'u condemnio.[59]

Ni ymddieithriodd Valentine oddi wrth Blaid Cymru mor llwyr â Saunders Lewis. Roedd ar delerau da gyda Gwynfor Evans, J E Jones ac amryw o arweinwyr eraill Plaid Cymru, ac roedd yn dal yn gefnogol iawn iddi, yn enwedig yn lleol yn Sir Ddinbych. Er, fe gyfaddefodd wrth D J ei fod yn arafu ac mai "ein hen wendid y ffordd yma ydyw segura rhwng yr etholiadau, a lladd nadredd pan ddelo galw lecsiwn".[60]

Dywedir iddo hefyd wneud rhai cymwynasau â'r arweinyddiaeth. Er enghraifft, cafodd yr hyn a elwir yn "sgwrs frawdol hyfryd"[61] gydag Elystan Morgan er mwyn ceisio (yn ofer) ei ddarbwyllo rhag gadael y Blaid. Buddsoddodd Plaid Cymru, a Gwynfor Evans yn bersonol, lawer yn Elystan Morgan. Roedd yn ddyn dawnus a huawdl ac ef oedd etifedd Gwynfor, yn "fab darogan", ond am amryw o resymau dewisodd droi at y Blaid Lafur. Efallai i'r sgwrs fod yn frawdol a bonheddig, ond o'r holl rinweddau a barchai Valentine, un o'r rhai mwyaf oedd teyrngarwch, yn bersonol ac yn wleidyddol. Yr oedd yn gas ganddo wrthgilwyr neu gefnogwyr llugoer oedd yn rhoi gyrfa o flaen egwyddorion, a does dim dwywaith fod Elystan wedi pechu trwy droi ei gefn ar y mudiad ac ymuno â rhengoedd y Blaid Lafur Brydeinig.

Ychydig cyn etholiad cyffredinol 1966 tarodd ymweliad â Chaerdydd lle cafodd gyfle i sgwrsio â J E Jones. Mewn llythyr at D J dywed fod y cyn-drefnydd cenedlaethol mewn hwyliau gobeithiol ac nad oedd "dim cymylu ar ei obaith na thorri ar ei galon braf". Digon gobeithiol oedd Valentine hefyd am y dyfodol er mai dal i ennill tir yn boenus o araf yr oedd y Blaid, a deugain mlynedd ers ei sefydlu yr oedd yn dal heb lwyddo i ennill sedd seneddol: "Nid oeddwn yn ddigalon ar ffrwyth yr etholiad i'r Blaid. Rhyw deimlo 'ym mêr fy esgyrn' fod y rhod am droi o'n plaid o'r diwedd."[62]

Geiriau proffwydol oedd y rhain oherwydd rai misoedd yn ddiweddarach fe lwyddodd Gwynfor Evans i gipio sedd Caerfyrddin yn yr isetholiad enwog. Ar ôl yr holl flynyddoedd diddigwydd yr oedd platiau tectonig gwleidyddiaeth Cymru wedi symud. Mewn neges at D J ar ddiwedd y flwyddyn cyfeiriodd at fuddugoliaeth Gwynfor fel "daeargryn", gan bwysleisio defnydd arwyddocaol Kierkegaard o'r gair. Yr un oedd byrdwn ewfforig 'Nodiadau'r Golygydd' yn rhifyn hydref 1966 o *Seren Gomer*:

> "Gwyrth? Deffroad/Daeargryn? Beth a fynnoch, ond bellach gall unrhyw beth ddigwydd yn y wlad fach hon, a daeth byw ynddi a'i gwasanaethu'n orfoledd."[63]

Pennod 22

Aduniad

Y mae'r tân yn enaid Saunders yn llosgi mor eirias ag erioed, ac ni allwn weld bai arno am ambell ebychiad o chwerwder – fe welodd felyn ddannedd y cachgwn. Pe bai ef yn cymryd yn ei ben i annerch ei genedl bob mis trwy lythyr i'r Faner fe wnâi fawr gymwynas â'n cenhedlaeth.

Lewis Valentine mewn llythyr at D J Williams, 28 Gorffennaf 1968

Un o bleserau bywyd fel gweinidog i Valentine oedd cyfle i ymweld â phob rhan o Gymru ar deithiau i gyrddau pregethu a chynadleddau'r enwad. Roedd yn arbennig o hoff o deithio i'r de-orllewin lle câi gyfle i alw heibio hen gyfeillion fel D J Williams yn Abergwaun, Parri Roberts ym Mynachlog Ddu ac, yn rhinwedd ei swydd fel golygydd *Seren Gomer*, parhaodd ei gyfeillgarwch gyda theulu Lewisiaid Llandysul, cyhoeddwyr y cylchgrawn.

Ddiwedd gwanwyn 1966 cafodd daith fythgofiadwy yng nghwmni Rhydwen Williams a D J i fro'r *Hen Dŷ Ffarm* yng nghyffiniau Rhydcymerau. Achubodd ar y cyfle wedi cadw cyhoeddiad pregethu yn Hermon, Abergwaun, i fanteisio ar gynnig Rhydwen Williams a oedd wedi gwirfoddoli i yrru Valentine a D J ar daith anffurfiol i ogledd Sir Gâr. Ar ôl dychwelyd i'r gogledd ysgrifennodd at D J i fynegi ei werthfawrogiad, nid yn unig o'r wibdaith bleserus ond hefyd o gyfeillgarwch D J dros y blynyddoedd:

> Bu'r tridiau yn Abergwaun yn fodd i fyw i mi, ac yn "bleser yn yr anial". Byth nid anghofiaf y dydd Llun hwnnw a'r daith i ardal yr "Hen Wynebau". Bûm yn dyheu am y daith hon, a chael ei theithio

> yn dy gwmni di a'r bardd [Rhydwen], un o benlladau bywyd, a byth ni chaf eto, yr ochr hon i'r bedd, daith a'i llonaid o hyfrydwch pur fel hon. Yr wyf wedi dechrau darllen eto dy lyfrau, er i mi eu darllen yn ddiweddar iawn, ond dyna wahaniaeth yr argraff y tro hwn a minnau wedi bod yn y fan a'r lle. Daw rhyw deimlad cyfrin i mi – yr wyf innau bellach yn teimlo bod gennyf wreiddyn yn yr hen ardal. Dyddiau o gnoi cil ar odidowgrwydd y dydd.
>
> Onid oedd Rhydwen yn ŵr mwyn yn rhoi ei gar a'i gwmni inni am ddiwrnod cyfan? Y mae gennyf un gofid na fuasai rhywun wedi medru tynnu'n lluniau o flaen Abernant, ac o flaen tŷ Dafydd yr Efail Fach, ac wrth fedd teulu'r Llywele yn Llansewyl, dyna'r tri a ddewiswn. Na, fe ddewiswn un arall – o flaen y capel yn Abergorlech lle pregethaist dy bregeth gyntaf (os cofiaf yn iawn). Gresyn na fai gennym flynyddoedd ymlaen fel y gellid gwneud y daith hon yn bererindod flynyddol, ond i Dduw y bo'r diolch i mi gael ei gwneud hi yr un waith hon. Dim ond gair byr yw hwn i ddatgan fy niolch – ni allaf ddiolch byth ddigon am d'adnabod erioed.[1]

Ddwy flynedd yn ddiweddarach, ym mis Gorffennaf 1968, cafwyd aduniad mwy arwyddocaol pan wnaed trefniadau i Valentine, Saunders Lewis a D J Williams gydgyfarfod yn Abergwaun. Yn rhyfedd iawn, er eu bod wedi cyfarfod yn ddeuoedd ar sawl achlysur, nid oedd Tri Penyberth wedi bod yng nghwmni ei gilydd ers eu rhyddhau o'r carchar ar 27 Awst 1937, dros ddeng mlynedd ar hugain yn ôl.

Mawr oedd y disgwyl am y cyfarfod, ac ysgrifennodd Valentine lythyr cellweirus at D J yn edrych ymlaen yn eiddgar:

> My dear David
>
> It gives me exquisite pleasure to know that Saunders Lewis is meeting us at Fishguard on Monday. He writes to inform me that he hopes to arrive about four o'clock.
>
> Referring to some remarks in your last letter, I would have you know that your culinary ability has never been questioned, and it would be presumption to do so seeing that you hold (with honours cum laude) the coveted degree of M(ary) A(nn) of the Wormwood

College of Recess and Ablution Hygiene. My sabbatical blessedness will be supreme, but three services may tax even your proverbial long suffering.

Your fides Achates

Valentine[2]

Yr oedd Valentine wedi bod yn aros gyda James Nicholas ac yn pregethu yng nghyrddau mawr Seion, Crymych, dros y Sul hwnnw. Gwahoddwyd D J i ginio ar y dydd Sul, ac ar ôl oedfa'r hwyr hebryngwyd Valentine a D J yn ôl i Abergwuan gan James Nicholas. Trefnwyd y byddai Saunders yn cyrraedd Abergwaun erbyn diwedd y prynhawn, ar ddydd Llun, pymthegfed o Orffennaf. Bwriad D J oedd dychwelyd adref ar yr un diwrnod ar ôl gweithio yn isetholiad Caerffili ar ran y Blaid. I Valentine yr oedd yn "ogoneddus aduniad",[3] ac mae'n debyg i'r tri gael cyfle i dreulio diwrnod heulog o haf yn Nhŷ Ddewi, a chael eu tywys o amgylch yr Eglwys Gadeiriol gan y Deon. Fe wnaed trefniadau ymlaen llaw i'r tri gael tynnu eu llun gan Stiwdio John yn Abergwaun, llun a ddaeth mor eiconig maes o law â'r llun enwog ohonynt cyn Achos Llys y Goron, Caernarfon. (Anfonodd D J gopi o'r llun ym mis Medi at Valentine yn datgan ei fod o'r farn fod y llun yn un "da iawn o ystyried mai tri sgrwbyn oedd o flaen y camera".[4]) Dilynwyd hynny gan fwyd yng ngwesty'r 'Cantref', ac fel y dywedodd Valentine, "digon o ganmol ar y wledd honno ydyw dywedyd mai Saunders a'i harlwyodd".[5] Ymlaen wedyn i'r 'Bristol Trader', sef cartref D J Williams – lle roedd y gŵr o Rydcymerau wedi addo – neu fygwth – baratoi ei bwdin reis unigryw ar eu cyfer!

Yr oedd canol y chwedegau yn gyfnod cynhyrfus yng Nghymru, gyda phrotestiadau Cymdeithas yr Iaith yn mynd o nerth i nerth, llwyddiant etholiadol o'r diwedd i Blaid Cymru ac ymosodiadau Mudiad Amddiffyn Cymru ar bibelli dŵr a thargedau gwleidyddol eraill. Cur pen oedd y gweithgareddau torcyfraith hyn i Blaid Cymru, ac roedd yr arweinyddiaeth yn grediniol bod yr ymosodiadau treisiol yn gwneud niwed mawr i ymgyrchoedd etholiadol y Blaid.

Ychydig ddyddiau cyn cyfarfod gyda Valentine a D J yn Abergwaun yr oedd Saunders wedi bod ynghanol helynt ar gownt erthygl a luniodd i'w chyhoeddi yn *Barn* dan y teitl 'Y Bomiau a Chwm Dulas'. Nid peth annisgwyl oedd clywed beirniadaeth lem Saunders ar y Blaid y bu'n gymaint rhan o'i sefydlu:

> Y mae swyddogion a Phwyllgor Canol Plaid Cymru wedi addo amddiffyn pobl Cwm Dulas. Newydd diddorol. Fe garai dyn wybod sut. Ai gyda'r cadernid a'r argyhoeddiad di-droi-nôl a ddangosodd pwyllgor canol y Blaid mor effeithiol wrth amddiffyn Capel Celyn a chwm Tryweryn? Ai gyda hunan-aberth di-gyfri'r gost fu mor amlwg yn ei brwydr fawr i achub dyffryn Clywedog? Neu ynteu a welir un o arweinwyr y Blaid yn cynnig can punt o wobr i bwy bynnag a fradycho plismyn unrhyw gais i atal dinistrio cwm Dulas?[6]

Yna, mae'n mynd yn ei flaen i geisio corddi'r dyfroedd ymhellach drwy ddatgan:

> Bu gennyf innau ryw gyfran yng nghychwyn ac yn nhwf Plaid Cymru. Mae hi heddiw, yn wyneb yr her newydd hon, yn argyfwng ar Gymru oll. Yr wyf innau am ddweud fy argyhoeddiad mai ar drais yn unig y gwrendy llywodraeth Loegr a chyrff cyhoeddus Lloegr, nad oes dim modd amddiffyn cwm Dulas ond trwy drais, trwy addo trais a mentro trais. Ac mi ddaliaf nad oes gan neb hawl i'r enw Plaid Cymru os nad yw'n cefnogi trais cyfrifol ac ystyriol yn ateb i ormes ac anghyfiawnder.[7]

Wedi degawdau hesb yr oedd fel pe bai llwyddiant etholiadol mawr o fewn cyrraedd Plaid Cymru ynghanol y chwedegau, ac er gwaethaf (neu efallai oherwydd) awyrgylch gynhyrfus y cyfnod roedd newydd gael canlyniadau gwych mewn cyfres o isetholiadau yng Nghaerfyrddin a'r Rhondda ac roedd y rhagolygon am Gaerffili hefyd yn argoeli'n dda. Yn wyneb y bygythiad hwn i'w chadarnleoedd yn y cymoedd, tarodd rhai o arweinwyr amlycaf y Blaid Lafur yng Nghymru yn ôl, ac aeth George Thomas, Ysgrifennydd Gwladol Cymru ar y pryd a *bête noire* y mudiad cenedlaethol, mor bell â chyffelybu'r bomiau i'r Tân yn Llŷn. (Nid oedd

George Thomas yn un o hoff wleidyddion Valentine ychwaith; pan fu sôn am ei dderbyn i'r Orsedd awgrymodd y byddai 'Uriah Heep' yn enw barddol addas iddo.) Pan ddeallodd y Blaid fod ei chyn-lywydd am roi olew ar y fflamau drwy roi cefnogaeth amodol i ddulliau bomwyr Mudiad Amddiffyn Cymru, fe wnaeth yr arweinyddiaeth bopeth o fewn ei gallu i atal yr erthygl rhag cael ei chyhoeddi, ac er mawr ryddhad i arweinwyr y Blaid ni chyhoeddwyd yr erthygl cyn isetholiad Caerffili.[8]

Fel arfer, cadw'n ddiplomataidd ddistaw fyddai Valentine yn y ffraeo a fu rhwng y carfanau a oedd yn driw i Gwynfor Evans neu Saunders Lewis. Ceir yr argraff ei fod yn ceisio cadw hyd braich o'r peth cymaint ag y gallai. Nid oedd am wneud drwg i arweinyddiaeth Gwynfor o gwbl; yr oedd yn ei edmygu fel cenedlaetholwr a heddychwr. Wedi dweud hynny, fyth ers cyfarfod Saunders yng Nghaffi'r West End yn 1925, iddo ef yr oedd Valentine ei hun yn rhoi ei ymlyniad terfynol.

Fe drafodwyd erthygl *Barn* gan y tri yn Abergwaun, a'r pwysau a ddygwyd ar Saunders Lewis i ymatal rhag ei chyhoeddi. Newydd ei chael yn ôl oddi wrth Alwyn D. Rees, golygydd *Barn*, ydoedd, ac yn ôl Saunders fe benderfynodd y golygydd ei dal yn ôl oherwydd fod dau fargyfreithiwr o'r farn y gallai'r erthygl fod yn achos athrod. Adeg y cyfarfod yr oedd Saunders yn dal i obeithio gallu bwrw ymlaen â chyhoeddi'r erthygl yn *Barn* yn y dyfodol agos. Wedi'r cyfarfod ysgrifennodd Valentine at D J yn mynegi ei gydymdeimlad â Saunders:

> Y mae'r tân yn enaid Saunders yn llosgi mor eirias ag erioed, ac ni allwn weld bai arno am ambell ebychiad o chwerwder – fe welodd felyn ddannedd y cachgwn. Pe bai ef yn cymryd yn ei ben i annerch ei genedl bob mis trwy lythyr i'r *Faner* fe wnâi fawr gymwynas â'n cenhedlaeth. Nid i bawb y mae Saunders wedi ei ddatguddio ei hun fel y gwnaeth i ni'n dau.[9]

Penderfynodd swyddogion y Blaid apelio at Valentine a D J i ddarbwyllo Saunders i dynnu ei erthygl yn ôl rhag ofn, yn eu barn hwy, y gwnâi datganiadau ymfflamychol y cyn-lywydd niwed difrifol i enw da'r Blaid a chreu rhwygiadau mewnol yn y mudiad ar adeg sensitif iawn. Hen gydnabod i'r tri ers dyddiau'r Blaid Genedlaethol yn y tridegau, Elwyn Roberts, a gafodd y dasg o ohebu â'r ddau:

> Mae Saunders wedi sgrifennu rhyw erthygl i *Barn* sy'n ymosodiad ar y Blaid, yn ôl a glywaf, ar safiad y Blaid (gallwn feddwl) yn erbyn defnyddio trais i gyrraedd ei hamcanion. Dywedir mai effaith yr erthygl fydd rhwyg yn y Blaid, ond ni fedraf fi warantu hynny gan na wn, fel y dywedais, beth yw ei chynnwys.
>
> Yr oedd yr erthygl i fod i ymddangos yn *Barn* o flaen isetholiad Caerffili ond fe'i daliwyd yn ôl rhag iddi niweidio'r ymgyrch yno.
>
> Ysgrifennu yr wyf i ofyn tybed a allwch efo'ch gilydd neu ar wahân gael sgwrs efo Saunders i geisio ei berswadio i dynnu'r erthygl yn ôl. Byddai'n drychineb agor rhwyg yn y Blaid ar gwestiwn gweithredu a phethau'n mynd mor dda a golwg y ceir o leiaf fesur helaeth o ymreolaeth trwy ddulliau cyfansoddiadol.
>
> Mae brys am gysylltu [â] Saunders rhag i'r erthygl gael ei gosod a'i hargraffu cyn ichi wneud.
>
> Mae'n anodd gwybod beth i'w wneud yn iawn, heb fod wedi gweld yr erthygl ei hun.
>
> Cofion fyrdd
>
> Ar frys fel arfer
>
> Elwyn[10]

Ychydig ddyddiau cyn llythyr Elwyn Roberts yr oedd un arall o gynorthwywyr Penyberth wedi mynd i ddŵr poeth gydag arweinyddiaeth y Blaid ar y pryd pan aeth R O F Wynne, Garthewin, ar raglen *24 Hours* y BBC ar Fedi'r degfed a gwrthod condemnio'r bomwyr. Yn y cyfweliad fe ddywed R O F Wynne fod yna adegau pan oedd gweithredu uniongyrchol yn angenrheidiol, "... but I would still maintain that responsible direct action may be necessary... You have to throw half a brick at John Bull's top hat before he'll turn around and take the least notice of you".[11] Cyfaddefodd y byddai'n rhaid iddo yntau, er gwaethaf ei oedran, weithredu dros Gymru, "if I felt it was my duty and that it was necessary I would have to pull up my socks and do something".[12]

Gofynnodd yr holwr, Denis Tuohy, iddo wedyn a oedd yn cywilyddio bod yn Gymro wrth weld gweithgareddau treisiol fel bom Gwersyll y Llu Awyr ym Mhen-bre, pryd yr anafwyd un o weithwyr y gwersyll. Atebodd Wynne: "I share the sense of grief which must be shared by everybody in Wales, whoever they may be, that an innocent life should be put in jeopardy."[13]

A gredai felly fod y bomwyr yn wladgarwyr? Dyma oedd craidd y mater yn ôl Wynne:

> The whole matter hinges on this question: Can a subject people attain their rightful status in the world by constitutional methods alone? Past history gives us a definite NO. I would say that so far it has done no damage to the constitutional party to which I belong – by the way – I am not a member of any other organisation, than the constitutional national party; and I do not think that any damage has been caused to them as you will observe from the results of the last three by-elections in Wales.[14]

Y diwrnod canlynol ymddangosodd adroddiad yn y *Daily Post* yn haeru bod Elwyn Roberts wedi gofyn am weld trawsysgrifiad o'r darllediad ar *24 Hours*. Yn ôl yr adroddiad:

> **Plaid ask for BBC report**
>
> After a telephone discussion with Mr Wynne, Mr Roberts decided to seek a transcript of the broadcast so there would be no doubt about what had been said.
>
> If he expressed that violent action should be used as a means of achieving self-government then he will have to be expelled.[15]

Nid oedd Valentine eto wedi derbyn llythyr Elwyn Roberts yn gofyn iddo ef a D J berswadio Saunders i beidio cyhoeddi 'Y Bomiau a Chwm Dulas' yn *Barn*, ond yr oedd wedi gweld y cyfweliad teledu gydag R O F Wynne, a darllen yr adroddiad yn y papur newydd. Nid oedd wedi ei blesio gan ddulliau arweinwyr y Blaid, ac ysgrifennodd at Elwyn Roberts yn syth i fynegi ei anghymeradwyaeth o'r modd yr oedd R O F Wynne wedi cael ei drin. Yn yr ohebiaeth yma daeth mor agos ag y gwnaeth erioed at wylltio gydag arweinwyr Plaid Cymru a'u bygythiad i ddiarddel un o'r gwladgarwyr a fu'n aelod ohoni bron o'r cychwyn cyntaf. A rhoddodd gefnogaeth lwyr i Sgweiar Garthewin:

> Annwyl Gyfaill
>
> Gwelais a chlywais Mr R O F Wynne, Garthewin ar y teledu echnos, ac nid oedd dim byd tramgwyddus yn ei syniadau i mi, a chofiwch fy mod yn Llywydd Cymdeithas Heddwch Bedyddwyr Cymru. Nid un na dau na dwsin ychwaith a ddywedodd wrthyf heddiw mor effeithiol oedd ei atebion.
>
> Y mae'r sôn am 'diarddel' yn friw ar f'ysbryd, a chamgymeriad mawr, mawr i'm tyb i oedd eich datganiad yn y *Daily Post* heddiw, a bid siŵr nid oedd yr hyn a ddywedodd Mr R O F Wynne yn haeddu hynny. Geiriau gwlatgar dewr a bonheddig a diolch bod gennym ei fath yng Nghymru heddiw, buaswn i yn falch o arddel yr union eiriau a lefarodd Mr Wynne.
>
> Os dyna ydyw polisi swyddogol y Blaid bellach y mae'n condemnio ac yn diarddel 'in retrospect' weithred "a Llandudno minister, and a college professor and a schoolmaster" chwedl y *Post*.
>
> Yr wyf yn ysgrifennu ar Mr Wynne a fu mor odidog o gefnogol i ni'n tri i ddweud fy mod yn cytuno â phopeth a ddywedodd.
>
> Cofion caredig iawn atoch a mawr edmygaf eich llafur
>
> Lewis Valentine[16]

Yn y cyfamser cyrhaeddodd llythyr gwreiddiol Elwyn Roberts. Tarodd Valentine ateb yn syth, yn mynegi ei gefnogaeth lwyr i Saunders wneud fel y mynnai, ac o weld tôn y llythyr yr oedd yn dal yn ddig gyda'r ffordd yr aethpwyd ati i ymdrin â'r holl fater:

> Annwyl Elwyn
>
> Yr oeddwn wedi danfon fy llythyr diwethaf atoch cyn derbyn eich cais i ymhwedd ar Saunders i beidio â chyhoeddi. Y mae'n ddrwg gennyf na allaf gytuno i wneud yr hyn a geisiwch – ni fuaswn yn rhyfygu ceisio atal Saunders rhag gwneuthur unrhyw beth y tybiai ef yn iawn ei wneuthur. Fe wn iddo ddanfon llythyr i *Barn* ac i *Barn* ei wrthod.

Y mae'r paragraff yn y *Post* yn awgrymu i chwi ffonio Mr Wynne, a gwrthod derbyn ei air, a phenderfynu apelio at Gesar, y BBC. Gobeithio nad yw'r argraff hyn ddim yn gywir.

Act o wendid mewn plaid ac eglwys yw diarddel...[17]

Yr oedd Elwyn Roberts hefyd wedi cysylltu â D J Williams, ac fe gafwyd ateb ganddo yntau hefyd oedd yn mynegi cefnogaeth i Saunders Lewis; yn wir aeth D J mor bell ag awgrymu y gallai cynnwys yr erthygl wneud lles i'r achos cenedlaethol yng Nghymru, hyd yn oed pe bai hynny ar gost ychydig o ffraeo. Erthygl "eithriadol o rymus" ydoedd meddai D J ac ni chredai y byddai'r erthygl yn debygol o greu rhwyg ddifrifol yn y Blaid, er cyfaddef y posibilrwydd o ddwysáu'r dadlau mewnol yr oedd hefyd yn bosib y gallai ysgogi "rhagor o afiaith eto yn Mudiad yr Iaith".[18] Felly i D J, fel Valentine, rhywbeth i'w groesawu unwaith eto oedd ymyrraeth Saunders Lewis ym materion y dydd, a'i rybudd difrifol i Lywodraeth Llundain: "Ac yn yr ystyr yna, er tipyn o gynhyrfu'r dŵr go fawr, am y tro, credaf fod ynddi bosibilrwydd lles gwirioneddol i achos rhyddid Cymru yn y pen draw."[19]

Hefyd ar Fedi'r pedwerydd ar ddeg anfonodd Valentine lythyr at D J yn trafod yr holl helynt, ac yn amlinellu cynnwys ei ohebiaeth ag Elwyn Roberts:

Dyna helynt Penbre – y mae'n debyg i ti dderbyn gair gan Elwyn Roberts yn gofyn i ti ddwyn perswâd ar Saunders i beidio a'i gyhoeddi yn *Barn*. Nid yw ef wedi gweld y llythyr. Cefais innau'r un cais ganddo, ac yr wyf yn danfon ato yn gwrthod ar ei ben. Yr oeddwn newydd ddanfon llythyr at Elwyn oherwydd yr hyn a ymddangosodd yn y *Daily Post* ynglŷn â theledïad R O F Wynne Garthewin, pan holwyd ef am y ffrwydro. Yr oeddwn yn meddwl ei fod yn wirioneddol wych yn ateb ei holwr, ac yn feistrolgar hefyd yn osgoi y rhwyd yr oeddid yn ceisio ei ddenu iddi.

Yr oedd Elwyn Roberts ar fai – ac edliwiais hynny iddo mewn llythyr – yn sôn am ei ddiarddel... Yr wyf wedi danfon gair at Saunders yn mynegi yr un peth, ond ni soniais wrtho fod Elwyn wedi ceisio gennyf ei berswadio i beidio â chyhoeddi ei lythyr...[20]

Ddeuddydd wedyn cafodd Valentine lythyr gan Saunders yn canmol yr aduniad ond yn anobeithio am y Blaid y bu'r ddau â rhan mor ganolog yn ei chreu: "Mae Plaid Cymru yn mynd o ddrwg i waeth. Mae hi'n rhoi parchusrwydd a phoblogrwydd digost a di-aberth o flaen pob dim."[21] Yn wir, ymhen rhai misoedd yr oedd ei farn yn caledu ar y pwnc adeg anterth yr Arwisgo, pan fynegodd wrth Valentine ei fod yn well ganddo "fechgyn penwan brwd"[22] yr FWA "na chenedlaetholwyr wedi oeri eu gwaed a throi'n fydol ddoeth a pharchus...[23]

Mae'r gohebu ffyrnig rhwng Valentine ac Elwyn Roberts – un o'i edmygwyr pennaf a fu ei hun yn weithgar gyda'r Blaid o'r cychwyn – yn datgelu'r bwlch a oedd bellach yn bodoli rhwng rhai o sylfaenwyr y Blaid Genedlaethol ac arweinyddiaeth Plaid Cymru ar y pryd. I Valentine, yr oedd teyrngarwch i achos Cymru yn bwysicach na mantais etholiadol.

Wedi dweud hynny, ni fu neb yn fwy edmygol na Valentine o safiad Gwynfor Evans yn wynebu llid unoliaethwyr Cymreig y pleidiau Prydeinig ar ei ben ei hun yn San Steffan. Ar lawer cyfrif yr oedd Gwynfor yn agosach ato o ran daliadau a syniadaeth heddychol ac Anghydffurfiol na Saunders Lewis. Er hynny, yr oedd teyrngarwch personol Valentine i Saunders yn ddi-sigl, ac roedd yn flin iawn o weld bod rhywun fel R O F Wynne, a fu mor barod i gynorthwyo'r achos gyda threfniadau Penyberth yn 1936, yn cael ei drin mor dila. Ar ben hynny yr oedd y gred, na chollodd mohoni erioed o'i ddyddiau coleg hyd y diwedd, fod gweithredu anghyfansoddiadol yn anorfod weithiau ac efallai na fyddai llwyddiant mewn etholiadau i senedd Lloegr yn ddigon ar ei ben ei hun i gael y maen rhyddid cenedlaethol i'r wal.

Daliai i gefnogi aelodau Cymdeithas yr Iaith gerbron y llysoedd a defnyddio *Seren Gomer* i hyrwyddo'r achos. Yn rhifyn gaeaf 1969 neilltuodd hanner tudalen i restru enwau'r rhai a fu gerbron cyfraith Lloegr dros yr iaith, gyda'r rhagymadrodd canlynol:

> Y mae galwad llawn mor daer â hynny arnom hefyd, sef galwad i edifeirwch ar ran yr hen a'r canol-oed am na fuasem yn fwy o borth a phlaid i'n pobl ieuainc, ac am dderbyn ohonom heb ddicter

ymddygiadau sarrug yr awdurdodau yn eu herbyn. Cyfraith sarrug ydyw cyfraith Lloegr yng Nghymru ers tro, a gwegi ydyw'r ymadrodd "nid yn unig y mae'n rhaid gweinyddu cyfiawnder, ond y mae'n rhaid i'r gweinyddiad fod yn amlwg i bawb". Pan feichir y gair "cyfiawnder" â'i ystyr Gristnogol y mae'n rhywbeth gwahanol iawn i'r cyfiawnder a gysylltwn â llysoedd barn yng Nghymru. Y mae barnwr yn 'gyfiawn' pan fo'n amddiffyn achos y neb sydd yn derbyn cam. Dadl eiddil ydyw honno sy'n maentumio bod yn rhaid gweinyddu y gyfraith "fel y mae hi".

Yr ydym yn anrhydeddu ein hieuenctid dewr ac yn ddiolchgar iddynt am amddiffyn mor ddi-gyfri'r-gost y Winllan Gristnogol Gymraeg. Trown y ddalen hon yn rhestr anrhydedd a chynnwys eu henwau yma "i'r oes a ddêl":

Carcharorion: Dafydd Iwan (a ryddhawyd o garchar Caerdydd am i'w ddirwyon gael eu talu o arian a gyfrannwyd gan ynadon); Ffred Francis, Rhyl (gwrthod apelio yn erbyn y ddedfryd); Arfon Roberts, Rhydymain (gwrthod apelio); Dyfan Roberts (brawd Arfon); Rhodri Morgan, Pen-y-bont ar Ogwr (gwrthod apelio, mab Trefor Morgan); Gruffydd Morris, Deiniolen; Hefin Ellis, Johnstown, Rhosllannerchrugog; Dafydd Meirion Jones, Llanberis; Alwyn Ellis, Llanberis; Emrys Jones, Llanrhaeadr Dyffryn Clwyd; Nest Tudur, Bangor; Nan Jones, Chwilog; Sian Edwards, Caerfyrddin; Meinir Evans, Llangadog; Carol Mair Owen, Bethesda, a Geraint Ecli.
Dirwywyd: Helen Bennet, Pontypridd; Dafydd Huws, Llanberis; Sioned Bebb, Bangor; Marian Jones, Llandeilo; Rhodri Davies, Treorci; Carolyn Watkins, Trefynwy.

"Ie, a gawsant brofedigaeth… ie trwy rwymau hefyd a charchar."

DIOLCH ![24]

Cafodd Valentine y pleser o groesawu D J i'w aelwyd yn y Rhos am wythnos gyfan adeg Cynhadledd Plaid Cymru yn Wrecsam ac Eisteddfod Genedlaethol y Fflint yn 1969. Mae'n adrodd amdano'n mynd i'r gwely'n hwyr ar ôl darllen ac ysgrifennu ac yn deffro yn y bore bach i wneud yr un fath. Sonia Valentine hefyd am yr awr a hanner a gymerodd y ddau i fynd o'r Babell fwyd i Babell y Blaid ar faes yr Eisteddfod am fod D J yn mynnu cael sgwrs â phawb oedd yn eu hadnabod ar y ffordd. Ar y dydd

Sul cyn yr Eisteddfod, gwahoddodd Valentine D J, Gwynfor Evans, J E Jones a nifer o selogion Plaid Cymru i oedfa'r bore ym Mhenuel. (Nid oes cofnod o farn Llafurwyr pybyr y Rhos ynglŷn â'r digwyddiad!)

Yn aduniad y tri yn Abergwaun yn haf 1968, fe broffwydodd D J na fyddai'n byw am lawer hwy. Mae'n debyg iddo ddarogan ei farwolaeth ymhen dwy flynedd, a dyna yn wir a ddigwyddodd. Bu farw ddechrau Ionawr 1970 mewn cyfarfod yng nghapel ei febyd yn Rhydcymerau. Cafodd Valentine daith yng nghar yr actor o'r Rhos, Meredith Edwards, i lawr i'r de i angladd D J. Bu'r daith yno yn well na'r disgwyl mae'n debyg er mai dechrau Ionawr ydoedd. Ysgrifennodd Valentine hanes yr angladd mewn llythyr at Kate Roberts a oedd wedi methu â mynd:

> Ond yr oedd yn dda iawn gennyf fy mod wedi gallu mynd a charwn fod wedi gallu aros i angladd Trefor Morgan yn Nhon yr Efail, ond yr oedd yn rhaid dychwelyd i angladd yma. Nid oedd Saunders yno, ond bûm yn siarad â Mair (merch Saunders) – yr oedd ef yn sôn am ddyfod hefo trên i Gaerfyrddin a chymryd tacsi oddi yno i Rydcymerau, ond yr oedd yn gobeithio y llwydda ei mam i'w ddarbwyllo i beidio â dyfod, ac y mae'n amlwg iddi lwyddo. Go symol ei iechyd ydyw, medd Mair, a buasai'r oerni cethin wedi ei andwyo. Y mae'n debyg fod criw Dinbych wedi methu â dyfod – yr oedd cynrychiolaeth dda o bob cwr o Gymru a nifer go dda o aelodau Cymdeithas yr Iaith. Yr oedd y capel yn llawer rhy fychan i'r dorf enfawr, yr [oedd] Moses Griffith yno, O M Roberts, T L Elis, Aneirin Talfan, Eic Davies, Cathrin Daniel a dau o'i meibion, ac amryw na chefais gyfle i siarad â hwynt. Wrth gwrs yr oedd Gwynfor, J E ac Elwyn a staff y swyddfa i gyd yno – a go dda Gwynfor ynte yn dwyn corff D J i'r cartref, a chychwyn oddi yna.[25]

Bu diwedd y chwedegau a dechrau'r saithdegau yn ddiwedd cyfnod yng Nghymru gyda marwolaeth cenedlaetholwyr amlwg o'r hen do, rhai fel Gwenallt, Waldo Williams, a J R Jones. Dioddefodd Valentine golledion personol hefyd. Yn Ionawr 1966, yn 81 oed, bu farw Hannah Hunt, ei chwaer, mewn damwain wrth iddi gael ei tharo gan gar wrth iddi groesi'r lôn ar y ffordd i'r capel yn Llandudno. Ergyd fawr oedd honno hefyd oherwydd bu Hannah yn gefn iddo mewn sawl ffordd, nid yn unig pan oedd ef yn fyfyriwr ym Mangor ond hefyd yn ddiweddarach yn ystod ei gyfnod fel gweinidog yn Llandudno. Estynnwyd croeso i sawl un o ganfaswyr y Blaid a gweinidogion y Bedyddwyr ar aelwyd Hannah a'i gŵr, Jack. Bu farw dau o'i gyfeillion mwyaf yn y weinidogaeth hefyd, R Parri Roberts, Mynachlog Ddu, yn 1968, ac Emlyn Tudno Jones yn 1970, ac roedd y profedigaethau hyn a chladdu D J, ei gyfaill pennaf, yn Ionawr 1970 yn dynodi diwedd cyfnod ym mywyd Valentine.

Pennod 23

Hwyrol Awen

... a rŵan dw i'n mynd i Landdulas ac yn ôl fy arfer, adnabod neu beidio – 'Sut mae hi heddiw?' A dw i'n gwneud hynny rŵan yn naturiol, rywsut, a'r ateb fydda i'n ei gael ydi 'Ha di dw'. Yr 'Ha di dŵs' bia hi yna rŵan. Mae'r pentre wedi marw.

Lewis Valentine gyda'i ŵyr Ian Gwyn Hughes,
***Sgwrsio gyda Taid*, BBC Radio Cymru, 1976**

Er ei fod bellach yn saith deg chwe blwydd oed yr oedd Valentine yn dal yn wydn ei iechyd, er gwaethaf cyfeiriad a gafwyd i'r gwrthwyneb yn yr ysgrif goffa i D J a ymddangosodd yn *The Times* am y "diweddar" Lewis Valentine. Cafwyd ymddiheuriad prydlon ar 8 Ionawr:

> We are glad to report that the Rev. Lewis Valentine who was described as the "late Rev. Lewis Valentine" in the obituary of D J Williams in yesterday's paper is still alive and offer him and his family our apologies for any embarrassment or distress the error may have caused.[1]

Ond, wedi bron hanner canrif yn y weinidogaeth, yr oedd yr amser wedi dod i arafu, a rhoi'r gorau i ofalaeth eglwys. Ar 12 Mai y flwyddyn honno ysgrifennodd at Einwen Jones, Glyn Ceiriog, un o'i gyfeillion yng Nghymanfa Dinbych, Fflint a Meirion, yn dweud ei fod "yn rhoi i chwi newydd syfrdanol y byddaf nos yfory – nos Fawrth – yn hysbysu'r diaconiaid fy mod am roddi rhybudd nos Sul i'r gynulleidfa fy mod yn terfynu fy ngweinidogaeth yma. Yr oeddwn wedi meddwl parhau i'r flwyddyn nesaf ac felly cwblhau hanner can mlynedd yn y weinidogaeth".[2] Y rheswm am ymadael yn gynt na'r disgwyl oedd ei fod ar fin gwireddu ei ddymuniad mawr o ymddeol ym mro ei febyd gan ei fod ef a'i wraig Margaret wedi cael cynnig tŷ yn Llanddulas. Yr oedd y tŷ, meddai, "dipyn yn ddrud – ond gwell derbyn rhag ofn na ddigwydd cynnig cyffelyb eto".[3]

Nid oedd yn edrych ymlaen at hysbysu ei eglwys o'i fwriad. Er iddo wneud cyfeillion mynwesol yn y Rhos bu ei berthynas gydag ambell un o flaenoriaid Penuel yn un anesmwyth ar adegau. Wedi'r cwrdd eglwys cysylltodd Valentine eto ag Einwen Jones i roi gwybod iddi sut yr oedd pethau wedi mynd, a chryn ryddhad iddo oedd cwblhau'r gwaith poenus o ddatgan ei gynlluniau: "Aeth yr hysbysiad am fy ymddiswyddiad heibio yn dra esmwyth. Ni wneuthum ond dweud yn syml ac unionsyth fy mod yn datgan wrth yr eglwys yr hyn a ddatgenais eisoes wrth y diaconiaid – ac yna cyhoeddi'r Fendith yn ebrwydd (chwedl Marc)..."[4]

Yr oedd ei yrfa ffurfiol fel gweinidog gyda'r Bedyddwyr yn tynnu tua'r terfyn ac, yn 1974, rhyw dair blynedd ar ôl ei ymddeoliad, rhoddodd Valentine y gorau i olygyddiaeth *Seren Gomer*. Wrth ymadael â'r Rhos cafwyd clo chwithig i'w gyfnod ym Mhenuel. Oherwydd nad oedd digon o le yn y tŷ newydd yn Llanddulas i'w holl lyfrau mae'n debyg bod Valentine wedi eu pacio mewn bocsys a'u gadael ar lawr festri'r capel a gwahodd aelodau Penuel i gymryd eu dewis ohonynt yn rhad ac am ddim. Cafwyd tro seithug i'r weithred haelfrydig wrth i rywun (hanesydd amatur lleol yn ôl pob golwg) fachu un bocs oedd yn llawn o weithredoedd cyfreithiol a thrafodion a chofnodion hanesyddol y capel a oedd wedi eu gosod ar ddamwain ynghanol llyfrau Valentine.

Profiad rhyfedd oedd mynd yn ôl i'r Llan wedi'r holl flynyddoedd. Efallai ei fod wedi rhamantu'r hen le, ac os felly drylliwyd ei ddarlun delfrydol yn fuan iawn wedi cyrraedd. Daeth tro mawr ar fyd yn hanes y pentref, a newid poblogaeth sylweddol.

Law yn llaw â dirywiad hen ddiwydiannau'r chwarel ac amaethyddiaeth y fro cafwyd mewnlifiad poblogaeth. Yn 1901 yr oedd 788 o bobl yn byw yn ardal Llanddulas, ond erbyn Cyfrifiad 1981 yr oedd y boblogaeth i bob pwrpas wedi dyblu i 1,487. Saeson oedd y rhan fwyaf o'r newydd-ddyfodiaid i Landdulas, yn manteisio ar leoliad y pentref, a oedd o fewn cyrraedd hwylus i drefi cyfagos Bae Colwyn a Llandudno yn ogystal â Swydd Gaer, Manceinion a Lerpwl.

Bu'r profiad o weld dadfeiliad cymdeithasol yn y Rhos yn "brofiad enbyd", ond rhywbeth llawer mwy dirdynnol iddo oedd gweld Llanddulas Gymraeg yn troi'n *Birmingham by the Sea*.[5] Cafodd rhagargoel cyn symud yno fod yr hen le wedi newid er gwaeth. Ymwelodd â Llanddulas i daro golwg ar ei gartref newydd rai wythnosau cyn symud i fyw yno, a daeth un o'r trigolion ato ac ar ôl sgwrsio am ychydig cafodd wybod gan y cyfaill hwnnw: "They say there's a bloody preacher coming to live here." Ateb Valentine i'r cyfaill oedd: "I am that bloody preacher."[6]

Hiraethai Valentine am hen gymdeithas glòs y fro pan deimlai fod hanner yr hen blwyf yn perthyn iddo, ond bellach, fel y dywedodd wrth Saunders Lewis, "disgynnodd fflyd o estroniaid ar y fan sydd yn fy ystyried i yn estron pan ymwelaf â'r lle".[7] Yr un newydd torcalonnus am fewnlifiad estron a dirywiad crefyddol a chymdeithasol a roddodd i'w chwaer Lilian, ac nid Llanddulas oedd yr unig ran o'r hen fro a oedd yn gwegian dan bwysau'r Seisnigo: "Y mae'r Llan yn llwm, ond y mae clwb newydd y Lleng Brydeinig ar ei lawn dwf – pedwar o glybiau mewn plwyf bach cyfyng – mwy o Saeson meddir, bellach yn Rhydyfoel nag o Gymry, ac aeth hi yn rhemp yn Llysfaen, a Llanelian yn ddim ond maestref o Fae Colwyn."[8] Gwaeth hyd yn oed na'r dieithriaid a oedd yn gwladychu'r fan oedd y modd yr oedd daearyddiaeth y fro yn ymddieithrio. Esboniodd y teimlad annifyr mewn cyfweliad radio gyda'i ŵyr, y darlledwr Ian Gwyn Hughes:

> A fydda i'n teimlo, rhyw deimlad rhyfedd iawn fel 'na, fod y tir hyd yn oed, pan fydda i'n mynd ar Ben y Corddyn, lle y byddwn i'n mynd ac yn eistedd ac yn myfyrio am oriau bwygilydd, a'r llecynnau eraill fyddwn i'n mynd iddyn nhw a chael profiadau cyfriniol iawn – mae'r rheini fel 'taen nhw wedi peidio siarad wrtha i, fel petaen nhw wedi digio, y tir hyd yn oed yn protestio, y fro'n protestio bod 'na ryw raib mawr wedi cael ei wneud arni hi. A 'dw i'n teimlo bod y rhod yn mynegi'r siom yna wrtha i pan fydda i'n mynd adref rŵan.[9]

Adleisia teimladau chwithig Valentine ym mro ei febyd ing alltud yn ei wlad ei hun, teimlad a fynegwyd gan yr Athro J R Jones fel eich gwlad yn eich gadael chi. O ganol strydoedd Seisnig Penarth gallai Saunders Lewis gydymdeimlo â Valentine, er nad oedd efallai yn gallu uniaethu'n llwyr â natur ddirdynnol y profiad: "Ie, peryglus oedd dychwelyd i ardal eich geni. Ond y mae unrhyw un sy'n cyrraedd oed yr 'addewid' yn ei gael ei hun yn alltud yng Nghymru heddiw."[10]

Wrth i'r blynyddoedd lithro heibio, bu Valentine a Saunders yn gohebu'n amlach â'i gilydd. Yr oedd fel pe bai marwolaeth DJ wedi dwysáu'r cwlwm rhyngddynt. Er bod Valentine yn dal i weld colli "Defi John", fel y cyfaddefodd wrth Saunders wrth sôn am ei deimladau cymysg yn gwrando arno'n traddodi darlith radio am R Williams Parry yn 1972:

> O'm blaen ar y pared yn ystod y gwrando yr oeddwn yn edrych ar ddarlun lliw o D J a minnau'n wylo a chrio bob eilwers a'r tri ohonom hefo'n gilydd unwaith eto. Wyddech chi ddim efallai fy mod yn greadur mor feddal. Y mae'n debyg fod y darlun hwnnw gennych, a'r wên braf ar ei wyneb, ac ar fy llw mi dybiwn ei glywed yn dywedyd, fel y clywais ef ugeiniau o weithiau, "Jiw Val, on'd yw'r hen Saunders yn anfarwol".[11]

Calondid mawr i'r ddau henwr oedd eu teuluoedd, ac yn enwedig y genhedlaeth iau. Mewn llythyr at Saunders Lewis dywedodd Valentine fod ganddo "orfoledd yn fy wyrion".[12] Yr un oedd teimladau Saunders wrth fyfyrio ar y broses ddychrynllyd o dyfu'n hen a gweld cyfoedion yn marw: "Y mae henaint mawr yn beth arswydus, yn ein gadael ni mewn byd dieithr. Ond diolch o leiaf am wyrion!"[13]

Ni fu Valentine a'i wraig Margaret yn hir cyn symud o'r tŷ bychan ar stad Maes Cynbryd, Llanddulas, i Ffordd Meiriadog, Hen Golwyn, ac fe setlodd y ddau yn llawer gwell yno. Er gadael Llanddulas roedd Valentine yn dal i fyw o fewn tafliad carreg i'w filltir sgwâr (gallai gerdded o Hen Golwyn i Landdulas o fewn ugain munud). Roedd ef a'i wraig bellach yn byw yn agos at eu merch Gweirrul, a dichon bod Margaret hefyd yn falch o fod o fewn cyrraedd hwylus i Landudno unwaith eto.

Erbyn hyn yr oedd cymdeithas Gymraeg gryfach yn Hen Golwyn a'r cyffiniau na bro Llanddulas, ac ni fu Valentine yn hir cyn ymuno ym mwrlwm diwylliannol y cylch. Daeth yn aelod o Glwb yr Efail, bro Colwyn, a bu'n rhan o gwmnïaeth Broderfa gweinidogion ardal y Rhyl a'r cyffiniau hefyd. Roedd cymdeithas gweinidogion y Froderfa yn un fywiog a hwyliog, ac yn y blynyddoedd hyn cafodd gyfle yno i gymdeithasu gyda gweinidogion o bob enwad, rhai fel John Alun Roberts, Tilsli, Cynwil Williams, ac Isaac Jones. Tueddai Valentine bellach i osgoi ymddangos gerbron cynulliadau mawr, ac er ei fod yn meddu ar yr un hunanhyder ag o'r blaen, yr oedd yr elfen o swildod yn ei gymeriad wedi cynyddu dros y blynyddoedd. Er hynny, os oedd yn swil mewn tyrfa, câi fodd i fyw yng nghwmni eneidiau hoff cytûn criw'r Efail a'r Froderfa.

Un achlysur cofiadwy ynghanol y saithdegau oedd y noson a drefnwyd gan Saunders Lewis yng Ngwesty'r George yn Llandudno. Er na allai Saunders ei hun fod yn bresennol, sicrhaodd trwy law Eirwyn Morgan fod cinio preifat yn cael ei drefnu yn y gwesty i anrhydeddu Valentine a gweinidogion yr oedd ganddo barch mawr iddynt, "ac anrhydeddu'r weinidogaeth nad yw wedi colli ffydd ynddi".[14] Saunders Lewis a dalodd am y pryd. Y chwech oedd yno oedd Eirwyn Morgan, John Rice Rowlands, Gwilym R Jones, O M Roberts, Gwyn Hughes a Valentine.

Yr oedd Valentine yn dal i gael cyfle bob hyn a hyn i gadw cysylltiad â hen gyfeillion. Bu'n pregethu yng Nghapel Mawr Dinbych yn Ionawr 1973, ac wedi oedfa'r hwyr mynd am swper gyda Gwilym R Jones, ac meddai mewn llythyr at Lil, "...gelli feddwl am y clecs a'r hwyl oedd yno, a dadlennu scandalau a sibrwd cyfrinachau am hwn-a-hon, a dedfrydu i uffern dân llawer gŵr pwysig mewn seiat a senedd."[15] Cyn swpera gyda Gwilym R achubodd ar y cyfle i daro heibio i weld Kate Roberts. Llwyddodd Valentine i gadw cysylltiad â hi dros y blynyddoedd mewn llythyr ac ymweliad achlysurol. Roedd yn edmygwr mawr nid yn unig o ddawn lenyddol Kate Roberts, ond hefyd o'i dygnwch a'i dyfalbarhad dros achos Cymru a'r Gymraeg, a chredai ei bod "yn rhyfeddod o ferch, yn mwynheiddio hefyd gyda'r blynyddoedd, ond nid yn 'meddalu' diolch am hynny".[16]

Er bod ei gamau'n dechrau arafu, yr oedd yn dal i lwyddo, ar ddechrau'r saithdegau o leiaf, i deithio bob hyn a hyn i'r de, gan amlaf yng nghwmni cyd-weinidogion a chyfeillion o Gymanfa Dinbych, Fflint a Meirion. Erbyn hyn, fodd bynnag, cyfarfodydd coffa ac angladdau oedd y prif reswm dros y teithio.

Tueddiad unrhyw daith yng nghwmni Valentine oedd troi'n bererindod ysbrydol a gwladgarol, fel y tystia'r Parch. Emlyn John:

> Anghofia i byth mo'r daith i Gaerdydd ar yr unfed ar bymtheg o Hydref 1970 i angladd cyfaill arall iddo – y Parch. Emlyn Tudno Jones. Tri ohonom yn y cerbyd – minnau wrth y llyw, J R Rowlands yn y sedd tu ôl a Lewis Valentine wrth fy ymyl. Siaradodd yn ddi-dor ar hyd y daith, ac yr oedd ei wybodaeth o'r lleoedd yr aem drwyddynt a'r bobl enwog a fu'n trigo ynddynt yn anhygoel".[17]

Ar achlysur arall yng nghwmni Dr Wyre Lewis ac Einwen Jones, mynnodd Valentine eu bod yn troi oddi ar y brif lôn ac ymweld â chapel Daniel Rowland yn Llangeitho, ac yna aros yn Llanfair ar y Bryn i ganu un o emynau Pantycelyn. Wrth deithio drwy'r canolbarth nid oedd modd osgoi ymweliad â Chilmeri. Fel y cofia Einwen Jones:

> Bu'n teithio gyda mi sawl gwaith i Abertawe, pob tro roedd yn rhaid mynd heibio Cilmeri a sefyll yno er mwyn iddo ef [Valentine] godi ei het. Un tro rhaid oedd mynd i Rydcymerau ac nid anghofiaf ei weld ar ei liniau wrth fedd D J. Dro arall wrth ddod o Gymanfa Dinbych, Fflint a Meirion yn Rhuthun rhaid oedd mynd i'r Rheol at fedd Emrys ap Iwan.[18]

Er gwaethaf yr hiraeth am yr hen ddyddiau fe roddai Valentine gryn bwyslais ar ei ffydd yn y genhedlaeth iau. Yr oedd ei wyrion yn destun gobaith a balchder iddo, ac yn yr un modd yr oedd y twf mewn addysg Gymraeg yn galondid. Ar un achlysur bu'n ŵr gwadd ar Ddydd Gŵyl Ddewi cyntaf erioed Ysgol Gymraeg Bodalaw ym Mae Colwyn ac fe fwynhaodd y profiad yn fawr o ymddangos gerbron "môr o wynebau mwyaf hoffus... wynebau ag eneidiau yn disgleirio trwyddynt".[19] Dywed mor drawiadol iddo oedd y gwahaniaeth rhwng yr addysg Saesneg a gafodd ei genhedlaeth ef ac a wnaeth gymaint i "ddi-eneidio plant Cymru… a mwydro ysbryd y plant" a "gwefr byw y cyfarfod hwn".[20]

Wfftiai am y sôn byth a beunydd am broblem yr ifanc; iddo ef problem y canol oed oedd y peth mwyaf, oherwydd i'r oedolion hŷn hyn ymwrthod â'u cyfrifoldeb i roi arweiniad ysbrydol a gwleidyddol. A dweud y gwir yr oedd angen gosod bom o dan eu hunanfoddhad: "Ond be wnawn ni i chwalu difaterwch y canol oed, a oes ddeinameit a wna hyn?"[21]

Daliai i fod yn ifanc ei ysbryd ac roedd yn methu ymatal rhag tynnu coes a thynnu'n groes i bobl bwysig. Yr oedd greddf dychanwr ynddo, ac oni bai ei fod yn ymwybodol o'r "barchus arswydus swydd" dichon y byddai mwy o'i ddoniau yn y cyfeiriad yma wedi gweld golau ddydd. Fel ag y mae dim ond rhai cerddi a mân limrigau ysgafn sydd ar gael, fel y limrig ysgafn hwn sy'n gwneud hwyl am ben agwedd ymgreiniol I B Griffith, Maer Bwrdeistref Brenhinol Caernarfon adeg Arwisgiad 1969:

I B Griffith 'tis said was seen
Rapturously caressing the Queen,
Charles took offence,
And in mam's defence
Gave the bold Welshman a cic yn ei dîn.[22]

Dychan miniocach a chaletach sydd yn y gerdd 'Yr Arwisgo'[23] a ysgrifennwyd gan Valentine mewn ymateb i bresenoldeb llond castell o bwysigion y gymdeithas Gymraeg yng Nghastell Caernarfon yng Ngorffennaf 1969, ac a gyhoeddwyd gyntaf yn *Y Faner* ym Mehefin y flwyddyn honno. Cyflwynwyd y gerdd "mewn edmygedd" o benderfyniad ei gyfaill y Parch. Emlyn Tudno Jones, Llywydd Undeb y Bedyddwyr y flwyddyn honno, i beidio mynychu'r seremoni, ac "o dosturi i'r llanc hoffus Charles, mab y Frenhines".

Cyfoesydd i Valentine oedd Emlyn Tudno Jones, ac roedd yn un o'i gyfeillion pennaf yn yr enwad. Ganed Emlyn Tudno yn Llandudno er iddo gael ei fagu yn Ynys Hir, a bu yntau hefyd yn y Rhyfel Mawr ac yng ngholeg Bangor cyn mynd yn weinidog yn y dauddegau i Ben-y-groes, Sir Gaernarfon. Rhannai Valentine ac yntau yr un argyhoeddiadau crefyddol a gwleidyddol a bu'r ddau'n agos iawn ar hyd eu gyrfa yn y weinidogaeth.

Yn 'Yr Arwisgo' cyferchir y rhai hynny o blith cynheiliaid y sefydliad crefyddol yng Nghymru a fynychodd y pasiant brenhinol, "y gwegi hwn" chwedl y gerdd. Yr un yw cywair ergydion y gerdd hon at yr un gwrthrychau â pholemig enwog yr Athro J R Jones yn y cyfnod, 'Brad y Deallusion', serch mai crefyddwyr y genedl sydd dan lach Valentine. Gofynnir pam iddynt fodloni cyfranogi yn y fath ffwlbri, yn nyddiau cyfyngder a chur y genedl a phan fo cynnyrch gorau'r genhedlaeth ifanc yn gwneud eu gorau i amddiffyn eu treftadaeth. Nid yw'r bobl hŷn mwyach yn ddim ond "colofnau Seion y plu" sy'n bodloni chwarae eu rhan yn ymgais fwriadol "anwiredd du" Prydeindod i "lychwino'r glendid drud a fu". Bwriadol yw'r cyfeiriad at *Buchedd Garmon*, a thrwy wneud hynny mae Valentine yn tanlinellu'r cysylltiad rhwng ei genhedlaeth ef o wladgarwyr a phrotestwyr iaith y genhedlaeth bresennol.

Bellach, gormes "cudd blismyn ffel" sydd yn gwasgu ar y wlad lle unwaith y bu angylion Duw yn tramwyo:

> A lle bu gwlith yr Ysbryd Glân
> Mae cyfraith sarrug a sarhad.

Distaw a thawedog fu "pileri'r cysegr" yn wyneb erlid yr heddlu a'r llysoedd barn ar wrthdystwyr Cymdeithas yr Iaith, a llugoer ar y gorau oedd eu cefnogaeth i'r bobl ifanc. Cedwir y dirmyg mwyaf tan y pennill olaf:

> Warcheidwaid y Ffydd! Aethoch chwi'n
> Offeiriaid ffair, croesaniaid sioe,
> Nid wrthych chwi'r ymlynwn mwy,
> Plicier eich gwallt, eich dydd yw doe,
> O Wyryf, merch fy mhobl, tost ei phla,
> Dy ieuenctid heddiw a'th fawrha,
> Eu calon ddur byth ni lwfwrha,
> Eu cariad yw'r grymiant a'th ryddha.

Mae methdaliad yr arweinwyr Cristnogol a fodlonodd gymryd rhan yn y fath syrcas yn amlwg. Maent wedi iselhau eu galwedigaeth. Gwelir mwyach nad y rhain fydd cyfrwng ailorseddu'r gwareiddiad Cristnogol yng Nghymru. Unplygrwydd dewr y genhedlaeth ifanc fydd bellach yn rhoi'r ewyllys i'r genedl barhau.

Mae'r gerdd hon yn un o nifer o ddarnau barddoniaeth ac emynau a gyfansoddodd Valentine yn ei saithdegau a'i wythdegau. Yn wir, yr oedd cynnyrch yr awen hwyrol yma ymysg y pethau gorau a ysgrifennodd erioed. Er bod B G Owens wrth drafod ei gynnyrch llenyddol yn awgrymu iddo "esgeuluso ei ddawn"[24] lenyddol a phrydyddol, fe gyfansoddodd rai cerddi ac emynau nodedig. Ni ddylid anghofio ychwaith mai cyfansoddiadau llenyddol yn anad dim yw ei atgofion o'r Rhyfel Mawr a charchar Wormwood Scrubs, *Dyddiadur Milwr* a *Beddau'r Byw.*

Yr orau o gerddi diweddar Valentine yw 'El Mistater', a gyhoeddwyd gyntaf yn *Seren Gomer,* haf 1971. Term Hebraeg yw 'El Mistater' sy'n golygu "Yr un sy'n ymguddio" neu yn llythrennol "y Duw sydd yn cuddio ei hun", fel y mae Valentine yn nodi o dan deitl y gerdd mewn dyfyniad o bennod 45, adnod 15, llyfr Eseia. Er mwyn llunio cerdd am ymgnawdoliad Crist defnyddia Valentine y cysyniad a geir mewn traddodiadau Iddewig o Dduw sydd yn bresennol yn y byd ond sy'n dewis cuddio o olwg dynion.

Yn ôl y Parch. Maurice Loader mae'r testun Hebraeg yn darllen "mistater 'El 'atah 'achen" (yn llythrennol – Cuddiedig Duw Ti yn wir). Mae cyfieithiad yr hen Feibl Cymraeg "Ti yn ddiau wyt Dduw yn ymguddio", sef y fersiwn a fyddai wrth benelin Valentine wrth gyfansoddi'r gerdd yn agosach at yr Hebraeg gwreiddiol na'r cyfieithiad modern, "Yn wir, cuddiedig wyt ti".

Mae cefndir yr adnod ei hun yn ddiddorol. Gwnaeth Eseia ddatganiad syfrdanol pan alwodd Cyrus, brenin Persia, yn "eneiniog" yr Arglwydd, gan mai term a gyfyngid i arweinwyr Israel oedd y term, ac yn fynegiant o berthynas gyfamodol Duw â phobl Israel. Tybir bod y proffwyd Eseia yn gweld y gallai Cyrus, fel cyfrwng yn llaw Duw, ddwyn gwaredigaeth i Israel. Yn adnod 13 gwelir anterth gobeithion Eseia am le arbennig Cyrus yng nghynllun Duw Israel: "Myfi a gododd Cyrus i fuddugoliaeth, ac unioni ei holl lwybrau. Ef fydd yn codi fy ninas, ac yn gollwng fy nghaethion yn rhydd, ond nid am bris nac am wobr." Yn adnod 15 gwneir datganiad mawreddog ynghylch natur Duw: "Yn wir, Duw cuddiedig wyt ti, Dduw Israel, y Gwaredydd". Gellir deall y datganiad fel datganiad o ffydd hyderus y proffwyd yn ei Dduw a oedd mor wahanol ei natur i dduwiau Babilon a Phersia.

Mae'n amlwg fod y disgrifiad hwn o natur Duw wedi apelio at Valentine. Wrth gyfeirio at "y Duw sy'n ymguddio" yr oedd yn defnyddio ymadrodd oedd yn apelio'n fawr at ddiwinyddion ac athronwyr y chwedegau a'r saithdegau. Defnyddiodd yr Athro J R Jones yr adnod fel cyflwyniad i'w 'Bregethau' yn ei gyfrol *Ac Onide* yn 1970, dyfyniad y byddai Valentine yn ymwybodol ohono, gan ei fod yn edmygu gwaith yr athronydd o Ben Llŷn. Cyfeirir gan ysgolheigion a diwinyddion Cristnogol at y *deus absconditus* a oedd yn ei guddio ei hun rhag llygaid dynion meidrol, gan ddadlau bod tystiolaeth o natur guddiedig Duw yn y Beibl, er enghraifft yn yr hanesyn am Moses yn cael ei guddio mewn hollt yn y graig rhag iddo syllu ar ysblander y gogoniant dwyfol (Exodus 33, adnodau 17–23), a chyfeiriad tebyg sydd yn yr adnod hon yn Eseia o wedd "guddiedig" Duw.

Mae'n amlwg bod Valentine yn teimlo bod rhoi teitl Hebraeg i'r gerdd, sef iaith wreiddiol yr Hen Destament, yn ychwanegu at ddirgelwch y syniad o Dduw fel un sy'n ymguddio. Mae rhoi'r teitl hwn ar Dduw, ac mewn iaith sy'n ddieithr i'r darllenydd, yn cryfhau'r syniad o Dduw sydd y tu hwnt i'n crebwyll meidrol ni.

Mae pob pennill yn cyfeirio at gamau allweddol bywyd Crist, ei eni, ei weinidogaeth, y croeshoelio ac, yn olaf, yr atgyfodiad. Disgrifir yn gignoeth ym mhedair llinell gyntaf pob pennill boenau'r byd y cafodd Iesu ei hunan ynddo. Yn y pennill cyntaf sonnir am "hen hoewal rhwth" a merch "Yn geni baban yn y brwyn/Ar daen ar hyd y llawr". Yn yr ail "coegyn o Rabbi hanner pan" yw Iesu i'w elynion sy'n "bwrw gwaeau brwd/Ar foethus sefydliadau 'i ddydd". Yn y ddau bennill olaf cyfeirir at natur dreisiol dienyddiad Iesu, "corff llibin briw ar drostan croes" ac yna "beddrod benthyg mewn ogof gardd,/A chladdu brysiog blêr..." Mewn gwrthgyferbyniad llwyr, fodd bynnag, mae pob pennill yn cloi gyda chwpled olaf sy'n cyfeirio at y nef a Duw, ac yn benodol y modd y datgelodd Duw ei hun trwy fywyd Iesu. "Brenhines" holl wyrthiau Duw yw geni Crist, llefaru "acen groyw tafodiaith Nef" oedd y "Rabbi hanner pan", "Cariad drud" Duw oedd yn tywallt ar Ddynoliaeth o'r Groes, ac, yn olaf, trechwyd "caer hen Angau Gawr/Gan rym yr Atgyfodiad Mawr". Y byd a'i boen sydd amlycaf ym mhedair llinell gyntaf pob pennill, ond y nef a Duw sydd ym mhob cwpled clo.

I'r Cristion mae'n ymddangos bod yna baradocs ym mhwyslais y Beibl ar Dduw sy'n ei 'ddatguddio' ei hun yn hanes cenedl Israel, ac yna yn bennaf oll yn Iesu Grist, a'r syniad o Dduw sy'n ymguddio o olwg dynoliaeth. Sonia diwinyddion am fewnfodaeth ("immanence") Duw. Ond cafwyd pwyslais hefyd gan ddiwinyddion fel Barth ar drosgynoldeb ("transcendence") Duw. Gellid dadlau fod Duw i'w ganfod o fewn ein profiad dynol ac ym mywyd y byd hwn, ond y mae yr un mor wir haeru bod Duw yn sefyll uwchlaw a thu hwnt i'r byd. Dywed Maurice Loader fod yn y gerdd ymgais gan Valentine

> ... i greu cymhathiad rhwng y wedd fewnfodol a'r wedd drosgynnol ar y Person Dwyfol. Y mae Duw yn holl ysblander ei natur yn ymguddio rhag ein llygaid meidrol ni, ond thesis Valentine yw bod Duw yn gwneud hynny trwy ddod i lwyfan byd yn ei Fab a rhannu'r ing a'r gwewyr, y tlodi a'r brwydro sydd ymhlyg yn y syniad o Ymgnawdoli.[25]

I Valentine, felly, yr Ymgnawdoliad yw'r bont rhwng y paradocs ymddangosiadol – y ddwy wedd ar natur Duw – y wedd fewnfodol a'r wedd drosgynnol.

Er mai nifer fechan o'i emynau sydd wedi eu cynnwys yng *Nghaneuon Ffydd*, roedd Valentine yn emynydd cynhyrchiol trwy gydol ei fywyd. Un emyn a olygodd lawer iddo'n bersonol oedd ei gyfaddasiad o emyn yr Almaenwr Paulus Gerhardt, y bardd a'r offeiriad Lutheraidd o'r ail ganrif ar bymtheg.

Defnyddiodd gyfieithad John Wesley fel sylfaen i'w gyfaddasiad o emyn Gerhardt yn 1972 mewn adwaith i farwolaeth ei frawd Idwal. Rai wythnosau wedi'r brofedigaeth, ysgrifennodd at Lil yn dweud ei fod yn dal i'w chael yn anodd dygymod â marwolaeth eu brawd, ond ei fod wedi mynd ati i gyfieithu emyn Paulus Gerhardt mewn ymgais i leddfu poen y brofedigaeth: "Methu'n lân â derbyn ei ymadawiad, ac eto yn feichus o hiraethus, ac er mwyn lliniaru peth ar hwnnw chwilio, a chael gafael ar emyn hir gan Gerhardt – pymtheg pennill, a'i gyfieithu i'r Gymraeg a'i ddanfon i Olygydd *Seren Cymru*."[26] Diau i'r gwaith o drosi'r emyn roi peth cysur iddo, yn enwedig cyngor yr emynydd mai "Di-elw'r pryder du/A ddifa'r hun a'r hoen;/Ei glust a wrendy'r weddi lesg,/Ei law a leddfa'r boen".

Er gwaethaf y gagendor mawr rhwng y ddau frawd o ran eu gyrfaoedd, fe barhaodd y ddau'n agos iawn. Yn un o'r cyfarfyddiadau olaf rhyngddynt yng Ngorffennaf 1970, mynegodd Idwal wrth ei frawd pe cychwynnai ei fywyd eto y byddai'n dewis mynd i'r weinidogaeth. Atebodd Valentine y byddai'n o dlawd ei fyd pe bai'n gwneud hynny, gan nad oedd cyflog gweinidog yn cymharu'n ffafriol â chyflog uwch-swyddog yn yr heddlu. Bach o bris i'w dalu, atebodd Idwal, "ydyw tlodi am gyflawni gwaith a chredu bod ystyr mawr iddo".[27]

Cynhaliwyd angladd Idwal mewn amlosgfa ym Manceinion, a phrofiad anodd iawn fu'r gwasanaeth i Valentine a Lil gan nad oeddent yn adnabod neb yno. Gan fod Idwal wedi dringo mor uchel gyda'r heddlu yr oedd llawer o Uwch-swyddogion a chynrychiolwyr o'r Swyddfa Gartref yn bresennol yn ei angladd. Mae'n debyg i'r gweinidog oedd yn arwain y gwasanaeth ofyn i Valentine gymryd rhan, ac iddo gytuno i gyhoeddi'r Fendith yn Gymraeg ar y diwedd er bod hynny wedi bod yn straen mawr iddo.

Gyda marwolaeth y brawd ieuengaf Stan yn 1971, ac yna Idwal ym mis Ebrill 1972, bellach dim ond Valentine a'i chwaer ieuengaf Lilian oedd ar ôl o'r saith o blant a aned i Samuel a Mary Valentine.

Pennod 24

Terfyn

Llwm, llwm fyddai bywyd i mi oni bai am y Blaid a'i chriw nobl, ac o'i herwydd hi a'r Rhagluniaeth a ganiataodd hynny, dydd dedwydd hir a fu fy nyddiau, Laus Deo! Ni allaf gredu mai ofer fydd holl ddyheu yr hanner canrif diwethaf.

Lewis Valentine at O M Roberts, Rhagfyr 1979

Er ei fod wedi ymddeol o fod yn weinidog a gofalaeth eglwys yr oedd yn parhau i bregethu ar y Sul ac yn dal i gymryd diddordeb bywiog mewn materion gwleidyddol a chrefyddol. Fel y dywedodd ei gyfaill o'r Rhos, John Tudor Davies, pan aeth i'w weld un tro yn Hen Golwyn, roedd "y corff yn hen ac yn gwanychu ond roedd y meddwl yn effro ac ifanc o hyd".[1]

Wrth i'r blynyddoedd fynd heibio fe'i tristawyd gan ddiflaniad yr hen do o bregethwyr: "Collwyd yr aristocratiaid o'r pulpud,"[2] meddai wrth gyfeirio at farwolaeth John Thomas, Blaenwaun, a byddai'n chwith heb "y rhuthr a'r rhaeadredd lleferydd".[3] Ni hoffai'r tueddiadau i newid ffurfiau oedfaon i gynnwys dulliau mwy cyfoes o addoli:

> Ni all Ymneilltuwyr bellach addoli heb gael eu difyrru yr un pryd ac ar ddechrau blwyddyn fel hyn y mae dyn eisiau dyfod wyneb yn wyneb â rhyw sicrwydd mawr tragwyddol ac ymgolli ym mawredd yr Hollalluog. Cwrdd gweddi rial neu bregeth fawr a fuasai'n briodol ymborth ar adeg fel hyn.[4]

Eto i gyd, wrth sôn am benderfynu peidio mynychu Cyrddau Coleg y Bedyddwyr, Bangor, yn haf 1972, mae fel pe bai'n sylweddoli bod yr hen gyfundrefnau crefyddol yn methu. Dywed ei fod yn

> … methu yn lân â'm hargyhoeddi fy hun ei bod hi'n iawn i ddal i gynnal hen ddulliau wedi iddynt golli eu hystyr, ac nid oes gennym weledigaeth o gwbl. Wyt ti'n cofio yr hen ddwy ferch yn Tŷ Croes (Ffordd Haearn) yn marchogaeth eu beiciau tri olwyn? Yr ydym ninnau yn dadlau dros godi siopau i drwsio beiciau tri olwyn nid oes neb bellach yn gofyn amdanynt.[5]

Nid yw'n beio'r genhedlaeth iau yn llwyr ychwaith am fethu ymateb i'r dirywiad, gan ddadlau yn hytrach "nad problem yr ifanc ydyw'r broblem ond problem oedolion sy'n ymwrthod â chyfrifoldeb arweiniad".[6] Daw safon yr hyn a ddysgir i'r to newydd o weinidogion dan y lach ganddo, a synhwyrir rhwystredigaeth eto yn y cyfle na chafodd i fowldio cenhedlaeth o bregethwyr Anghydffurfiol: "Beth sy'n digwydd yn ein colegau diwinyddol?" gofynna. "Y sylw a glywais gan rai wrth gerdded o'r oedfa oedd hyn: 'Yr oedd o reit neis yn 'doedd.' Ac i hyn y daw pregethu Y GAIR? Nid yw'n syn fod rhai pregethwyr yn ffaelu â dal dan straen peth fel hyn, ac yn ceisio cysur mewn 'gin' ac ym 'miswail y cythrel'."[7]

Beth bynnag oedd arferion yfed pregethwyr ifanc, boed fiswail y cythraul neu beidio, yr hyn oedd yn ei boeni am wleidyddion ifanc oedd diffyg deunydd ymfflamychol yn eu boliau. Er ei fod yn llawenhau i'r Blaid ennill tair sedd seneddol yn etholiad cyffredinol Hydref 1974, a'i bod yn beth mawr iddo gael byw i "weld copaon bryniau Canaan…",[8] roedd yn poeni am ddiffyg sêl a gweledigaeth rhai o ymgeiswyr y Blaid yn y gogledd. Roeddent, meddai, yn "hogia bach clên, ond fawr o dân yn eu boliau".[9] Ni fynegodd unrhyw feirniadaeth gyhoeddus o'r Blaid ac roedd yn hynod gefnogol i'w hymgyrchoedd etholiadol, ond yn breifat mynegodd siom sawl tro yng nghyfeiriad y Blaid ac, yn hytrach, ymgyrchoedd torcyfraith Cymdeithas yr Iaith oedd yn ennyn y gobaith mwyaf ynddo yn ei flynyddoedd olaf. Weithiau yr oedd ei eiriau bron ag awgrymu mai trwy weithredoedd uniongyrchol y mudiad iaith y deuai ymwared ysbrydol i'r genedl hefyd.

Adeg Achos Cynllwyn Abertawe yn 1971 dywedodd yn *Seren Gomer* fod "llu o'r bobl ieuainc gorau a fu yng Nghymru ers llawer dydd wedi lled-gefnu ar ein heglwysi, ac enbyd yw'r gwacter lle bu eu gorhoen gynt".[10] Er hynny, yr oedd yr ifanc yn dangos y ffordd i'r hen a'r canol oed saff eu byd. Roeddent, meddai Valentine,

> yn dangos arwriaeth teilwng o arwriaeth ein hieuenctid yn nyddiau Owain Glyndŵr, a rhyw figmars cyfreithiol rhyfedd ar dorred, a phan fo diben ar yr achos yno bydd yn rhaid gofyn, mewn gwlad a senedd, gwestiynau taer ar weinyddu cyfiawnder yng Nghymru heddiw. Y mae pob corff crefyddol o bwys yng Nghymru wedi datgan mai teg a chyfiawn ydyw'r frwydr dros ryddid y genedl. A deued a ddêl a chostied a gostio y mae'n rhaid i'r frwydr hon barhau. Y mae anesmwythyd mawr – daeth hyn eisoes yn amlwg yng Nghaerfyrddin ac Abertawe – am fod pen trymaf yr ymdrech ar ysgwyddau'r ieuainc, a'i fod yn llawn bryd i'r canol oed a'r hen wneuthur rhywbeth amgenach na datgan eu cefnogaeth i'r bobl ieuainc yn y frwydr hon. Y mae'n rhaid iddynt eistedd lle y maent hwy yn eistedd a sefyll lle y maent hwy yn sefyll canys y mae'r frwydr hon yn annatod glwm wrth ein hetifeddiaeth Gristnogol. Y mae hi'n frwydr dros werthoedd Cristnogol yng Nghymru, ac y mae'n bryd i Anghydffurfiaeth Cymru ail ddarganfod ein hen arwriaeth.[11]

Yn 1976 ysgrifennodd at Saunders Lewis yn dweud ei fod yn llwyr gefnogol i Gymdeithas yr Iaith, "ond yr wyf yn ymgroesi rhag ceisio rhoddi cyngor iddi rhag i'w haelodau ddechrau tosturio wrthyf a'm goddef fel 'hen ŵr meddal'; ond y mae deunydd go addawol yn yr wyrion".[12] Mynegodd ei gefnogaeth hefyd adeg Achos Blaenplwyf pryd y carcharwyd Rhodri Williams (a oedd ei hun yn fab i weinidog gyda'r Bedyddwyr) a Wynfford James am eu rhan yn y cynllwyn i ddiffodd mast Blaenplwyf fel rhan o ymgyrch dros Sianel Deledu Gymraeg. Yn 1980 fel rhan o'r un ymgyrch diffoddwyd mast darlledu Pencarreg, ger Llambed, gan dri o 'barchusion', sef Pennar Davies, Ned Thomas a Meredydd Evans. Mynegodd Valentine ei gymeradwyaeth wresog mewn llythyr at Pennar Davies:

> ... chwychwi driwyr o blith goreugwyr y genedl mewn dysg a dawn a deall, yn gwbl gyfrifol, yn wŷr heddychlon eich anian a'ch argyhoeddiadau yn dewis cyflawni'r weithred anhygoel hon o

> brotest… yr wyf i bellach yn henwr ac ar y filltir olaf, ac yr wyf dan ddyled i chwi am sioncio fy ngherddediad arni hi.[13]

Cydnabu Meredydd Evans ddyled a dylanwad gweithred 1936 arnynt, pan ddywedodd wrth Valentine mai "dilynwyr ydym ni ac esiampl a phatrwm Penyberth a'n cymhellodd".[14]

Ymfalchïai Valentine ar yr un pryd yn llwyddiannau Plaid Cymru dan arweiniad Gwynfor Evans yn etholiadau'r saithdegau. Cydymdeimlodd ag arweinydd y Blaid yn gorfod wynebu "cachaduriaid sosialaidd"[15] y Blaid Lafur Gymreig yn y Senedd. Yn Hydref 1974 cafodd y Blaid ei llwyddiant gorau erioed mewn etholiad i San Steffan, pryd etholwyd Gwynfor, Dafydd Elis Tomos a Dafydd Wigley yn Aelodau Seneddol. Er mor hir y bu'r daith ers yr etholiad cyntaf hwnnw yn 1929, o'r diwedd teimlai fod Cymru yn symud yn ei blaen:

> Y gair a ddywedais wrth annerch y dorf fawr ar falconi'r 'Guild Hall' yng Nghaernarfon pan gyhoeddwyd canlyniad y frwydr gyntaf dros y blaid a chwe chant a naw wedi mentro eu pleidlais i mi oedd hyn: "Y mae'r baban cenedlaethol wedi dechrau cerdded". Wel, y mae'r baban hwnnw wedi dyfod i'w oed a bu'n hir ar y naw yn cyrraedd.[16]

Dewis cadw draw a wnaeth o ddathliadau hanner canmlwyddiant sefydlu'r Blaid ym Mhwllheli yn 1975. Nid rhesymau gwleidyddol oedd wrth wraidd y penderfyniad, serch hynny, a chyfaddefodd mai'r rheswm pennaf oedd oherwydd "nad wyf yn hoffi tyrfaoedd bellach, nac yn credu fawr mewn dathliadau, a thân ar fy nghroen yw cael fy ystyried gan neb, boed Gristion neu bagan, fel 'gwd ol' hasbin'".[17] Mewn gwirionedd, mae'n debyg mai cyfuniad oedd y penderfyniad o swildod henaint a'i amheuaeth o werth dathliadau. Yr oedd yn ystyried digwyddiadau felly fel "sciâm y dyn modern i dawelu ei gydwybod am fod ei gampau mor bitw, ac nid wyf wedi bod ym Mhwllheli wedi'r Tân yn Llŷn nac anghofio gwragedd Pwllheli yn crafu eu gyddfau i boeri arnaf wedi y llys yno – *the spitting and the scorn…*"[18]

Yn bennaf oherwydd llwyddiant etholiadol Plaid Cymru, ac argymhellion Comisiwn Kilbrandon yr oedd hunanlywodraeth yn ymddangos fel pe bai o fewn cyrraedd y genedl. Eto i gyd digon amheus oedd Valentine o werth y cynigion a roddwyd gerbron gan y Llywodraeth: "Ambell i funud yr wyf yn dymuno anlwc i'r mesur datganoli – nid yw'n rhoi dim gwerth, a gall roi cyfle i elynion yr iaith fynd â'u maen nhw i'r wal. Gall ei wrthod rymuso ewyllys ein pobl, a rhoi dipyn o ddur yn ein hasgwrn cefn a chyfiawnhad i aelodau Cymdeithas yr Iaith."[19]

Penderfynodd mwyafrif ei gyd-wladwyr nad oeddent yn dymuno lwc i'r mesur datganoli chwaith, ond am resymau cwbl wahanol. Yn dilyn methiant y Refferendwm ar y cyntaf o Fawrth, 1979, ysgrifennodd Valentine at Lil yn adrodd sut y bu iddo fod yn ŵr gwadd mewn swper Gŵyl Ddewi yn Rhyd-y-foel, ac am ddeuoliaeth gymhleth ei gyd-Gymry, wrth iddo "siarad o'r frest y sentimentaleiddiwch dagreuol oedd wrth fodd calon fy nghynulleidfa wlatgar, a synnwn i damaid i lawer ohonynt fod ar eu llawn hwrê drannoeth yn dodi NA ar eu papur pleidleisio".[20] Pleidleisiodd Valentine o blaid y Cynulliad, oherwydd "mai dyma'r tro cyntaf i Lundain gydnabod y gall fod rhyw fath o genedl yng Nghymru".[21] Er gwaethaf y mwyafrif anferth yn erbyn ymreolaeth nid oedd yn wangalon. Meddai:

> Gall y bleidlais nacaol fod yn werthfawr, sef ein hargyhoeddi na ddylid cymrodeddu ym mrwydr rhyddid cenedl – o hyn allan yng Nghymru gobeithio – rhyddid llawn a Senedd a hawliau i ddeddfu a threthu a llunio ei bywyd yn ôl ei hanes a'i hanian. Oni cheir hynny byw yn ddraenen barhaus yn ystlys Llundain – brwydr y Gweddill y mae'n rhaid iddi fod.[22]

Ar ôl y Refferendwm ei farn oedd "na ddylid cymrodeddu ym mrwydr rhyddid cenedl",[23] ac yn y cywair hwnnw ymatebodd yn llawn edmygedd o fwriad Gwynfor Evans i ymprydio dros fater y Bedwaredd Sianel yn 1980:

> Fy annwyl Gwynfor
>
> Yn gyntaf ymostyngaf i chwi, a datgan fy nghyfeillgarwch diffuant, ac yr wyf yn cyfarch eich teulu annwyl yn ei deyrngarwch dihafal i chi ar eich bwriad syfrdanol. Ni chefais hi erioed mor anodd ysgrifennu

> llythyr at gyfaill, ac nid yw yr oedi ysgrifennu wedi gwneuthur y dasg fymryn yn haws. Mor rhwydd oedd canmol Gandhi a'i dylwyth a mynd i hwyl mewn llawer araith a phregeth wrth ganmol eu hymprydiau, a theimlo yn gomfforddus ddigon ar ôl hynny, ond pan fo un annwyl o'n plith ni'n hunain yn gwneuthur adduned ddifrifol i ymprydio hyd farw dros Gymru…[24]

Er gwaethaf llwyddiant Gwynfor yn gorfodi tro pedol ar ran Llywodraeth Margaret Thatcher ar fater sianel deledu Gymraeg, dyddiau du oedd yr wythdegau i genedlaetholwyr Cymraeg. Yn 1982 aeth Prydain i ryfel yn erbyn yr Ariannin ar fater Ynysoedd y Malfinas, a "chywilydd i bobl wâr"[25] oedd yr holl beth meddai Valentine wrth Lil. Er gwaethaf y sbloets o Brydeindod a fu'n gysylltiedig â'r rhyfel, arwydd o wendid yr hen bŵer ymerodrol ydoedd: "Nid oes i Loegr bellach ond gwneud ystumiau gorchfygwr a glynu wrth y geriach disylwedd."[26]

Er ei fod yn dal yn effro i ddigwyddiadau cyfoes, yn naturiol, ac yntau'n tynnu am ei ddeg a phedwar ugain, yr oedd yn troi ei feddwl yn aml iawn at y gorffennol, a throi gyda balchder hefyd. Ar achlysur deugain mlwyddiant y Tân yn Llŷn ym Medi 1976 dywedodd wrth Saunders Lewis ei fod yn arswydo meddwl sut le fyddai Cymru "pe bai'r arweiniad hwnnw heb ei roddi i Gymru y pryd hynny?… er cynddrwg yw hi arnom, y llanast a fyddai yma heddiw".[27] Yr oedd ei ddyled yn fawr, meddai wrth Saunders Lewis, a bu Rhagluniaeth yn garedig yn caniatáu iddo gael sefyll ysgwydd wrth ysgwydd â D J ac ef, gan roi pwrpas i'w fywyd. "Ni allaf ond mynegi fy niolch i ryw Drefn drugarog a barodd i mi eich cyfarfod a'm gwared rhag 'gwacter ystyr' i'm tipyn bywyd."[28]

Er ei fod yn llawn edmygedd o'r arweiniad a roddodd Gwynfor Evans i Blaid Cymru, i Valentine, Saunders Lewis, heb amheuaeth, oedd "Cymro mwyaf y canrifoedd", yn sicr wedi 1536. Credai'n gwbl argyhoeddedig fod Carcharor 8990 wedi newid cwrs hanes yng Nghymru. Yn fwy na hynny, wrth gwrs, yr oedd yna gyswllt personol cryf rhyngddynt, fel y nododd: "Ni wn i a oes dewis cwmni yn y byd a ddaw. Od oes, mi a wn y byddaf yn ddedwyddach os bydd Saunders Lewis yn y cwmni hwnnw."[29] Bu'n cadw ochr ac yn amddiffyn Saunders Lewis ar hyd y daith, hyd yn oed pan aeth yn ffasiynol ymysg cenedlaetholwyr a deallusion i'w bortreadu fel rhywun deallus ond sylfaenol ecsentrig: "...y mae llawer o 'gorian' yn erbyn S L, ond yr oedd ei weledigaeth yn glaer a gloyw, a 'bratu anal' chwedl chwychwi yn y Deheudir a fu'r ymleferydd yn y Senedd..."[30] A phan ddyfarnwyd Doethuriaeth er Anrhydedd i Saunders yn 1983 ysgrifennodd ato ar Ddydd Gŵyl Ddewi, er nad llongyfarch Saunders oedd y bwriad: "Mawr lawenydd yma am i chwi anrhydeddu Prifysgol Cymru, a derbyn Doethuriaeth ganddi, dyna'r farn a fynegir yn gyffredinol, mai chwi sydd wedi anrhydeddu'r Brifysgol, a graslon weithred oedd hynny."[31]

Bu farw Kate Roberts a Saunders Lewis yn 1985, a bellach Valentine oedd yr unig un ar ôl o Dri Penyberth. Mewn arwydd o'r cwlwm rhyngddynt, er na allai Valentine deithio i angladd Saunders, fe ganwyd 'Gweddi Dros Gymru' ar ddiwedd gwasanaeth Offeren y Meirw. Wrth dalu teyrnged iddo ar y radio yr oedd Valentine yn gwbl sicr ei farn:

> Saunders Lewis oedd y rhodd fwyaf y mae Cymru wedi'i gael ers blynyddoedd lawer. Nid yn unig hynny, trwy amarch a phob cam-esbonio gan ddynion a ddylai wybod yn well, wir, gan genfigen efallai. Ond dwi ddim yn credu fod neb mwy na Saunders Lewis wedi bod yn gwasanaethu Cymru yn y canrifoedd diwethaf yma... Os ydi y bywyd cenedlaethol i ymhoywi a byw – ar linell athroniaeth Saunders Lewis ac arweiniad Saunders Lewis ac oherwydd Saunders Lewis y bydd, i mi, y genedl yn goroesi. Oherwydd bod Duw wedi rhoi inni y math un â fo i Gymru, mai o'i herwydd o a'i gyfraniad o y bydd y genedl fyw.[32]

Wrth dynnu at y terfyn yr oedd Valentine yn hiraethu hefyd am hen Landdulas ei blentyndod, a'r gwerthoedd bore oes a blannwyd ynddo ac a arhosodd gydag ef ar hyd y daith: "Erbyn hyn mae yr athronwyr a'r dysgawdwyr mawr yr ymserchais gymaint ynddynt yn dechrau cilio, ac yng nghwmni'r hen bobl ddiniwed a dirodres a diffuant a adwaenwn pan yn blentyn y byddaf yn mynd i glwydo gyda'r nos. Rywsut neu'i gilydd, roedd y cwbl ganddyn nhw."[33] Dywedodd wrth Einwen Jones, mewn sylw oedd yn nodweddiadol ddibris o'i gyfraniad ei hun i'w enwad, ei fod yn difaru weithiau na ddilynodd drywydd gwahanol a pheidio derbyn swydd y Tabernacl Llandudno, gan ddychwelyd i'r Llan yn lle hynny:

> Ar drawiad o'r felan – meddwl y buaswn ar ôl gorffen fy nghwrs yn y Coleg fod wedi mynd yn ôl i'm pentref a gwasanaethu'r bobl oedd wedi rhoddi imi brofiadau dyfnaf bywyd – y byddwn i felly wedi gwasanaethau'r Deyrnas yn well, ac wedi talu'n amgenach ddyled fy meithrin a'm magwraeth. Ond y mae'n rhy hwyr.[34]

Achubai ar bob cyfle, er gwaethaf ei iechyd bregus, i ymweld â'r Llan, er mai mynychu angladdau'r hen do oedd llawer o'r ymweliadau hynny. Er gwaethaf Seisnigrwydd y lle yr oedd yna dynfa o hyd. Yr oedd y tir yn dal heb ollwng ei afael ynddo, ac roedd hudoliaeth natur y bryniau a'r creigiau a'i swynodd yn blentyn yn dal i'w gyfareddu: "Af i'r Llan dydd Mawrth yn unswydd i weld a ydyw'r briallu 'Ebrillaidd' yng nghae Terfyn ac ar lethr y Pistyll Gwyn, a'r Briallu Mair yn y cae tu ôl i neuadd yr Eglwys. Y mae arnaf ofn na chaf eto fentro dringo Cefn yr Ogo na Chraig y Forwyn."[35]

Un o ymddangosiadau cyhoeddus olaf Valentine oedd yn ystod Cyfarfodydd Blynyddol Undeb yr Annibynwyr yn Hen Golwyn ym mis Mai 1983. Daeth i'r Cyfarfod Cyhoeddus ar y prynhawn dydd Mercher i wrando ar ei gyd-Fedyddiwr James Nicholas yn siarad. Nid hynny oedd ei unig gysylltiad â'r Undeb chwaith gan mai Ysgrifennydd yr Annibynwyr ar y pryd oedd Derwyn Morris Jones, ei hen ddisgybl o'r Rhos. Cafodd ei groesawu'n gynnes i'r cyfarfod gan y Cadeirydd, y Parch. Emyr Thomas (un arall o feibion y Rhos), a phan ddeallwyd ei fod yn y gynulleidfa cafodd dderbyniad twymgalon a chroeso tywysogaidd gan y gynulleidfa. Ar derfyn y cyfarfod aeth draw i gyfarch Derwyn Morris Jones a dymuno'n dda iddo yn ei swydd. Adleisiodd y sgwrs rhyngddynt yr hyn y bu'n ei ddadlau ers dechrau'r tridegau: "Derwyn, fe ddylai'r ddau Enwad y perthynwn iddynt ddod ynghyd bellach. Yr ydym yn perthyn i'r un cyff."[36]

Yn hwyr iawn yn y dydd ac yn dilyn llawer o berswâd y tu ôl i'r llenni gan Dr R Tudur Jones penderfynodd y Brifysgol ddyfarnu doethuriaeth i Valentine, a oedd bellach yn 92 oed. Yr oedd gan Valentine lawer o barch tuag at Dr Tudur fel pregethwr ac academydd, ac oherwydd hynny, ynghyd â'r ffaith fod Saunders Lewis wedi derbyn anrhydedd gyffelyb, fe gytunodd i dderbyn yr anrhydedd er gwaethaf ei amheuon.[37] Eironig iawn, fodd bynnag, o gofio perthynas dymhestlog y ddau gyda Phrifysgol Cymru, oedd y penderfyniad i gyflwyno doethuriaethau i Saunders a Valentine.

Ni chyhoeddodd Valentine lawer o ddeunydd academaidd, er bod greddf ysgolhaig ynddo heb os. Dywedodd wrth E. Meirion Roberts, yr arlunydd a chyd-aelod o Glwb yr Efail, "ei fod yn teimlo fod gan weinidog hawl i un diddordeb y tu allan i faes ei weinidogaeth, a'i ddewis oedd gwleidyddiaeth".[38] Roedd Kate Roberts a Saunders Lewis hefyd o'r farn fod ei ysgolheictod wedi ei fygu gan ei gariad a'i lafur dros ei grefydd a'i wlad. Amwys ar y gorau oedd teimladau Valentine tuag at y Brifysgol. Roedd yn casáu'r Prydeindod oedd yn treiddio'r sefydliad. Cadarnhawyd hynny gan ei brofiadau fel myfyriwr yn ymladd Seisnigrwydd adweithiol y sefydliad, a'i ymdrechion ofer i ganfasio deallusion pennaf y genedl adeg etholiad sedd y Brifysgol a'r profiad seithug a gafodd wrth ystyried ymgeisio am swydd yn 1943.

Cafwyd helyntion yng Ngholeg Prifysgol Bangor yn 1976, pan gosbwyd pedwar o swyddogion y Cymric a'u diarddel o'r Coleg[39] am arwain protest yn erbyn Seisnigrwydd y Coleg ar y Bryn a thynnu posteri Saesneg o amgylch y campws. Adeg y gwrthdaro a'r cosbi hallt anfonodd Valentine gerdyn post at Lil yn cyfeirio at Lys y Coleg fel "Llys y Brad":

> Onid yw hi'n gythraul tua Bangor yna. Yr oeddwn ar flaen y gad yn ymladd am ryddid ac urddas i'r iaith yno yn 1920–21, ac nid oes dim o bwys wedi ei ennill er hynny, ar rai ystyron mae'n waeth. Y mae rhyw griw o Saeson a'u cynffonwyr wedi ymgastellu yno ac yn epilio yn gyson – gofidiaf na fuaswn yn ieuengach a chryfach. Rhoddaf fwy o bwys ar frwydr yr iaith beunydd – oni enillwn y frwydr hon ni bydd dim gwerth ei gael wedi ei ennill; bobl bach, gweddïwch dros y Gymru Gymraeg![40]

Ond ni freintiwyd Prifysgol Cymru â'r cyfle o roi gradd DD iddo. Bu cyflwr ei iechyd yn gwanio er 1984 pryd y cafodd achos drwg o'r eryr, a bu farw mewn cartref nyrsio yn Llandrillo yn Rhos ar y pumed o Fawrth, 1986. Y bwriad gwreiddiol oedd cyflwyno'r ddoethuriaeth i Valentine mewn seremoni arbennig ar ddydd Sadwrn, y trydydd o Fai, ond yn lle seremoni anrhydeddu cafwyd cydnabyddiaeth ffurfiol o werthfawrogiad gwlad ac enwad mewn Oedfa Goffa arbennig a gynhaliwyd yn ei hen gapel, a fu mor deyrngar iddo ar hyd y blynyddoedd, sef y Tabernacl, Llandudno.

Bedair blynedd cyn ei farwolaeth fe gyfansoddodd Valentine 'Emyn y Terfyn', ond fe'i lluniodd yn arbennig ar gyfer Cyfarfod Coffa, Dathlu a Diolch Trydydd Jiwbil Soar y Codau yn Llangernyw ar 11 Medi 1982. Achlysur i nodi cau'r hen gapel oedd hwn, a gofynnwyd iddo lywyddu a gweinyddu'r cymun yn y ddwy oedfa. Roedd Valentine yn benderfynol o gyflawni'r addewid i gymryd rhan yn yr achlysur, a'r cyfarfod dathlu hwn fyddai'r tro olaf i Valentine gymryd rhan mewn oedfaon cyhoeddus. Roedd yn awyddus i fynychu'r oedfaon oherwydd cysylltiad agos ei dad â chapel Soar y Codau. Bu Samuel Valentine yn gwasanaethu yno am dros hanner can mlynedd ac yn aml iawn arferai gerdded o Landdulas i Langernyw i gadw cyhoeddiad ar y Sul, ac roedd ganddo feddwl uchel o'r lle. Adlais bwriadol sydd yn nheitl yr emyn o gerdd Saunders Lewis, 'Gweddi'r Terfyn' a oedd, yn ôl Valentine, "y peth mwyaf mewn barddoniaeth a ddaeth i olau dydd yng Nghymru ers llawer dydd".[41] Er hynny, nid oes dim o amwysedd y gerdd yn emyn Valentine; yn hytrach mae'n ddatganiad cadarnhaol o'r ffydd uniongred yr oedd Valentine wedi'i choleddu trwy gydol ei oes. Mae'n agor trwy ailadrodd y gair 'maddau', gan bwysleisio mai pechadur meidrol yw'r emynydd a'i fod yn erfyn yn daer am dosturi Crist:

> Maddau feiau'r bore gwridog,
> Maddau feiau'r hy brynhawn,
> Maddau feiau'r hwyrnos freuol,
> Maddau feiau f'oes yn llawn:
> Arglwydd Iesu,
> Estyn im sancteiddiol ddawn.

Wrth agosáu at ddiwedd taith bywyd y mae angen y Cristion yn parhau am "uniondeb gair a gweithred" a dim ond goleuni gras Duw a all droi hydref diwedd oes yn wanwyn eto. Diweddir yr emyn gyda delwedd bwerus o derfynoldeb diamwys angau pan ddaw ar ffurf "yr wŷs ddiwrthod/I lonyddu miri'r oes". Ceir clo gorfoleddus i'r emyn oherwydd pan ddaw terfyn ar bleser a phoen bywyd, ni raid ofni oherwydd y mae Crist wedi gorchfygu angau, ac mae gwybod hynny'n ddigon i'r sawl sy'n credu:

> Y pryd hwnnw
> Digon fydd llifolau'r Groes.

Pennod 25

Dyrchafwr cyfiawnder

Ym mis Medi 1986 dadorchuddiwyd cofeb i'r 'tri' gerllaw safle Penyberth ym Mhen Llŷn gan Margaret ei wraig, Mair merch Saunders Lewis ac O M Roberts. Yna, yn ystod Eisteddfod Genedlaethol Bro Colwyn, 1995, dadorchuddiwyd cofeb i Valentine ei hun ym Maes Cynbryd, Llanddulas, dafliad carreg o dŷ Hillside, Clip Terfyn. Syniad ei gyfaill John Hughes o Langernyw oedd y gofeb, ac fe'i chynlluniwyd gan y pensaer Gwilym Roberts, Henllan. Gwnaed y gwaith maen gan Tom Davies, a'r gwaith llechfaen gan Geraint Roberts, ill dau o ardal Llangernyw. Mae'r gofeb ar ffurf pulpud gyda Beibl agored arno, ac arni naddwyd y geiriau:

"Y mae cyfiawnder yn dyrchafu cenedl"
"Gwyn eu byd y tangnefeddwyr"
Er clod i Dduw am y
Parchedig Lewis Valentine, M.A., D.D.
1893-1986
Gweinidog yr Efengyl
Cenedlaetholwr
Heddychwr

Yn dilyn ei farwolaeth a'r amrywiol gyfarfodydd coffa, cafwyd teyrngedau lu. Yn ôl Gwynfor Evans yr oedd yn "ymgorfforiad o'r gorau ym mywyd y genedl",[1] ac i lawer o Fedyddwyr hefyd yr oedd ei ddaliadau yn ymgorfforiad o rinweddau gorau eu henwad, ac fe lynodd yn y traddodiad a gyflwynwyd gan gymdeithas Bethesda, Llanddulas. Yn fuan wedi ei farw dynodwyd darlith flynyddol Cymdeithas Heddwch Undeb y Bedyddwyr yn 'Ddarlith Goffa Lewis Valentine' fel arwydd o werthfawrogiad yr enwad am ei gyfraniad, a chrisialwyd natur bersonol a syniadol ei apêl i'w gyd-Fedyddwyr yn y deyrnged a dalwyd iddo yn ei angladd gan y Parchedig John Rice Rowlands:

> O'i gwmpas yr oedd rhyw anrhydedd ac annibyniaeth meddwl oedd yn ei wneud mor unplyg ac mor gadarn... Ond yr oedd hefyd yn ŵr difalch a diymhongar, a rhyw swildod anymwthgar ynddo ar brydiau. Medrai siarad mor naturiol gartrefol â phawb, ac ennill pobl â'i agosatrwydd serchog, ei ddireidi, ei ddychan slei, a'i ddawn i ddynwared. Yn holl hanes y Bedyddwyr Cymraeg, yr enwad yr oedd ef mor falch o'i arddel, ef oedd un o'r gweinidogion mwyaf. Yr oedd yn wir gatholig ei fryd, ond yr oedd prif argyhoeddiadau'r Bedyddwyr ym mêr ei esgyrn.[2]

Nodwedd o'r unplygrwydd a'r cadernid hynny oedd y ffaith nad oedd troi yn ôl i fod unwaith iddo ddewis llwybr, a glynodd wrth ei ddaliadau a'i sicrwydd yng nghyfiawnder y daliadau hynny gyda chysondeb diwyro gydol ei oes. Yr oedd gan Valentine syniadau creiddiol am Gymru a Christnogaeth ond o fewn ac o gwmpas y syniadau hynny fe allai fod yn hyblyg. Felly roedd ei gredo yn un Cristion uniongred heb fod yn ffwndamentalydd neu'n llythrenolwr – roedd gormod o'r ysgolhaig ynddo i hynny. Camgymeriad, fodd bynnag, fyddai meddwl am ei ddiwinyddiaeth fel athrawiaeth ddiwyro. Eclectig yn hytrach na systematig oedd ei syniadaeth ym marn Dr Dafydd Densil Morgan, gan ei fod yn teilwrio a chymhwyso ffrwyth syniadau diwinyddion ac athronwyr ei ddarllen eang i'w safbwyntiau pendant ei hun.[3] O fewn y fframwaith amrywiol eang hwn yr oedd lle yn ei syniadaeth i feddylwyr mor amrywiol â Thomas à Kempis a Morgan Llwyd, Emrys ap Iwan a Soren Kierkegaard, Emil Brunner a Saunders Lewis.

Y dylanwad allweddol o ran crefydd a chenedlaetholdeb Valentine oedd cymuned Capel Bach Bethesda a chymdeithas Gymreig Llanddulas. Ar un wedd gellid dweud mai amddiffyn y gwerthoedd a gafodd gan ei fro a'i aelwyd a wnaeth Valentine trwy ei fywyd, gan ei fod yn tybio eu bod dan fygythiad oddi wrth 'baganiaeth' Prydeindod modern. At ddylanwad y Llan gellir ychwanegu dau ddylanwad ffurfiannol creiddiol arall – y

Rhyfel Mawr ac yn enwedig agwedd drahaus dosbarth y swyddogion Seisnig, a Gwrthryfel Iwerddon. Gwnaeth y naill ef yn heddychwr gwrth-imperialaidd o argyhoeddiad, tra profodd y llall iddo y gallai cenedl fechan frwydro'n llwyddiannus am ei rhyddid oddi wrth Lywodraeth Lloegr.

Dyfodol y Gymru Gristnogol oedd maes llafur mawr ei fywyd, ac ar un wedd digon tywyll yw'r rhagolygon ar gyfer y pethau oedd yn agos at ei galon. Yn ei flynyddoedd olaf petrusai Valentine am ddyfodol y Gymru Gymraeg, gan weld y perygl gwirioneddol y byddai yr hyn a oedd yn weddill o'r Fro Gymraeg yn wynebu'r un ffawd gwladychol â chymuned Gymraeg Llanddulas. Yr oedd y gynneddf broffwydol ynddo hyd y diwedd, wrth rag-weld bod "Saeson Cymru yn gwneud eu gorau i greu llester yng Nghymru megis yn Iwerddon. Fy mhoen fawr, fawr i ydyw meddwl yr helbul sydd yn aros y genhedlaeth ar ei phrifiant yng ngwyneb Lloegr, a'r gobaith gwan sydd iddynt am gymorth o'r Gymdeithas grefyddol".[4]

Er hynny, fe wireddwyd llawer iawn o'i obeithion gwleidyddol. Cafwyd mesur o ymreolaeth yn 1997, a llwyddodd y Gymraeg i ennill tir ym mywyd cyhoeddus Cymru. Gellid dadlau, oni bai am 'ddaeargryn fawr' 1936, y byddai Cymru mewn gwaeth cyflwr. Hinsawdd politicaidd cwbl wahanol a oedd yng Nghymru ieuenctid Valentine, ac mae'n anodd iawn dirnad yr awyrgylch o Brydeindod a difaterwch hollbresennol a oedd yn wynebu sylfaenwyr cynnar y Blaid Genedlaethol. Fe roddwyd cychwyn ar rywbeth 'chwyldroadol' mewn ystyr seicolegol os nad dim byd arall, ac fe geisiwyd cael y Cymry i feddwl am eu hunain fel cenedl aeddfed am y tro cyntaf ers canrifoedd. Oni bai am weithred Penyberth, tybed a fyddai gan Gymru arwyddion dwyieithog, diwydiant cyfieithu ac S4C, neu hyd yn oed y Cynulliad ei hun? Ai Penyberth, felly, yw'r trobwynt yn hanes y mudiad cenedlaethol? Dyna oedd safbwynt Valentine ei hun ddeugain mlynedd wedi'r llosgi mewn llythyr at Saunders Lewis: "Beth pe bai'r arweiniad hwnnw heb ei roddi i Gymru y pryd hynny? Arswydaf wrth feddwl, er cynddrwg yw hi arnom, y llanast a fyddai yma heddiw."[5]

Yr oedd crefydd a Chymreictod yn anwahanadwy iddo. Yn y cyfweliad teledu gyda Raymond Edwards yn 1968 mynegodd ei gyffes ffydd yn eglur: "Cymro Cymraeg ydwyf a Christion. Yn y Gymru Gymraeg Gristnogol hon yn unig y mae fy niddordeb, ac iddi hi dan Dduw y rhof fy mywyd."[6] Ychwanegodd fod yna rywbeth afresymegol yng ngoroesiad y genedl:

> Yn ôl pob rhesymeg dylai Cymru fod yn farw gelain ers blynyddoedd lawer – ei mynych goncro gan elynion oddi allan, ei meibion ei hun yn cywilyddio wrth ei heiddilwch ac yn ei gwrthod, colli ei phendefigaeth, llygru ei gwerin hithau gan addewidion gwagsaw gwleidyddion, ond trwy'r cwbl oll y mae wedi dygnu byw...[7]

Er gwaethaf yr erydu parhaus, gwrthodai fod yn anobeithiol. Gwaith Rhagluniaeth ddistaw oedd parhad y genedl i Valentine, ac roedd yn grediniol hefyd fod y Rhagluniaeth hon ar waith o hyd: "Y mae Duw," meddai, "yn camu i ganol hanes dynion er lliniaru effeithiau eu hurtrwydd, ac yn ymyrraeth yn annisgwyl er mwyn arafu eu dig a dwyn daioni allan o ddrygioni."[8]

Os oedd yn argyhoeddedig bod Rhagluniaeth Duw ar waith yn y byd, credai hefyd mai trwy ewyllys a gweithredoedd pobl y deuai gwell tro ar fyd yng Nghymru. Ni hoffai tueddiad y Cymry i edrych yn hiraethus at ryw orffennol delfrydol, a theimlai'n gryf mai mewn brwdfrydedd ac egni pobl ifanc yr oedd y gobaith am yfory gwell. Gwell edrych at ysgogi cenhedlaeth newydd i bledio achos Cymru Gymraeg Gristnogol, a dyna oedd byrdwn llythyr ganddo at O M Roberts a rhai o gefnogwyr Plaid Cymru ar ôl Refferendwm trychinebus 1979:

> Nid oedd ynom y mymryn lleiaf o amheuaeth yn iawnder ein hachos, ac nid oes fymryn o hynny heddiw ychwaith... a chredaf yn ddiysgog na ddaw fawr o drefn ar ddim yng Nghymru, na'i chrefydd na'i gwleidyddiaeth na'i diwylliant, hyd nes bo parhad y genedl a'r iaith wedi ei sicrhau. Chwi sy'n iach a heini peidiwch ac oedi yn rhy hir gyda ddoe, ond rhowch eich deng ewin ar y dasg sydd wrth ein drws heddiw, a derbyniwch fendith hen gleriach fel fi![9]

ATODIADAU

ATODIAD I

Cynhwysir yma atgofion Samuel Valentine o'i blentyndod a'i ddyddiau yn y pyllau glo yn Lloegr ac ardal gogledd-ddwyrain Cymru. Mae'n debyg iddo lunio'r ysgrif ychydig fisoedd cyn ei farw yn 1940; fe'i cyhoeddwyd am y tro cyntaf gan Lewis Valentine yn *Seren Gomer* yn 1954. Adeg cyhoeddi'r erthygl hon yn *Seren Gomer,* dywedodd D J Williams ei bod yn "ddogfen gymdeithasol o wir bwys, a'r caswir a ddywedir ynddi am gyflwr rhai pobl a phethau bron yn anghredadwy. Mi allai ond gweddi daer y sant godi dynion uwchraddol mewn ysbryd a gweledigaeth o bydew mor dywyll â hyn".

ATGOFION SAMUEL VALENTINE

Fe'm ganed mewn pentref bach gwledig a dinod, ond pentref, er hynny, sydd yn gysegredig iawn yn fy ngolwg, ac yn ardd Paradwys i mi. Prin oedd y tai yn y dreflan ar gyfer y trigolion, ond yr oedd fy nghyfoedion a gyd-chwaraeai â mi yn niferus, a rhedem a neidiem fel ŵynos ar hyd yr heolydd culion heb neb na dim yn aflonyddu arnom. Croesodd y rheini erbyn hyn i'r ochr draw a'm gadael innau'n unig yn yr anial.

Erys amryw o'r hen breswylwyr yn fyw yn fy nghof, a bu iddynt ddylanwad mawr ar fy mywyd. Nid byth yr anghofiaf yr hen amaethwr John Rolant oedd fel ystyllen fodfedd yn siglo o flaen pob awel o wynt, ond un o saint mawr yr Arglwydd ydoedd ef, a chariai ddylanwad ar y dynion mwyaf annuwiol. Coffa cas hefyd am yr hen John Roberts, Pen-y-Maes, hen lari mawr brwnt o ddyn a gaseid gan holl blant y gymdogaeth. Yn aml cawsom ganddo'r ffon a'r chwip ar ein cefnau am ddim ond chwarae ar y groesffordd o flaen ei dŷ. Cofiaf am amryw o'r hen gymdogion a amrywiai mewn daioni a duwioldeb ac mewn bryntni a chasineb. Ciliasant o fro'r byw, ond gwn bod iddynt anfarwoldeb ynof fi, y maent yn rhan o ddeunydd fy mywyd, o we ac ystof fy einioes.

Y mae'r hen fwthyn y'm ganwyd ynddo wedi ei chwalu, ond bu yn nodded ac yn gartref i un o enwadau parchusaf y fro, ac yno y dechreuodd un o'r achosion gorau sydd yn yr ardal. Bu teulu fy nhad yn cartrefu am genedlaethau yn y fro, ond estrones oedd fy nain o du fy mam a ddaeth o ardal dros y Clawdd. Y mae gennyf gof byw iawn am fy nain o ochr fy nhad – hen ddynes fechan, fechan, a arferai weddïo a darllen rhan o'r Ysgrythur bob diwetydd yn ei bwthyn, ac yn diweddu pob gweddi gyda'r geiriau Saesneg hyn:

> Mathew, Mark, Luke and John,
> That is the way to drive on.

Crydd oedd fy nhad, crydd gwlad, ac yn llawn gwaith bob amser, a gweithiai hwyr a bore'n ddibaid, a chlywid ei forthwyl yn cnocio'r lledr hyd un a dau o'r gloch yn y bore. Parodd hyn i rai pobl gredu bod ysbryd yn poeni'r fro, ac yn peri rhyw gnociadau rhyfedd yng nghefn trymedd nos. Nid oedd dim byd neilltuol yn fy nhad, a thu allan i'w waith nid oedd ganddo ddiddordeb mewn dim.

Ond gwraig anghyffredin oedd fy mam, a bu hi'n wraig dda i'm tad, ac yn fam rhagorol i'w phlant niferus. Yn un o ddiwygiadau y genedl y daeth fy mam i arddel crefydd gyntaf. Y mae gennyf gof byw am y cyffro ac am weld fy mam yn cael ei bedyddio yn un o lynnoedd yr ardal, a chofiaf amdani yn athrawes yn yr Ysgol Sul. Yr oedd ganddi ddosbarth mawr o wragedd priod na fedrai ddarllen, a chofiaf am ddeunaw neu ugain o'i dosbarth yn eu dagrau ar lan ei bedd ddiwrnod ei harwyl, yn fawr iawn eu galar ar ôl gwraig tra ragorol.

Pan feddyliwyf am ddodi ar glawr fy atgofion yr wyf ar goll yn lân, ond cofiaf fy mod yn rhywbeth tebyg i fechgyn eraill yr ardal, ac mewn helynt yn fynych fel y mae plant yn gyffredin. Yr oeddwn ar ryw sgwat plentynnaidd beunydd, yn torri trwy'r gwrychoedd, a rhedeg dros y caeau, a chael ein hymlid gan bobl ddiras am hynny. Euthum i'r ysgol am ychydig fisoedd, a dyna'r pryd y deuthum i wybod bod mwy nag un iaith yn y byd, a chefais yr argraff mai amcan gwaith ysgol oedd troi pawb yn Saeson, a llawer gwaith y cefais y gansen am siarad Cymraeg ac am fethu â siarad Saesneg, a dyna'r adeg y dechreuodd ddyfod i'm calon ddicter mawr tuag at Saeson oherwydd eu trahauster. Peth arall na allwn ei oddef oedd cyrchu i'r eglwys wladol ar ddydd Mercher Lludw i wasanaeth y prynhawn, a chefais y gansen droeon yn yr ysgol am beidio â mynd, a byth er hynny â chansen y cysylltaf hen Eglwys Loegr.

Yn fuan iawn wedi gadael yr ysgol cefais i gyfle i weithio yn y pwll glo, ac un bore, a minnau'n llawn wyth oed, codais am hanner awr wedi pedwar a llanc llawen oeddwn ar y ffordd i'r gwaith am y tro cyntaf. Dechreuasai fy mrawd hynaf yn y gwaith o'm blaen, ac yr oedd yn gweithio tan y ddaear o chwech yn y bore bach hyd chwech yn yr hwyr am ddeng ceiniog y dydd.

Pan ddechreuai bachgen weithio yn y pwll y pryd hynny yr oedd rhaid arno ymladd â bechgyn oedd yn y gwaith o'i flaen, a gwae yfo oni fyddai'n ddigon cryf i drechu bwli'r gwaith. Rhaid oedd arno ymladd y bechgyn fesul yr un, a hen arferiad ddigon bront ydoedd, ond yr oeddym ninnau'n callio wrth fynd ymlaen. Y mae Afoneitha – dyna oedd enw'r pwll y dechreuais weithio ynddo, ei olion yn unig sy'n aros erbyn hyn – wedi darfod derbyn hyn, ond erys fy atgofion amdano yn glir iawn. Ar hanner awr brecwast ac awr ginio cyfarfyddai rhyw ugain ohonom, ac yr oedd yr ugain yn amrywio mewn ardal ac enwad, a difyr iawn oedd y seibiannau hyn. Pregethwyr a'u testunau a'u pregethau oedd dan sylw amlaf, ac yn fynych deuai gwersi'r ysgol Sul i'r bwrdd, a brwd oedd y dadlau, yn enwedig ar egwyddorion gwahaniaethol yr enwadau, a thybiai rhai ohonom ein bod ni'n dipyn o ddiwinyddion. Aethai'r dadlau'n ffraeo'n fynych, a llawer gwaith y gwelais glensio dadl â dyrnau, ond bu'r dadleuon hyn yn dra buddiol i mi ymhen amser wedyn, ac yn elw mawr.

Soniais fel yr oedd yn rhaid i fachgen newydd ymladd â'r bechgyn oedd yn y lofa o'i flaen, a daw'r cof yn fyw i mi am un Joe Lewis, oedd yn fwli mawr a'r cyntaf bob amser i ymosod ar fachgen newydd. Yr oedd Joe yn rhyw bymtheg mlynedd yn hŷn na mi ac ato ef yr euthum i weithio gyntaf. Un cas a brwnt ydoedd ac un diwrnod cefais andros o gweir ganddo, a derbyn y cweir a wneuthum a chrïo fel baban dol. Yn y man daeth Ned Jones heibio i mi a gofyn beth oedd y mater, a dywedais innau mai Joe oedd wedi fy ngolchi a'm curo. "Wel," meddai Ned "os wyt ti am adael i Joe dy olchi di, mi dy olcha innau di hefyd." Yr oedd arnaf fwy o ofn Ned Jones na Joe Lewis hyd yn oed, a sychais fy nagrau a mileinio f'ysbryd, a phan ddaeth Joe ataf rhuthrais arno fel tarw, a'i daflu ar wastad ei gefn i ffos o ddwfr, a rhoi fy nhroed ar ei frest a'i ddal i lawr. Credaf y buaswn wedi boddi'r bwli onibai iddo erfyn yn daer am drugaredd, ac addo ymddwyn yn well. Bu'n ffrind mawr i mi ar ôl hynny, ond y diwrnod y trechais ef bûm yn agos â bod yn llofrudd, ac wedi ei drechu ni bu'n rhaid i mi ymladd â neb arall.

A minnau'n sôn am ymladd, yr oedd y cyfnod hwnnw yn enwog am ei ymladdwyr, ac nid oedd dyn yn neb onid oedd yn dipyn o baffiwr, a phaffio oedd diwedd pob ffrae a ddigwyddai ymysg glowyr y pryd hynny, mewn gwaith a thafarn a ffair. Weithiau neilltuid diwrnod cyfan i ymladd, a pheth cyffredin oedd gweld bach a mawr, dynion a merched, yn fedlam wyllt, yn dyrnu ei gilydd ar adegau felly. Yr oedd Dôl y Pentre ym Mhenycae yn llawn o *rings*, a chyrchai pobl iddynt i dalu'r hen chwech i'w gilydd. Bûm yn gwylio dynion a merched yn darn ladd ei gilydd ar fy ffordd adref o Afoneitha', yn y Pentre, ac yr oedd dyrnau'r dynion yn ddidrugaredd, a thynnai'r merched walltiau'i gilydd yn fileinig. Llawer un a welais yn syrthio i'r llawr mewn llesmair, a gorwedd yno'n llonydd rhwng byw a marw hyd nes elai'i storm heibio.

Cofiaf am Twm Owen, y Pentre, a Huw Elias, a Dic Jones bach – triwyr lleiaf yr ardal, yn ymladd beunydd a'i gilydd, ac am Wil Ann Fawr o'r Rhos a Dei Llwyd a Twm Rhichards y Pentre, a Robin Drefechan, yn ddynion mawr a chryfion a'u dyrnau fel morthwylion gefail y gof, a'r rhain oedd fy arwyr mawr innau. Llawer o ddifyrrwch a gawsom yn enwedig ar brynhawnau Sadwrn, yn rhedeg o'r naill fan i'r llall er mwyn gweld rhai a alwyd yn ddynion yn dangos mawr allu i archolli a niweidio ei gilydd. Cofiaf mai lleoedd geirwon am fedd-dod a thywallt gwaed a phaffio oedd ffeiriau'r Rhos a Rhiwabon a Chefn Mawr, ac yn neilltuol felly ffair Wrecsam, a deuai glowyr ac amaethwyr a chrefftwyr yn lluoedd i'r ffeiriau hyn.

Cyfnod caled oedd y cyfnod i blant a weithiai yn y lofa, a derbynnid y pryd hynny blant o wyth i ddeg oed i weithio yn y pwll. Syniad yr hen bobl y pryd hynny oedd mai dysgu diogi i blentyn oedd ei gadw o'r pwll hyd nes ei fod yn ddeuddeg oed. Ac yn wyth oed yr euthum i'r pwll, ac yn gyntaf peth bu'n rhaid i mi ymorol am wregys lledr. Yr oedd bwlltid ar y gwregys a chysylltid honno â chadwyn gref. Am fy nghanol wrth gwrs y gwisgwn y gwregys, a bechid y gadwyn wrth gar llusg a ddaliai o dri i bum cant o lo. Fy ngwaith oedd llusgo'r llwythi hyn ar fy nhraed ac ar fy nwylo am ddeg i ddeugain llath am ddeuddeng awr bob dydd, ac amrywiai'r swm o lo a symudid mewn diwrnod o ugain tunnell i ddeg tunnell ar hugain. Gwnâi mulod y gwaith hwn ambell dro, os digwyddai'r ffordd fod yn bell a throm, ond yr oedd yn rhaid i ni'r bechgyn fachu'r gadwyn oedd am ein gwregys gyda'r mul wrth ben blaen y car llusg, er mwyn medru ei droi yn ôl a blaen rhag iddo daro yn erbyn y coed oedd yn dal y to. Wrth wneuthur hyn yr oedd y bechgyn yn brifo'n aml, ac ambell dro yn torri braich, a byddai'r mul weithiau'n afrywiog ei hwyl ac yn ysgythru 'mlaen a'r car yn taro'r coed oedd yn dal y to, a disgynnai hwnnw arnom a'n hanafu'n dost, ac weithiau ladd rhai. Gwnaethpwyd llawer iawn mwy o stŵr pan leddid mul na phan leddid bachgen, canys yr oedd gwerth ar ful, ond isel iawn ei bris oedd bachgen yn y farchnad lo y pryd hynny.

Yn Afoneitha' y pryd hynny yr oedd dyn dall o'r enw Sam Jarvis yn gweithio – clamp o ddyn cadarn a chryf fel cawrfil. Medrai wneud mwy o waith na dau ful, a llusgai'r car yn ôl a blaen trwy gydol y dydd, o fore hyd hwyr. Ef oedd y dyn gwerthfawrocaf yn y gwaith, a bu cais droeon i ostwng ei gyflog am ei fod yn ddall, ond ni fynnai hynny ddim – hawliai ei gyflog fel dyn cyffredin arall, ac oni chaffai hynny bygythai symud i le arall, a thalu iddo a wnâi'r perchenogion yn hytrach na'i golli.

Arfer y gwaith oedd rhoddi pum cannwyll i bob dyn a bachgen am ddiwrnod o ddeuddeg awr – canhwyllau gwêr main hen ffasiwn, a rhyw bum modfedd o hyd iddynt, a disgwylid i bob cannwyll bara am dros ddwyawr. Yr oedd hyn yn burion i ddyn a weithiai ei dwrn yn ei unfan ac yn medru cysgodi ei gannwyll, ond i'r neb oedd yn gorfod symud o gwmpas a chario ei gannwyll gydag ef trwy fannau gwyntog darfyddai'r pum cannwyll ymhell cyn pryd, ac weithiau llosgasai'r stoc canhwyllau cyn hanner dydd. Anodd iawn oedd cael cyflenwad ychwanegol, a rhaid oedd arnom orffen y gwaith mewn tywyllwch. Nid oedd hynny mor anodd canys yr oeddym yn gwybod trwy reddf am bob trofa a phob perygl, ac am y coed yr oedd yn rhaid eu hosgoi, ond gwae ni os oeddym yn methu â chyflawni'n gofynion.

Arferiad y cyfnod oedd bod dyn neu ddau yn derbyn y pwll ar osod gan y perchennog ac yn dwyn pob cyfrifoldeb – yn llogi'r dynion a thalu iddynt ac edrych ar eu holau. Y perchenogion oedd yn talu i'r seiri ac i'r gofaint ac yn prynu'r haearn a'r coed at eu gwaith. Yr oedd tri phwll yn Afoneitha' a dyn o'r enw Jacob Phillips oedd y cymerwr yn un, a Nedi Jones a Nedi Valentine yn y llall, a Richard Williams a Dafydd Roberts yn y trydydd, ond fel Dic y bol haearn a Dafydd yr efail dân yr adnabyddid hwynt. I'r ddau Nedi yr oeddwn i yn gweithio, a Nedi Jones oedd y giaffer arnom. Pur frwnt oedd y dynion y pryd hynny wrth fechgyn – eu cicio a'u baeddu yn ddigydwybod – er nad oedd gan y dynion hyn hawl nac awdurdod i gyffwrdd â hwynt. Ar y cyfan dynion go lew oedd y giaffariaid, ond ceid ambell ffŵl anwaraidd yn eu mysg hwythau. Dyn diniwed iawn oedd Nedi Valentine ac yn gadael pob gofalu ar Nedi Jones a dyn neilltuol o dda oedd hwnnw a'r cymhwysaf i'r safle yr oedd ynddi. Nid ymddygai byth yn amhwyllog, ac ni chlywid llw na rheg o'i enau, nid oedd yn fygythiwr nac yn darawydd, dyn a Christion a diacon yn Eglwys Grist, a hoffai helpu'r bechgyn. Er hynny yr oedd ei ddisgyblaeth yn llym, a siaradai gydag awdurdod, a phan roddai orchymyn yr oeddym yn ufuddhau iddo'n ebrwydd, canys nid gŵr ydoedd ef i ddywedyd dim ddwywaith wrth neb. Parchai Nedi Jones y bechgyn a pherchid yntau. Ond fel y dywedais yr oedd rhai dynion annosbarthus yn cam-drin y bechgyn, a gair am air a thafod am dafod oedd hi gyda rheini, a gwaeth yn aml.

Dull Nedi Jones oedd gadael i fachgen roddi prawf ar y gwaith ac os oedd yn methu â'i gyflawni cynghorid ef i'w adael. Daeth bachgen go fawr unwaith i'r pwll, ac wedi dechrau ar rhyw waith y mae'n mynd at Nedi Jones ac yn dywedyd wrtho, "Meistar, ni fedraf wneud y gwaith". "Yr wyt ti ddigon o maint i'w wneud o", meddai Nedi wrtho, ac atebodd y bachgen, "Y mae buwch yn ddigon o maint i ddal 'sgyfarnog, ond fedar hi ddim er hynny".

Coffa da am y dynion chwareus a direidus a weithiai yn y pwll yn Afoneitha' – yr oeddynt yn sirioli llawer ar ein bywyd ni. Mred y bander oedd un o'r rheini, hen fandmastar ydoedd ac yn gerddor da ac yn ffraeth iawn ei stori. Canai ei ddarnau dewisol ar ei gornet arian nes gwefreiddio'r bobl, ac wrth wrando ar ei storïau a'i ddywediadau ffraeth yr oeddym yn anghofio pob bryntni a chaledwaith. Un o'r difyrraf o ddynion hefyd oedd Twm Thomas o'r Tai Nant a honnai ei fod yn fardd, ac yr oedd yn ffraeth ddigon. Yr oedd Twm a Mred yn gyfeillion go bybyr, ac yng nghwmni'r ddau yr oeddwn ar fy uchel fannau. Rhywbeth fel hyn yn gyffredin oedd rhigymau Twm:

'Rwy'n canu pwt o bennill
A hwnnw'n bennill tlawd,
Fod Ned fy mrawd yn priodi,
Â morwyn John y blawd.

Un diwrnod gorffennodd Twm ei dasg yn o fuan a cheisiodd Mred ganddo aros i'w helpu ef, ond meddai Twm wrtho ar darawiad:

Mae deugain llath yn ddigon,
A cherdded i'r Tai Nant,
A chario 'mwyd 'ynghanlyn
A nyrsio dau o blant.

A dyma ei bennill i siopwr go grintach a wrthododd roddi nwyddau o'i siop i Twm am nad oedd yn gwsmer rheolaidd:

Yn Nhai Nant wrth fin yr afon
Y mae siopwr bach digalon,
Pur annethe
Heb ddim pethe
Ond i'r sawl sy'n delio'n gyson.

Ymhlith gweithwyr y lofa hon yr oedd gŵr o'r enw Job – nid o wlad Us – roddai lawer o ddifyrrwch inni. Un diwrnod ceisiai'r gweithwyr am gennad i fynd adref am hanner dydd am fod ffair yn y Rhos, ond gwrthododd y meistar y cais am fod y galw am lo yn fawr, ond yr oedd Job a'i dric yn barod. Y mae'n ei osod ei hun yn ei gwrcwd ar waelod y car oedd yn dal y glo, a llwythwyd y glo arno a'i gladdu a'i yrru felly i ben y pwll. Merched oedd ar y bonc y pryd hynny, a phan ddechreuasant chwalu'r glo cododd Job a dychrynu'r merched, a ffoisant hwythau am eu bywyd yn ddigon pell. Galwodd Job a'r ei gydweithwyr yn y gwaelod, a dywedyd bod y merched wedi ffoi i'r ffair ac nad oedd neb yno. I'r ffair yr aeth pawb, ac nid oedd Job byth yn brin o driciau cyffelyb pan fo galw.

Daeth cyfnod Afoneitha' i ben a chwalwyd y gweithwyr i weithio mewn pyllau eraill yn yr ardal, a golygai hyn newid cymdeithas, a chyfnewid er gwell ydoedd. Ond nid oedd yn well ymhopeth, ychwaith. Daeth gwell byd i'r glöwr a gwell amgylchiadau byw, dilëwyd y gwregys a'r gadwyn a daeth cyfraith i amddiffyn bechgyn rhag eu baeddu a'u cam-drin. Yr oedd disgwyl am leihau oriau gweithio a chodi cyflogau – yr oedd y cyffro wedi dechrau a ninnau o bell yn gweld yr amser dedwydd yn nesáu.

Pan oeddwn o'r pymtheg i'r dwy ar bymtheg mlwydd oed yr oedd masnach ar ei llawn hwde, a gwerth masnachol dyn yn uwch nag y bu erioed o'r blaen. Daeth newid ar fyw a bywyd – cwtogwyd oriau gweithio a chodwyd cyflogau, ac enillwyd mwy o hamdden, a thros dro collodd rhai gweithwyr eu pennau a diota'n rhemp a byw'n afradlon, a phan ddaeth y dirwasgiad drachefn yr oeddynt ar eu cythlwng mawr.

Nid oedd nwy danllyd mewn pyllau fel Afoneitha', pyllau a amrywiai mewn dyfnder o ddeuddeg i hanner cant o lathenni. Y nwy oedd yn blino'r gweithwyr oedd y ddamp ddu a'r ddamp wen, ac yn y pyllau oedd wedi eu hagor ar ochr isaf y Malc Mawr y ceid hyn. Y mae'r haenau glo yn y rhain yn amrywio o bedwar i saith cant o lathenni o ddwfn, ac yma y digwydd y tanchwâu dychrynllyd. Gwelais amryw o fân ddanchwâu, a bûm mewn tair danchwa gref. Yn y ddanchwa gyntaf anafwyd deuddeg a bu pob un farw o'i niweidiau, y naill ar ôl y llall, yn ystod rhyw dair wythnos o amser. Yn y llall fe laddwyd deuddeg ar hugain, ond ni welais yr un o'r cyrff y tro hwn, ond wrth ddianc gwelais geffyl wedi ei ladd. Bu raid cau'r pwll hwnnw a gadael ugain corff dan y ddaear, a chafwyd y cyrff pan ail-agorwyd y pwll ymhen y flwyddyn. Mewn pwll arall yr oeddwn yn gweithio ynddo cymerth y nwy dân mor sydyn â'r fellten, ac yr oedd fflam drwchus uwch ein pennau, a ninnau'n gorwedd yn fflat ar y gwaelod, a diferion tân yn disgyn fel glaw ar ein croen noeth. O fewn teirllath i mi yr oedd tri dyn arall wedi eu dal ynghanol y fflam ac yn gweiddi am help, ond nid oedd modd gwneuthur dim erddynt hyd nes i'r ffrwydriad ddigwydd. Dyma'r adeg y daw'r gwynt mawr a hyrddio darnau o lo a cherrig fel ergydion o wn.

Ni allaf feddwl am ddim byd mwy ofnadwy na bod mewn tanchwa pan fo dynion ynghanol fflam fel fflam tân ffwrn eiriasboeth. Y ffrwydriad sy'n achosi'r gwynt mawr ac yn hyrddio'r glo a'r cerrig i bob cyfeiriad, a theflir y dynion ganddo a'u lluchio fel haid o frain, a mawr yw'r difrod ar fywydau dynion. Truan o'r glöwr! Daw ei beryglon ato o bob cyfeiriad, o dde ac aswy, oddifry uwch ei ben ac oddi obry dan ei draed. Y mae'r haenau glo yn amrywio yn fawr mewn maint, o ugain troedfedd, a bûm yn gweithio ar bob mesur o haen, a pho dewaf yr haen mwyaf y perygl.

Gweithiais o dro i dro gyda Saeson a Gwyddelod a Ffrangwyr, a chefais hwynt yn bobl ddigon caredig ac eithrio ambell i frolgi o Sais a ddirmygai'r Cymry, ac unig siawns Cymro i ennill parch Sais oedd bod yn gystal gweithiwr ag ef neu'n well. Gan imi fynd i Loegr yn ifanc – dwy ar bymtheg oed oeddwn i yn croesi'r Clawdd – nid oeddwn wedi caledu ar gyfer gwaith garw iawn, a gwahanol oedd y dull o weithio glo yn Lloegr wrth ein dulliau ni yng Nghymru, a gwaeth oedd hi arnaf o'r herwydd. Ond wrth bartnera â dynion go dda yr oedd yn rhaid dygnu arni o ddifrif. Llawer diwrnod yr oeddwn yn rhy llesg i gerdded adref gan mor galed y bûm yn gweithio rhag bod yn ôl i'r un ohonynt. Ond wrth dyfu a chryfhau am ymarfer deuthum yn ddigon cryf a beiddgar fel nad oeddwn yn malio catied o fanus mewn Sais na neb arall, a phenderfynais ddal fy mhen i fyny.

Y lle cyntaf imi fynd iddo wedi gadael cartref oedd ardal yn Neheudir Swydd Stafford o'r enw Headnesford yng nghymdogaeth Channock Chase. Yr oedd llawer glofa newydd eu hagor yno, a phobl wrth y cannoedd yn dyfod i fyw i'w lle, ac yn eu plith, yr oedd gwehilion pob cenedl, a phrin oedd y gweithwyr a'r cyflogau yn awr. Dyma'r lle mwyaf annuwiol y bûm ynddo erioed – meddwi a phuteinio a phob aflendid ar eu llawn redeg – ail i Sodom oedd y lle brwnt yn fy ngolwg. Ac eto yr oedd rhyw nifer o bobl dda iawn yno. Ymhen rhyw naw mis wedi i mi fynd yno slaciodd y farchnad lo, a daeth anghyflogaeth a gostyngiad cyflogau, a deuthum i a channoedd eraill yn ôl i Gymru, ac o'm rhan fy hun meddyliais na chefnwn ar fy ngwlad byth mwy.

Ond rhywsut yr oedd pethau wedi newid yng Nghymru. Saeson bocsachus oedd yr uchel a'r isel swyddogion yn y pyllau, a thrwm a gormesol oedd eu llaw ar y gweithiwr, yn enwedig ar y rhai hynny nad oeddynt yn ddigon gwasaidd i'w hanner addoli, a chan fod gwaith yn slac hefyd yr oedd yn ddigon anodd i ddyn gael ei big i mewn yn unman. Methais â chael bargen fy hun, ond cefais waith gan eraill am bedwar swllt y dydd. Ymhen wythnos neu ddwy aflonyddwyd arnaf – daeth y fformon ataf a'm gorfodi i bartneru â rhyw Sais oedd wedi cymryd contract i goedio ffordd yn y pwll, a bach iawn oedd y tâl a gynigid i mi, a gwrthodais. Cytunais o'r diwedd i roddi prawf ar y gwaith am un twrn, a dau a naw oedd fy enillion ar derfyn hwnnw, ac nid euthum yno mwy. Deuthum i'r penderfyniad ei bod hi'n haws dioddef Sais yn ei wlad ei hun nag yng Nghymru, a pharatoi i roddi cynnig ar Loegr unwaith eto. Bu'n galed gadael cartref y tro hwn, ac nid anghofiaf byth yr olwg oedd ar fy mam pan drois i edrych arni. Euthum i le o'r enw Chesterton yng ngogledd swydd Stafford heb fod ymhell o Hanley. Yr oedd llawer o Gymry yno a chapel Cymraeg hefyd, ac enillais lu o gyfeillion o wahanol ardaloedd Cymru. Lletywn â chefnder i mi a'i wraig, ac un garedig a llawen oedd hi hefyd. Bûm yno am rai blynyddoedd, ond pan gynyddodd eu teulu symudais at gwpl llednais a chrefyddol ac aros ar eu haelwyd hyd ddydd fy mhriodas innau.

Yr oedd amryw o gymeriadau doniol yn Chesterton. Cofiaf am Amos Griffiths o'r Rhos – yr oedd ganddo dri neu bedwar o feibion go anodd i'w codi yn y bore, ac yntau wedi hen flino galw arnynt. Un bore y mae'n mynd allan i ganol yr heol a gweiddi ar uchaf ei lais, "Fy mhlant i fydd y rhai olaf yn codi ym more'r Atgyfodiad", a byth ar ôl hyn yr oedd graen ar y codi bore. Yr oedd yno hefyd rhyw Elias Roberts, yntau o'r Rhos, a chelwyddgi mawr oedd hwn, a'i ddifyrrwch mawr oedd adrodd eu helyntion yn Awstralia, ond gorchestion ffug oeddynt, ond yr oedd wedi eu hadrodd mor aml fel y daeth i gredu eu bod yn llythrennol wir.

Yr oedd yno hefyd Ann ac Owen Jones o Sir Fôn – pobl garedig a llawen a phawb ar delerau da â hwynt. Yr oedd eu tŷ fel sioe anifeiliaid gwylltion a chratsis rownd muriau'r gegin o'r top i'r gwaelod, a llygod brithion a gwynion a chwningod amryliw a cholomennod ynddynt, a cherddai'r ieir i'r gegin lanestog.

Yn fuan wedi hyn priodais a chefnu ar y pwll, a thrwy berswâd fy ngwraig na fu mo'i glanach na'i doethach erioed, symudais i ardal ei chartref hi, ac yno ymhell o ardal y lofa y megais fy nheulu.

A heno "wyf cefndrwm, wyf trwm, wyf truan", ond y mae f'atgofion am fy mywyd fel glöwr a'r gymdeithas ddiddan honno yn fywiocach na dim arall yn fy nghof.

ATODIAD 2

ERTHYGL AC ANERCHIAD gan Lewis Valentine

CYMRU FEL Y CAREM IDDI FOD

(cyhoeddwyd gyntaf yn *Seren Gomer*, Mai 1936)

Yng Nghymru heddiw y mae breuddwydwyr yn lluosog, a meiddiant freuddwydio am bethau gwych i'w gwlad a'u cenedl, ac er annhebyced ydyw hynny hwy a orfydd yn y diwedd. Cynnwys breuddwyd mawr y rhain ydyw Cymru rydd a Chymru Gymraeg, a sylweddoli'r breuddwyd hwn yw fy ngobaith eithaf i am Gymru. Y mae Cymru'n gaeth am nad yw'n Gymraeg, ac am nad yw'n Gymraeg ac yn rhydd y mae'n anghyfrifol, ac ni bydd mawredd mewn crefydd, mewn llenyddiaeth, mewn gwleidyddiaeth, mewn un dim yn perthyn byth i bobl anghyfrifol. Eu tynged hwy ydyw dirywio yn boblach truan heb egni i ddim ond i ddilyn yn wasaidd eu concwerwyr.

1. **Byddai gan Gymru rydd a Chymraeg amgenach cyfundrefn addysg nad sydd ganddi yn awr.** Heddiw y mae y rhan fwyaf o ysgolion yn dysgu ein plant i wadu yr hyn a ddylai fod yn sanctaidd ganddynt, canys dysgant iddynt yn y pen draw i wadu eu hawliau – i wadu eu tras – i wadu sancteiddrwydd eu cenedl – i wadu eu cyfrifoldeb. Onid cam bychan sydd at wadu Duw a Christ a chrefydd? Nid yw'n syn yn y byd fod paganiaeth yn rhonc yng Nghymru heddiw. Beier addysg Cymru. Nid yw'n rhyfedd i un o wŷr blaenaf y genedl ddweud yn ddiweddar y byddai llawer pentref yng Nghymru yn fwy gwâr a diwylliedig a chrefyddol pe na chodid ysgol yno erioed. Yng Nghymru heddiw rhaid yw i enaid plentyn ymddatblygu yn ffordd cyfundrefn addysg estron ac ysbrydol – ni cheiff siawns i ddatblygu yn ffordd Duw. Gwir, ysywaeth, yw'r gŵyn fod

eglwysi'n aneffeithiol, ond pa beth arall a ellir ei ddisgwyl pan fo addysg wedi llofruddio eneidiau'r plant cyn i'r eglwysi fedru mennu dim arnynt.

Craffer ar y dyfyniad hwn o adroddiad ar le'r Saesneg yn y gyfundrefn addysg Seisnig: 'I blant Seisnig nid oes ffurf ar wybodaeth yn bwysicach na Saesneg, nid oes lenyddiaeth yn bwysicach na llenyddiaeth Saesneg – y mae'r ddau yn anhydor, a dyma'r unig sylfaen a eill fod i addysg genedlaethol. Nid yn unig y mae'r Saesneg yn gyfrwng ein meddwl, ond dyma'i ddefnydd a'i broses – dyma y meddwl Saesneg'. Darllener Cymraeg a Chymru i'r dyfyniad hwn, a cheir rhyw syniad o beth fydd addysg y Gymru rydd a Chymraeg y gwelwn o bell ei dydd yn dod.

2. **Byddai Cymru rydd a Chymraeg yn fwy moesol.** Nid yw gwlad gaeth byth yn uchel ei moesoldeb, canys gwlad ddigyfrifoldeb yw hi, ac ymglywed â chyfrifoldeb ydyw sail pob moesoldeb gwir.

Yr ydym yn hen gynefin â chlywed mai Cymru ydyw'r wlad fwyaf pwdr ei llywodraeth leol ym Mhrydain. Y mae gwŷr cyfrifol wedi ein cyhuddo'n agored o hynny, ac ni wrthbrofwyd eu cyhuddiadau. Ond ni ddylem ryfeddu dim os gwir y chwedl. Y mae'n ffasiwn heddiw edliw wrth Gymru ei phechodau ysgariad – y mae hi'n lladronllyd, yn gelwyddog, yn anniwair, yn ddioglyd. Atebwn ninnau nad oes dim arall i'w ddisgwyl. Y mae geiriau Emrys ap Iwan yn hysbys iawn: "Paham y mae'r Cymry mor chwannog i ddywedyd celwydd? Am eu bod yn llwfr. A phaham y maent yn llwfr? Am eu bod wedi eu llethu trwy hir ormes. Y mae pob cenedl yn chwanocach i ddywedyd celwydd na chenedl rydd ac annibynnol."

3. **Byddai Cymru rydd a Chymraeg yn fwy dedwydd.** Nid yw'n wlad ddedwydd heddiw. Y mae diffyg gwaith ac anghyflogaeth yn chwyrnach yma nag mewn unrhyw ddarn arall o'r wlad, nid cyni ydyw diffyg gwaith yma ond clefyd. A oes meddyginiaeth? Oes? Ond a dderbyn y genedl y feddyginiaeth trwy fynnu ei rhyddhau ei hun o'r sustem a ddaeth a'r helbul hwn arni? Bu degau o wledydd bychain cynddrwg eu byd a hithau, ond mynasant ryddid ac y mae mwy o lawenydd a llawnder yn eu mysg nag y bu erioed. Mynnai Cymru rydd a Chymraeg ei chysylltu ei hun eto wrth y tir a gwneud amaethyddiaeth yn brif ddiwydiant iddi.

Y mae colyn i ni yng ngeiriau yr Athro David Evans yn ei lyfr campus *Y Wlad*: "Nid oes amheuaeth yn fy meddwl i mai'r wlad fedr gadw'r tyddynnwr fydd y wlad orau yn y byd yn y flwyddyn 2000. Gwerth mwyaf y tyddyn yw'r dynion a godir yno nid y tatw. Atgofir fi am ddywediad hen dyddynnwr digon tlawd a gwrddais pan oeddwn ar daith yng Ngogledd Prwsia cyn y rhyfel. Gofynnais iddo pan oedd ef a'i wraig yn trin tywod ar gyfer hau, beth yn y byd allai dyfu mewn tir fel hwn. Unionodd ei gefn, ymwylltiodd ac atebodd, "dynion".

Anghyfrifoldeb Cymru sydd wrth wraidd ei holl helbulon – ei hafiechyd a'i diffyg gwaith erchyll – gwlad yw hi heb galon i wynebu ei phroblemau oherwydd nad yw hi'n rhydd.

4. **Byddai Cymru rydd a Chymraeg yn fwy crefyddol.** Y mae problem iaith, fel y gwelir hi'n llesteirio llawer ar grefydd heddiw, ond cofier mai heb iaith o gwbl y mae darnau helaeth o Gymru. Ni chredwn ddim yn hoff bwnc rhai o'n gwŷr cyhoeddus, sef 'cenedl ddwyieithog, canys ni all cenedl mwy na dyn wasanaethu dau arglwydd, ni all fynegi yr ysbryd sydd ynddi mewn dyw iaith, ni all ymhel â dau ddiwylliant.

Yma eto mae'n rhaid dyfynnu o Emrys ap Iwan:

> Y mae'n haws i genedl rydd ac annibynnol, ac i genedl a fo yn preswylio'n llonydd yn ei gwlad ei hun, gael hyd i'w Duw na chenedl ddarostyngedig neu genedl orchfygol. Y mae cenedl ddarostyngedig yn dueddol i fyned yn wasaidd, yn ddynwaredol, yn gyffredin ei syniadau, yn rhy lwfr i feddwl drosti ei hun, ac yn rhy lwfr i ddywedyd y gwir; a phan fyddo'r gyfryw genedl yn ceisio Duw, ei geisio y bydd er mwyn cael moethau neu anwes ganddo, ac nid er mwyn dyrchafu Ei enw trwy weithredoedd da. Pan elo teyrnas yn ymerodraeth orchfygol, y mae hi yn ymfalchïo, yn ymddirywio yn ei moesau, yn anghofio Duw ei gwneuthurwr, yn cyffroi llid cenhedloedd eraill, ac yn gwneuthur rhywbeth neu'i gilydd i sicrhau ei chwymp ei hun.

Anerchiad Lewis Valentine fel Llywydd y Dydd,
Eisteddfod Genedlaethol Llandudno, 1963

GAFAEL YR EISTEDDFOD

Y mae'n llawen gennyf gydnabod y mawr anrhydedd hwn a roddwyd arnaf, a datgan fy niolch i Gymry Llandudno am gofio am un a fu'n weinidog yr Efengyl yn y dref am dros chwarter canrif. Yn ystod y cyfnod hwnnw cyflawnais lawer stomp stremp, ond ni phallodd eu cyfeillgarwch na'u goddefgarwch, a diolch iddynt am yr arwydd ychwanegol hwn o'u hymddiriedaeth.

Meddai un o'm diaconiaid wrthyf ar derfyn y gwasanaeth nos Sul diwethaf wrth feddwl am y dasg oedd yn fy aros heddiw: "Y mae-nhw am eich ysigo y tro hwn," a chofio yr oedd o am y traddodiad gynt o alw gwleidydd enwog i lywyddu ar ddydd Iau yr Eisteddfod, ac er bod tafod arian y gŵr mawr hwnnw yn fud ers blynyddoedd, parheir i alw y difiau eisteddfodol hwn ar ei enw. Ond nid wyf finnau'n wleidyddwr o gwbl – dim ond i'r graddau y gorfodir heddiw bob dyn sy'n malio'r mymryn lleiaf am dynged Cymru i ymhél â gwleidyddiaeth, a bod noddi'r Eisteddfod yn ddarn pwysig o ddiwylliant gwleidyddol ein cenedl.

Bûm yn fy holi fy hun yn ystod y dyddiau diwethaf yma, ac yn ceisio darganfod beth ydyw cyfrinach gafael yr Eisteddfod arnom.

Yn un o bapurau cyfrifol Lloegr beth amser yn ôl, ar achlysur cynnal un o wyliau nodweddiadol y genedl honno, dywedwyd gan ysgrifennwr dawnus fod yr ŵyl fawr honno yn rhoddi gwarant i bob Sais i ymdreiglo ac ymdrybaeddu yn ein Cymreictod.

Un darn o gyfrinach gafael yr ŵyl hon arnom ydyw y cyfle a roddir i ni i'n hatgoffa ein hunain mai Cymry ydym ni, ac na allwn ni byth fod yn ddim amgen. Beth amser yn ôl yr oedd pedwar gweinidog yn cyd-deithio mewn trên, ac yn ymddiddan yn Gymraeg yn naturiol, ond dyma rywbeth tebyg i sgrech yn dyfod o enau gwraig oedd yn eistedd yng nghornel y cerbyd: "Yn enw Duw," meddai "ymatalwch rhag siarad y Gymraeg felltigedig yna, yr ydych yn crafu fy nerfau, a fedra i ddim dioddef yr iaith." Atebodd un o'r gweinidogion hi'n dawel: "Madam yr ydych yn camgymryd, nid Cymraeg yr ydym yn ei siarad ond Pwyleg, a Phwyliaid ydym ni." "O," meddai hithau, wedi swatio beth, "yr oeddwn i'n meddwl mai'r Gymraeg erchyll yna yr oeddych yn ei siarad, maddeuwch i mi am fy nghamgymeriad." Hyn yng Nghymru! O fewn maes yr Eisteddfod nid oes ben yn gwgu arnom am siarad Cymraeg na'r un swyddog trahaus yn codi ei ysgwyddau am ei gyfarch yn Gymraeg. Y mae hi yma fel y dylai hi fod trwy Gymru gyfan – yn gwbl rhesymol, yn gwbl gwrtais, i ni siarad Cymraeg. Yr oedd y Diwygwyr gynt yn Ffinlandia – a gwyn fyd na fuasai Cymru yn gytstad â'r wlad wiw honno – yn dyfod at ei gilydd i ryw fath o eisteddfodau llên gwerin, pan oedd eu hiaith yn fwy truan arni na'r Gymraeg heddiw, a'i phobl yn ansicrach ohonynt eu hunain, er mwyn atgoffa'i gilydd mai Ffiniaid oeddent – "nid Swediaid mohonom, nid Rwsiaid ychwaith, ond Ffiniaid". Yma cawn ninnau'r amheuthun o gyffesu: "Nid Saeson mohonom, nid Prydeinwyr ychwaith, ond Cymry, a Chymry a fynnwn fod am byth."

Darn arall o gyfrinach gafael yr ŵyl arnom ydyw'r cyfle a roddir i ni i'n hatgoffa'n hunain i'r genedl hon gyflawni gwrhydri a gorchest fawr, ac y dichon hynny eto, pan fo'r ewyllys ganddi. Yma yn y Creuddyn a'r cyffiniau y bu gwrthsafiad yn erbyn gelynion ein hiaith a'n cenedl na bu mo'i ddewrach yn hanes unrhyw genedl, ac oni bai am y gwrthsafiad hwnnw ni buasai yma Eisteddfod yr wythnos hon, na Chymraeg na chenedl y Cymry. Dibynnodd tynged Cymru un tro ar Gymry'r Creuddyn a Dyffryn Conwy, a gwych y derbyniasant yr her, a thalu'r pris a dwyn eu poen.

George Eliot a ddywed yn rhywle – a chofiwn mai Cymraes oedd hi:

> Gellir atal cenedl, gellir ei lluddias, geill ei hatgofion dor yn lludw llwyd o ddiffyg cydymgais a chyd-egnïo, geill enaid y bobl, sydd yn rhoddi iddynt ymwybod a'i hundod, fod ar dranc. Ond pwy a ddywed, "Aeth ffynnon ei bywyd yn hysb, cleddir y genedl mewn

> bedd heb obaith atgyfodiad byth". Pwy a ddywed hynny? Nid, bid siŵr, y gŵr hwnnw a glyw einioes ei bobl yn cerdded trwy ei wythiennau. Y mae enaid y gŵr hwnnw yn wrthsafiad, ac yn wreichionen a ddichon gynnau eneidiau y lliaws, a naddu llwybrau i ddigwyddiadau syfrdanol.

Y mae dyfod i gymdeithas yr Eisteddfod yn rhoddi dur i'n hasgwrn cefn ar gyfer y gwrthsafiad hwn, ac yn ein hargyhoeddi nad ffolineb ydyw brwdfrydedd dros Gymru. Y mae bywyd Lloegr yn sicr a diogel a'i hiaith a phopeth sydd ynghlwm wrthi yn ddiysgog, ond y mae'n rhaid i ni fod yn angerddol frwdfrydig, ac yn hur o danbaid, ac yn wallgo' amddiffynnol dros ein tipyn treftadaeth.

Darn arall o gyfrinach yr ŵyl arnom ydyw y daw Galwad Cymru atom yn y gymdeithas hon i'w gwasanaethu hi – gwasanaeth sydd yn rhoddi nod a chyflawniad i fywyd, yn lle'r dimystyrdod sy'n bla arnom. Gan enbyted y dyddiau y mae rhaid ar bob Cymro a Chymraes ddewis gwasanaethu ei genedl – nid areithio drosti, ond gweithredu drosti – "y mae eich gweithredoedd yn llefaru mor uchel fel na chlywaf beth a ddywedwch," medd Emerson. Y mae'n rhaid i bob cân a gano cerddor, pob pennill a nyddo'r bardd, pob cerflun a naddo cerflunydd, pob drama a stori a ddychmyga llenor fod yn alwad i atal marwoldeb ein cenedl, y mae'n rhaid i holl waith ein dwylo, a holl ddychmygion ein calon fod yn wrthglawdd yn erbyn y marw-haint. Heddiw gall y pethau syml a wneir er mwyn Cymru fod yn orchestion, a'r pethau rhesymol fod yn wrhydri. Arnom ni, y Cymry yng Nghymru, y disgyn pen trymaf y baich hwn, ond tybed na ddaeth y dydd, dydd ein cyni mawr, inni alw arnoch chwithau, y Cymry ar wasgar, i ddyfod yn ôl, dyfod yn ôl, os gwelwch chwi, i'ch cynefin. Nid arian ac anrhydedd a safleoedd mewn gwlad estron ydyw popeth… dowch yn ôl i sefyll yn y bylchau diamddiffyn sydd yng ngheyrydd ein cenedl…

Dim ond gwasanaeth hyd aberth a sicrha barhad y genedl hon, ac na ato Duw inni anghofio yr Emyr Llewelyn hawddgar a'r Owain bybyr sydd mewn celloedd llwm yng ngharcharau ei Mawrhydi heddiw.

A chyn terfynu, gwn yn dda nad oes i genedl, heb grefydd, rym i ddim sy dda, a threch na hi fydd ei hanawsterau heb ysbrydiaeth crefydd. Problem fawr Cymru heddiw, problem grefyddol yw hi, a dim ond crefydd a ddichon roddi awydd ynom i gadw y glendid a'r dyndod sy'n llithro o'n gafael. Ni welwn ysywaeth, a griwlyn o arwydd fod diwygiad crefyddol ar y gorwel, a daeth rhyw barlys durol arnom. Nid y lleiaf o'r cymwynasau a ellir i'r genedl hon ydyw i Gristnogion eiriol yn ddwys ar Dduw am ei drugaredd eto i'n cenedl ni, a phwy ŵyr nad o'r eiriolaeth honno y daw undod crefyddol i Gymru?

ATODIAD 3

CERDDI, EMYNAU A CHYFIEITHIADAU

SALM XXIII
(Cyhoeddwyd y cyfieithiad hwn gyntaf yn 1936 yng nghyfrol Lewis Valentine, *Detholiad o'r Salmau*)

SALM DAFYDD
I. Iehofa'r Bugail
Iehofa sydd yn fy mugeilio: nid oes angen dim arnaf.
Gwna i mi orwedd mewn dolydd glaswelltog;
Tywys fi at ddyfroedd gorffwys.
Y mae'n adnewyddu fy enaid.

II. Iehofa'r Arweinydd
Y mae'n fy arwain ar hyd llwybrau union, er mwyn Ei enw.
A phe rhodiwn ar hyd geunant tywyll, du,
Nid ofnaf ddim niwed; canys yr wyt Ti gyda mi.
Dy bastwn a'th ffon Di yw fy nghysur.

III. Iehofa'r Gwestywr
Yr wyt yn taenu bwrdd llawn o'm blaen,
Yng ngŵydd fy ngwrthwynebwyr ;
Iraist fy mhen ag olew,
Fy nghwpan sy'n llifo trosodd.

Yn ddiau y mae daioni a chariad
Yn erlid ar fy ôl holl ddyddiau fy mywyd,
A phreswyliaf yn nhŷ Iehofa
Trwy gydol fy oes.

CLODYDD Y GWŶR DUWIOL

(Ecclesiasticus 44; 1–17)

Daw'r darn yma o Lyfr Ecclesiasticus yn yr Apocryffa, ac fe'i cyfieithwyd gan Lewis Valentine. Yn Seren Gomer *mae Valentine yn rhoi peth o gefndir y darn. "Wrth gloddio ym Masada, caer olaf gwrthsafiad yr Iddewon yn erbyn lluoedd Rhufain, darganfuwyd copi Hebraeg o 'Doethineb Iesu Ben-Sira' neu Ecclesiasticus. Drylliog iawn ydyw'r copi, ond dyma'r copi neu'r darn copi hynaf sydd ar gael, a phrawf diamwys bellach mai mewn Hebraeg yr ysgrifennwyd y gwreiddiol. O gyfieithiadau Groeg digon salw y gwnaethpwyd y cyfieithiad Cymraeg sydd yn yr Apocryffa. O gymharu y darn a gyfieithir yma o'r Hebraeg gwelwn gymaint rhagorach oedd hwnnw na'r fersiynau Groeg. Stori i gynhesu gwaed dyn ydyw stori Masada, Catraeth neu Thermopulae yr Iddewon – a dengys y cloddio a fu yno'n ddiweddar na chyfeiliornodd Ioseffws fawr yn yr hanes a ddyry ef yn ei lyfr enwog. Cyffyrddodd dewrder anhygoel yr Iddewon â'i galon lofr ef."*

Canaf yn awr glodydd y gwŷr duwiol,
Ein tadau oeddynt yn eu cenedlaethau.

Mawr anrhydedd a osododd y Goruchaf arnynt,
A'i Fawredd o'r dyddiau gynt.

Brenhinol a fu eu llywodraeth ar y ddaear,
Gwŷr hynod oeddynt yn eu cadernid
A chynghorwyr synhwyrgall,
A phroffwydi yn gweld ymhell.

Oeddynt dywysogion y genedl mewn gwladweiniaeth,
Blaenorwyr deddfwriaeth;
Cymen mewn ysgrifeniaith,
A doeth eu geiriau mewn gwleddoedd.

Llunwyr Salmau yn ôl rheolau cerdd,
Ac awduron diarhebion y llyfrau.
Diegwan wŷr aml eu hadnoddau,
Diofal eu byd yn eu cartrefi.

Anrhydeddwyd y rhai hyn oll yn eu cenhedlaeth
A chawsant ogoniant yn eu dyddiau.
Rhai ohonynt a adawsant enw
Fel y byddo dynion yn ei adrodd yn eu treftadaeth.

A rhai ohonynt sydd na chawsant goffâd
A darfu amdanynt pan ddaeth eu diwedd,
Aethant fel pe nas ganesid
A'u plant ar eu hôl.

Er hynny gwŷr duwiol oeddynt,
Ni ddiddymir eu daioni.
Sicrheir eu daioni yn eu had
A'u hetifeddiaeth i blant eu plant.

Yn eu cyfamod hwynt erys eu had,
A phlant eu plant er eu mwyn.
Hyd byth yr erys eu had,
A'u gogoniant ni ddilëir.

Mewn heddwch y cleddid eu cyrff,
Ond hyd genedlaethau y pery eu henwau.
Yn y gymanfa adroddir eu doethineb
A'u clod a draetha'r gynulleidfa.

Noa gyfiawn a gafwyd yn ddifeius,
Yn nydd dinistr ef a wnaethpwyd yn barhäwr;
Er ei fwyn ef bu gweddill,
Ac oherwydd y cyfamod ag ef darfu am y dwfr dilyw.

Y WRAIG RINWEDDOL

(Cyfieithiad Lewis Valentine o bennod olaf Llyfr y Diarhebion, a ddarllenwyd ganddo yn angladd Catrin Roberts, mam Kate Roberts, ym mynwent Rhosgadfan, 4 Chwefror 1944)

Pwy a fedr gael gwraig rinweddol? Y mae hi'n werthfawrocach na'r cwrel.
Calon ei gŵr a ymddiried ynddi, a lles mawr a fydd hi iddo...
Elw nid colled fydd hi iddo holl ddyddiau ei bywyd.
Y mae hi'n debyg i longau marsiandwyr sy'n cludo ymborth o bell.
Cyfyd ymhell cyn y wawr er mwyn bwydo ei theulu...
Gwêl fod diwydrwydd yn talu iddi...
Ni ddiffydd y canhwyllau yn ei thŷ trwy gydol y nos.
Nid oes arni hi ofn caledwaith... Nid yw ei breichiau byth yn segur.
Hael iawn yw hi wrth dlawd, a da yw yr anghenus wrthi...
Diogel iawn yw ei safle hi –
Y mae hyder yn ei chwerthin gan ei bod yn gweld ymhell.
Y mae synnwyr yn ei siarad, a diogelwch yn ei chyngor.
Hi a graffa ar ffordd ei thylwyth o fyw –
Ni fwyty hi fara seguryd.
Canmol ei phlant hi beunydd, ni flinant ar roddi geirda iddi.
"Cyflawnodd," meddent, "lawer gwraig bethau gwych iawn, ond ni fu neb tebyg i ti."
Twyllodrus yw ffafr – diflannu mae tegwch – cedwch eich teyrnged i ferch o gymeriad.
Rhowch iddi'r clod a haeddo ei gweithredoedd,
a chanmolwch hi ar goedd am ei gwasanaeth.

YM MYNWENT RHOS-DDU

(Lle claddwyd Morgan Llwyd o Wynedd ac enwogion Anghydffurfiol eraill)

Y lleindir hwn yw erwlan y cewri
A fu'n llathru hanes â gwrhydri.

Gwegian mae meini'r gogoneddus lu
A fu'n ddiysgog yn y ddrycin ddu.

Ger llannerch drutaf lwch y stad
Mae hen dun samon a lludw'n sarhad.

Ac am y wal merchetos coch eu min
Yn bregliach eu concwest gwedi dawns a gwin.

A hendref gwrcathod a geist a chŵn
Yw'r fan, â'u nwydus nadau a'u sarrug sŵn.

Doe bu diriaid lanciau'n y fangre hon
Yn cipio penglogau ar hyd y fron.

A dyma'ch beddau, gynheiliaid rhyddid,
Cofleidwyr anhunedd, aerion erlid!

Heddiw mae rhyddid mor farw â hoelen,
Na gwyrda na gwerin ni faliant frwynen.

Ond ni ddwg neb arnoch iau, O feirwon!
Arnom ni y mae'r hualau geirwon.

YR ARWISGO

(Mewn edmygedd, cyflwynir i'r Parchedig Emlyn Tudno Jones, Llywydd Undeb Bedyddwyr Cymru, ac o dosturi i'r llanc hoffus Charles, mab y Frenhines)

Ai'r gwegi hwn yw'ch ffrilach chwi
Yn nydd ein cyfyngder a'n cur,
Pan fo'n hieuenctid ar ddi-hun
I adfywhau'n treftadaeth bur?
Chwithau, golofnau Seion y plu,
A gais ein plaid i anwiredd du
A llychwino'r glendid drud a fu.

Lle bu'n tramwy angylion Duw
Cudd blismyn ffel ry ôl eu traed,
A lle bu gwlith yr Ysbryd Glân
Mae cyfraith sarrug a sarhaed.
Gennych chwi ni chaed na llaw na llef,
Bileri'r cysegr, na braich na bref,
Yn nawdd i'n llanciau dan ormes gref.

Warcheidwaid y Ffydd! Aethoch chwi'n
Offeiriaid ffair, croesaniaid sioe,
Nid wrthych chwi'r ymlynwn mwy,
Plicier eich gwallt, eich dydd yw doe,
O Wyryf, merch fy mhobl, tost ei phla,
Dy ieuenctid heddiw a'th fawrha,
Eu calon ddur byth ni lwfwrha,
Eu cariad yw'r grymiant a'th ryddha.

EL MISTATER

('Ti… wyt Dduw yn ymguddio': Eseia 45:15)

Hen hoewal rhwth ar fin y ffordd,
A gwraig ymhoen ei hawr
Yn geni baban yn y brwyn
Ar daen ar hyd y llawr:
A Duw'n amglymu ar glawr byd.
Frenhines ei holl wyrthiau i gyd.

Coegyn o Rabbi hanner pan,
Yn bwrw gwaeau brwd
Ar foethus sefydliadau 'i ddydd,
A'u pydredd cudd, a'u rhwd:
Ac yn ei arw leferydd ef
Roedd acen groyw tafodiaith Nef.

Corff llibin briw ar drostan croes,
A breuddwyd gwyn yn sarn,
A dau wladgarwr, yn un wedd,
O'i garchar ac o'i farn:
A nef yn tywallt ar y byd
Wych afradlonedd Cariad drud.

Beddrod benthyg mewn ogof gardd,
A chladdu brysiog blêr,
A myrr ac aloes, amdo gwyn,
A'r holl arwylaidd gêr:
A ffrwydrwyd caer hen Angau Gawr
Gan rym yr Atgyfodiad Mawr.

EMYN Y TERFYN

Maddau feiau'r bore gwridog,
Maddau feiau'r hy brynhawn,
Maddau feiau'r hwyrnos freuol,
Maddau feiau f'oes yn llawn:
Arglwydd Iesu,
Estyn im sancteiddiol ddawn.

O! na byddai peraroglau
Bywyd gloyw'n dwyn fy mryd,
Ac uniondeb gair a gweithred
Yn pelydru ar bob pryd:
Rho im wanwyn
Wrth ddibennu teithio byd.

A phan ddelo'r wŷs ddiwrthod
I lonyddu miri'r oes,
Ac arafu pob hwsmonaeth,
A distewi hoen a loes;
Y pryd hwnnw
Digon fydd llifolau'r Groes.

LLYFRYDDIAETH

Ffynonellau Uniongyrchol

Papurau Lewis Valentine, Llyfrgell Genedlaethol Cymru

Detholiad o'r Salmau, Lewis Valentine, Gwasg Ilston (1936)

Dyddiadur Milwr a Gweithiau Eraill, gol. John Emyr, Gwasg Gomer (1988)

Dyrchafwn Gri, Lewis Valentine, gol. Idwal Wynne Jones, Gwasg Pantycelyn (1994)

Lewis Valentine yn Cofio, gol. John Emyr, Gwasg Gee (1983)

Paham y Llosgasom yr Ysgol Fomio, Saunders Lewis a Lewis Valentine, Y Blaid Genedlaethol (1936)

Y Cymro, Hydref 1970 – cyfres o erthyglau dros dair wythnos lle mae Lewis Valentine yn sgwrsio gyda Ioan Roberts

Dyddiau Cynnar, Y Rhyfel Mawr a Bywyd Coleg

1914–1918: The History of the First World War, David Stevenson, Penguin (2005)

Y Bardd a Gollwyd (Cofiant Dei Ellis), Alan Llwyd ac Elwyn Edwards, Barddas (1992)

Byddin y Brenin, Dewi Eirug Davies, Tŷ John Penry (1988)

Cofiant Emrys ap Iwan, T Gwynn Jones, Cwmni'r Cyhoeddwyr Cymraeg (1912, ailargraffiad Hughes a'i Fab 1978)

Detholiad o Erthyglau a Llythyrau Emrys ap Iwan (tair cyfrol), gol. D. Myrddin Lloyd, Y Clwb Llyfrau Cymraeg (1937, 1939, 1940)

'Ein Dyled i Emrys ap Iwan', Gwynfor Evans, Darlith Flynyddol Emrys ap Iwan 1982, Gwasanaeth Llyfrgell Clwyd (1983)

'Ffydd Emrys ap Iwan', R Tudur Jones, Darlith Flynyddol Emrys ap Iwan 1983, Gwasanaeth Llyfrgell Clwyd (1984)

Homilïau, Emrys ap Iwan (dwy gyfrol), gol. Ezra Roberts, Gwasg Gee (1906, 1909)

I Gofio J P, cyfrol deyrnged J P Davies, gol. J T Jones a Harri Parri, Tŷ ar y Graig (1971)

Llanddulas: Heritage of a Village, Brian Jones a Margaret Rawcliffe, Gwasg Gee (1985)

Omar, J. Griffith Williams, Gwasg Gee (1981)

'Teithi Meddwl Emrys ap Iwan', Gwilym Arthur Jones, Darlith Flynyddol Emrys ap Iwan 1989, Gwasanaeth Llyfrgell Clwyd (1991)

The First World War, John Keegan, Pimlico (1999)
The Irish War of Independence, Michael Hopkinson, Gill and Macmillan (2002)
'Traddodiad Emrys ap Iwan', Dafydd Glyn Jones, Darlith Flynyddol Emrys ap Iwan 1987, Gwasanaeth Llyfrgell Clwyd (1991)
The University College of North Wales: Foundations 1884 –1927, J Gwynn Williams, Gwasg Prifysgol Cymru (1985)

Y Blaid Genedlaethol a gwleidyddiaeth

Adnabod Deg, gol. Derec Llwyd Morgan, Gwasg Gee (1977)
Ambrose Bebb (Cyfres Dawn Dweud), T Robin Chapman, Gwasg Prifysgol Cymru (1997)
Annwyl Kate, Annwyl Saunders, gol. Dafydd Ifans, Llyfrgell Genedlaethol Cymru (1992)
Ati Wŷr Ifanc, Saunders Lewis, gol. Marged Dafydd, Gwasg Prifysgol Cymru (1986)
Canlyn Arthur, Saunders Lewis, Gwasg Gomer (1938, adarg. 1985)
Cymru'n Deffro, gol. John Davies, Y Lolfa (1981)
Egwyddorion Cenedlaetholdeb, Saunders Lewis (Y Blaid Genedlaethol 1927, ailargraffiad SWP Cyf. 1975)
'Forming Plaid Cymru', Graham Jones, Cylchgrawn Llyfrgell Genedlaethol Cymru, Cyfrol XXII (1982)
Hanes Cymru, John Davies, Penguin (1992)
Letters to Margaret Gilcriest, Saunders Lewis, gol. Mair Saunders, Harri Pritchard Jones, Ned Thomas, Gwasg Prifysgol Cymru (1993)
Lloffion o Ddyddiaduron Ambrose Bebb 1920–1926, gol. Robin Humphreys, Gwasg Prifysgol Cymru (1996)
A Nation on Trial (Rhagymadrodd John Davies) cyf. Ann Corkett o *Tân yn Llŷn*, Dafydd Jenkins, Welsh Academic Press (1998)
Oddeutu'r Tân, O M Roberts, Gwasg Gwynedd (1994)
Gwynfor: Rhag Pob Brad, Cofiant gan Rhys Evans, Y Lolfa (2005)
Rhodd Enbyd – Hunangofiant Gwilym R Jones, Llyfrau'r Faner (1983)
Saunders Lewis a Theatr Garthewin – Hazel Walford Davies, Gwasg Gomer (1995)
Tân yn Llŷn, Dafydd Jenkins, Cyhoeddiadau Plaid Cymru (1937)
Tynged yr Iaith, Saunders Lewis, Y Gorfforaeth Ddarlledu Brydeinig (1962)
The Welsh Nationalist Party 1925–1945: A Call to Nationhood, Hywel Davies, Gwasg Prifysgol Cymru (1983)
Un Bywyd o Blith Nifer: Cofiant Saunders Lewis, T Robin Chapman, Gwasg Gomer (2006)

W J Gruffydd (Cyfres Dawn Dweud), T Robin Chapman, Gwasg Prifysgol Cymru (1993)
Ysgrifau Dydd Mercher, Saunders Lewis, Y Clwb Llyfrau Cymraeg (1945)

Diwinyddol ac Enwadol

Yr Argyfwng, Ambrose Bebb, Llyfrau'r Dryw (1955)
Barth (Cyfres y Meddwl Modern), Dafydd Densil Morgan, Gwasg Gee (1992)
The Cambridge Companion to Karl Barth, gol. John Webster, Cambridge University Press (2000)
Cedyrn Canrif, Dafydd Densil Morgan, Gwasg Prifysgol Cymru (2001)
Cerddi Seion, Gwilym H. Jones, Llyfrfa'r M.C. (1975)
Codi Muriau Dinas Duw, Robert Pope, Gwasg y Bwthyn (2005)
Y Coleg Gwyn – Canrif ym Mangor, John Rice Rowlands, Gwasg Pantycelyn (1992)
Y Crist Cyfoes, Harri Williams, Llyfrfa'r M.C. (1967)
Diwinyddiaeth yng Nghymru 1927–1977, Dewi Eirug Davies, Gwasg Gomer (1984)
Ffarwel i'r Brenin – Cyfrol Deyrnged R Parri Roberts, gol. Idwal Wynne Jones, Tŷ ar y Graig (1972)
Hanes Bedyddwyr Cymru, T M Bassett, Tŷ Ilston (1977)
The Journals of Kierkegaard (cyf. Alexander Dru), Fontana Books (1938)
'Lewis Valentine yr Heddychwr', Pryderi Llwyd Jones, Cymdeithas Heddwch Undeb Bedyddwyr Cymru (1986)
The Modern Theologians: An Introduction to Christian Theology since 1918, gol. David Ford, Blackwell Publishing (2005)
The Span of the Cross, Dafydd Densil Morgan, Gwasg Prifysgol Cymru (1999)
The Third Reich in Power, Richard J Evans, Allen Lane (2005)
Torri'r Seiliau Sicr – Detholiad o Ysgrifau J.E.Daniel, gol. Dafydd Densil Morgan, Gwasg Gomer (1993)
Y Winllan Wen – Anerchiad Llywydd Undeb Bedyddwyr Cymru, T R Jones, Gwasg John Penry (1997)

Nodiadau

Pennod 2 – Gardd Baradwys

[1] Cyfweliad rhwng Lewis Valentine a Raymond Edwards, TWW, *Seren Gomer*, Gwanwyn 1968
[2] Lewis Valentine at Lilian Evans, 10 Mehefin 1976, Casgliad preifat
[3] 'Nodiadau ar ei wreiddiau', Papurau Lewis Valentine, LlGC
[4] *Cywyddau Iolo Goch ac Eraill*, gol. Ifor Williams, Gwasg Prifysgol Cymru (1937) 12–14
[5] 'Nodiadau ar ei wreiddiau', Papurau Lewis Valentine, LlGC
[6] ibid.
[7] 'Fy Nhad', atgofion Samuel Valentine, *Seren Gomer* ,1954 (gweler Atodiad 1)
[8] ibid.
[9] ibid.
[10] Lewis Valentine at D J Williams, 6 Chwefror 1962, Casgliad D J Williams, LlGC
[11] Atgofion cynnar am ei wreiddiau, Papurau Lewis Valentine, LlGC
[12] Lewis Valentine at Lilian Evans, 6 Awst 1979, Casgliad preifat
[13] *Lewis Valentine yn Cofio,* gol. John Emyr, Gwasg Gee (1983)
[14] ibid.
[15] ibid.
[16] ibid.
[17] Lewis Valentine at D J Williams, 6 Chwefror 1962, Casgliad D J Williams, LlGC
[18] Lewis Valentine at Lilian Evans, 11 Ionawr 1979, Casgliad preifat
[19] Cyfweliad rhwng Lewis Valentine a Raymond Edwards, TWW, *Seren Gomer*, Gwanwyn 1968
[20] 'Digwyddiadau ym Mywyd Milwr', Papurau Lewis Valentine, LlGC
[21] *Y Deyrnas*, Medi 1936
[22] Cyfweliad gyda Raymond Edwards, TWW, *Seren Gomer*, Gwanwyn 1968
[23] Lewis Valentine at Lilian Evans, diddyddiad, 1970, Casgliad preifat
[24] *Seren Gomer*, Gwanwyn 1954
[25] ibid.
[26] *Dyddiadur Milwr a gweithiau eraill*, gol. John Emyr, Gwasg Gomer (1988)
[27] Araith Llywydd Undeb y Bedyddwyr, Clydach, 1962, *Seren Gomer,* Haf 1962

Pennod 3 – Y Peiriant Llofruddio

[1] 'Fy Nhad', atgofion Samuel Valentine, *Seren Gomer* Gaeaf 1954
[2] *Dyddiadur Milwr a gweithiau eraill*, gol. John Emyr, Gwasg Gomer (1988)
[3] ibid.
[4] *Y Cymro*, 14 Hydref 1970
[5] Dyfynnir yn Rhagymadrodd John Emyr i'r gyfrol *Dyddiadur Milwr a Gweithiau Eraill,* Gwasg Gomer (1988)
[6] Darlith Lewis Valentine, 'Dyddiaduron Cernyw', Trafodion Cymdeithas Hanes Bedyddwyr Cymru (1971), 7
[7] 'Fy Nyled i Saunders Lewis', *Seren Cymru,* 2 Tachwedd 1973
[8] *Y Cymro*, 14 Hydref 1970

[9] 'Emrys ap Iwan: Tad y Blaid Genedlaethol', *Y Ddraig Goch*, Mawrth 1933
[10] *Lewis Valentine yn Cofio,* gol. John Emyr, Gwasg Gee (1983)
[11] 'Y Ddysg Newydd a'r Ddysg Hen', *Homilïau,* Emrys ap Iwan, gol. Ezra Roberts (1912)
[12] *Ysgrifau Dydd Mercher*, Saunders Lewis, Y Clwb Llyfrau Cymraeg (1945)
[13] 'Lewis Valentine yn ei Gymanfa', papur heb ei gyhoeddi gan Einwen Jones, Glyn Ceiriog
[14] *Lewis Valentine yn Cofio*, gol. John Emyr, Gwasg Gee (1983)
[15] Cyfweliad ei chwaer Lilian Evans gyda Meurwyn Williams, *Y Ddolen*, BBC Radio Cymru, 9 Mawrth 1986
[16] Cyfweliad gyda Raymond Edwards ar TWW, *Seren Gomer*, Gwanwyn 1968
[17] Lewis Valentine at D J Williams, diddyddiad 1962, Casgliad D J Williams, LlGC
[18] 'Digwyddiadau ym Mywyd Milwr', Papurau Lewis Valentine, LlGC
[19] ibid.

Pennod 4 – Twymyn y Gad

[1] Dyfynnir yn *Dyddiadur Milwr a Gweithiau Eraill*, gol. John Emyr, Gwasg Gomer (1988)
[2] 'Digwyddiadau ym Mywyd Milwr', Papurau Lewis Valentine, LlGC
[3] ibid.
[4] ibid.
[5] ibid.
[6] ibid.
[7] ibid.
[8] *Byddin y Brenin*, Dewi Eirug Davies, Tŷ John Penry (1988), 35
[9] Gareth Meils, *Taliesin*, Ebrill 1993
[10] *Welsh Outlook*, Ionawr 1916
[11] *Y Cymro,* 30 Medi 1970
[12] ibid.
[13] *Dyddiadur Milwr a Gweithiau Eraill*, gol. John Emyr, Gwasg Gomer (1988)
[14] Dyfynnir yn *Byddin y Brenin*, Dewi Eirug Davies, Tŷ John Penry (1988)
[15] 'Digwyddiadau ym Mywyd Milwr', Papurau Lewis Valentine, LlGC
[16] ibid.
[17] Lewis Valentine at Lilian Evans, 16 Awst 1979, Casgliad preifat
[18] Lewis Valentine at Lilian Evans, diddyddiad, Awst 1979, Casgliad preifat
[19] *Brecon & Radnor Express,* 2 Mawrth 1916
[20] Lewis Valentine at Lilian Evans, 16 Awst 1979, Casgliad preifat
[21] *Y Cymro,* 14 Hydref Medi 30, 1970
[22] *Brecon & Radnor Express* 18 Mai 1916
[23] Lewis Valentine at Lilian Evans, diddyddiad, Awst 1978, Casgliad preifat
[24] *Y Cymro,* 14 Hydref Medi, 1970
[25] *Dyddiadur Milwr a Gweithiau Eraill*, gol. John Emyr, Gwasg Gomer (1988)

Pennod 5 – Rhywle yn Ffrainc

[1] *Dyddiadur Milwr a Gweithiau Eraill*, gol. John Emyr, Gwasg Gomer (1988)
[2] Dyddlyfrau Rhyfel, Papurau Lewis Valentine, LlGC
[3] *Dyddiadur Milwr a Gweithiau Eraill*, gol. John Emyr, Gwasg Gomer (1988)
[4] Dyddlyfrau Rhyfel, Papurau Lewis Valentine, LlGC
[5] *Dyddiadur Milwr a Gweithiau Eraill*, gol. John Emyr, Gwasg Gomer (1988)
[6] ibid.
[7] ibid.
[8] 'Digwyddiadau ym Mywyd Milwr', Papurau Lewis Valentine, LlGC
[9] Dyddlyfrau Rhyfel, Papurau Lewis Valentine, LlGC
[10] ibid.
[11] ibid.
[12] ibid.
[13] ibid.
[14] ibid.

[15] ibid.
[16] ibid.
[17] ibid.
[18] *Dyddiadur Milwr a gweithiau eraill*, gol. John Emyr, Gwasg Gomer (1988)
[19] Dyddlyfrau Rhyfel, Papurau Lewis Valentine, LlGC
[20] ibid.
[21] ibid.
[22] ibid.
[23] ibid.
[24] ibid.
[25]ibid.
[26] ibid.
[27] ibid.
[28] ibid.
[29] *Dyddiadur Milwr a Gweithiau Eraill*, gol. John Emyr, Gwasg Gomer (1988)
[30] ibid.
[31] Dyddlyfrau Rhyfel, Papurau Lewis Valentine, LlGC
[32] ibid.
[33] *Dyddiadur Milwr a Gweithiau Eraill*, gol. John Emyr, Gwasg Gomer (1988)
[34] Dyddlyfrau Rhyfel, Papurau Lewis Valentine, LlGC
[35] ibid.
[36] *Lewis Valentine yn Cofio*, gol. John Emyr, Gwasg Gee (1983)
[37] Dyddlyfrau Rhyfel, Papurau Lewis Valentine, LlGC
[38] ibid.
[39] *Dyddiadur Milwr a Gweithiau Eraill*, gol. John Emyr, Gwasg Gomer (1988)
[40] ibid.
[41] ibid.
[42] ibid.
[43] Dyddlyfrau Rhyfel, Papurau Lewis Valentine, LlGC
[44] ibid.
[45] ibid.
[46] ibid.

Pennod 6 – Byd Gwallgof

[1] Dyddlyfrau Rhyfel, Papurau Lewis Valentine, LlGC
[2] ibid.
[3] *Dyddiadur Milwr a Gweithiau Eraill*, gol. John Emyr, Gwasg Gomer (1988)
[4] Dyddlyfrau Rhyfel, Papurau Lewis Valentine, LlGC
[5] *Dyddiadur Milwr a Gweithiau Eraill*, gol. John Emyr, Gwasg Gomer (1988)
[6] Dyddlyfrau Rhyfel, Papurau Lewis Valentine, LlGC
[7] ibid.
[8] ibid.
[9] ibid.
[10] ibid.
[11] ibid.
[12] ibid.
[13] ibid.
[14] ibid.
[15] ibid.
[16] ibid.
[17] ibid.
[18] Yn ôl *Dyddiadur Milwr*, lladdwyd Carless ar 31 Gorffennaf 1917, ond yn ôl y Dyddlyfr lladdwyd ef ar ddydd Llun, 22 Hydref, a dyna mae'n debyg yw'r dyddiad cywir.
[19] Dyddlyfrau Rhyfel, Papurau Lewis Valentine, LlGC
[20] *Dyddiadur Milwr a Gweithiau Eraill*, gol. John Emyr, Gwasg Gomer (1988)
[21] *Dyddiadur Milwr a Gweithiau Eraill*, gol. John Emyr, Gwasg Gomer (1988)
[22] *Llafur,* Cyfrol 3, Rhif 4 (1983)
[23] Pan glwyfwyd Valentine, collodd yr ysgrepan lle cadwai ei ddyddiaduron a'i lyfr emynau. Trwy ryfedd wyrth canfuwyd y pecyn gan gaplan o'r Alban, ac anfonodd ef ymlaen i'w gartref yn Llanddulas.
[24] Dyddlyfrau Rhyfel, Papurau Lewis Valentine, LlGC
[25] Llythyr Lewis Valentine at gyfaill dienw o Coombe Lodge, 1917, Papurau Lewis

Valentine, LlGC
[26] ibid.
[27] ibid.
[28] Dyddlyfrau Rhyfel, Papurau Lewis Valentine, LlGC
[29] *Dyddiadur Milwr a Gweithiau Eraill*, gol. John Emyr, Gwasg Gomer (1988)
[30] Dyddlyfrau Rhyfel, Papurau Lewis Valentine, LlGC
[31] ibid.
[32] ibid.
[33] *Dyddiadur Milwr a Gweithiau Eraill*, gol. John Emyr, Gwasg Gomer (1988)
[34] Dyddlyfrau Rhyfel, Papurau Lewis Valentine, LlGC
[35] *Y Cymro,* 14 Hydref 1970
[36] *Dyddiadur Milwr a Gweithiau Eraill*, gol. John Emyr, Gwasg Gomer (1988)
[37] Dyddlyfrau Rhyfel, Papurau Lewis Valentine, LlGC
[38] ibid.
[39] *Dyddiadur Milwr a Gweithiau Eraill*, gol. John Emyr, Gwasg Gomer (1988)
[40] Dyddlyfrau Rhyfel, Papurau Lewis Valentine, LlGC
[41] ibid.
[42] ibid.
[43] ibid.
[44] 'Digwyddiadau ym Mywyd Milwr', Papurau Lewis Valentine, LlGC
[45] Dyddlyfrau Rhyfel, Papurau Lewis Valentine, LlGC
[46] *Tystiolaeth Cyn-filwr* – Pamffledi Heddychwyr Cymru

Pennod 7 – Gwneud Rhywbeth

[1] Dyddlyfrau Rhyfel, Papurau Lewis Valentine, LlGC
[2] ibid.
[3] Ysgrif gan Lewis Valentine yn *I Gofio J P*, cyfrol deyrnged J P Davies, gol. J T Jones a Harri Parri, Tŷ ar y Graig (1971)
[4] Teyrnged Lewis Valentine i Syr John Morris-Jones, *Seren Gomer*, Gwanwyn 1965
[5] *Lewis Valentine yn Cofio*, gol. John Emyr, Gwasg Gee (1983)
[6] *Tros Gymru*, J E Jones, Gwasg John Penry (1970), 25
[7] *Dyddiadur Milwr a Gweithiau Eraill*, gol. John Emyr, Gwasg Gomer (1988)
[8] ibid.
[9] *Lewis Valentine yn Cofio*, gol. John Emyr, Gwasg Gee (1983)
[10] Atgofion Lewis Valentine am John Morris-Jones yn *Omar*, J G Williams, Gwasg Gee (1981)
[11] ibid.
[12] *I Gofio J P*, cyfrol deyrnged J P Davies, gol. J T Jones a Harri Parri, Tŷ ar y Graig (1971)
[13] ibid.
[14] ibid.
[15] *Y Deyrnas*, Mehefin 1925
[16] ibid.
[17] Dyddlyfrau Rhyfel, Papurau Lewis Valentine, LlGC
[18] Tystlythyr T Witton Davies, 11 Ionawr 1920, adeg ordeinio Valentine yn Llandudno, Papurau Lewis Valentine, LlGC
[19] ibid.
[20] ibid.
[21] *The Irish War of Independence,* Michael Hopkinson, Gill and Macmillan (2002), 79–91
[22] ibid.
[23] ibid.
[24] *The Sunday Times*, 6 Tachwedd 1920
[25] dyfynnir yn *The Irish War of Independence,* Michael Hopkinson, Gill and Macmillan (2002), 79–91
[26] *Seren Cymru*, 15 Ebrill 1921
[27] *I Gofio J P*, cyfrol deyrnged J P Davies, gol. J T Jones a Harri Parri, Tŷ ar y Graig (1971)
[28] *Lewis Valentine yn Cofio*, gol. John

Emyr, Gwasg Gee (1983)
[29] *Y Deyrnas,* Mawrth 1924
[30] *Y Cymro*, 14 Hydref 1970
[31] CyfieithIad o lythyr gan Ysgrifenyddion Cyngor Myfyrwyr Coleg Prifysgol Dulyn, Papurau Lewis Valentine, LlGC

Pennod 8 Crefydd gwneud nid crefydd dweud

[1] *Seren Cymru*, 4 Chwefror 1921
[2] *Y Deyrnas*, Medi 1936
[3] 'Y Proffwyd Ymysg y Praidd', *Cedyrn Canrif*, Dafydd Densil Morgan, Gwasg Prifysgol Cymru (2001), 79
[4] *Y Deyrnas*, Tachwedd 1923
[5] *Y Deyrnas*, Ionawr 1924
[6] *Y Deyrnas*, Ebrill 1924
[7] ibid.
[8] *Y Deyrnas*, Chwefror 1924
[9] *Y Deyrnas*, Mawrth 1925
[10] ibid.
[11] *Y Deyrnas*, Mawrth 1924
[12] *Y Coleg Gwyn – Canrif ym Mangor*, John Rice Rowlands, Gwasg Pantycelyn (1992), 57
[13] *Y Deyrnas*, Mehefin 1925
[14] *Y Deyrnas*, Chwefror 1926
[15] *Lewis Valentine yn Cofio*, gol. John Emyr, Gwasg Gee (1983)
[16] *Y Deyrnas*, Hydref 1928
[17] *Y Deyrnas*, Mehefin 1928
[18] *Y Deyrnas*, Medi 1928
[19] *Y Deyrnas*, Tachwedd 1928
[20] *Y Deyrnas*, Gorffennaf 1929
[21] *Y Deyrnas*, Medi 1924
[22] *Y Deyrnas*, Mai 1926
[23] *Y Deyrnas*, Ionawr 1926
[24] *Y Deyrnas*, Mai 1926
[25] *Codi Muriau Dinas Duw*, Robert Pope, Gwasg y Bwthyn (2005)
[26] *Y Deyrnas*, Medi 1928
[27] ibid.
[28] *Seren Gomer*, Gwanwyn 1953
[29] *Y Deyrnas*, Gorffennaf 1928
[30] ibid.
[31] ibid.
[32] ibid.
[33] ibid.
[34] ibid.
[35] ibid.

Pennod 9 Esgyrn Sychion

[1] *Welsh Outlook*, Gorffennaf 1919
[2] A O H Jarman, 'Y Blaid a'r Ail Ryfel Byd', *Cymru'n Deffro*, Y Lolfa (1981)
[3] *South Wales Daily News*, 4 Mai 1922
[4] *South Wales Daily News*, 11 Awst 1923
[5] *Y Cymro*, 21 Hydref, 1970
[6] Gerald Morgan, 'Dannedd y Ddraig', *Cymru'n Deffro*, Y Lolfa (1981)
[7] *Yr Herald Gymraeg*, 23 Medi 1924
[8] *Lewis Valentine yn Cofio*, gol. John Emyr, Gwasg Gee (1983)
[9] ibid.
[10] Saunders Lewis at D J Williams, 7 Chwefror 1924, Casgliad D J Wiliams, LlGC
[11] D J Williams at Kate Roberts, 1967, Casgliad Kate Roberts, LlGC
[12] Saunders Lewis, *Y Faner*, 9 Awst 1923
[13] ibid.
[14] Saunders Lewis at H R Jones, 1 Mawrth 1925, Archif Plaid Cymru, LlGC
[15] ibid.
[16] Llythyr Lewis Valentine yn y *South Wales Daily News*, Ebrill 1925
[17] *Lloffion o Ddyddiaduron Ambrose Bebb 1920–1926* (gol. Robin Humphreys), Gwasg Prifysgol Cymru (1996)
[18] Lewis Valentine at H R Jones, 2 Mai 1925, Archif Plaid Cymru, LlGC
[19] Lewis Valentine, 'Fy Nyled i Saunders Lewis', *Seren Cymru*, 2 Tachwedd 1973.
[20] *Lewis Valentine yn Cofio*, gol. John Emyr, Gwasg Gee (1983)
[21] 'Fy Nyled i Saunders Lewis', *Seren Cymru,* 2 Tachwedd 1973

[22] ibid.
[23] ibid.
[24] Lewis Valentine, *Y Faner*, 14 Mai 1925
[25] *Welsh Outlook*, Gorffennaf 1926
[26] Dyfynnir yn *Tros Gymru*, J E Jones, Gwasg John Penry (1970), 32

Pennod 10 – Efengylu

[1] Teyrnged Lewis Valentine i H R Jones, *Y Ddraig Goch*, Gorffennaf 1930
[2] *Y Cymro*, 21 Hydref 1970
[3] *Saunders Lewis*, anerchiad diddyddiad gan Lewis Valentine a gyhoeddwyd yn *Dyddiadur Milwr a Gweithiau Eraill*, gol. John Emyr, Gwasg Gomer (1988)
[4] ibid.
[5] ibid.
[6] ibid.
[7] ibid.
[8] ibid.
[9] 'Dannedd y Ddraig', Gerald Morgan, *Cymru'n Deffro*, Y Lolfa (1981)
[10] *Tros Gymru*, J E Jones, Gwasg John Penry (1970), 156
[11] Cyfweliad O M Roberts gydag Alwyn Gruffydd, BBC Radio Cymru, Mawrth 1986
[12] *Tros Gymru*, J E Jones, Gwasg John Penry (1970), 156
[13] *Y Ddraig Goch*, Medi 1934
[14] Llythyr D J Williams at Kate Roberts, 1955, Casgliad Kate Roberts, LlGC
[15] *Oddeutu'r Tân*, O M Roberts, Gwasg Gwynedd (1994), 43
[16] D J Williams at Kate Roberts, diddyddiad, Casgliad Kate Roberts, LlGC
[17] Saunders Lewis at Margaret Gilcriest, diddyddiad, Awst 1928, *Letters to Margaret Gilcriest*, Gwasg Prifysgol Cymru (1993)
[18] Kate Roberts at Saunders Lewis, 1 Hydref 1928, *Annwyl Kate, Annwyl Saunders*, gol. Dafydd Ifans, LlGC (1992)
[19] *Oddeutu'r Tân*, O M Roberts, Gwasg Gwynedd (1994), 45
[20] Elwyn Roberts, *Herald Môn*, Mawrth 1986
[21] Kate Roberts at Saunders Lewis, 1 Hydref 1928, *Annwyl Kate, Annwyl Saunders*, gol. Dafydd Ifans, LlGC (1992)
[22] ibid.
[23] Saunders Lewis at Lewis Valentine, diddyddiad, 1928, Papurau Lewis Valentine, LlGC
[24] *Y Ddraig Goch*, Mawrth 1928
[25] ibid.
[26] *Oddeutu'r Tân*, O. M. Roberts, Gwasg Gwynedd (1994), 46
[27] Lewis Valentine at Saunders Lewis, 14 Mawrth 1972, Casgliad Saunders Lewis, LlGC
[28] Pigion o ddyddiaduron Lewis Valentine, *Y Ddraig Goch*, 1935
[29] ibid.
[30] W S Jones, *Y Ddraig Goch*, Gaeaf 2005,
[31] Pigion o ddyddiaduron Lewis Valentine, *Y Ddraig Goch*, 1935
[32] *Manchester Guardian*, 15 Mai 1929
[33] ibid.
[34] Taflen Etholiadol Lewis Valentine 1929, Archif Plaid Cymru, LlGC
[35] ibid.
[36] ibid.
[37] *Y Cymro*, 21 Hydref 1970
[38] Saunders Lewis at Lewis Valentine, 16 Mai 1929, Papurau Lewis Valentine, LlGC
[39] Cymhariaeth nad yw mor wirion bellach gan fod haneswyr yn tybio na fu'r 'charge' yn gwbl ofer o ran ei gwerth milwrol.
[40] *Y Ddraig Goch*, Gorffennaf 1929
[41] *Y Cymro*, 21 Hydref 1970
[42] *Y Ddraig Goch*, Gorffennaf 1929

Pennod 11 – Pentecost o Fudiad

[1] *Y Cymro,* 21 Hydref 1970
[2] *Lewis Valentine yn Cofio*, gol. John Emyr, Gwasg Gee (1983)
[3] Saunders Lewis at Lewis Valentine, diddyddiad, 1930, Papurau Lewis Valentine, LlGC
[4] Lewis Valentine at D J Williams, 14 Mawrth 1946, Casgliad D J Williams, LlGC
[5] *Y Cymro*, 21 Hydref 1970
[6] ibid.
[7] *Y Ddraig Goch*, Awst 1930
[8] *Y Ddraig Goch,* Gorffennaf 1930
[9] ibid.
[10] *Tros Gymru*, J E Jones, Gwasg John Penry (1970), 158
[11] ibid., 158
[12] ibid. 158
[13] *Y Ddraig Goch*, Medi 1934
[14] *Y Ddraig Goch*, Tachwedd 1931
[15] *Y Cymro,* 21 Hydref 1970
[16] *A Call to Nationhood*, Hywel Davies, Gwasg Prifysgol Cymru (1983)
[17] Lewis Valentine at O M Roberts, 22 Mehefin 1962, Papurau O M Roberts, LlGC
[18] *Y Deyrnas*, Mai-Mehefin 1930
[19] ibid.
[20] ibid.
[21] *Y Deyrnas*, Mawrth 1936
[22] ibid.
[23] *Y Deyrnas*, Medi 1936
[24] ibid.
[25] *Seren Cymru,* 15 Ionawr 1943
[26] Graham Ward, 'Barth, modernity and post-modernity' yn y *Cambridge Companion to Karl Barth, CUP (2000)*
[27] Am yndrinaeth lawn a threiddgar o syniadau Daniel gweler *Torri'r Seiliau Sicr – Detholiad o Ysgrifau J E Daniel*, gol. Dafydd Densil Morgan, Gwasg Gomer (1993)
[28] Lewis Valentine at D J Williams, diddyddiad, Casgliad D J Williams, LlGC
[29] *Y Deyrnas*, Awst 1936
[30] Lewis Valentine at D J Williams, diddyddiad, Casgliad D J Williams, LlGC
[31] *Y Deyrnas*, Awst 1936
[32] ibid.
[33] E Meirion Roberts, *Barddas*, Mai 1986
[34] *Detholiad o'r Salmau*, Lewis Valentine, Gwasg Ilston (1936) – gweler Atodiad 3 am gyfieithiad Valentine o Salm 23.
[35] E Meirion Roberts, *Barddas*, Mai 1986
[36] *Y Brython*, 30 Awst 1934,
[37] ibid.
[38] ibid.
[39] ibid.
[40] *Seren Gomer*, Gwanwyn 1953
[41] Diddorol yw nodi, er gwaethaf ei heddychiaeth, ei fod yn fodlon – "os bydd rhaid" – i'r Gymru rydd gael ei lluoedd arfog ei hun. Mae'n anodd damcaniaethu llawer mwy am hyn ac eithrio ei fod yn awgrymu mai gwrth-Imperialaidd oedd hanfod ei heddychiaeth.
[42] 'Cymru fel y Carem iddi fod', *Seren Gomer*, Mai 1936
[43] ibid.
[44] ibid.
[45] ibid.
[46] ibid.
[47] ibid.
[48] ibid.
[49] D J at Lewis Valentine, 28 Hydref 1930, Papurau Lewis Valentine, LlGC
[50] *Y Ddraig Goch*, Medi 1935

Pennod 12 – Bedydd Tân

[1] *Y Ddraig Goch*, Ionawr 1936
[2] *Western Mail*, 31 Rhagfyr 1935
[3] Saunders Lewis at J E Jones, 31 Rhagfyr 1935, Archif Plaid Cymru, LlGC

[4] ibid.
[5] ibid.
[6] ibid.
[7] J E Jones at Saunders Lewis, 1 Ionawr 1936, Archif Plaid Cymru, LlGC
[8] J E Jones at Lewis Valentine, 1 Ionawr 1936, Archif Plaid Cymru, LlGC
[9] ibid.
[10] Saunders Lewis at J E Jones, 2 Ionawr 1936, Archif Plaid Cymru, LlGC
[11] ibid.
[12] ibid.
[13] ibid.
[14] ibid.
[15] J E Jones at Lewis Valentine, 3 Ionawr 1936, Archif Plaid Cymru, LlGC
[16] J E Jones at Saunders Lewis 5 Ionawr 1936, Archif Plaid Cymru, LlGC
[17] Saunders Lewis at J E Jones, Ionawr 1936, Archif Plaid Cymru, LlGC
[18] J E Jones at J E Daniel, 5 Ionawr 1936, Archif Plaid Cymru, LlGC
[19] J E Jones at Lewis Valentine, 22 Ionawr 1936, Archif Plaid Cymru, LlGC
[20] Saunders Lewis at Lewis Valentine, 11 Chwefror 1936, Archif Plaid Cymru, LlGC
[21] *Y Ddraig Goch*, Hydref 1936
[22] *News Chronicle*, 25 Mai 1936
[23] *Y Ddraig Goch*, Mehefin 1936
[24] ibid.
[25] ibid.
[26] ibid.
[27] ibid.
[28] *Y Faner*, Mai 1936
[29] ibid.
[30] *Y Ddraig Goch*, Hydref 1936
[31] neu, i roi iddo ei deitl ymerodrol llawn, y Lt.-Col. Sir Edward W. M. Grigg, K.C.M.G., K.C.V.O., D.S.O., M.C.
[32] Y *Cymro*, 21 Hydref 1970
[33] *Y Ddraig Goch*, Hydref 1936

Pennod 13 – Y Llosgi

[1] *Y Cymro*, 4 Ebrill, 1936
[2] *Y Deyrnas*, Awst 1936
[3] ibid.
[4] *Y Deyrnas*, Medi 1936
[5] ibid.
[6] Elwyn Roberts, *Herald Môn*, Mawrth 1986
[7] *Tros Gymru*, J E Jones, Gwasg John Penry (1970)
[8] *Y Cymro*, 21 Hydref 1970
[9] *Oddeutu'rTân*, O M Roberts, Gwasg Gwynedd (1994), 87
[10] Lewis Valentine, *Penyberth, Hanes y Llosgi* – rhaglen BBC Radio Cymru, 1976, Robin Williams yn cyflwyno
[11] ibid.
[12] ibid.
[13] ibid.
[14] *Y Cymro*, 21 Hydref 1970

Pennod 14 – Rhaid Cydwybod

[1] Llythyr Lewis Valentine at ei dad, Medi 1936, Casgliad preifat
[2] Cyfweliad L M Evans gyda Meurwyn Williams, *Y Ddolen*, BBC Radio Cymru, 9 Mawrth 1986
[3] ibid.
[4] Llythyr D J at Lewis Valentine, 21 Medi 1936, Papurau Lewis Valentine, LlGC
[5] *Lewis Valentine yn Cofio*, gol. John Emyr, Gwasg Gee (1983)
[6] Cyfieithwyd "rhyfeloedd dreng" fel "wars of the perishing nations", ac oedodd Valentine cyn mynd yn ei flaen gan ailadrodd y geiriau, yn ôl Dafydd Jenkins yn *Tân yn Llŷn*, "fel athro'n ceisio denu'r disgybl i feddwl trosto'i hun".
[7] 'Penyberth a'r Ail Ryfel Byd', A O H Jarman, *Cymru'n Deffro*, Y Lolfa (1981)
[8] *Lewis Valentine yn Cofio*, gol. John Emyr, Gwasg Gee (1983)

[9] ibid.
[10] W S Jones mewn llythyr at yr awdur, Ionawr 2006
[11] *Time Magazine*, 26 Rhagfyr 1936
[12] D J Williams at Lewis Valentine, 13 Hydref 1936, Papurau Lewis Valentine, LlGC
[13] ibid.
[14] Saunders Lewis at D J, 29 Tachwedd 1936, Casgliad D J Williams, LlGC
[15] Saunders Lewis at D J, diddyddiad ond tua diwedd 1936, Casgliad D J Williams, LlGC
[16] Lewis Valentine at Kate Roberts, 23 Hydref 1936, Casgliad Kate Roberts, LlGC
[17] *Tân yn Llŷn*, Dafydd Jenkins, Cyhoeddiadau Plaid Cymru (1937)
[18] *The Times*, 8 Rhagfyr 1936
[19] ibid.
[20] Llythyr Lewis Valentine at O M Roberts, 11 Ionawr 1937, Papurau O M Roberts, LlGC
[21] ibid.
[22] ibid.
[23] *Tân yn Llŷn,* Dafydd Jenkins, Cyhoeddiadau Plaid Cymru (1937)
[24] ibid., 181
[25] ibid., 182
[26] *The Times*, 20 Ionawr 1937
[27] ibid.

Pennod 15 – Blasu'r Wermod

[1] 'Beddau'r Byw', *Y Ddraig Goch* 1937–39, argraffwyd gyda'i gilydd yn *Dyddiadur Milwr a Gweithiau Eraill*, gol. John Emyr, Gwasg Gomer (1988)
[2] ibid.
[3] ibid.
[4] ibid.
[5] ibid.
[6] *Y Cymro*, 28 Hydref 1970
[7] 'Beddau'r Byw', *Y Ddraig Goch* 1937–39
[8] ibid.
[9] ibid.
[10] ibid.
[11] ibid.
[12] *Y Cymro*, 28 Hydref 1970
[13] 'Beddau'r Byw', *Y Ddraig Goch* 1937–39
[14] *Y Cymro*, 28 Hydref 1970
[15] ibid.
[16] *Letters to Margaret Gilcriest*, 2 Mawrth 1937, Saunders Lewis, GPC (1993)
[17] *Y Cymro*, 28 Hydref 1970
[18] Adroddiad papur newydd anhysbys, Papurau Lewis Valentine, LlGC
[19] *In the Office of Constable*, Robert Mark, Collins (1978)
[20] ibid.
[21] Llythyr at ei dad o'r carchar, 26 Mawrth 1937, Casgliad preifat
[22] Lewis Valentine at Margaret Valentine 15 Ebrill 1937, Papurau Lewis Valentine, LlGC
[23] ibid.
[24] ibid.
[25] *Letters to Margaret Gilcriest*, 12 Gorffennaf 1937, Saunders Lewis, GPC (1993)
[26] Lewis Valentine at O M Roberts 14 Mehefin 1937, Papurau O M Roberts, LlGC
[27] Llythyr Lewis Valentine at Lilian Evans, 4 Gorffennaf 1937, Casgliad preifat
[28] D J Williams at Lewis Valentine, 28 Medi 1937, Papurau Lewis Valentine, LlGC
[29] *Y Cymro*, 28 Hydref 1970
[30] ibid.
[31] Lewis Valentine at D J Williams, 7 Ionawr 1956, Casgliad D J Williams, LlGC
[32] *Lewis Valentine yn Cofio*, gol. John Emyr, Gwasg Gee (1983)
[33] Saunders Lewis at Lewis Valentine, 17 Ionawr 1975, Papurau Lewis Valentine, LlGC

Pennod 16 – Y Ddaeargryn Fawr

[1] Lewis Valentine at Lilian Evans, 1 Medi 1937, Casgliad Preifat.
[2] Lewis Valentine at D J Williams, diddyddiad, Medi 1937, Casgliad D J Williams, LlGC
[3] ibid.
[4] ibid.
[5] Saunders Lewis at D J Williams, 3 Hydref 1937, Casgliad D J Williams, LlGC
[6] D J Williams at Lewis Valentine, diddydiad, Hydref 1937, Papurau Lewis Valentine, LlGC
[7] Saunders Lewis at D J Williams, 20 Medi 1937, Casgliad D J Williams, LlGC
[8] ibid., 7 Chwefror 1937
[9] ibid., 3 Awst 1937
[10] ibid., 26 Medi 1937
[11] ibid., 16 Tachwedd 1937
[12] *Y Coleg Gwyn – Canrif ym Mangor*, John Rice Rowlands, Gwasg Pantycelyn (1992), 69
[13] Dyddiadur Ambrose Bebb, dyfynnir yn *Ambrose Bebb*, Robin Chapman, Gwasg Prifysgol Cymru (1997). Nid oedd Bebb mor hael ei ganmoliaeth i areithiau'r dychweledigion. "Pelican yn yr anialwch" oedd D J, ac araith ddifflach anwleidyddol a gafwyd gan Valentine hefyd.
[14] *Daily Post*, 13 Medi 1937
[15] *Western Mail*, 13 Medi 1937
[16] ibid.
[17] Lewis Valentine at O M Roberts, 11 Ionawr 1937, Papurau O M Roberts, LlGC
[18] *Y Cymro*, 28 Hydref 1970
[19] Cyfweliad rhwng Lewis Valentine a Raymond Edwards, TWW, *Seren Gomer*, Gwanwyn 1968
[20] *Y Cymro*, 28 Hydref 1970

Pennod 17 – Marwor y Tân

[1] *Y Cymro*, 28 Hydref 1970
[2] Lewis Valentine at D J, llythyr diddyddiad, canol y 1940au, Casgliad D J Williams, LlGC
[3] Lewis Valentine at D J, diddyddiad ond gellir dyfalu iddo gael ei ysgrifennu yn y 1940au cynnar, Casgliad D J Williams, LlGC
[4] Lewis Valentine at Morris Williams, 25 Ebrill 1944, Papurau Kate Roberts, LlGC
[5] ibid.
[6] *Y Traethodydd*, Gorffennaf 1942
[7] ibid.
[8] 'Ateb i Mr Gwilym Davies', Saunders Lewis, *Y Faner*, 22 Gorffennaf 1942
[9] J E Jones at Lewis Valentine, diddyddiad, 1942, Papurau Lewis Valentine, LlGC
[10] D J Williams at Lewis Valentine, 23 Rhagfyr 1942, Papurau Lewis Valentine, LlGC
[11] Lewis Valentine at D J Williams, diddyddiad, 1943, Casgliad D J Williams, LlGC
[12] ibid.
[13] ibid.
[14] *Seren Cymru*, 8 Ionawr 1943
[15] ibid., 8 Ionawr 1943
[16] ibid., 15 Ionawr 1943
[17] Efallai mai dethol ffeithiau neu amlygu ddiffyg gwybodaeth ganol y rhyfel y mae Valentine yma. Y gwir yw mai enbyd o record oedd gan yr eglwysi Protestanaidd a Chatholig fel ei gilydd yn yr Almaen yn y tridegau a'r pedwardegau. Yn sicr perthynas amwys fu gan yr Eglwys Lutheraidd a'r Eglwys Babyddol fel ei gilydd gyda'r Natsïaid. Roedd gwrthsafiad Cristnogion yr Almaen yn dibynnu'n sylweddol ar safiad cydwybod unigolion dewr fel y Pabydd yr Esgob Galen, a Phrotestaniaid yr Eglwys Gyffesiadol fel Martin Niemöller a Dietrich

Bonhoeffer, a grogwyd gan yr SS am ei ran yn y cynllwyn i ladd Hitler.

[18] *Seren Cymru*, 15 Ionawr 1943

[19] ibid.

[20] ibid.

[21] ibid.

[22] *Seren Cymru*, 22 Ionawr 1943

[23] ibid.

[24] ibid.

[25] ibid.

[26] *Seren Cymru*, 5 Chwefror 1943

[27] ibid.

[28] ibid.

[29] ibid.

[30] *Seren Cymru*, 26 Chwefror 1943 a 5 Mawrth 1943

[31] *Seren Cymru*, 26 Chwefror 1943

[32] ibid.

[33] *Seren Cymru*, 19 Mawrth 1943

[34] ibid.

[35] Lewis Valentine at D J, diddyddiad, 1943, Papurau D J Williams, LlGC

[36] Lewis Valentine at D J Williams, Papurau D J Williams, LlGC

[37] ibid.

[38] ibid.

[39] D J at Lewis Valentine, 22 Ebrill 1943, Papurau Lewis Valentine, LlGC

[40] ibid.

[41] ibid.

[42] Lewis Valentine at Lilian Evans, 17 Tachwedd 1975, Casgliad preifat

[43] ibid.

[44] Cynwil Williams mewn llythyr at yr awdur, Ebrill 2006

[45] Cofnodion Cwrdd Eglwysig y Tabernacl, 13 Ionawr 1947

Pennod 18 – Bugeilio'r Ffin

[1] Lewis Valentine at D J Williams, 18 Rhagfyr 1946, Papurau D J Williams, LlGC

[2] ibid.

[3] Sgwrs rhwng Lewis Valentine a Raymond Edwards a ddarlledwyd ar TWW, *Seren Gomer*, Gwanwyn 1968

[4] ibid.

[5] *Lewis Valentine yn ei Gymanfa*, Einwen Jones

[6] Sgwrs â Raymond Edwards, TWW, *Seren Gomer*, Gwanwyn 1968

[7] Gohebiaeth rhwng y Parch. Derwyn Morris Jones a'r awdur, Gorffennaf 2006

[8] *Dyddiadur Milwr a Gweithiau Eraill*, gol. John Emyr, Gwasg Gomer (1988)

[9] *Lewis Valentine yn ei Gymanfa*, Einwen Jones

[10] Gohebiaeth rhwng y Parch. Derwyn Morris Jones a'r awdur, Gorffennaf 2006

[11] Yr wyf yn ddiolchgar i JohnTudor Davies am y wybodaeth yma.

[12] Teyrnged i Lewis Valentine, John Tudor Davies, *Nene*, 1986

[13] Dyfynnir mewn llythyr preifat at yr awdur oddi wrth JohnTudor Davies

[14] Teyrnged i Lewis Valentine, John Tudor Davies, *Nene*, 1986

[15] *Lewis Valentine yn ei Gymanfa*, Einwen Jones

[16] Teyrnged i Lewis Valentine, Gareth Hughes, *Nene*, 1986

[17] Sgwrs â Raymond Edwards, TWW, *Seren Gomer,* Gwanwyn 1968

[18] ibid.

[19] ibid.

[20] ibid.

[21] *Lewis Valentine yn ei Gymanfa*, Einwen Jones

[22] Lewis Valentine at Saunders Lewis, 29 Gorffennaf 1975, Casgliad Saunders Lewis, LlGC

[23] Saunders Lewis at Lewis Valentine, 1962, Papurau Lewis Valentine, LlGC

[24] *Seren Cymru*, 8 Hydref 1971

[25] *ibid.*

[26] Gohebiaeth rhwng y Parch. Derwyn Morris Jones a'r awdur, Gorffennaf 2006

[27] ibid.

[28] ibid.
[29] ibid.
[30] ibid.
[31] Gohebiaeth rhwng yr awdur a'r Parch. Emlyn John, Hydref 2005
[32] ibid.
[33] Cyfweliad rhwng yr awdur a'r Parch. John Young, Rhagfyr 2005
[34] ibid.
[35] ibid.
[36] ibid.
[37] Gohebiaeth rhwng yr awdur a'r Parch. Emlyn John, Hydref 2005
[38] Cyfweliad rhwng yr awdur a'r Parch. John Young, Rhagfyr 2005
[39] ibid.

Pennod 19 – Pregethwr y Crindir Cras

[1] Lewis Valentine at D J Williams, diddyddiad, 1950, Casgliad D J Williams, LlGC
[2] *Seren Gomer*, Gwanwyn 1951
[3] Kate Roberts at Saunders Lewis, 26 Chwefror 1964, *Annwyl Kate, Annwyl Saunders*, LlGC (1992)
[4] 'Golygyddiaeth *Seren Gomer* 1951–1974', B G Owens, *Seren Gomer*, Gwanwyn 1978
[5] *Seren Gomer*, Gaeaf 1951
[6] *Seren Gomer*, Gwanwyn 1974
[7] *Seren Gomer*, Gaeaf 1951
[8] *Seren Gomer*, 1965
[9] *Seren Gomer*, Haf 1951
[10] ibid.
[11] ibid.
[12] *Seren Gomer*, Gwanwyn 1954
[13] ibid.
[14] ibid.
[15] ibid.
[16] ibid.
[17] ibid.
[18] *Seren Gomer*, Gwanwyn 1968
[19] 'Golygyddiaeth *Seren Gomer* 1951–1974', B G Owens, *Seren Gomer*, Gwanwyn 1978
[20] *Y Brython*, 11 Hydref 1934
[21] *Seren Gomer*, Gwanwyn 1972
[22] *Yr Argyfwng*, Ambrose Bebb, Llyfrau'r Dryw (1955), 85
[23] *Lewis Valentine yn ei Gymanfa*, Einwen Jones
[24] Nodiadau ar gyfer 'Y Wyrth a Sut y Digwyddodd'; dyfynnir yn *Lewis Valentine yn ei Gymanfa*, Einwen Jones
[25] Araith Undeb y Bedyddwyr yn Amlwch, *Seren Gomer*, Gwanwyn 1954
[26] ibid.
[27] 'Y Wyrth a Sut y Digwyddodd', Araith Lewis Valentine o Gadair Cymanfa Dinbych, Fflint a Meirion yn Seion, Glyn Ceiriog, nos Fawrth, 11 Mehefin 1968, *Seren Gomer*, Gwanwyn 1968
[28] Lewis Valentine at Lilian Evans, 23 Mehefin 1955, Casgliad preifat
[29] Seren *Gomer*, Gwanwyn 1952
[30] *Seren Gomer*, Gwanwyn 1953
[31] ibid.
[32] ibid.
[33] ibid.
[34] ibid.
[35] ibid.
[36] ibid.
[37] ibid.
[38] ibid.
[39] ibid.
[40] ibid.
[41] Saunders Lewis at Lewis Valentine, Papurau Lewis Valentine, LlGC
[42] Gohebiaeth at Saunders Lewis, 19 Mai 1964, *Annwyl Kate, Annwyl Saunders*, gol. Dafydd Ifans, LlGC (1992)
[43] 'Y Proffwyd ymysg y Praidd', *Cedyrn Canrif*, Dafydd Densil Morgan, GPC (2001), 92

Pennod 20 – Proffwyd y Winllan Wen

[1] Erthygl Lewis Valentine yn *Yr Argyfwng* gan Ambrose Bebb, Llyfrau'r Dryw (1955), 85-6
[2] Lewis Valentine at Lilian Evans, 23 Mehefin 1955
[3] *Yr Argyfwng*, Ambrose Bebb, Llyfrau'r Dryw (1955), 83
[4] *Lewis Valentine yr Heddychwr*, Pryderi Llwyd Jones, Cymdeithas Heddwch Undeb y Bedyddwyr (1986)
[5] ibid.
[6] D J Williams at Lewis Valentine 21 Mawrth 1946, Papurau Lewis Valentine, LlGC
[7] Araith yng nghyfarfod dadorchuddio cofeb Valentine yn Llanddulas, 6 Awst 1995, *Y Tyst*, 31 Awst 1995
[8] Lewis Valentine at D J Williams, 15 Mai 1956, Casgliad D J Williams, LlGC
[9] *Y Tyst*, 31 Awst 1995
[10] *Seren Gomer*, Haf 1956
[11] *Seren Gomer*, Haf 1952
[12] *Seren Gomer*, 1958
[13] ibid.
[14] 'Golygyddiaeth *Seren Gomer* 1951–1974', B G Owens, *Seren Gomer*, Gwanwyn 1978
[15] 'Blas ar Lyfrau', *Seren Gomer*, Haf 1964
[16] Niemöller oedd awdur y geiriau enwog am bwysigrwydd sefyll yn agored dros iawnderau dynol:

Fe ddaethon nhw am y Comiwnyddion,
ond wnes i ddim codi llais;
nid Comiwnydd oeddwn i.
Yna fe ddaethon nhw am y Democratiaid Sosialaidd,
ond nid Democrat Sosialaidd oeddwn i,
felly wnes i ddim byd.
Yna tro yr Undebwyr Llafur oedd hi,
ond nid Undebwr Llafur oeddwn i.
Ac yna fe ddaethon nhw am yr Iddewon,
ond nid Iddew oeddwn i,
a wnes i ddim gwrthwynebu.
Yna fe ddaethon nhw amdanaf i,
a doedd neb ar ôl i wrthwynebu.

[17] Lewis Valentine at Lilian Evans, 23 Mehefin 1955, Casgliad preifat
[18] ibid.
[19] *Lewis Valentine yn ei Gymanfa*, Einwen Jones
[20] Lewis Valentine at Lilian Evans, 7 Ebrill 1982, Casgliad preifat
[21] Gohebiaeth rhwng yr awdur a John Tudor Davies, Hydref 2005
[22] Araith Llywydd y Dydd, Eisteddfod Genedlaethol Llandudno 1963, dydd Iau, 8 Awst 1963 (cyhoeddwyd yn *Seren Cymru*, 16 Awst 1963)
[23] Y Parch. T R Jones, *Y Winllan Wen,* Araith Llywydd Undeb Bedyddwyr Cymru, 1997
[24] *Seren Gomer*, Gaeaf 1953
[25] Lewis Valentine at D J, diddyddiad, 1950, Casgliad D J Williams, LlGC
[26] *Seren Gomer*, Gwanwyn 1957
[27] ibid.
[28] ibid.
[29] Lewis Valentine at D J, 3 Mehefin 1960, Casgliad D J Williams, LlGC

Pennod 21 – Tynged Heniaith Fwyn

[1] Saunders Lewis at D J Williams, 15 Ionawr 1962, Casgliad D J Williams, LlGC
[2] Lewis Valentine at D J Williams, 27 Chwefror 1962, Casgliad D J Williams, LlGC
[3] Lewis Valentine at J E Jones, 28 Chwefror 1962
[4] J E Jones at Lewis Valentine, Chwefror 1962, Papurau Lewis Valentine, LlGC
[5] D J Williams at Lewis Valentine, 10 Ebrill 1962, Papurau Lewis Valentine, LlGC

[6] Araith Llywydd Undeb Bedyddwyr Cymru yng Nghalfaria, Clydach, 16 Ebrill 1962 (cyhoeddwyd yn *Seren Gomer*, Haf 1962)
[7] ibid.
[8] ibid.
[9] ibid.
[10] ibid.
[11] ibid.
[12] ibid.
[13] ibid.
[14] ibid.
[15] ibid.
[16] ibid.
[17] ibid.
[18] ibid.
[19] ibid.
[20] ibid.
[21] ibid.
[22] Llythyr Lewis Valentine at O M Roberts, 1938, Papurau O M Roberts, LlGC
[23] *Y Deyrnas*, 1926
[24] *Lewis Valentine yn ei Gymanfa*, Einwen Jones
[25] ibid.
[26] ibid.
[27] ibid.
[28] ibid.
[29] Isaac Thomas, *Adnabod Deg*, Cyhoeddiadau Plaid Cymru (1977), 56
[30] Araith Llywydd y Dydd, Eisteddfod Genedlaethol Llandudno, 1963, dydd Iau, 8 Awst 1963 (cyhoeddwyd yn *Seren Cymru*, 16 Awst 1963)
[31] ibid.
[32] ibid.
[33] ibid.
[34] ibid.
[35] ibid.
[36] ibid.
[37] ibid.
[38] ibid.
[39] ibid.
[40] ibid.
[41] *Seren Gomer*, Gaeaf 1964
[42] ibid.
[43] ibid.
[44] ibid.
[45] *Tafod y Ddraig,* Awst 1967 (priflythrennau yn y gwreiddiol)
[46] *Y Cymro*, 28 Hydref 1970
[47] ibid.
[48] Saunders Lewis at Lewis Valentine, 21 Mawrth 1971, Papurau Lewis Valentine, LlGC
[49] Saunders Lewis at Lewis Valentine, 16 Mawrth 1972, Papurau Lewis Valentine, LlGC
[50] *Y Cymro*, 28 Hydref 1970
[51] ibid.
[52] 'Lewis Valentine fel pregethwr', Saunders Lewis, *Seren Cymru*, 8 Hydref 1971
[53] *Seren Gomer*, Gaeaf 1964
[54] ibid.
[55] ibid.
[56] *Seren Gomer*, Gaeaf 1965
[57] ibid.
[58] ibid.
[59] ibid.
[60] Lewis Valentine at D J, 1 Rhagfyr 1964, Casgliad D J Williams, LlGC
[61] *Rhag Pob Brad*, Rhys Evans, Y Lolfa (2005), 261
[62] Lewis Valentine at D J, 5 Ebrill 1966, Casgliad D J Williams, LlGC
[63] *Seren Gomer*, Hydref 1966

Pennod 22 – Aduniad

[1] Lewis Valentine at D J, 15 Mehefin 1966, Casgliad D J Williams, LlGC
[2] Lewis Valentine at D J, llythyr diddyddiad, Casgliad D J Williams, LlGC
[3] Lewis Valentine at D J, 28 Gorffennaf 1968, Casgliad D J Williams, LlGC
[4] D J Williams at Lewis Valentine, 16 Medi 1968, Papurau Lewis Valentine, LlGC

[5] 'Y Trithro Olaf', *Y Ddraig Goch*, Chwefror 1970

[6] Yn wir, er i Saunders Lewis roi cynnig aflwyddiannus ar gyhoeddi'r erthygl yn *Y Faner*, ni chafodd ei chyhoeddi tan *Barn* Gorffennaf-Awst, 1994. Am fwy o gefndir yr erthygl gweler erthygl Menna Baines yn y rhifyn uchod o *Barn*.

[7] ibid.

[8] Am arwyddocâd yr erthygl a datganiadau Saunders Lewis ar strategaeth a gobeithion etholiadol Plaid Cymru gweler *Rhag Pob Brad*, Cofiant Gwynfor Evans, Rhys Evans, Y Lolfa (2005)

[9] Lewis Valentine at D J, 28 Gorffennaf 1968, Casgliad D J Williams, LlGC

[10] Elwyn Roberts at Lewis Valentine a D J, 12 Medi 1968, Archif Plaid Cymru, LlGC

[11] Cyfweliad R O F Wynne, Rhaglen *24 Hours*, BBC, 10 Medi 1968

[12] ibid.

[13] ibid.

[14] ibid.

[15] *Daily Post*, 11 Medi 1968

[16] Lewis Valentine at Elwyn Roberts, 12 Medi 1968, Archif Plaid Cymru, LlGC

[17] Lewis Valentine at Elwyn Roberts, 14 Medi 1968, Archif Plaid Cymru, LlGC

[18] Ateb D J i Elwyn Roberts, 14 Medi 1968, Archif Plaid Cymru, LlGC

[19] ibid.

[20] Lewis Valentine at D J, 14 Medi 1968, Casgliad D J Williams, LlGC

[21] Saunders Lewis at Lewis Valentine 16 Medi 1968, Papurau Lewis Valentine, LlGC

[22] Saunders Lewis at Lewis Valentine, Sul y Blodau 1969, Papurau Lewis Valentine, LlGC

[23] ibid.

[24] *Seren Gomer*, Gaeaf 1969

[25] Llythyr Lewis Valentine at Kate Roberts, 9 Ionawr 1970, Casgliad Kate Roberts, LlGC

Pennod 23 – Hwyrol Awen

[1] *The Times*, 8 Ionawr 1970

[2] *Lewis Valentine yn ei Gymanfa*, Einwen Jones

[3] ibid.

[4] Lewis Valentine at Einwen Jones, 20 Mai 2006, Casgliad preifat

[5] Gareth Hughes, *Nene*, 1986

[6] E Meirion Roberts, *Barddas*, Mai 1986

[7] Lewis Valentine at Saunders Lewis, 14 Mawrth 1972, Casgliad Saunders Lewis, LlGC

[8] Lewis Valentine at Lilian Evans, Mawrth 1980, Casgliad preifat

[9] *Sgwrsio gyda Taid*, BBC Radio Cymru (1976)

[10] Saunders Lewis at Lewis Valentine, 21 Mawrth 1971, Papurau Lewis Valentine

[11] Lewis Valentine at Saunders Lewis, 14 Mawrth 1972, Casgliad Saunders Lewis, LlGC

[12] Lewis Valentine at Saunders Lewis, 18 Rhagfyr 1976, Casgliad Saunders Lewis, LlGC

[13] Saunders Lewis at Lewis Valentine, 20 Chwefror 1978, Papurau Lewis Valentine, LlGC

[14] *Lewis Valentine yn ei Gymanfa,* Einwen Jones

[15] Lewis Valentine at Lilian Evans, 19 Ionawr 1973, Casgliad preifat

[16] ibid.

[17] Gohebiaeth rhwng yr awdur a'r Parch. Emlyn John, Hydref 2005

[18] *Lewis Valentine yn ei Gymanfa*, Einwen Jones

[19] ibid.

[20] ibid.

[21] ibid.

[22] Wedi'i gynnwys mewn llythyr diddyddiad oddi wrth Lewis Valentine at Lilian Evans, 1975, Casgliad preifat

[23] Gweler Atodiad 3 am y gerdd gyflawn

[24] 'Golygyddiaeth *Seren Gomer* 1951–74', B G Owens, *Seren Gomer*, rhifyn 70, 1978

[25] Gohebiaeth rhwng Maurice Loader a'r awdur, Gwanwyn 2006
[26] Lewis Valentine at Lilian Evans, diddyddiad, 1972, Casgliad preifat
[27] *Lewis Valentine yn ei Gymanfa*, Einwen Jones

Pennod 24 – Terfyn

[1] John Tudor Davies, *Nene*, 1986
[2] *Lewis Valentine yn ei Gymanfa*, Einwen Jones
[3] ibid.
[4] ibid.
[5] Lewis Valentine at Lilian Evans, 4 Mehefin 1972, Casgliad preifat
[6] Lewis Valentine at Lilian Evans, 29 Mehefin 1974, Casgliad preifat
[7] ibid. (yn ôl Valentine enw hen bregethwr o Fôn am wisgi oedd 'miswail y cythrel').
[8] Lewis Valentine at Lilian Evans, 29 Mehefin 1974, Casgliad preifat
[9] ibid.
[10] *Seren Gomer,* Gwanwyn 1971
[11] ibid.
[12] Lewis Valentine at Saunders Lewis, 3 Medi 1976, Casgliad Saunders Lewis, LlGC
[13] Lewis Valentine at Pennar Davies, 11 Chwefror 1980, LlGC
[14] Meredydd Evans at Lewis Valentine, Mawrth 1980, Papurau Lewis Valentine, LlGC
[15] Lewis Valentine at Lilian Evans, diddyddiad, 1970, Casgliad preifat
[16] ibid., Hydref 1974, Casgliad preifat
[17] ibid., 17 Tachwedd 1975, Casgliad preifat
[18] Lewis Valentine at Einwen Jones, Gwanwyn 1975, Casgliad preifat
[19] Lewis Valentine at Lilian Evans, Haf 1976, Casgliad preifat
[20] Lewis Valentine at Lilian Evans, Ebrill 1979, Casgliad preifat
[21] ibid.
[22] ibid.
[23] ibid.
[24] Lewis Valentine at Gwynfor Evans, 9 Medi 1980, Papurau Lewis Valentine, LlGC
[25] Lewis Valentine at Lilian Evans, 7 Ebrill 1982, Casgliad preifat
[26] ibid.
[27] Lewis Valentine at Saunders Lewis, 3 Medi 1976, Casgliad Saunders Lewis, LlGC
[28] Lewis Valentine at Saunders Lewis, 28 Mawrth 1982, Casgliad Saunders Lewis, LlGC
[29] 'Fy Nyled i Saunders Lewis', *Seren Cymru*, 2 Tachwedd 1973
[30] Lewis Valentine at Lilian Evans, Haf 1979, Casgliad preifat
[31] Lewis Valentine at Saunders Lewis, 1 Mawrth 1983, Casgliad Saunders Lewis, LlGC
[32] Cyfweliad Lewis Valentine gydag Alwyn Gruffydd, BBC Radio Cymru, 1983
[33] John Stoddart, *Barn*, Ebrill 1986
[34] Lewis Valentine at Einwen Jones; dyfynnir yn *Lewis Valentine yn ei Gymanfa*
[35] Lewis Valentine at Lilian Evans, Ebrill 1980, Casgliad preifat
[36] Gohebiaeth rhwng yr awdur a'r Parch. Derwyn Morris Jones, Gorffennaf 2006
[37] Dywedodd wrth Wynne Samuel ymysg eraill, "Be 'di gwerth y DD ond rhywbeth i'w gosod ar blât fy arch." Dyfynnir yn *Barn,* Ebrill 1986
[38] E Meirion Roberts, *Barddas*, Mai 1986
[39] Y pedwar oedd Glyn Tomos, Dafydd Roberts, Emrys Wynne a Rheon Tomos
[40] Lewis Valentine at Lilian Evans, diddyddiad, 1976, Casgliad preifat
[41] Lewis Valentine at Lilian Evans, diddyddiad, 1973, Casgliad preifat

Pennod 25 –
Dyrchafu Cyfiawnder

[1] *Barn*, Ebrill 1986

[2] Teyrnged y Parch. John Rice Rowlands yn angladd Lewis Valentine, *Seren Cymru*, 11 Ebrill 1986

[3] Cyfweliad â'r awdur, Mawrth 2006. Rwy'n ddiolchgar iawn i'r Athro Dafydd Densil Morgan am rannu ei syniadau am ddiwinyddiaeth Valentine â mi.

[4] Lewis Valentine at Lilian Evans, diddyddiad, 1979, Casgliad preifat

[5] Lewis Valentine at Saunders Lewis, 11 Medi 1976, Casgliad Saunders Lewis, LlGC

[6] *Seren Gomer*, Gwanwyn 1968

[7] ibid.

[8] ibid.

[9] Lewis Valentine at O M Roberts, 22 Hydref 1979, Casgliad O M Roberts, LlGC

Mynegai